A FLORESTA
SOMBRIA

CIXIN LIU

A FLORESTA SOMBRIA

TRADUÇÃO
Leonardo Alves

9ª reimpressão

Traduzido da edição americana (The Dark Forest)

Grafia atualizada segundo o Acordo Ortográfico da Língua Portuguesa de 1990, que entrou em vigor no Brasil em 2009.

Título original
黑暗森林

Capa
Rodrigo Maroja

Foto de capa
agsandrew/ Shutterstock

Preparação
Gustavo de Azambuja Feix

Revisão
Renata Lopes Del Nero
Dan Duplat

Dados Internacionais de Catalogação na Publicação (CIP)
(Câmara Brasileira do Livro, SP, Brasil)

Liu, Cixin
A floresta sombria / Cixin Liu ; tradução Leonardo Alves. – 1ª ed. – Rio de Janeiro : Suma, 2017.

Título original: The Dark Forest.
ISBN 978-85-5651-050-1

1. Ficção científica 2. Ficção chinesa – Escritores chineses I. Título.

17-07367 CDD–895.13

Índice para catálogo sistemático:
1. Ficção científica : Literatura chinesa 895.13

EDITORA SCHWARCZ S.A.
Praça Floriano, 19, sala 3001 – Cinelândia
20031-050 – Rio de Janeiro – RJ
Telefone: (21) 3993-7510
www.companhiadasletras.com.br
www.blogdacompanhia.com.br
facebook.com/editorasuma
instagram.com/sumadeletras_br
twitter.com/Suma_BR

DRAMATIS PERSONAE

ORGANIZAÇÕES

OTT	Organização Terra-Trissolaris
CDP	Conselho de Defesa Planetária
CCFS	Conferência Conjunta da Frota Solar

LISTA DE PERSONAGENS

Os nomes chineses são escritos com o sobrenome na frente.

Luo Ji	Astrônomo e sociólogo
Ye Wenjie	Astrofísica
Mike Evans	Financiador e principal líder da OTT
Wu Yue	Capitão de mar e guerra da Marinha chinesa
Zhang Beihai	Comissário político da Marinha chinesa; oficial da Força Espacial Chinesa
Chang Weisi	General do Exército da Libertação Popular; comandante da Força Espacial Chinesa
George Fitzroy	General americano; coordenador do Conselho de Defesa Planetária; adido militar ligado ao projeto Hubble II
Albert Ringier	Astrônomo do Hubble II
Zhang Yuanchao	Funcionário recém-aposentado de uma indústria química de Beijing
Yang Jinwen	Professor aposentado de ensino fundamental de Beijing
Miao Fuquan	Magnata do carvão de Shanxi; vizinho de Zhang e Yang
Shi Qiang	Oficial do departamento de segurança do CDP, também chamado Da Shi
Shi Xiaoming	Filho de Shi Qiang

Kent	Representante do CDP
Say	Secretária-geral da ONU
Frederick Tyler	Ex-secretário de Defesa dos Estados Unidos
Manuel Rey Diaz	Ex-presidente da Venezuela
Bill Hines	Neurocientista inglês; ex-presidente da União Europeia
Keiko Yamasuki	Neurocientista; esposa de Hines
Garanin	Presidente rotativo do CDP
Ding Yi	Físico teórico
Zhuang Yan	Estudante de pós-graduação da Academia Central de Belas-Artes
Ben Jonathan	Comissário especial da Conferência Conjunta da Frota Solar
Dongfang Yanxu	Comandante da *Seleção Natural*
Xizi	Capitã de corveta e oficial científica da *Quantum*

PRÓLOGO

A formiga marrom tinha esquecido que aquele lugar já fora sua casa. Para o crepúsculo da Terra e para as estrelas que começavam palidamente a aparecer, o intervalo de tempo talvez fosse insignificante, mas não para a formiga, que tinha a impressão de que séculos haviam passado. Em dias já esquecidos, seu mundo havia virado de cabeça para baixo: o solo alçara voo, deixando um amplo e profundo abismo, antes de voltar a ser preenchido, completamente. Em uma das extremidades da terra remexida havia uma solitária formação preta. Este tipo de coisa costumava acontecer muito naquele vasto território: a saída e o retorno da terra, abismos abertos e preenchidos, formações rochosas que despontavam como marcadores visíveis a cada transformação catastrófica. Durante o pôr do sol, a formiga e centenas de suas irmãs haviam escoltado a rainha sobrevivente para estabelecer um novo império. Aquele retorno era só um acaso em sua busca por comida.

A formiga alcançou a base da formação, sentindo com suas antenas a presença indomável. Ao constatar que a superfície era dura e escorregadia, mas ainda possível de ser escalada, passou a subir, seguindo apenas a turbulência aleatória de sua simplória rede neural. Havia turbulência em tudo, em cada folha de grama, em cada gota de orvalho, em cada nuvem no céu e em cada estrela. A turbulência carecia de propósito, mas, em meio à quantidade colossal de turbulência despropositada, o propósito emergia.

A formiga sentiu vibrações cada vez mais intensas no solo e soube que outra presença gigante se aproximava, mas ignorou o fato e continuou subindo. No ponto em que a base da formação fazia um ângulo reto com o solo, havia uma teia de aranha, e isso a formiga conhecia. Ela manteve uma distância cuidadosa dos fios pegajosos e da aranha, que esperava com as patas estendidas, para sentir vibrações na teia. Uma estava ciente da presença da outra, mas — tal como fora desde o começo dos tempos — não houve qualquer comunicação.

As vibrações se intensificaram e, então, pararam. O ser gigantesco havia chegado à formação. Era muito maior do que a formiga e ocultava a maior parte do céu. A formiga conhecia seres daquele tipo, criaturas vivas que apareciam com frequência naquela região. Sabia que aquela presença tinha alguma relação íntima com os abismos efêmeros e as formações que se multiplicavam.

A formiga continuou escalando, certa de que aqueles seres, quase sempre, não representavam ameaça. Mais abaixo, a aranha encontrou uma daquelas raras exceções quando o ser, que evidentemente percebera a aranha entre a formação e o solo, arrancou a teia com os caules de um buquê de flores, que estava na ponta de um de seus membros, lançando a aranha em cima do mato, antes de colocar as flores com cuidado na frente da formação.

Depois, outra vibração mais fraca, porém de crescente intensidade, informou à formiga que outro ser vivo da mesma espécie estava vindo em direção à formação. No mesmo instante, a formiga encontrou uma fenda comprida, uma depressão na superfície da formação que tinha uma textura mais áspera e uma cor diferente: bege. Ela seguiu pela fenda, pois a textura áspera facilitava a escalada. Em cada extremidade da fenda havia outra menor e mais estreita: uma base horizontal, a partir de onde a fenda principal saía, e uma fenda superior que formava um ângulo com a maior. Quando a formiga voltou para a superfície preta lisa, havia formado uma impressão geral do formato das fendas: "1".

A altura do ser diante da formação caiu pela metade, de modo que ele ficou mais ou menos do mesmo tamanho da formação. Evidentemente, havia se ajoelhado, revelando atrás de si um pedaço de céu azul-escuro, onde as ainda poucas estrelas começavam a brilhar um pouco mais forte. Os olhos do ser examinaram a parte de cima da formação, e a formiga considerou por um instante se devia invadir a linha de visão da criatura. Preferiu mudar de direção e começou a andar em paralelo ao chão, chegando logo a outra fenda e desfrutando a agradável sensação dos passos na textura áspera. A cor bege lembrava os ovos que cercavam sua rainha. Sem hesitar, a formiga seguiu para baixo pela fenda. Depois de alguns passos, o traço ficou mais complicado, uma curva que se estendia por baixo de um círculo fechado. Aquilo lembrava a formiga do processo de procurar informações olfativas até encontrar o caminho de volta para o formigueiro. Um padrão se estabeleceu em sua rede neural: "9".

Depois, o ser ajoelhado na frente da formação fez um barulho, uma série de barulhos que ia muito além da capacidade de compreensão da formiga:

— Estar vivo é uma dádiva. Se você não consegue compreender isso, como poderá buscar algo mais profundo?

O ser emitiu um som que parecia uma brisa soprando pela grama, um suspiro, e se levantou.

A formiga continuou andando paralelamente ao chão e entrou em uma terceira fenda, praticamente vertical, até se virar: "7". Ela não gostou dessa forma. Uma virada brusca e repentina costumava significar perigo ou batalha.

Como a voz do primeiro ser havia disfarçado as vibrações, só naquele momento a formiga percebeu que a segunda criatura já estava junto da formação. Mais baixa e frágil, a criatura tinha cabelos brancos, que contrastavam com o fundo azul-escuro do céu e balançavam como fios de prata no vento, ligados de alguma forma à quantidade crescente de estrelas.

O primeiro ser se levantou para receber a outra criatura.

— A senhora é a dra. Ye?

— Você é... Xiao Luo?*

— Luo Ji. Estudei na mesma escola que Yang Dong no ensino médio. Por que a senhora está... aqui?

— É um lugar agradável e fácil de chegar de ônibus. Ultimamente tenho vindo caminhar aqui com alguma frequência.

— Meus sentimentos, dra. Ye.

— É página virada...

Na formação, a formiga queria se virar na direção do céu, mas descobriu mais uma fenda na sua frente, idêntica àquela com forma de "9" que havia percorrido antes do "7". Ela continuou no sentido horizontal pelo "9": mesmo sem saber por quê, achava melhor do que o "7" e o "1". Seu senso estético era primitivo e unicelular. O prazer indefinido que sentira ao caminhar pelo "9" ficou mais forte. Um estado de felicidade primitivo e unicelular. A estética e o prazer, duas células espirituais, nunca tinham evoluído na formiga: não haviam mudado no último bilhão de anos, e não mudariam no bilhão de anos seguinte.

— Xiao Luo, Dong Dong falava muito de você. Dizia que você trabalha com... astronomia?

— Isso mesmo, trabalhava. Atualmente sou professor universitário de sociologia. Aliás, dou aula na sua faculdade, mas a senhora já estava aposentada quando comecei.

— Sociologia? É uma mudança bem grande.

— Pois é. Yang Dong sempre dizia que eu não tinha foco.

— Ela não estava brincando quando mencionou que você era inteligente.

— Inteligente não só esperto. Nunca cheguei nem perto do nível da sua filha. Para mim a astronomia era como um bloco impenetrável de ferro. Já a sociologia

* *Xiăo* é um diminutivo que significa "pequeno" ou "jovem" e é empregado antes de um sobrenome ao se dirigir a crianças ou como demonstração de afeto.

é como uma tábua de madeira: com certeza deve ter algum ponto fino o suficiente para atravessar com um soco. É mais fácil.

Na esperança de encontrar outro "9", a formiga continuou o trajeto horizontal, mas o que achou na sequência foi uma linha horizontal completamente reta, como a primeira fenda, só que mais longa do que o "1", deitada de lado e sem fendas menores nas pontas. Uma forma de "–".

— Você não deveria falar assim. Tem a vida de uma pessoa normal. Nem todo mundo consegue ser como Dong Dong.

— Eu realmente não tenho essa ambição. Vou levando.

— Tenho uma sugestão. Que tal estudar sociologia cósmica?

— Sociologia cósmica?

— Um nome escolhido ao acaso. Digamos que exista uma quantidade imensa de civilizações distribuídas pelo universo, um número semelhante à quantidade de estrelas que podemos detectar. Muitas e muitas. Essas civilizações compõem o corpo de uma sociedade cósmica. Sociologia cósmica é o estudo da natureza dessa supersociedade.

A formiga não tinha avançado muito na formação. Queria ter encontrado um agradável "9", mas acabou se deparando com um "2", com uma curva inicial confortável e uma virada brusca no fim, tão assustadora quanto a do "7". A premonição de um futuro incerto. A formiga continuou em frente até a fenda seguinte, uma forma fechada: "0". A trilha parecia fazer parte de um "9", mas era uma armadilha. A vida precisava de suavidade, mas também de direção. Não se podia sempre voltar ao ponto de origem. Isso a formiga compreendia. Embora houvesse outras duas fendas mais adiante, a formiga perdeu o interesse e voltou a subir.

— Mas... a nossa civilização é a única que conhecemos por enquanto.

— E é por isso que ninguém nunca estudou sociologia cósmica. A oportunidade está nas suas mãos.

— Fascinante, dra. Ye. Por favor, continue.

— Penso que é possível unir as suas duas disciplinas. A estrutura matemática da sociologia cósmica é muito mais clara que a da sociologia humana.

— Por que a senhora diz isso?

Ye Wenjie apontou para o céu: o pôr do sol seguia iluminando o oeste. Como ainda era possível contar as estrelas que despontavam, era fácil lembrar como o firmamento estivera pouco antes: uma imensidão vazia e azul, ou um rosto sem pupilas, como uma estátua de mármore em um jazigo. Agora, embora fossem poucas as estrelas, os olhos gigantes tinham pupilas. O vazio estava preenchido. O universo enxergava. As estrelas eram minúsculas, meros pontos cintilantes de prata que insinuavam algum desconforto por parte do escultor cósmico, que se sentira compelido a cobrir o universo com pupilas, mas tinha um terror absoluto quanto a lhe conceder a visão. Esse equilíbrio de medo e desejo resultou no tamanho diminuto das estrelas em meio à imensidão do espaço, uma declaração de cautela acima de tudo.

— Está vendo que as estrelas são pontos? O caos e a aleatoriedade que fazem parte da composição complexa de cada sociedade civilizada do universo são filtrados pela imensa distância, então essas civilizações funcionariam como pontos de referência que podem ser manipulados matematicamente com relativa facilidade.

— Mas não existe nenhum objeto concreto de estudo nessa sua sociologia cósmica, dra. Ye. Não é possível fazer pesquisas e experimentos.

— Bem, isso significa que o resultado final será estritamente teórico. Como geometria euclidiana, você estabelecerá alguns axiomas iniciais simples e, a partir dessa base, vai derivar um sistema teórico.

— Isso é tudo muito fascinante, mas quais seriam os axiomas da sociologia cósmica?

— Primeiro: a principal necessidade de uma civilização é a sobrevivência. Segundo: a civilização cresce e se expande continuamente, mas a matéria total do universo permanece constante.

A formiga não avançara muito quando percebeu que havia outras fendas mais para o alto, e muitas formavam um labirinto complicado. Ela as identificava e tinha certeza de que conseguiria decifrá-las, mas a capacidade limitada de armazenamento de sua minúscula rede neural a obrigaria a esquecer as formas que já havia percorrido. A formiga não lamentava esquecer o "9", pois o esquecimento constante fazia parte da vida. Poucas eram as lembranças que ela precisava guardar para sempre, e essas reminiscências estavam gravadas na área de armazenamento conhecida como instinto.

Depois de esvaziar a memória, a formiga entrou no labirinto. Após navegar pelas curvas e dobras, estabeleceu outro padrão em sua consciência simples: o caractere chinês 墓 — *mu*, ou "túmulo", embora a formiga não conhecesse o caractere nem o significado. Mais para cima, outra combinação de fendas, muito mais simples. Apesar disso, para continuar explorando, a formiga precisaria liberar a memória e esquecer o *mu*. Ela entrou em uma fenda maravilhosa de linhas, uma forma que a fazia pensar no abdome de um grilo cujo corpo havia encontrado pouco antes. A formiga logo percorreu a estrutura nova: 之, *zhi*, vocábulo chinês que indica posse. Depois, ainda subindo, achou outras duas combinações de fendas: a primeira era formada por duas depressões em forma de gota e um abdome de grilo — 冬, *dong*, ou "inverno". A de cima tinha duas partes separadas, que juntas compunham o caractere 杨 — *yang*, ou "choupo". Essa foi a última imagem de que a formiga se lembrou, e a única que sua memória guardou depois de toda a jornada. As formações interessantes que tinham surgido antes haviam desaparecido.

— Esses dois axiomas são sociologicamente fortes... mas a senhora formulou tudo muito rápido, como se já tivesse refletido sobre o assunto — ponderou Luo Ji, um pouco surpreso.

— Eu passei a maior parte da vida pensando nisso, mas nunca falei com ninguém. Não sei muito bem por quê... Mais um detalhe, para elaborar uma imagem elementar da sociologia cósmica a partir desses dois axiomas, você precisa considerar outros dois conceitos importantes: desconfiança em cadeia e explosão tecnológica.

— Termos interessantes. Como a senhora explicaria esses conceitos?

Ye Wenjie olhou para o relógio.

— Não temos tempo. Mas você é inteligente e vai conseguir entender ambos. Se usar esses dois axiomas como ponto de partida para sua disciplina, é bem possível que acabe se tornando o Euclides da sociologia cósmica.

— Não sou nenhum Euclides. Mas vou me lembrar do que a senhora disse e experimentar. Talvez em algum momento eu precise pedir sua orientação.

— Receio que não será possível... Nesse caso, apenas esqueça tudo o que falei. Seja como for, cumpri minha obrigação. Bom, Xiao Luo, preciso ir embora.

— Cuide-se, professora.

Na tarde crepuscular, Ye Wenjie partiu para seu último compromisso.

A formiga continuou escalando e chegou a uma bacia redonda na rocha, cuja superfície lisa exibia uma imagem extremamente complicada. Sabia que sua minúscula rede neural jamais conseguiria registrar aquilo, mas, depois de determinar os traços gerais da imagem, a estética primitiva unicelular se estimulou da mesma maneira como havia acontecido com a percepção do "9" e, de algum jeito, a formiga aparentemente reconheceu parte da imagem, um par de olhos. A formiga era sensível a olhos, pois o olhar representava perigo. No entanto, não sentiu ansiedade naquele momento, pois sabia que não havia vida naqueles olhos. Ela já havia esquecido que, quando o ser gigantesco chamado Luo Ji se ajoelhou em silêncio diante da formação, ele tinha olhado para aqueles olhos. A formiga saiu da bacia e escalou para cima do cume da formação, sem qualquer sentimento de imponência em relação aos arredores, pois não tinha medo de cair. Já havia sido derrubada pelo vento de lugares mais altos muitas outras vezes sem se machucar. Sem medo de altura, é impossível reconhecer a beleza de lugares altos.

Ao pé da formação, a aranha que Luo Ji havia afastado com as flores estava começando a reconstruir a teia. Lançou um fio brilhante a partir da superfície rochosa e se balançou até o chão, como se fosse um pêndulo. Depois de outras três balançadas, o esqueleto da teia estava pronto. A teia poderia ser destruída dez mil vezes: dez mil vezes seria reconstruída pela aranha. Não havia irritação, nem desespero, nem alegria, e nunca houve por um bilhão de anos.

Luo Ji guardou um momento de silêncio e também foi embora. Depois que as vibrações no solo se dissiparam, a formiga desceu da formação por um caminho diferente e voltou às pressas ao formigueiro, para relatar a localização de um besouro morto. As estrelas tinham se multiplicado no céu. Quando a formiga passou pela aranha na base da formação, uma sentiu a presença da outra, mas elas não se comunicaram.

Enquanto aquele mundo distante prendia a respiração para tentar escutar, a formiga e a aranha ignoravam que, entre todos os seres vivos da Terra, as duas foram as únicas testemunhas do nascimento dos axiomas da civilização cósmica.

Mais cedo, na calada da noite, parado na proa do *Juízo Final*, Mike Evans contemplava o oceano Pacífico deslizar à sua volta, como um lençol de seda sob o firmamento. Evans gostava de conversar com o mundo distante em momentos assim, porque o texto exibido pelo sófon em suas retinas fazia um contraste maravilhoso diante do mar e do céu noturno.

Esta é nossa vigésima segunda conversa em tempo real. Enfrentamos algumas dificuldades em nossa comunicação.

— Sim, senhor. Percebi que vocês não compreendem uma parcela considerável do material de referência que entregamos sobre a humanidade.

Sim. Você explicou as partes com muita clareza, mas não conseguimos compreender o todo. Tem alguma coisa diferente.

— Só uma coisa?

Sim. Mas às vezes parece que falta algo em seu mundo, e em outras parece que há algo a mais, e não sabemos quando é um caso e quando é outro.

— Qual é o elemento que causa confusão?

Estudamos com cuidado seus documentos e descobrimos que o segredo para a compreensão do problema reside em um par de sinônimos.

— Sinônimos?

Seus idiomas têm muitos sinônimos perfeitos e aproximados. No primeiro idioma que recebemos de vocês, o chinês, havia palavras que expressavam o mesmo sentido, como "frio" e "fresco", "pesado" e "maciço", "longe" e "distante".

— Qual dos pares de sinônimos criou o obstáculo à compreensão que o senhor acabou de mencionar?

"Pensar" e "dizer". Para nossa surpresa, acabamos de descobrir que essas duas palavras não são exatamente sinônimas.

— Não são, mesmo. Essas palavras são diferentes.

Na nossa opinião, não deveriam ser. "Pensar" significa realizar atividade mental com os órgãos do pensamento. "Dizer" significa comunicar o conteúdo dos pensamentos a um terceiro. Em seu mundo, isso é feito pela modulação de vibrações no ar produzidas pelas cordas vocais. Essas definições estão corretas?

— Sim. Mas já não demonstram por si que "pensar" e "dizer" não são sinônimos?

Na nossa opinião, demonstram que são sinônimos.

— Posso pensar na questão por um instante?

Muito bem. Nós dois precisamos pensar na questão.

Durante dois minutos, Evans mergulhou em pensamentos, em meio às ondas que dançavam sob as estrelas.

— Senhor, quais órgãos vocês usam para se comunicar?

Não temos órgãos para comunicação. Nosso cérebro exibe nossos pensamentos para o mundo exterior, e assim nos comunicamos.

— Exibe os pensamentos? Como se faz isso?

Os pensamentos em nosso cérebro emitem ondas eletromagnéticas em todas as frequências, incluindo as que enxergamos como luz visível. Podemos exibir pensamentos a uma distância considerável.

— Então isso significa que, para vocês, pensar é falar?

E, portanto, são sinônimos.

— Ah... Não é o que acontece conosco... Mesmo assim, isso não deveria constituir um obstáculo para a compreensão de nossos documentos.

É verdade. Nas áreas de pensamento e comunicação, não existem grandes diferenças entre nossas espécies. Ambas têm cérebro, e nossos cérebros produzem inteligência por meio de uma imensa quantidade de conexões neurais. A única diferença é que nossas ondas cerebrais são mais fortes e podem ser recebidas diretamente por nossos companheiros, eliminando a necessidade de órgãos para comunicação. Essa é a única diferença.

— Não sei. Talvez estejamos ignorando uma diferença crucial. Senhor, gostaria de refletir mais um pouco sobre a questão.

Muito bem.

Evans saiu da proa e caminhou pelo convés. Do outro lado da amurada do navio, o oceano Pacífico vibrava em silêncio sob a madrugada. Ele imaginou as águas como um cérebro pensante.

— Senhor, se me permitir, gostaria de contar uma história. Para funcionar, preciso que compreenda os seguintes elementos: lobo, criança, avó e casa na floresta.

Todos esses elementos são facilmente compreensíveis, exceto "avó". Sei que se trata de uma relação de parentesco entre humanos e que normalmente significa mulher de idade avançada. Só que o parentesco exato demanda mais explicações.

— Senhor, isso não é importante. Basta saber que a avó em questão e as crianças são bastante próximas. Ela é uma das únicas pessoas em que as crianças confiam.

Compreendido.

— Vou simplificar. A avó precisou sair, então deixou as crianças em casa e pediu para deixarem a porta fechada e não abrirem para mais ninguém além dela. Na estrada, a avó encontrou um lobo e foi devorada. O lobo vestiu as roupas da avó e assumiu sua aparência. Em seguida, foi até a casa, bateu à porta e disse para as crianças: "É a vovozinha. Voltei. Abram a porta". As crianças olharam pela fresta da porta e viram o que parecia a avó, então abriram a porta, e o lobo entrou na casa e devorou todas elas. O senhor compreende a história?

Nem um pouco.

— Nesse caso, talvez eu tenha razão.

O lobo quis desde o início entrar na casa e devorar as crianças. Correto?

— Correto.

Ele se comunicou com as crianças, correto?

— Correto.

É isso o que não compreendo. Para que pudesse atingir seu propósito, ele não deveria ter se comunicado com as crianças.

— Por quê?

Não é óbvio? Se uma comunicação fosse estabelecida, as crianças saberiam que o lobo queria entrar e devorá-las. Logo, não abririam a porta.

Evans ficou um instante em silêncio.
— Compreendo, senhor. Compreendo.

O que você compreende? O que eu disse não é óbvio?

— Seus pensamentos estão completamente expostos ao mundo exterior. O senhor é incapaz de escondê-los.

Como é possível esconder pensamentos? Suas ideias são confusas.

— O que eu tentei dizer é que seus pensamentos e suas memórias são transparentes para o mundo exterior, como um livro aberto, ou um filme projetado, ou um peixe em um aquário. Totalmente expostos. Imediatamente perceptíveis. Hum, talvez alguns dos elementos da história que acabei de contar sejam...

Compreendi todos. Mas isso não é perfeitamente natural?

Evans ficou em silêncio outra vez.

— Então é isso... Senhor, quando vocês se comunicam pessoalmente, tudo o que é comunicado é verdadeiro. Como é impossível enganar ou mentir, vocês são incapazes de um raciocínio estratégico complexo.

Nós podemos nos comunicar a grandes distâncias, não apenas pessoalmente. As palavras "enganar" e "mentir" são outras que tivemos dificuldade para compreender.

— Como é fazer parte de uma sociedade em que o pensamento é completamente transparente? Que tipo de cultura uma sociedade assim produz? Que tipo de política? Sem conspirações, sem fingimentos.

O que são "conspirações" e "fingimentos"?

Evans não respondeu.

Os órgãos humanos para comunicação não passam de uma deficiência evolutiva, de uma compensação necessária a uma incapacidade de emissão de ondas cerebrais potentes. Trata-se de uma de suas fraquezas biológicas. A exibição direta dos pensamentos é uma forma superior e mais eficiente de comunicação.

— Deficiência? Fraqueza? Não, o senhor está enganado. Desta vez, o senhor está completamente enganado.

É mesmo? Gostaria de pensar a respeito. É uma pena que você não possa enxergar meus pensamentos.

Desta vez, a interrupção foi mais demorada. Como depois de vinte minutos nenhum texto novo apareceu, Evans caminhou da proa até a popa do navio, observando um cardume saltar para fora da água e traçar um arco prateado na superfície estrelada do mar. Alguns anos antes, Evans havia passado um período a bordo de um barco pesqueiro no mar do Sul da China, estudando o efeito da pesca predatória no ecossistema litorâneo. Os pescadores chamavam o salto do cardume de "passagem de soldados-dragões". Para Evans, parecia um texto projetado no olho do oceano. De repente, um texto realmente apareceu diante de seus olhos.

Você tem razão. Depois de repassar aqueles documentos, já compreendo o conteúdo um pouco melhor.

— Senhor, há um longo caminho até que vocês possam obter uma verdadeira compreensão da humanidade. Aliás, começo a ter receio de que vocês nunca cheguem a esse ponto.

Realmente, a humanidade é complicada. Por enquanto, a única coisa que sei é por que não a compreendia antes. Você tem razão.

— Senhor, vocês precisam de nós.

Eu tenho medo de vocês.

A conversa se interrompeu. Essa foi a última mensagem que Evans recebeu de Trissolaris. Ele ficou na popa, observando a superestrutura do *Juízo Final*, branca como a neve, estendendo-se nas brumas da noite como o passar do tempo.

PARTE I

Barreiras

ANO 3, ERA DA CRISE

Distância da Frota Trissolariana até o sistema solar: 4,21 anos-luz

Parece tão velho...

Esse foi o primeiro pensamento de Wu Yue quando viu *Tang*, o gigantesco porta-aviões em construção, iluminado pelas faíscas dos arcos elétricos. Claro, essa impressão vinha das inúmeras manchas inofensivas nas chapas de aço-manganês do quase finalizado casco do navio, causadas pela tecnologia avançada de soldagem com gases de proteção. Wu Yue tentou, em vão, imaginar o aspecto robusto e novo do *Tang* após uma nova demão de tinta cinza.

A quarta sessão de treinamento em terra do *Tang* acabara de terminar. Durante a sessão de dois meses, Wu Yue e Zhang Beihai, os comandantes do *Tang*, ocuparam uma posição incômoda. Enquanto comandantes de grupos de batalha dirigiam formações de contratorpedeiros, submarinos e navios de abastecimento, o *Tang* continuava em construção no estaleiro, de modo que sua posição era preenchida ou pelo navio de treinamento *Zheng He* ou simplesmente ficava vaga. Em diversos momentos durante as sessões, Wu Yue contemplava o mar vazio, cuja superfície, perturbada pelos rastros entrecruzados das embarcações que passavam, ondulava inquieta, tal como o estado de espírito dele. Mais de uma vez, ele se perguntou: *Será que algum dia esse espaço vazio vai ser preenchido?*

Agora, ao observar o *Tang*, ele via não apenas a idade, mas a própria passagem do tempo. Aquela embarcação parecia uma fortaleza ancestral, gigantesca e descartada, o casco manchado, uma parede de pedra, a chuva de faíscas de solda que caía dos andaimes, trepadeiras cobrindo a pedra... como se não fosse construção, e sim arqueologia.

Tentando afastar esses pensamentos, Wu Yue se virou para Zhang Beihai, que estava ali ao seu lado.

— Seu pai melhorou? — perguntou.

Zhang Beihai balançou devagar a cabeça.

— Não. Está resistindo.

— Peça um tempo de licença.

— Eu pedi quando ele foi internado. Considerando as circunstâncias, vou pensar em fazer isso quando chegar a hora dele.

Ficaram em silêncio. Todas as interações entre eles eram assim. Naturalmente, quando o assunto girava em torno de trabalho, tinham mais o que falar, mas sempre havia um ruído entre os dois.

— Beihai, o trabalho não vai ser como antigamente. Já que agora dividimos este posto, acho que deveríamos nos comunicar mais.

— Nós nos comunicávamos muito bem antes. Com certeza nossos superiores nos puseram juntos no *Tang* pelo sucesso da nossa colaboração a bordo do *Chang'an*.

Zhang Beihai riu ao dizer essas palavras, mas foi uma risada que Wu Yue não soube interpretar. Os olhos de Zhang Beihai conseguiam enxergar o coração de qualquer tripulante, desde um comandante até um simples marinheiro. Wu Yue era um livro aberto para Zhang Beihai, mas Wu Yue não conseguia enxergar nada dentro de Zhang. Tinha certeza de que o sorriso do homem era sincero, mas não conseguia compreendê-lo. Sucesso de colaboração não é o mesmo que sucesso de compreensão. Sem sombra de dúvidas, Zhang Beihai era o comissário político mais competente do navio e trabalhava de maneira direta, explorando toda e qualquer questão com absoluta precisão. Apesar disso, seu mundo interior era uma névoa eterna para Wu Yue, que sempre ficava com a impressão de que Zhang Beihai dizia: *Faça assim. Esse é o melhor jeito, ou o mais correto. Mas não é o que eu quero de verdade.* Começava com uma sensação vaga e ia ficando cada vez mais concreta. Claro que tudo o que Zhang Beihai fazia era sempre o melhor ou mais correto, mas Wu Yue não tinha a menor ideia do que ele realmente queria.

Wu Yue defendia uma crença: o comando de um navio de guerra era um posto perigoso, então os dois comandantes precisavam se entender muito bem, o que era um problema espinhoso para Wu Yue. No começo, acreditou que Zhang Beihai assumia uma postura defensiva. Ficou ofendido. Afinal, existia algum comandante mais franco e transparente do que ele? *Por que alguém ficaria na defensiva comigo?*

No breve período em que o pai de Zhang Beihai ocupara o posto de oficial superior dos dois, Wu Yue tivera uma conversa com ele sobre as dificuldades de comunicação com o comissário.

— Não basta fazer um bom trabalho? Por que você precisa saber como ele pensa? — perguntara com delicadeza o almirante, acrescentando, talvez de maneira involuntária: — Na verdade, eu também não sei.

— Vamos ver mais de perto — sugeriu Zhang Beihai, apontando para o *Tang* no meio das faíscas.

Então, o telefone dos dois apitou ao mesmo tempo: uma mensagem de texto com a ordem para voltar ao carro. Normalmente, isso significava emergência, já que só havia equipamento de comunicação segura dentro do veículo. Wu Yue abriu a porta do carro e tirou o fone do gancho. Era uma ligação de um conselheiro no QG do grupo de batalha.

— Capitão de mar e guerra Wu, o Comando da Frota enviou ordens emergenciais para você e o comissário Zhang Beihai. Os dois devem se apresentar ao Estado-Maior Geral imediatamente.

— Estado-Maior Geral? E o quinto exercício de treinamento da frota? Metade do grupo de batalha já está no mar, e o resto dos navios vai zarpar amanhã.

— Não estou sabendo. A ordem é simples. Só um comando. Podem conferir os detalhes na volta.

O capitão e o comissário do *Tang*, ainda não lançado, trocaram um olhar e tiveram um daqueles raros momentos em que pensaram igual: *Parece que aquele pedaço de mar vai continuar vazio.*

Fort Greely, Alasca. Alguns gamos que perambulavam pela planície nevada ficaram em alerta ao sentir vibrações sob a neve. À frente dos animais, um hemisfério branco de repente se abriu. Embora aquele ovo gigantesco, enterrado parcialmente no solo, tivesse sido colocado ali muito tempo antes, os animais sempre desconfiaram que não fazia parte daquele mundo congelado. O ovo rachou e emitiu uma densa nuvem de fumaça e fogo, e então nasceu um cilindro que acelerou para o alto, cuspindo fogo pela parte de baixo. A neve ao redor foi lançada para cima pela explosão e voltou a cair como chuva. Quando o cilindro chegou a determinada altura, as explosões que haviam apavorado os animais voltaram a dar lugar à paz. O cilindro desapareceu no céu, deixando um imenso rastro branco no firmamento, como se a paisagem de neve fosse um gigantesco novelo de onde uma mão invisível tivesse puxado uma linha no céu.

— Droga! Se eu tivesse só mais alguns segundos, poderia ter anulado o lançamento — praguejou o oficial de seleção de alvos Raeder, jogando o mouse para o lado.

Raeder se encontrava a milhares de quilômetros do local gelado, na sala de controle do Sistema de Defesa Antimísseis Nucleares do Centro de Comando do NORAD, trezentos metros abaixo da terra na montanha Cheyenne, perto de Colorado Springs.

— Percebi que não era nada, assim que o alerta do sistema acendeu — disse o monitor orbital Jones, balançando a cabeça.

— Então o que o sistema atacou? — perguntou o general Fitzroy.

O Sistema de Defesa Antimísseis Nucleares era apenas uma das obrigações de seu novo posto, e Fitzroy ainda não estava totalmente acostumado. O general observava a parede coberta de telas e tentava encontrar as representações gráficas intuitivas usadas no Centro de Controle da Nasa: uma linha vermelha sinuosa por cima do mapa-múndi, formando uma onda senoidal sobre a transformação planar do mapa. Os novatos achavam aquilo arcaico, mas ao menos dava para saber que algo estava sendo lançado ao espaço. De qualquer maneira, não havia nada tão simples ali. As linhas nas telas eram um emaranhado abstrato e complexo que não lhe dizia nada. Sem mencionar todas as telas repletas de números que se alternavam rapidamente e que só os oficiais de serviço do SDAN entendiam.

— General, o senhor lembra que no ano passado substituíram a película reflexiva do módulo multipropósito da Estação Espacial Internacional? Pois é, eles perderam a película antiga. Foi isso que o sistema atacou. A película se comprime e depois se infla com o vento solar.

— Mas... isso deveria ter sido incluído no banco de dados de seleção de alvos.

— Foi. Aqui.

Raeder abriu uma página com o mouse. Debaixo de uma montanha complicada de códigos, dados e formulários, havia uma imagem pequena, provavelmente tirada em um telescópio na Terra, de uma mancha branca irregular diante de um fundo preto. Com o reflexo forte, era difícil distinguir qualquer detalhe.

— Major, se tinha essa informação, por que não interrompeu o programa de lançamento?

— O sistema deveria ter feito uma busca automática no banco de dados de seleção de alvos. O tempo de reação humana não é tão rápido. De qualquer maneira, os dados do sistema antigo não foram reformatados para o novo, então não estavam ligados ao módulo de reconhecimento — respondeu Raeder, com um tom meio ofendido, como se pensasse: *Já demonstrei minha capacidade ao conseguir muito rápido e com uma busca manual encontrar a informação, algo que o supercomputador do SDAN não conseguiu fazer, mas ainda preciso aturar suas perguntas idiotas.*

— General, recebemos ordem para entrar em condição operacional assim que o SDAN deslocou as coordenadas de interceptação para o espaço, mas antes de acabar a recalibração do software — explicou um oficial de serviço.

Fitzroy não respondeu nada. Os barulhos na sala de controle o irritavam. Estava diante do primeiro sistema de defesa planetário da humanidade, mas não passava de um Sistema de Defesa Antimísseis Nucleares antigo, cujas coordenadas de interceptação tinham sido deslocadas dos continentes terrestres para o espaço.

— Acho que devíamos tirar uma foto de lembrança! — exclamou Jones. — Este deve ser o primeiro ataque da Terra contra um inimigo em comum.

— Câmeras são proibidas — objetou Raeder, com frieza.

— Capitão, do que está falando? — perguntou Fitzroy, perdendo de vez a paciência. — O sistema não detectou nenhum alvo inimigo. Não é um primeiro ataque.

Após um silêncio incômodo, alguém falou:

— Os interceptadores transportam ogivas nucleares.

— Sim, de 1,5 megaton. E daí?

— Está quase escuro lá fora. Considerando a localização do alvo, acho que vamos conseguir ver a explosão!

— Você pode fazer isso pelo monitor.

— É mais divertido lá fora — rebateu Raeder.

Jones se levantou, nervoso.

— General, eu... meu turno acabou.

— O meu também, general — disse Raeder.

Não passava de uma delicadeza. Fitzroy era coordenador do alto escalão associado ao Conselho de Defesa Planetária, mas não tinha nenhuma autoridade sobre o NORAD e o SDAN.

Fitzroy acenou com a mão.

— Eu não sou o comandante de vocês. Fiquem à vontade. Só gostaria de lembrar que, no futuro, é possível que a gente passe muito tempo trabalhando junto.

Raeder e Jones saíram em disparada. Depois que passaram pela porta antirradiação de muitas toneladas, se viram do lado de fora, no cume da montanha Cheyenne. Caía a noite e não havia nuvens no céu, mas eles não avistaram nenhuma explosão nuclear no espaço sideral.

— Deveria ser bem ali — declarou Jones, apontando para cima.

— Talvez a gente tenha perdido — disse Raeder, sem olhar para cima. Depois, com um sorriso irônico, acrescentou: — Será que eles acreditam mesmo que a sófon vai se abrir em menos dimensões?

— Não é muito provável. É uma coisa inteligente. Não vai nos dar essa chance.

— Os olhos do SDAN estão apontados para cima. Será que não temos que nos defender contra nada na Terra? Mesmo que todos os países terroristas tenham virado santos, ainda existe a OTT, não? — perguntou, bufando. — E o CDP. Aqueles militares querem alguma conquista rápida. Fitzroy é um deles. Agora podem declarar que a primeira fase do Sistema de Defesa Planetária está completa, mesmo sem ter feito quase nada nos equipamentos. O único propósito do sistema é impedir que a sófon se abra em menos dimensões perto da órbita terrestre. A tecnologia é ainda mais simples do que o necessário para interceptar mísseis autoguiados, porque, se o alvo aparecer de verdade, vai ocupar uma área imensa... Enfim, comandante, na verdade o chamei aqui para cima para perguntar: por que aquele comportamento infantil, com a história de fotografar o primeiro ataque? Você irritou o general, sabia? Não percebe que ele é um sujeito mesquinho?

— Mas... não foi um elogio?

— Ele é um dos melhores marqueteiros das Forças Armadas. Não vai aparecer na frente de uma coletiva de imprensa e anunciar que isso foi um erro do sistema. Como os outros, ele vai dizer que foi uma manobra bem-sucedida. Pode apostar. Vai ser exatamente assim. — Enquanto falava, Raeder se sentou e se acomodou no chão, olhando com uma expressão nostálgica para o céu, já coberto de estrelas. — Sabe, Jones, se a sófon realmente se abrir de novo, vai nos dar uma chance de destruí-la. Não seria o máximo?

— De que adianta? A questão é que eles estão chegando ao sistema solar neste mesmo instante. Quem é que sabe quantos... Ei, por que a referência no feminino, em vez do masculino?

O rosto virado de Raeder assumiu uma expressão sonhadora.

— Ontem, um coronel chinês que tinha acabado de chegar ao centro me falou que, na língua dele, a sófon tem o nome de uma mulher japonesa, Tomoko.*

No dia anterior, Zhang Yuanchao preencheu os documentos de entrada da aposentadoria e saiu da fábrica de produtos químicos onde havia trabalhado por mais de quatro décadas. Nas palavras de seu vizinho Lao Yang,** aquele dia marcava o começo de uma segunda infância. Lao Yang filosofou que os sessenta anos, assim como os dezesseis, eram a melhor época da vida, por ser uma fase sem o fardo dos quarenta e cinquenta, mas ainda sem a lentidão e as doenças dos setenta e oitenta. O filho e a nora de Zhang Yuanchao tinham empregos estáveis e, embora tivessem se casado tarde, não demorariam a dar um neto a ele. Zhang Yuanchao e a esposa jamais teriam conseguido comprar a residência atual, mas receberam uma boa oferta pela casa antiga, que seria demolida. Já fazia um ano que moravam no lugar novo...

Quando Zhang Yuanchao parava para refletir, tudo era completamente satisfatório. Precisava admitir que, dadas as circunstâncias, Lao Yang tinha razão. Apesar disso, enquanto contemplava o céu limpo da cidade pela janela do oitavo andar, não conseguia sentir nenhum raio de sol no coração, muito menos uma segunda infância.

* *Zhizi* (智子), literalmente "partícula de conhecimento". O caractere que significa "partícula" é comum em nomes femininos japoneses, onde é pronunciado "ko".

** *Lăo*, ou "velho", costuma ser empregado antes do sobrenome de uma pessoa idosa, como sinal de respeito ou familiaridade.

Professor aposentado de ensino fundamental, Lao Yang, cujo primeiro nome era Jinwen, vivia aconselhando Zhang Yuanchao a aprender coisas novas para aproveitar a melhor idade. Por exemplo: "A internet. Até os bebês conseguem aprender a navegar, então por que você não conseguiria?". Lao Yang chegava a destacar que o maior defeito de Zhang Yuanchao era não ter o menor interesse pelo mundo exterior: "A sua senhora pelo menos enxuga as lágrimas quando assiste àquelas novelas fajutas na TV. Agora, você nem liga a TV. Deveria acompanhar os acontecimentos no país e no mundo, isso faz parte de uma vida plena". Zhang Yuanchao podia ser um velho cidadão de Beijing, mas não parecia. Um taxista seria capaz de dissertar sobre situações nacionais ou internacionais com argumentos convincentes, mas, mesmo se Zhang Yuanchao soubesse o nome do presidente atual, definitivamente não sabia o do primeiro-ministro. Na verdade, era até um motivo de orgulho: ele afirmava que levava uma vida tranquila de plebeu e não podia perder tempo se preocupando com esse tipo de detalhe irrelevante. Nada daquilo era da sua conta, e ele se livrava de uma quantidade considerável de dor de cabeça ao ignorar tudo. Yang Jinwen prestava atenção aos problemas de Estado, fazia questão de assistir ao jornal da noite todos os dias e ficava vermelho de raiva quando discutia na internet sobre a política econômica da China e a corrida nuclear mundial, mas de que adiantava? O governo não tinha aumentado um centavo da pensão dele. "Você está sendo bobo", disse Lao Yang. "Acredita que é tudo irrelevante? Que não tem nada a ver com você? Preste atenção, Lao Zhang. Todas as questões nacionais e internacionais importantes, todas as políticas nacionais importantes, todas as resoluções da ONU estão ligadas à sua vida, seja de maneira direta ou indireta. Você acha que a invasão na Venezuela pelos Estados Unidos não é da sua conta? Eu diria que ela vai causar impactos duradouros na sua pensão." Na época, Zhang se limitara a rir do rompante bitolado de Lao Yang. Só que agora sabia que o vizinho tinha razão.

A campainha de Zhang Yuanchao tocou. Era Yang Jinwen, com cara de quem havia acabado de voltar da rua. Ele parecia particularmente tranquilo. Zhang Yuanchao olhou para o vizinho como um homem no deserto que encontrasse outra pessoa e não quisesse deixá-la ir embora.

— Eu estava procurando você. Para onde você foi?

— Dei uma passada no mercado. Vi sua senhora fazendo compras.

— Por que nosso prédio está tão vazio? Parece... um mausoléu.

— Hoje não é feriado. Só isso — explicou ele, rindo. — Seu primeiro dia como aposentado. Essa sensação é normal. Pelo menos você não tinha cargo de chefia. Para eles, a aposentadoria é pior. Logo você se acostuma. Venha, vamos dar uma olhada no centro de atividades comunitárias e ver o que tem de divertido para fazer.

— Não, não. Nem é porque me aposentei, mas porque... como posso dizer... é por causa da situação do país, ou melhor, do mundo.

Yang Jinwen apontou para o vizinho e deu risada.

— A situação do mundo? Nunca imaginei que ouviria essas palavras da sua boca...

— Pois é, eu não me importava com as grandes questões, mas elas ficaram imensas. Nunca pensei que algo pudesse crescer tanto!

— Lao Zhang, até que é engraçado, mas comecei a pensar do seu jeito. Não ligo mais para aqueles problemas irrelevantes. Acredite se quiser, não vejo o jornal há duas semanas. Antes eu me importava com as grandes questões porque a humanidade era importante e nós podíamos produzir algum efeito nos desdobramentos futuros. Hoje ninguém tem poder para superar isso. De que adianta perder tempo?

— Mas você não pode simplesmente ignorar. A humanidade vai desaparecer daqui a quatrocentos anos!

— Hunf. Você e eu vamos desaparecer daqui a uns quarenta.

— E os nossos descendentes? Vão ser eliminados.

— Isso não é tão relevante para mim quanto para você. Meu filho nos Estados Unidos é casado, mas não pretende ser pai, então não ligo. Já a família Zhang vai durar mais umas doze gerações, certo? Não é bastante?

Zhang Yuanchao ficou encarando Yang Jinwen por alguns segundos e depois olhou o relógio. Correu para ligar a televisão e sintonizou no canal de notícias que anunciava os principais acontecimentos do dia:

> A AP noticiou que no dia 29, às 18h30 pelo horário da Costa Leste, o Sistema de Defesa Antimísseis Nucleares dos Estados Unidos realizou um teste bem-sucedido de destruição de um sófon aberto de poucas dimensões em órbita próxima à Terra. Foi o terceiro teste de interceptação do SDAN desde que os alvos foram deslocados para o espaço sideral. O último alvo foi uma película reflexiva descartada da Estação Espacial Internacional em outubro. Um porta-voz do Conselho de Defesa Planetária disse que o interceptador equipado com uma ogiva nuclear conseguiu destruir o alvo de três mil metros quadrados. Isso significa que o SDAN conseguirá destruir o sófon muito antes de sua abertura em três dimensões alcançar uma área suficientemente grande, e antes que ele apresente uma superfície reflexiva que constitua ameaça para alvos humanos em solo...

— Que inútil. Nenhum sófon vai se abrir — comentou Yang, estendendo a mão para pegar o controle de Zhang. — Mude o canal. Talvez esteja passando a reprise da semifinal da Eurocopa. Acabei cochilando no sofá durante a partida...

— Vá ver na sua casa.

Zhang Yuanchao segurou e não deixou o vizinho pegar o controle. O noticiário continuava:

O médico do Hospital Militar 301 responsável pelo tratamento do acadêmico Jia Weilin confirmou o óbito do paciente em decorrência de uma malignidade hematológica, também conhecida como leucemia. A causa da morte foi falência múltipla de órgãos e perda de sangue no estágio avançado da doença. Não foi identificada nenhuma anormalidade. Reconhecido especialista em supercondutividade, Jia Weilin ofereceu contribuições significativas na área de supercondutores à temperatura ambiente. Seu falecimento no último dia 10 levantou uma série de suspeitas e boatos de que Jia teria morrido por ataque de sófons. Em pelo menos uma ocasião anterior, um porta-voz do Ministério da Saúde confirmou que diversas mortes atribuídas a sófons na verdade decorreram de doenças ou acidentes comuns. O canal conversou com o reconhecido físico Ding Yi sobre a questão.

Repórter: O que o senhor pensa a respeito do pânico que vem crescendo em relação aos sófons?

Ding Yi: Esse temor se deve a uma falta de conhecimento de física. O governo e a comunidade científica já explicaram inúmeras vezes: apesar de dotado de grande inteligência, o sófon não passa de uma partícula microscópica e pode causar apenas um efeito limitado no mundo macroscópico, em virtude de sua escala microscópica. As principais ameaças que representa para a humanidade residem na interferência equivocada e aleatória em experimentos físicos de alta energia e na rede de entrelaçamento quântico que monitora a Terra. Em seu estado microscópico, um sófon não é capaz de matar nem de realizar qualquer ato ofensivo. Se um sófon quiser desencadear um efeito maior no mundo macroscópico, só poderá fazer isso em um estado aberto de menos dimensões. E mesmo nessa condição seus efeitos são extremamente limitados, porque um sófon aberto em menos dimensões em escala macroscópica é muito frágil. Agora que a humanidade estabeleceu um sistema de defesa, os sófons não podem se abrir sem correr o risco de nos proporcionar uma excelente oportunidade para destruí-los. Acredito que os grandes meios de comunicação deveriam se esforçar mais para disseminar essas informações para o público e eliminar o pânico, que não tem qualquer fundamento científico.

Zhang Yuanchao escutou alguém entrar sem bater, chamando “Lao Zhang” e “Mestre Zhang”. Yuanchao já sabia quem era pelo barulho pesado dos passos que tinha ouvido na escada do corredor pouco antes. Miao Fuquan, outro vizinho de andar, apareceu no recinto. Magnata do carvão com uma boa quantidade de minas na província Shanxi, Miao Fuquan era alguns anos mais novo que Zhang Yuanchao. Tinha uma casa maior em outra região de Beijing e usava aquele apartamento para manter uma amante de Sichuan que tinha mais ou menos a mesma idade da sua filha. No começo, Miao foi praticamente ignorado pelas famílias Zhang e Yang, exceto durante uma discussão por conta dos objetos que ele largava pelo corredor, mas com o tempo Zhang e Yang perceberam que, embora fosse um pouco vulgar, aquele era um homem amistoso e simpático. Depois que a administração do prédio resolveu um ou outro conflito, as três famílias aos poucos entraram em harmonia. Embora Miao Fuquan tivesse dito que havia encarregado o filho de todos os negócios da família, continuava sendo um homem muito ocupado e raramente passava tempo lá, de modo que a residência de três quartos normalmente era ocupada apenas pela mulher de Sichuan.

— Lao Miao, há quanto tempo! Faz meses que não aparece. Onde você deu sorte desta vez? — perguntou Yang Jinwen.

Sem cerimônia, Miao Fuquan pegou e encheu um copo até a metade com água do filtro. Depois, bebeu e enxugou a boca.

— Ninguém deu sorte... A mina estava com problemas, e tenho que dar um jeito de resolver. Estamos praticamente em tempos de guerra. O governo está falando bem sério desta vez. As leis da mineração independente nunca deram certo, mas as minas não vão durar muito.

— Os tempos das vacas magras chegaram — disse Yang Jinwen, sem tirar os olhos do jogo na televisão.

Fazia horas que o homem estava deitado na cama. A luz que entrava pela janela do porão, única fonte de iluminação do espaço, agora era da lua, e os raios frios clareavam apenas alguns pontos do chão. Em meio às sombras, tudo parecia esculpido em pedra cinzenta, como se o cômodo inteiro fosse um túmulo.

Ninguém sabia o verdadeiro nome do homem, mas com o tempo passaram a chamá-lo de Segundo Destruidor de Barreiras.

O Segundo Destruidor de Barreiras havia passado horas refletindo sobre a própria vida. Depois de se convencer de que não houve qualquer omissão, torceu os músculos do corpo insensível, pôs a mão embaixo do travesseiro e pegou uma arma, apontando o cano lentamente para a cabeça. Neste instante, um texto de sófon apareceu bem diante de seus olhos.

> Não faça isso. Nós precisamos de você.

— Senhor? Sonhei todas as noites por um ano inteiro que vocês me chamavam, mas os sonhos pararam nos últimos tempos. Imaginei que eu tinha parado de sonhar, mas acho que agora não é um sonho.

> Não, realmente não é um sonho. Estou me comunicando em tempo real com você.

O Destruidor de Barreiras deu uma risada cínica.
— Ótimo. Então acabou. Definitivamente não existem sonhos do outro lado.

Você deseja provas?

— Provas de que não existem sonhos do outro lado?

Provas de que sou mesmo eu.

— Tudo bem. Diga algo que eu não sei.

Seus peixinhos estão mortos.

— Rá! Não importa. Estou prestes a encontrá-los em um lugar onde não exista escuridão.

Você deveria ir dar uma olhada. Hoje de manhã você estava distraído e jogou um cigarro pela metade dentro do aquário. A nicotina que se espalhou pela água foi letal para os peixes.

O Segundo Destruidor de Barreiras abriu os olhos, abaixou a arma e saiu da cama, deixando para trás a letargia. Ele apalpou a parede até achar o interruptor e se aproximou do aquário na mesinha. Cinco carpas estavam boiando na água, com a barriga branca para cima, ao lado de um cigarro pela metade.

Oferecerei mais uma confirmação. Evans certa vez entregou a você uma carta codificada, mas a codificação mudou. Como ele morreu antes de poder informar a nova senha, você nunca pôde ler o conteúdo. Vou revelar a senha: CAMEL, a marca de cigarro com que você envenenou acidentalmente seus peixes.

O Segundo Destruidor de Barreiras foi correndo até o laptop. Enquanto esperava a inicialização, seu rosto se cobria de lágrimas.

— Senhor, meu senhor, é você mesmo? É você mesmo? — balbuciou ele, em meio aos soluços.

Quando a máquina ligou, ele abriu o anexo do e-mail pelo programa produzido pela Organização Terra-Trissolaris. Digitou a senha no campo apropriado e, quando o texto apareceu na tela, já não estava mais pensando em fazer uma leitura atenta. Jogou-se de joelhos no chão e gritou:

— Senhor! É você mesmo, Senhor! — Depois de se acalmar, levantou a cabeça e disse, ainda com lágrimas nos olhos: — Não sabíamos do atentado contra a assembleia que contou com a participação da comandante nem da emboscada no Canal do Panamá. Por que o senhor nos abandonou?

Nós estávamos com medo de vocês.

— Porque nossos pensamentos não são transparentes? Mas isso não tem importância, pois tudo o que vocês não são capazes de fazer, como mentir, manipular, disfarçar e confundir, nós fazemos em seu nome.

Não sabemos se isso é verdade. Mesmo que possa ser, o medo persiste. Sua *Bíblia* menciona um animal chamado serpente. Se uma serpente se arrastasse até você e dissesse que o serviria, seu medo e seu nojo desapareceriam?

— Se ela dissesse a verdade, sim. Eu superaria meu nojo e meu medo e a aceitaria.

Isso seria difícil.

— Claro. Eu sei que vocês já foram mordidos pela serpente uma vez. Quando a notificação em tempo real passou a ser possível e vocês forneceram respostas detalhadas às nossas perguntas, não havia nenhum motivo para vocês compartilharem grande parte daquelas informações, como as circunstâncias em que receberam o primeiro contato da humanidade e os detalhes da construção dos sófons. Não conseguíamos entender: se nós não nos comunicamos por exibição transparente de pensamentos, então por que vocês não foram mais seletivos com as informações enviadas?

Essa opção existia de fato, mas não é tão abrangente quanto você possa imaginar. Na verdade, em nosso mundo existem formas de comunicação que dispensam a exibição de pensamentos, sobretudo na era da tecnologia. Mas o pensamento transparente se tornou um costume cultural e social. Algo que talvez seja difícil para você entender, assim como para nós é difícil entender a humanidade.

— Não consigo imaginar que seu mundo seja completamente livre de tramas e de conspirações.

Essas coisas também existem, mas é tudo muito mais simples do que no seu mundo. Por exemplo, nas guerras em nosso mundo, os lados adversários adotam disfarces, mas, se um inimigo desconfiar do disfarce e perguntar diretamente, costuma conseguir a verdade.

— Inacreditável.

Vocês também são inacreditáveis para nós. Em sua estante há um livro chamado *História de três reinos*.

— *Romance dos três reinos*.* O senhor não vai entender essa obra.

Consigo entender uma pequena parte, do mesmo modo que uma pessoa comum que tenha muita dificuldade para compreender um tratado de matemática é capaz de entender uma parte com imenso esforço mental e livre exercício de imaginação.

— Este livro descreve os níveis mais complexos de artimanhas e estratégias humanas.

Mas nossos sófons são capazes de deixar tudo transparente no mundo humano.

— Menos a mente das pessoas.

Sim. Os sófons não conseguem ler mentes.

— O senhor deve estar sabendo do Projeto Barreiras.

Sim, mais do que você. Ele está prestes a ser implementado. Por isso entramos em contato com você.

— O que o senhor acha do projeto?

* *Romance dos três reinos*, tradução livre de *San Kuo Chih Yen-i*, é um romance histórico atribuído a Luo Guanzhong (c. 1330-1400) que descreve a disputa entre três potências regionais desde os últimos dias da dinastia Han do Leste (184) até a reunificação do império na dinastia Jin (280). O livro é famoso pelos personagens, pelas cenas de batalhas e pelas intrigas políticas.

É a mesma sensação de quando vocês olham para a serpente.

— Mas a serpente da *Bíblia* ajudou a humanidade a obter conhecimento. O Projeto Barreiras vai estabelecer um ou mais labirintos que, para vocês, parecerão bastante confusos e traiçoeiros. Nós podemos ajudar na decodificação.

Essa diferença de transparência mental nos deixa ainda mais determinados a eliminar os seres humanos. Por favor, precisamos da sua ajuda para eliminar a humanidade. Depois, eliminaremos você.

— Senhor, sua maneira de se expressar é problemática. Obviamente, ela é determinada pela sua forma de comunicação mediante exibição de pensamentos transparentes, mas, em nosso mundo, mesmo ao expressar as verdadeiras intenções, é preciso adotar os eufemismos adequados. Embora o que o senhor acabou de dizer esteja de acordo com os ideais da OTT, a formulação excessivamente franca talvez afaste alguns membros nossos e provoque consequências imprevistas. Claro, pode ser que o senhor jamais consiga aprender a se expressar da forma adequada.

É precisamente a expressão de pensamentos deformados que faz com que a troca de informações na sociedade humana, sobretudo na literatura, pareça tanto um labirinto complicado. Pelo que sei, a OTT está à beira do colapso.

— Sim, porque o senhor nos abandonou. Aquelas duas operações foram letais. Agora os redentistas se desintegraram e só os adventistas preservaram uma existência organizada. Com certeza o senhor já sabe, mas o golpe mais mortífero foi de natureza psicológica. Seu abandono significa que a devoção de nossos membros ao nosso Senhor está sendo testada. Para manter essa devoção, a OTT precisa mais do que nunca do apoio do Senhor.

Não podemos fornecer tecnologia.

— Não será necessário, desde que voltem a nos transmitir informações pelos sófons.

Perfeitamente. Mas antes a OTT precisa executar a ordem crucial que você acabou de ler. Enviamos essa determinação para

Evans antes de ele morrer. Evans deixou a execução da ordem a seu encargo, mas você nunca decifrou o código.

O Destruidor de Barreiras se lembrou da carta que havia acabado de decodificar na tela do computador e leu com atenção cada palavra.

É de execução razoavelmente simples, correto?

— Não é difícil demais. Mas é realmente tão importante assim?

Já era importante antes. Agora, com o Projeto Barreiras da humanidade, é extremamente importante.

— Por quê?
A resposta demorou um pouco para aparecer.

Evans sabia o motivo, mas obviamente não contou para ninguém. Ele tinha razão, o que é bom. Agora, não precisamos contar o motivo.

O Destruidor de Barreiras ficou extasiado.
— Senhor, vocês aprenderam a ocultar informações! Isso é um progresso!

Evans nos ensinou muito, mas ainda estamos só começando. De acordo com as palavras dele, ainda estamos no mesmo nível de suas crianças de cinco anos. A ordem que ele confiou a você contém uma das estratégias que não conseguimos apreender.

— O senhor se refere à condição "para não atrair atenção, não se deve revelar que foi uma ação da OTT"? Isso... bom, se o alvo é importante, esse requisito é natural.

Para nós, trata-se de um plano complicado.

— Tudo bem. Vou cuidar de tudo de acordo com os desejos de Evans. Senhor, nós vamos provar nossa devoção.

Em um canto remoto do vasto mar de informações da internet, havia um canto remoto, e num canto remoto desse canto remoto, e num canto remoto de um canto remoto de um canto remoto desse canto remoto... em suma, nas profundezas mais distantes do canto mais remoto de todos, um mundo virtual voltou à vida.

Sob o ar frio daquela estranha alvorada, não havia qualquer pirâmide, nem sede da ONU, nem pêndulo. Existia apenas um grande vazio rígido, como uma placa gigantesca de metal congelado.

O rei Wen de Zhou surgiu no horizonte, com um manto esfarrapado, uma espada de bronze desgastada e um rosto tão sujo e enrugado quanto o tecido que usava. Ainda assim, havia uma energia em seus olhos, e suas pupilas refletiam o sol nascente.

— Tem alguém aí? — gritou ele. — Alguém?

A voz logo foi absorvida pelo deserto. O rei Wen ficou gritando por algum tempo, antes de se sentar esgotado no chão e acelerar a passagem do tempo: os sóis se transformaram em estrelas cadentes, e as estrelas cadentes se transformaram de novo em sóis, e os sóis das Eras Estáveis voaram pelo céu como pêndulos de relógios, e os dias e as noites das Eras Caóticas transformaram o mundo em um palco colossal com iluminação descontrolada. O tempo correu, mas nada mudou. A paisagem continuava um deserto metálico sem fim. As três estrelas dançaram no firmamento, e o rei Wen se tornou uma coluna de gelo no frio. Depois, uma estrela cadente virou um sol e, quando o disco gigante em chamas passou no céu, o corpo do rei Wen derreteu e se tornou uma coluna de fogo. Pouco antes de virar cinzas, ele deu um longo suspiro e saiu.

Trinta oficiais do Exército, da Marinha e da Força Aérea fixaram o olhar no brasão exibido na tela vermelho-escura: uma estrela de prata disparando raios em quatro direções. Ao lado dos raios, com formato de espadas, havia os caracteres chineses dos números 8 e 1.* Tratava-se do símbolo da Força Espacial Chinesa.

O general Chang Weisi fez um gesto para que todos se sentassem. Depois, colocou o quepe com cuidado na mesa de reunião.

— A cerimônia formal de criação da força espacial será realizada amanhã — disse ele —, quando os senhores receberão fardas e distintivos. Não passa de formalidade, camaradas, porque a partir deste momento pertencemos todos à mesma força armada.

Os oficiais trocaram olhares. Dos trinta presentes, quinze usavam fardas da Marinha; nove, da Força Aérea; e seis, do Exército. Quando voltaram a atenção para o general Chang, não conseguiram disfarçar a confusão.

* O símbolo do Exército da Libertação Popular é uma estrela decorada com os caracteres de 8 e 1.

— É uma proporção estranha, não é? — observou o general, com um sorriso. — Não podemos tomar de exemplo o atual programa aeroespacial para determinar a força espacial do futuro. Quando chegar a era das naves espaciais, elas provavelmente serão ainda maiores e tripuladas por mais gente do que os porta-aviões modernos. A guerra espacial do futuro será focada em plataformas de combate de alta tonelagem e resistência, e as ações serão mais parecidas com batalhas navais do que com combate aéreo, só que em três dimensões, não em duas. Por isso, a força armada espacial precisa seguir os fundamentos da Marinha. Como sei que todos imaginávamos que a referência seria da Força Aérea, nossos camaradas navais talvez não estejam preparados. Os senhores precisam se adaptar o mais rápido possível.

— Senhor, nós não fazíamos ideia — comentou Zhang Beihai.

Wu Yue estava sentado em uma postura rígida ao seu lado, mas Zhang Beihai teve a distinta sensação de que alguma coisa se apagara naqueles olhos tranquilos.

Chang Weisi assentiu com a cabeça.

— Para falar a verdade, a Marinha não é tão distante assim do espaço. Não falamos mais "navegar no espaço" do que "voar no espaço"? Isso ocorre porque já há muito tempo o espaço e o mar estão unidos no imaginário popular.

O clima de tensão diminuiu um pouco dentro da sala.

— Camaradas — continuou o general —, neste instante, os trinta e um presentes aqui representam todo o efetivo desta nova força armada. Quanto ao futuro da frota espacial, todas as disciplinas científicas estão realizando pesquisa de base, com foco particular no elevador espacial e em motores por fusão usados em naves espaciais de grande escala... De qualquer maneira, isso não é trabalho para a força espacial. Nosso dever é estabelecer uma base teórica da guerra espacial. É uma tarefa intimidadora, visto que não sabemos absolutamente nada desse tipo de batalha, mas a frota espacial do futuro será construída a partir dessa base. Por isso, na fase preliminar, a força espacial será mais parecida com uma academia militar. A principal obrigação de todos aqui dentro é organizar essa academia e, depois, convidar uma quantidade significativa de acadêmicos e pesquisadores para ingressar nela.

Chang se levantou e foi até o brasão, de onde se dirigiu aos oficiais com palavras que eles lembrariam para o resto de suas vidas:

— Camaradas, a força espacial terá um caminho difícil pela frente. Segundo estimativas iniciais, a fase de pesquisa de base levará pelo menos cinquenta anos em todas as disciplinas, e no mínimo mais cem até que seja possível a aplicação prática da tecnologia necessária para viagens espaciais em larga escala. Depois, passada a etapa de construção inicial, levará mais um século e meio para a frota espacial alcançar a dimensão pretendida, o que significa que a força espacial só atingirá capacidade plena de combate três séculos depois de sua fundação. Com certeza os camaradas entendem o que isso quer dizer. Ninguém aqui nesta sala irá ao espaço, nem sequer terá a oportunidade de ver nossa frota espacial. Aliás, talvez nem cheguemos a ver um modelo aproximado de nave de guerra espacial. A primeira geração de oficiais e praças só vai nascer daqui a dois séculos, e dois séculos e meio depois dessa primeira geração a frota terrestre encontrará os invasores alienígenas. Essas naves serão tripuladas pela décima quinta geração de nossos netos.

Um longo silêncio reinou na sala. Todos se viam diante da pesada estrada do tempo, que levava a algum lugar em meio às brumas do futuro, de onde só se enxergavam vislumbres de fogo e sangue. A brevidade da vida humana atormentou os presentes com uma força inigualável, e o espírito de cada um alçou voo acima do abismo do tempo para se unir aos seus descendentes e mergulhar no sangue e no fogo do glacial frio do espaço, o lugar onde as almas de todos os soldados sempre se encontravam.

Como sempre, quando voltava, Miao Fuquan convidava Zhang Yuanchao e Yang Jinwen para um drinque em sua casa. Na sala, a mulher de Sichuan havia arrumado a mesa para um grande banquete. Enquanto os homens bebiam, Zhang Yuanchao mencionou a ida de Miao Fuquan ao Banco de Construção naquela manhã, para sacar dinheiro.

— Vocês não ficaram sabendo? — perguntou Miao Fuquan. — As pessoas estão se acotovelando nas agências! Tinha gente sendo pisoteada na frente dos caixas.

— E o seu dinheiro? — quis saber Zhang Yuanchao.

— Consegui tirar uma parte. O resto ficou bloqueado. É um crime!

— O que para você é um trocado para nós, mortais, é uma fortuna — comentou Zhang Yuanchao.

— Saiu no noticiário que, quando o pânico na sociedade diminuir um pouco, o governo vai desbloquear as contas aos poucos — observou Yang Jinwen. — Talvez só uma parte, no começo, mas a situação vai acabar voltando ao normal.

— Espero que sim — disse Zhang Yuanchao. — O governo cometeu o erro de decretar estado de guerra cedo demais e deixou a população em pânico. Agora as pessoas só estão pensando no próprio umbigo. Quem é que vai pensar na defesa da Terra com quatro séculos de antecedência?

— Esse não é o maior dos problemas — objetou Yang Jinwen. — Já falei antes e repito: o índice da poupança na China é uma enorme bomba-relógio. Estou errado? Poupança alta, previdência baixa. As pessoas mantêm suas economias no banco, e aí acontece uma histeria coletiva por qualquer turbulenciazinha.

— Então, nessa economia de guerra, como acha que vai ser? — indagou Zhang Yuanchao.

— Tudo aconteceu rápido demais. Acho que ninguém conseguiu vislumbrar o cenário completo até agora, e as novas políticas econômicas ainda estão sendo formuladas. Mas uma coisa é certa: teremos tempos difíceis pela frente.

— Tempos difíceis uma ova. Não é nada que as pessoas da nossa idade não tenham visto antes. Acho que vai ser que nem os anos 1960 — arriscou Miao Fuquan.

— É uma pena para as crianças — lamentou Zhang Yuanchao, esvaziando o copo.

Na mesma hora, uma vinheta atraiu o olhar dos homens para a televisão. Naqueles dias, era um som conhecido, uma música que conseguia fazer todo mundo parar o que estivesse fazendo para prestar atenção. Era a vinheta de um plantão, que vinha sendo transmitido com mais frequência do que nunca. Os três vizinhos se lembravam de ouvir aquela vinheta muitas vezes pelo rádio e pela televisão antes dos anos 1980, mas os plantões tinham desaparecido durante o longo período de prosperidade e paz que veio depois.

Dizia o boletim:

> De acordo com o correspondente do nosso canal no Secretariado da Organização das Nações Unidas, um porta-voz da ONU acabou de anunciar em coletiva de imprensa que, em breve, será realizada uma sessão especial da Assembleia Geral para discutir o problema do Escapismo. Essa sessão especial será organizada em parceria com os membros permanentes do Conselho de Defesa Planetária e tentará promover na comunidade internacional um consenso sobre atitudes escapistas, bem como elaborar leis internacionais pertinentes.
>
> Vamos traçar um breve histórico do surgimento e desenvolvimento do Escapismo.
>
> A doutrina do Escapismo teve origem paralelamente à Crise Trissolariana. O principal fundamento sustenta que, devido à estagnação das ciências de ponta da humanidade, não faz o menor sentido planejar a defesa da Terra e do sistema solar daqui a quatro séculos e meio. Levando em conta o potencial de desenvolvimento da tecnologia humana para os próximos quatrocentos anos, seria mais realista construir espaçonaves para que uma pequena parcela da humanidade fuja para o espaço e evite a extinção completa da nossa espécie.
>
> O Escapismo propõe três alternativas. Primeira: um Novo Mundo, isto é, explorar as estrelas em busca de um planeta onde a humanidade possa sobreviver. Sem dúvida, essa é a opção ideal, mas exige uma velocidade de navegação extremamente alta, sem mencionar a longa viagem. Em vista do nível que a tecnologia humana pode alcançar durante o período da Crise, essa opção não é provável. Segunda: uma Civili-

zação Espacial, isto é, as naves usadas para escapar serão utilizadas como residência permanente para a humanidade, e a civilização persistirá em uma viagem eterna. Essa opção apresenta as mesmas dificuldades do Novo Mundo, embora enfatize mais o desenvolvimento de tecnologias de ecossistema fechado. Uma nave geracional com uma biosfera completamente autônoma está muito além da capacidade técnica atual da humanidade. Terceira: Refúgio Temporário. Depois que Trissolaris tiver terminado de colonizar o sistema solar, será possível estabelecer um relacionamento entre a sociedade trissolariana e os humanos que fugiram para o espaço sideral. Assim que houver um abrandamento das políticas referentes aos humanos remanescentes no espaço, as pessoas poderão voltar gradualmente ao sistema solar e coexistir em menor escala com os trissolarianos. Embora o Refúgio Temporário seja considerado o plano mais realista, persistem variáveis demais.

Pouco depois da ascensão do Escapismo, agências de notícias do mundo inteiro anunciaram que os Estados Unidos e a Rússia, dois líderes em tecnologia espacial, haviam iniciado planos secretos de fuga para o espaço. Embora o governo das duas nações tivesse negado a existência de qualquer plano, a comunidade internacional se revoltou e deu origem a um movimento de "socialização tecnológica". Na terceira sessão especial, um representante dos países em desenvolvimento exigiu que os Estados Unidos, a Rússia, o Japão, a China e a União Europeia liberassem gratuitamente o acesso a suas tecnologias avançadas, para que todas as nações da Terra pudessem ter a mesma chance diante da Crise Trissolariana. Os defensores do movimento de socialização tecnológica destacaram um precedente: no começo do século, grandes empresas da indústria farmacêutica da Europa cobravam pesadas taxas de países africanos pelo licenciamento de medicamentos de última geração contra a aids, o que resultou em uma disputa judicial polêmica. Movidas pela pressão da opinião pública e pela rápida disseminação da doença na África, as empresas renunciaram aos direitos de patente antes do julgamento. Hoje, a crise extraordinária enfrentada no planeta indica que os países desenvolvidos têm a responsabilidade de liberar o acesso à tecnologia para toda a humanidade. O movimento de socialização tecnológica obteve apoio unânime dos países em desenvolvimento e até de alguns membros da União Europeia, mas todas as iniciativas nesse sentido foram rejeitadas nas assembleias da ONU-CDP. Na quinta sessão especial da Assembleia Geral da ONU, a China e a Rússia apresentaram uma proposta de "socialização tecnológica limitada", que defendia a abertura tecnológica para todos os membros permanentes do CDP. Na oportunidade, a proposta foi vetada pelos Estados Unidos e pelo Reino Unido. O governo americano declarou que nenhuma forma de socialização tecnológica é realista, que era uma ideia ingênua, e que nas atuais circunstâncias a segurança nacional do país era uma prioridade "que perdia apenas para a defesa planetária". O fracasso da proposta de socialização tecnológica limitada dividiu opiniões entre as potências tecnológicas e inviabilizou o plano de estabelecer uma Força Espacial Terrestre Unificada.

A frustração do movimento de socialização tecnológica afeta o mundo inteiro, e a união da raça humana, mesmo ameaçada pela devastadora Crise Trissolariana, permanece um sonho distante.

O movimento de socialização tecnológica foi iniciado pelos escapistas. Apenas quando a comunidade internacional chegar a um consenso sobre o Escapismo será possível transpor o abismo aberto entre os países em desenvolvimento e os desenvolvidos, e até entre as próprias nações desenvolvidas. É nesse ambiente que a sessão especial da ONU será realizada.

— Ah, isso me faz lembrar de uma coisa — disse Miao Fuquan. — A informação que mencionei por telefone outro dia é confiável.

— Qual?

— O fundo de fuga.

— Lao Miao, como é que você pode acreditar em algo assim? Você não parece ingênuo — objetou Yang Jinwen, com tom de censura.

— Não, não... — se defendeu Miao Fuquan, começando a falar mais baixo e encarando um vizinho de cada vez. — O rapaz se chama Shi Xiaoming. Verifiquei a identidade com mais de uma fonte. Enfim, o pai desse rapaz, Shi Qiang, trabalha para o Departamento de Segurança do CDP! Ele chefiava uma unidade municipal de antiterrorismo e agora é uma das pessoas mais influentes do CDP, responsável pelo combate à OTT. Tenho o número do departamento dele. Vocês podem ligar lá para confirmar.

Os outros dois trocaram um olhar, e Yang Jinwen riu ao pegar a garrafa e se servir mais um copo.

— E daí se for verdade? Quem se importa se existe um fundo de fuga? Como é que eu vou pagar por isso?

— Pois é. Um fundo desses é só para vocês, ricaços — concordou Zhang Yuanchao, com a língua enrolada.

Yang Jinwen ficou agitado de repente.

— E tem mais: se isso for mesmo verdade, esse governo é formado por um bando de idiotas! Se for para alguém fugir, deveria ser a nata dos nossos descendentes. Por que eles deixariam qualquer um que pudesse pagar? De que adianta?

Miao Fuquan apontou para Yang Jinwen e riu.

— Tudo bem, Yang. Vamos falar a verdade. O que você quer mesmo é que seus descendentes possam ir, não é? Imagino que por nata você se refira a alguém como seu filho e sua nora, que são cientistas com doutorado. Logo, provavelmente seus netos e bisnetos também vão ser parte da nata. — Fuquan levantou o copo e fez um gesto com a cabeça. — Mas, se você parar e pensar, todo mundo deveria ser igual, certo? Não tem por que as elites ganharem, digamos, boca-livre, não é?

— Como assim?

— Tudo tem um preço. É uma lei da natureza. Eu vou gastar para garantir o futuro dos Miao. Isso também é uma lei da natureza!

— Por que isso é algo que possa ser comprado? O propósito da fuga é prolongar a civilização humana. Naturalmente, o melhor seria usar a nata da civilização. Mandar um punhado de gente rica para o espaço... — Ele bufou. — De que vai adiantar? Hunf.

O sorriso amarelo no rosto de Miao Fuquan desapareceu, e ele apontou de modo mais incisivo o dedo para Yang Jinwen.

— Eu sempre soube que você não tem nenhum respeito por mim. Por mais dinheiro que eu ganhe, você sempre vai me considerar um ricaço vulgar. Não é verdade?

— Quem você pensa que é? — perguntou Yang Jinwen, impulsionado pelo álcool.

Miao Fuquan deu um tapa na mesa e se levantou.

— Yang Jinwen, eu não admito seus insultos. Vou...

Neste instante, Zhang Yuanchao bateu na mesa com um barulho três vezes mais alto, derrubando dois dos copos e fazendo a mulher de Sichuan dar um grito de susto. Yuanchao apontou para os dois vizinhos.

— Certo. Você é a nata, e você tem dinheiro. Sobrei eu. O que é que eu tenho? Sou apenas um homem pobre, então tenho mesmo que ser eliminado?

Com esforço, ele se controlou para não chutar a mesa e saiu do apartamento. Yang Jinwen também saiu.

Com todo cuidado, o Segundo Destruidor de Barreiras colocou peixes novos dentro do aquário. Assim como Evans, ele gostava de ficar isolado, mas precisava da companhia de seres que não fossem humanos. Costumava conversar com os peixes como se fossem trissolarianos, duas formas de vida cuja presença prolongada na Terra ele desejava ver ansiosamente.

De repente, apareceu o texto do sófon em sua retina.

> Tenho estudado a *História de três reinos*. Como você disse, mentira e manipulação são uma arte, assim como o desenho na pele de uma serpente.

— Mais uma vez menciona a serpente, senhor.

Quanto mais belo o desenho na pele de uma serpente, mais temível ela é. Inicialmente, nós não nos importávamos com a fuga da humanidade, desde que os humanos deixassem de existir no sistema solar. Agora revimos nossos planos e decidimos impedir que a humanidade escape, pois é muito perigoso permitir a fuga de um inimigo cujos pensamentos sejam completamente inacessíveis.

— O senhor tem algum plano específico?

A frota fez alguns ajustes na distribuição pelo sistema solar. Ela vai fazer um desvio em quatro direções no Cinturão de Kuiper e cercar o sistema solar.

— Se a humanidade fugir mesmo, sua frota chegará tarde demais para impedir.

É verdade. Por isso precisamos de sua ajuda. A próxima missão da OTT será interromper ou postergar os planos de fuga da humanidade.

O Destruidor de Barreiras sorriu.

— Senhor, não é preciso se preocupar com essa hipótese. Jamais acontecerá uma fuga em larga escala da humanidade.

Mesmo com o nível atual limitado de desenvolvimento tecnológico, a humanidade talvez consiga construir naves geracionais.

— A tecnologia não é o maior obstáculo para a fuga.

São os conflitos entre os países? Essa sessão especial da ONU talvez resolva o problema. Se não houver consenso, os países mais desenvolvidos são perfeitamente capazes de ignorar a oposição dos outros países e impor um plano.

— Os conflitos entre os países também não representam o maior obstáculo para a fuga.

Qual é, então?

— Os conflitos entre as pessoas. A questão de quem vai e quem fica para trás.

Nós não vemos isso como um problema.

— Também achávamos isso, mas na verdade é um obstáculo insuperável.

Pode explicar?

— O senhor talvez conheça a história da humanidade, mas provavelmente terá dificuldade para entender o seguinte: a questão de quem vai e quem fica envolve valores humanos básicos, valores que no passado promoveram o progresso na nossa sociedade, mas que, diante da perspectiva de desastre absoluto, são uma armadilha. Hoje, a maior parte da humanidade ainda não se deu conta do tamanho dessa armadilha. Senhor, por favor, acredite em minhas palavras. Nenhum ser humano jamais conseguirá escapar dessa armadilha.

— Tio Zhang, o senhor não precisa tomar nenhuma decisão neste momento. Agora que já fez todas as perguntas, reflita bastante. Sei que não é uma quantia pequena, mas... — disse Shi Xiaoming para Zhang Yuanchao, perfeitamente sereno.

— Não é isso. Esse plano existe mesmo? Na TV falam...

— Não ligue para o que falam na TV. Há duas semanas, o porta-voz do governo disse que era impossível bloquear as contas, e veja o que aconteceu... Reflita bem. O senhor é um homem comum e está pensando na perpetuação de sua família. E o presidente e o primeiro-ministro? Eles por acaso não vão pensar na perpetuação do povo chinês? E a ONU? Será que não vai procurar uma saída para a perpetuação da raça humana? Essa sessão especial da ONU na verdade é um plano de cooperação internacional que vai lançar oficialmente o Plano de Fuga Humano. É uma questão urgente.

Lao Zhang fez um gesto lento com a cabeça.

— Quando a gente para e pensa, realmente parece ser isso. Mas ainda acho que a fuga é algo muito remoto. Será que eu deveria mesmo me preocupar com isso?

— Tio Zhang, o senhor não entendeu. A fuga não é tão remota assim. O senhor acha que as naves de fuga só vão ficar prontas daqui a trezentos ou quatrocentos anos? Nesse caso, seriam destruídas com facilidade pela Frota Trissolariana.

— Então, quando as naves vão partir?

— O senhor está prestes a ter um neto, não é?

— Estou.

— Seu neto vai presenciar a saída das naves.

— Ele vai embarcar numa delas?

— Não, isso vai ser impossível. Mas o neto dele talvez embarque.

— Isso é... — Zhang fez as contas. — Daqui a setenta ou oitenta anos.

— Vai levar mais que isso. Nesses tempos de guerra, o governo aumentará o controle de crescimento populacional e implementará períodos de restrições de nascimento, então cada geração vai levar quarenta anos. As naves vão partir daqui a mais ou menos cento e vinte anos.

— Isso é bem rápido. Vai dar para construí-las a tempo?

— Tio Zhang, pense em como era o mundo cento e vinte anos atrás. Ainda estávamos na dinastia Qing! Levava mais de um mês para viajar de Hangzhou até Beijing, e o imperador precisava passar dias enfiado em uma liteira para ir até o retiro de verão. Agora levamos menos de três dias para ir da Terra à Lua. A tecnologia se desenvolve rapidamente, acelerando junto o ritmo de desenvolvimento. Além disso, como o mundo inteiro está concentrando todos os esforços em tecnologia espacial, não tenho a menor dúvida de que seremos capazes de criar naves espaciais daqui a uns cento e vinte anos.

— Viagens espaciais não são muito perigosas?

— Mas a Terra também não vai ser um lugar perigoso até lá? Veja como tudo está mudando hoje em dia. A maior parte da força econômica do país está sendo usada para estabelecer uma frota espacial, que não é um ativo comercial e não vai render nem um centavo de lucro. A vida das pessoas só vai piorar. Se considerar o tamanho da nossa população, o simples sustento de todo mundo vai virar um problema. E veja a situação internacional. Os países mais pobres não têm condições de escapar, e os mais desenvolvidos se recusam a compartilhar a tecnologia. Só que os países mais pobres e menores não pretendem desistir. Eles já não ameaçaram abandonar o Tratado de Não Proliferação? E podem adotar medidas mais extremas no futuro. Vai saber... Daqui a cento e vinte anos, antes mesmo da chegada da frota alienígena, o mundo talvez esteja mergulhado nas chamas da guerra! Quem imagina como vai ser a vida da geração do seu bisneto? Sem contar que as naves de fuga são diferentes do que o senhor imagina. A comparação com a nave espacial *Shenzhou* e com a Estação Espacial Internacional é ridícula. As naves vão ser grandes, cada uma do tamanho de uma cidade pequena, e vão dispor de um ecossistema completo, como versões minúsculas da Terra. A humanidade vai poder viver dentro delas sem precisar de abastecimento externo. Sem mencionar o principal: a hibernação. Aliás, somos capazes de fazer isso hoje mesmo. Os passageiros a bordo vão passar a maior parte do tempo hibernando, e cada século vai parecer só um dia, até as naves chegarem ao mundo novo ou até alcançarmos algum acordo com os trissolarianos para voltarmos ao sistema solar. Os tripulantes só vão acordar depois disso. Esse tipo de vida não é muito melhor do que sofrer aqui na Terra?

Zhang Yuanchao pensou um pouco em silêncio.

Shi Xiaoming continuou.

— Claro, para ser completamente sincero, viagens espaciais são mesmo perigosas. Ninguém sabe que tipo de riscos as naves vão encontrar lá no espaço. Eu sei que o senhor está fazendo isso principalmente para perpetuar o nome da família Zhang, mas não se preocupe...

Zhang encarou o rapaz como se tivesse levado uma alfinetada.

— Como vocês, jovens, podem dizer esse tipo de coisa? Por que eu não me preocuparia?

— Deixa eu terminar, tio Zhang. Não foi isso o que quis dizer... Mesmo se o senhor não estiver interessado em mandar seus descendentes para as naves de fuga, vale muito a pena comprar esse fundo. Quando for disponibilizado para o público geral, o preço vai subir muito. Existe muita gente rica, e não temos muitas outras opções de investimento, e é ilegal estocar. Além disso, quanto mais dinheiro a pessoa tem, mais ela pensa em perpetuar o próprio nome, não acha?

— Certo. Eu sei.

— Tio Zhang, estou sendo muito sincero. O fundo de fuga está na fase preliminar por enquanto e só dispõe de uma pequena equipe credenciada de vendedores internos. Não foi fácil arranjar uma participação. Enfim, quando o senhor tiver pensado em tudo, ligue para mim, e eu ajudo a preencher a papelada.

Depois que Shi Xiaoming foi embora, Lao Zhang foi para a sacada e ficou olhando para o céu, ligeiramente enevoado acima das luzes da cidade.

Meus filhos, disse de si para si, *seu avô vai mesmo mandar vocês para algum lugar onde a noite é eterna?*

Quando o rei Wen de Zhou voltou para o mundo desolado de *Três Corpos*, um sol pequeno nascia e, embora não emitisse muito calor, clareava bem o deserto. A paisagem estava completamente vazia.

— Tem alguém aí? Tem alguém?

Os olhos do rei se iluminaram quando ele avistou uma pessoa chegando a galope no horizonte. Ao reconhecer Newton ao longe, o rei Wen correu na direção dele, agitando os braços freneticamente. Newton logo o alcançou, puxou as rédeas do cavalo e, após desmontar, apressou-se para ajeitar a peruca.

— Por que você está gritando? Quem reiniciou este lugar horrível?

O rei Wen não respondeu à pergunta, mas pegou a mão de Newton e decretou:

— Camarada, meu camarada, preste atenção. O Senhor não nos abandonou. Melhor dizendo, Ele nos abandonou por um motivo e vai precisar de nós no futuro. Ele...

— Eu sei — interrompeu Newton, afastando a mão do rei Wen com impaciência. — Os sófons também me enviaram uma mensagem.

— Então isso significa que o Senhor enviou mensagens a muitos de nós ao mesmo tempo. Excelente. O contato da organização com o Senhor nunca mais será monopolizado outra vez.

— A organização ainda existe? — perguntou Newton, que enxugou o suor com um lenço.

— É claro que sim. Os redentistas foram completamente destruídos após o ataque, e a facção dos sobreviventes se desligou e formou uma força independente. Só os adventistas continuaram na organização.

— O ataque purificou a organização. Muito bom.

— Você deve ser um adventista, já que está aqui. Mas parece não estar por dentro de tudo. Está sozinho?

— Meu único contato é outro camarada, e ele não mencionou nada sobre este endereço na web. Quase não consegui escapar vivo daquele terrível ataque.

— Seus instintos de fuga foram muito bem demonstrados na era de Qin Shi Huang.

Newton olhou à sua volta.

— Aqui é seguro?

— Claro. Estamos nas profundezas de um labirinto com muitos níveis. É praticamente impossível descobrir este lugar. Além disso, quem conseguir entrar aqui não será capaz de rastrear a localização dos usuários. Por motivos de segurança, depois do ataque, a organização isolou cada divisão e reduziu ao mínimo todos os contatos. Precisamos de algum lugar para uma reunião, e de uma área de segurança para novos membros. Aqui é mais protegido do que o mundo real.

— Você percebeu que os ataques contra a organização no mundo real diminuíram consideravelmente?

— Esses caras são espertos. Sabem que a organização é o único meio de conseguir informações sobre o Senhor, e também a única oportunidade de obter a tecnologia enviada pelo Senhor, ainda que seja mínima a chance de algo assim acontecer. Só por isso deixam a organização continuar existindo até certo ponto, mas acho que vão se arrepender.

— O Senhor não é tão esperto. Ele nem sequer compreende a capacidade da esperteza.

— Por isso Ele precisa de nós. A existência da organização é preciosa, e todos os camaradas devem ser informados disso o quanto antes.

Newton montou no cavalo.

— Muito bem. Preciso ir. Ficarei mais tempo assim que confirmar que aqui é mesmo seguro.

— Garanto que estamos completamente protegidos.

— Se isso for verdade, da próxima vez teremos mais camaradas reunidos. Adeus.

Ao fim dessas palavras, Newton esporeou o cavalo e foi embora. Quando o barulho dos cascos enfim se dissipou, o pequeno sol havia se transformado em estrela cadente, e um manto de escuridão cobriu o mundo.

Luo Ji relaxava na cama, vendo com olhos ainda meio enevoados de sono a mulher se vestir depois do banho. Atrás das cortinas, o sol já despontava alto no céu, transformando o corpo da mulher em uma silhueta graciosa, como se estivessem em uma cena de algum filme em preto e branco cujo título ele não lembrava. Mas o que ele precisava lembrar era o nome dela. Como ela se chamava? Um pouco de paciência. Primeiro, o sobrenome: se fosse Zhang, ela se chamaria Zhang Shan. Ou era Chen? Nesse caso, seria Chen Jinjing... não, essas mulheres tinham vindo antes. Ele pensou em olhar o celular, mas o aparelho continuava no bolso da calça, e as roupas tinham sido jogadas no tapete. Além disso, não fazia muito tempo que os dois se conheciam, e ele ainda não havia salvado o número dela nos contatos. O mais importante naquele momento era não fazer como da outra vez em que ele perguntara abertamente — as consequências foram desastrosas. Então Luo Ji se virou para a televisão, que ela havia ligado e colocado no mudo. Na tela, em volta de uma grande mesa redonda, o Conselho de Segurança da ONU estava reunido — não, não era mais o Conselho de Segurança, mas ele não conseguia se lembrar do nome novo. Ainda estava com a cabeça fora de órbita.

— Aumente o som — pediu ele, soando seco por não usar nenhum termo carinhoso, mas não estava ligando para isso no momento.

— Você parece muito interessado.

Ela estava sentada penteando o cabelo, mas não mexeu no volume.

Luo Ji estendeu o braço para a mesinha de cabeceira, pegou um isqueiro e acendeu um cigarro enquanto esticava os pés descalços para fora do lençol, mexendo os dedos com satisfação.

— Olhe só para isso. E você ainda se considera um acadêmico? — indagou ela, ao olhar os dedos inquietos dos pés dele pelo espelho.

— Um jovem acadêmico — corrigiu ele —, com poucas realizações. Mas isso porque não me esforço. Na verdade, tenho muita capacidade. Às vezes, consigo chegar de uma hora para outra a uma conclusão que outros passam a vida inteira estudando para alcançar... Acredite se quiser, fui quase famoso uma vez.

— Está se referindo àquela história de subcultura?

— Não, isso não. Falo de outra coisa em que trabalhei na mesma época. Sabe, eu criei a sociologia cósmica.

— O quê?

— É a sociologia dos alienígenas.

Ela deu uma risada, largou o pente de lado e começou a passar maquiagem.

— Você não sabe que existe uma tendência para transformar acadêmicos em celebridades? Eu poderia ter virado um astro.

— Hoje em dia o que mais existe é especialista em alienígenas.

— Isso foi só depois que apareceu esse monte de besteira nova — rebateu Luo Ji, apontando para a televisão sem som, que seguia exibindo a mesa grande e as pessoas em volta. A cobertura estava bem longa. Seria ao vivo? — Os acadêmicos não estudavam alienígenas antes. Apenas vasculhavam pilhas de papel velho para virar celebridade. Só que depois o público se cansou da necrofilia cultural daquela velha guarda, e foi aí que eu apareci. — Ele se espreguiçou, esticando os braços para o alto. — Sociologia cósmica, alienígenas, e um monte de raças alienígenas. Mais raças do que a quantidade de pessoas na Terra, dezenas de bilhões! O produtor daquele programa *Sala de Aula* cogitou criar uma série de TV comigo, mas então tudo começou a acontecer mesmo e... — Ele desenhou um círculo com o dedo e suspirou.

Ela não estava prestando muita atenção, preferindo as legendas do closed caption na televisão:

— "Nós consideramos todas as opções a respeito do Escapismo..." O que isso significa?

— Quem está falando?

— Parece Karnoff.

— Ele está dizendo que o Escapismo precisa ser tratado com o mesmo rigor da OTT, e que é preciso lançar um míssil teleguiado em qualquer pessoa que estiver construindo uma arca de Noé.

— Isso é meio exagerado.

— Não — respondeu ele, energicamente. — É a melhor estratégia. Eu venho pensando nisso há muito tempo. E, mesmo se for um pouco exagerado, ninguém vai fugir mesmo. Você já leu *Cidade flutuante*, de Liang Xiaosheng?

— Nunca. É bem antigo, certo?

— É, sim. Eu li quando era pequeno. Shanghai está prestes a ser engolida pelo mar, e um grupo de pessoas sai de casa em casa para recolher e destruir boias e coletes salva-vidas, para se certificar de que, se nem todos teriam chances de sobreviver, ninguém sobreviveria. Eu me lembro de uma passagem em que uma menininha levava o grupo até a porta de uma casa e gritava: "Aqui ainda tem uma!".

— Você é igualzinho aos babacas que sempre acham que a sociedade é um lixo.

— Bobagem. O axioma fundamental da economia é o instinto mercenário do ser humano. Sem esse princípio, toda essa ciência desabaria. A sociologia ainda não tem nenhum axioma fundamental, mas talvez seja algo ainda mais sombrio que o da economia. A verdade sempre junta poeira. Um punhado de gente pode decolar para o meio do espaço, mas, se a humanidade soubesse que chegaria a tanto, por que teríamos nos dado ao trabalho?

— Como assim?

— Por que teríamos passado pelo Renascimento? Para que a Magna Carta? Para que a Revolução Francesa? Se a humanidade tivesse continuado dividida em classes, se tivesse sido conduzida pela mão de ferro da lei, quando chegasse o momento, quem precisava ir embora iria, e quem tivesse que ficar para trás ficaria. Se isso estivesse acontecendo durante as dinastias Ming ou Qing, é claro que eu iria embora e você ficaria para trás. Mas agora isso não é possível.

— Eu não acharia ruim se você fosse embora agora — disse ela.

O que era, de fato, verdade. Eles haviam alcançado um momento de separação mútua. Luo Ji sempre conseguia chegar àquele momento com todas as mulheres, nunca cedo nem tarde demais. Desta vez, estava bastante satisfeito com sua capacidade de controlar o ritmo. Fazia só uma semana que se conheciam, e o rompimento foi tranquilo e elegante, como a separação entre um foguete e um estágio propulsor.

Ele voltou ao tópico anterior:

— A propósito, não fui o responsável por estabelecer a sociologia cósmica. Sabe quem teve a ideia? Você é a única pessoa para quem vou contar, então não se assuste.

— Tanto faz. Não acredito em quase nada do que você me fala mesmo. Só acredito em uma coisa.

— Ah... deixa pra lá. Que coisa?

— De pé, vamos. Estou com fome.

Ela pegou as roupas de Luo Ji e jogou em cima da cama.

Eles tomaram café no salão principal do hotel. Em sua maioria, as pessoas nas outras mesas pareciam sérias, e às vezes os dois ouviam fragmentos de conversas. Luo Ji não queria escutar, mas era como se fosse uma vela em uma noite de verão. As palavras, como insetos voando em volta da chama, não paravam de entrar em sua cabeça: Escapismo, socialização tecnológica, OTT, transformação em economia de guerra, base equatorial, emenda constitucional, CDP, perímetro defensivo primário de advertência próximo da Terra, modo integrado independente...

— Nossa época está muito vazia, não é? — perguntou Luo Ji.

Ele parou de cortar o ovo e deitou o garfo na mesa. Ela assentiu com a cabeça.

— Verdade. Ontem vi um programa de competição na TV que tinha uma pergunta muito tola. Mãos na campainha. — Ela apontou o garfo para Luo Ji, imitando o apresentador. — Cento e vinte anos do fim dos tempos, sua décima terceira geração vai estar viva. Verdadeiro ou falso?

Luo Ji voltou a pegar o garfo e balançou a cabeça.

— Nenhuma geração minha vai estar viva. — Ele juntou as mãos como se fosse rezar. — O nome da minha família vai morrer comigo.

Ela bufou em tom de deboche.

— Você me perguntou qual era a única coisa em que eu acreditava. É isso aí. Você já comentou antes. Acredito nisso porque esse é o tipo de pessoa que você é.

Então era por isso que ela ia terminar? Luo Ji não queria perguntar, com medo de piorar a situação, mas ela parecia capaz de ler seus pensamentos:

— Eu também sou assim. É muito irritante ver certas características suas em outras pessoas.

— Especialmente em alguém do sexo oposto — acrescentou Luo Ji, assentindo com a cabeça.

— Enfim, se você precisa se justificar, é uma postura perfeitamente responsável.

— Que postura? Não querer ter filhos? Claro que é. — Luo Ji apontou o garfo para as pessoas nas mesas mais próximas que conversavam sobre transformação econômica. — Você sabe como vai ser a vida dos descendentes de todos eles? As pessoas vão passar o dia trabalhando sem parar nos estaleiros, nos estaleiros espaciais, e depois vão fazer fila nos refeitórios, sentindo a barriga roncar enquanto esperam aquela concha rasa de sopa... e, quando forem mais velhas, vão ouvir que o Tio Sam... ou melhor, que a Terra precisa de você, e lá irão elas atrás de glória no exército.

— Vai ser melhor para a geração do fim dos tempos.

— Se aposentar para viver o fim dos tempos. Que desgraça. Aliás, os avós dessa última geração talvez não tenham comida suficiente. De qualquer maneira, nem *esse* futuro vai acontecer. Basta olhar para a teimosia das pessoas na Terra. Aposto que elas vão resistir até o último suspiro, e aí o grande mistério será saber como vão morrer no final.

Depois de tomar café, eles saíram do salão do hotel para o agradável calor do sol matinal. O ar exalava um aroma doce que chegava a ser enjoativo.

— Preciso aprender a viver. Vai ser uma pena se eu não conseguir — comentou Luo Ji, enquanto olhava para o trânsito na rua.

— Nenhum de nós vai aprender — respondeu ela, tentando avistar um táxi.

— Então... — Luo Ji olhou para a mulher com expectativa. Obviamente, não seria preciso lembrar o nome dela.

— Adeus — disse ela, balançando de leve a cabeça na direção dele.

Os dois trocaram um aperto de mãos e um beijo rápido.

— Talvez a gente volte a se ver.

Luo Ji se arrependeu do que disse assim que as palavras saíram de sua boca. Tudo tinha corrido muito bem até aquele momento, então por que correr o risco de arranjar problemas? Mas não havia motivo para preocupação.

— Duvido.

Ela se virou rapidamente ao falar e jogou a bolsa por cima do ombro, um detalhe que mais tarde Luo Ji relembraria diversas vezes na tentativa de determinar se tinha sido um gesto deliberado. Era uma bolsa chamativa da Louis Vuitton, e ele já havia visto muitas vezes a mulher girá-la enquanto se virava. Só que daquela vez a bolsa foi bem na direção do rosto de Luo Ji, que recuou um passo para se esquivar e acabou tropeçando no hidrante atrás de si, caindo de costas no chão.

A queda salvou sua vida.

Tudo aconteceu muito rápido. Na rua, dois automóveis se chocaram de frente. Antes que o barulho do impacto se dispersasse, um carro tentou se desviar da batida e se aproximou a toda na direção de onde Luo Ji estava parado. O tropeço de Luo Ji foi providencial. Só o para-choque dianteiro do carro pegou de raspão em um de seus pés, o que ainda estava para o alto, fazendo o corpo dele girar noventa graus no chão, de modo que ficasse virado para a traseira do carro. Luo Ji não escutou o baque pesado do outro impacto, mas viu o corpo da mulher voar por cima do carro e cair na rua como uma boneca de pano. O rastro de sangue deixado pela queda do corpo parecia sugerir alguma coisa. Olhando para aquele símbolo sanguinolento, Luo Ji enfim se lembrou do nome dela.

A nora de Zhang Yuanchao estava prestes a dar à luz. Ela havia sido transferida para a sala de parto enquanto o resto da família aguardava na sala de espera. Ali, uma TV exibia um vídeo com informações sobre o bem-estar para mães e bebês. A cena toda dava a Lao Zhang uma sensação de satisfação e humanidade que ele nunca havia experimentado na vida, o conforto prolongado de uma Era de Ouro antiga que ia sendo corroída pela era de crise cada vez pior.

Yang Jinwen chegou. O primeiro pensamento que passou pela cabeça de Zhang Yuanchao foi que o amigo estava aproveitando a oportunidade para fazer as pazes, mas a expressão no rosto de Yang Jinwen indicava o contrário. Sem nem ao menos cumprimentar, Yang Jinwen puxou Zhang Yuanchao da sala de espera para o corredor.

— Você comprou mesmo uma cota do fundo de fuga? — perguntou ele.

Zhang Yuanchao o ignorou e se virou para se afastar, como se dissesse: *Não é da sua conta.*

— Veja isto — disse Yang Jinwen, entregando ao outro um jornal. — É de hoje.

A manchete principal em preto saltava aos olhos:

SESSÃO ESPECIAL DA ONU APROVA RESOLUÇÃO 117: ESCAPISMO É ILEGAL

Zhang Yuanchao leu com atenção o começo da matéria:

> Uma sessão especial da Assembleia Geral das Nações Unidas aprovou, por maioria arrasadora, resolução que declara que o Escapismo é uma violação de leis internacionais. A resolução condena com rigor a divisão e a turbulência criadas pelo Escapismo na sociedade humana e classifica o movimento como um crime contra a humanidade segundo leis internacionais. A resolução conclama os países-membros a promulgar leis o quanto antes para combater o Escapismo.
>
> O embaixador da China divulgou uma declaração reforçando a posição do governo chinês em relação ao Escapismo e afirmando o total apoio do país à Resolução 117 da ONU. O embaixador chinês anunciou o compromisso do governo de começar imediatamente a formular e aprimorar leis e de adotar medidas concretas para impedir a disseminação do Escapismo. O representante concluiu declarando que "devemos valorizar o espírito de união e solidariedade da comunidade internacional neste momento de crise e preservar o princípio, reconhecido mundialmente, de que todos os seres humanos têm o mesmo direito à sobrevivência. A Terra é o lar de todos os povos, e não devemos abandoná-la".

— Por que... por que eles estão fazendo isso? — perguntou Zhang Yuanchao, gaguejando.

— Não é óbvio? Pense um pouco e você vai ver que a fuga para o universo nunca daria certo. A grande questão é quem vai poder ir embora e quem vai ter que ficar. Não se trata de uma desigualdade corriqueira. É uma questão de sobrevivência. Pouco importa quem vai poder ir, as elites, os ricos, ou as pessoas comuns: se algumas pessoas ficarem para trás, será o colapso do sistema fundamental de valores e princípios éticos da humanidade. Os direitos humanos e a igualdade têm raízes profundas. A desigualdade de sobrevivência é o pior tipo de desigualdade, e em hipótese alguma as pessoas e os países abandonados ficarão de braços cruzados, esperando a morte, enquanto outros conseguem escapar. Haverá confrontos cada vez mais extremos entre os dois lados, até o mundo mergulhar em caos, e aí ninguém mais vai fugir! A resolução da ONU é bastante sensata. Quanto você gastou, Lao Zhang?

Zhang Yuanchao se apressou a pegar o celular. Ele ligou para o número de Shi Xiaoming, mas a chamada não completou. As pernas fraquejaram, e ele se apoiou na parede e deslizou até se sentar no chão. Tinha investido quatrocentos mil yuans.

— Ligue para a polícia! Aquele tal de Shi não sabe uma coisa: Lao Miao descobriu o ramal do pai dele, no Departamento de Segurança. Esse golpista não vai se safar.

Zhang Yuanchao se limitou a balançar a cabeça ali no chão.

— Sim, talvez a gente encontre ele — concordou, suspirando —, mas o dinheiro está perdido. O que vou falar para a minha família?

Ouviu-se um barulho de choro, e então uma enfermeira gritou:

— Número dezenove. É um menino!

De repente, todo o resto se tornou insignificante, e Zhang Yuanchao entrou correndo na sala de espera.

Durante os trinta minutos que ele havia esperado, o mundo ganhara dez mil recém-nascidos, cujos choros formariam um coro tremendo. Atrás desses bebês, estendia-se a Era de Ouro, a bela época que começara nos anos 1980 e terminara com a Crise. À frente, descortinavam-se os anos difíceis que a humanidade estava prestes a enfrentar.

Luo Ji só sabia que estava trancado em um quarto subterrâneo apertado. Aquele andar ficava nas profundezas, e ele havia sentido o movimento do elevador (um daqueles raros modelos antigos que funcionavam manualmente com uma alavanca), enquanto o mecanismo confirmava sua impressão e contava de trás para a frente até menos dez. Dez andares abaixo da superfície! Ele passou outra vez em revista o quarto pequeno: cama de solteiro, mobiliário simples, uma escrivaninha velha de madeira. O lugar parecia uma guarita, não uma cela de prisão. Era evidente que ninguém ocupava o local havia bastante tempo e, embora a roupa de cama fosse nova, o resto da mobília estava coberto de poeira e cheirava a mofo.

A porta se abriu, e um homem atarracado de meia-idade entrou. Com a cabeça, fez um gesto cansado para Luo Ji.

— Dr. Luo, estou aqui para lhe fazer companhia. Como você acabou de chegar, imagino que ainda não esteja ansioso demais.

Acabou de chegar. A frase incomodou, sem dúvida teria sido mais correto dizer "acabou de ser trazido para baixo". Luo Ji sentiu o coração apertar. Aparentemente, sua hipótese se confirmava: embora os homens que o trouxeram até aquele local tivessem sido educados, estava nítido que ele havia sido preso.

— Você é da polícia?

O homem assentiu com a cabeça.

— Já fui. Meu nome é Shi Qiang. — Ele se sentou na cama e pegou um maço de cigarros. *A fumaça não teria como se dissipar dentro deste quarto fechado*, pensou Luo Ji, mas não se atreveu a falar nada. Como se tivesse lido seus pensamentos, Shi Qiang olhou à volta e comentou: — Deve ter um exaustor aqui dentro.

Ele puxou um fio perto da porta, e um exaustor começou a zumbir. Era raríssimo ver mecanismos ativados por corda. Luo Ji também reparou num obsoleto telefone vermelho de disco em um canto do quarto, coberto de poeira. Shi Qiang lhe ofereceu um cigarro, e ele aceitou após hesitar por um instante.

— Ainda está cedo — observou Shi Qiang, depois de acender os cigarros. — Vamos conversar?

— Pode perguntar — respondeu Luo Ji, cabisbaixo, soprando uma nuvem de fumaça.

— Perguntar o quê? — indagou Shi Qiang, olhando surpreso para Luo Ji.

Luo Ji se levantou de um salto da cama e jogou o cigarro no chão.

— Como é que vocês podem desconfiar de mim? Vocês sabem muito bem que foi só um acidente de trânsito! Dois carros colidiram, e a mulher foi atingida pelo terceiro, que tentou desviar. Não é óbvio?

Ele estendeu as mãos, sem palavras.

Shi Qiang levantou a cabeça e olhou para ele, com uma súbita expressão de alerta em seus olhos cansados, como se por trás daquele sorriso estampado estivesse escondida uma malícia invisível aperfeiçoada pela experiência.

— Você que está dizendo, não eu. De qualquer forma, não sei de muita coisa e meus superiores não querem que eu fale demais. E pensar que eu estava achando que não teríamos nenhum assunto para conversar. Vamos, sente-se.

Luo Ji não se sentou. Ele avançou na direção de Shi Qiang e continuou:

— Conheci ela na semana passada. A gente se esbarrou num bar perto da universidade, e na hora do acidente eu nem me lembrava do nome dela. Diga, o que havia entre nós dois que poderia fazer vocês pensarem nisso?

— Você não se lembrava nem do nome dela? Não me admira que não tenha dado a mínima quando ela morreu. Você é praticamente igual a outro gênio que conheço. — Ele deu uma risada. — A maravilhosa vida do dr. Luo, que conhece uma mulher nova em cada canto. E é cada mulher!

— Isso é crime?

— Claro que não. Só estou com inveja. Eu tenho apenas uma regra no meu trabalho: nunca julgar ninguém. Os caras com quem preciso lidar são do tipo barra-pesada. Ficar enchendo a paciência deles com coisas como "Veja só o que você fez! Pense nos seus pais, e na sociedade..." seria o mesmo que dar um tapa na cara dos sujeitos.

— Se não se importa, prefiro continuar falando dela, policial Shi. Você acredita mesmo que matei aquela mulher?

— Olhe só para você, tocando no assunto por conta própria. Levantando até a possibilidade de assassinato. Nós só estamos tendo uma conversa. Qual é a pressa? Vejo que você ainda não tem muita experiência com isso.

Luo Ji encarou Shi Qiang. Por um instante, só se ouviu o zumbido do exaustor. Depois, Shi Qiang deu risada e pegou outro cigarro.

— Luo, meu amigo. O destino nos uniu. Sabia que já atuei em dezesseis casos que terminaram em pena capital? Acompanhei pessoalmente nove dos condenados.

Luo Ji recusou outro cigarro de Shi Qiang.

— Não vou deixar que você me acompanhe. Então, agradeço se puder fazer a gentileza de informar meu advogado.

— Muito bem, meu amigo — incentivou Shi Qiang, dando um tapa no ombro de Luo Ji. — Eu admiro a determinação. — Ele se aproximou e disse, através de uma nuvem de fumaça: — A gente vê todo tipo de coisa, mas o que aconteceu com você é realmente... — Ele parou a frase no meio. — Na verdade, estou aqui para ajudar. Você talvez conheça aquela piada. A caminho do pátio de execução, um condenado reclamou que ia chover, e o carrasco falou: "Por que você está preocupado? Nós é que vamos ter que voltar debaixo d'água!". É assim que nós dois vamos ter que pensar daqui para a frente. Bom. Ainda temos algum tempo antes de sair. Talvez seja bom dormir um pouco.

— Sair?

Mais uma vez, Luo Ji encarou Shi Qiang.

De repente, a conversa foi interrompida por batidas à porta. Logo um rapaz com expressão atenta entrou e jogou uma mala no chão.

— Capitão Shi, mudança de planos. Estamos saindo agora.

Zhang Beihai abriu sem fazer barulho a porta do quarto no hospital. Meio recostado em um travesseiro na cama, seu pai parecia melhor do que ele havia imaginado. Os raios dourados do pôr do sol que entravam pela janela davam um pouco de cor àquele rosto, suavizando a aparência do homem à beira da morte. Zhang Beihai pendurou o chapéu no cabideiro perto da porta e se sentou ao lado da cama. Não perguntou pela saúde do pai, porque o velho soldado daria uma resposta direta, e ele não queria ouvir.

— Pai, entrei para a força espacial.

Seu pai assentiu com a cabeça, mas não falou nada. Entre pai e filho, o silêncio transmitia mais do que as palavras. Zhang Beihai fora criado mais no silêncio do que na fala, e as palavras não passavam de marcas de pontuação entre os silêncios. Aquele pai silencioso transformara Zhang Beihai no homem que ele era.

— Eles estão criando a frota espacial utilizando como base a Marinha, exatamente como o senhor imaginou. Acreditam que a guerra espacial vai ser mais parecida com guerra naval, na forma e na teoria.

Seu pai confirmou com a cabeça.

— Muito bem.

— Então, o que eu faço?

Finalmente perguntei, pai. A pergunta que passei uma noite em claro criando coragem para fazer. Hesitei agora, diante do senhor, porque sei que é a pergunta que mais o deixará decepcionado. Eu lembro que, quando terminei a escola de formação e entrei para a força como segundo-tenente, o senhor falou: "Beihai, você ainda tem muito caminho pela frente. Digo isso porque ainda consigo compreendê-lo com facilidade, o que significa que sua mente continua simples demais, sem muita sutileza. No dia em que eu não for mais capaz de compreendê-lo nem de perceber seus pensamentos, mas você for capaz de me entender com facilidade, então você terá crescido". E eu cresci como o senhor falou, e o senhor já não conseguia compreender com tanta facilidade seu filho. Sei que deve ter lamentado pelo menos um pouco por isso. Mas seu filho realmente está se tornando o tipo de pessoa que o senhor queria, alguém que não é muito agradável, mas capaz de se sair bem no universo complicado e perigoso da Marinha. O fato de que estou lhe fazendo essa pergunta certamente significa que o treinamento que o senhor me dispensou ao longo de três décadas fracassou no momento decisivo. Apesar disso, pai, responda mesmo assim. Seu filho não é tão excepcional quanto o senhor imagina. Responda, só desta vez.

— Pense um pouco mais — respondeu o pai.

Tudo bem, pai. O senhor me deu uma resposta. Essas quatro palavras me disseram muito, mais do que poderia ser dito por trinta mil palavras. Acredite, estou escutando com todo o coração, mas ainda preciso que o senhor seja mais claro, porque isso é extremamente importante.

— E depois de pensar? — perguntou Zhang Beihai, segurando o lençol com as duas mãos. As palmas e a testa estavam cobertas de suor.

Pai, me perdoe. Se o decepcionei pela última vez, permita-me ir além e voltar a ser criança.

— Beihai, só posso dizer para você antes pensar muito — respondeu o pai.

Obrigado, pai. O senhor esclareceu tudo. Compreendi a mensagem.

Zhang Beihai soltou o lençol e pegou a mão magra do pai.

— Pai, não vou mais para o mar. Virei visitar bastante o senhor.

O pai sorriu, mas balançou a cabeça.

— Isso aqui não é nada de mais. Concentre-se no trabalho.

Eles conversaram um pouco mais, primeiro sobre questões de família, depois sobre o estabelecimento da força espacial. O pai apresentou muitas ideias e deu conselhos para o trabalho que Zhang Beihai faria. Eles imaginaram o formato e o tamanho dos couraçados espaciais, debateram sobre os armamentos usados na guerra espacial e até se a teoria de poder naval de Mahan se aplicava a batalhas no espaço...

Porém, a conversa não tinha nenhuma grande importância, era antes um passeio verbal de pai e filho. A importância estava nas três frases que os dois corações trocaram:

— Pense um pouco mais.

— E depois de pensar?

— Beihai, só posso dizer para você antes pensar muito.

Zhang Beihai se despediu. Quando estava saindo do quarto, parou na porta e se virou para olhar para o pai, encoberto pelas sombras agora que caía o entardecer. Seus olhos penetraram as sombras e repararam em um último resquício de iluminação na janela, do outro lado do quarto. Embora estivesse prestes a acabar, era o momento de maior beleza do pôr do sol. Os últimos raios iluminavam as ondas que se sacudiam sem cessar no mar revolto, descendo como lanças de luz que atravessavam as nuvens caóticas do oeste, projetando imensas faixas douradas na superfície da água, como pétalas caídas do céu. Para além das pétalas, nuvens escuras pairavam sobre um mundo negro como a noite, e uma tormenta de raios pendia entre o céu e a terra, como uma cortina criada pelos deuses, e apenas os raios constantes iluminavam os flocos de neve que pareciam se erguer com a arrebentação das ondas. Em uma faixa dourada, um contratorpedeiro penava para erguer a proa na superfície e, em seguida, atravessava a muralha de uma onda com um estrondo devastador, e a água erguida absorvia avidamente a luz, como um gigantesco pássaro-roca estendendo suas imensas asas cintilantes para o céu.

Zhang Beihai pôs o quepe, identificado com o símbolo da Força Espacial Chinesa. *Pai, para a minha sorte, pensamos do mesmo jeito*, disse ele de si para si. *Não vou lhe dar glórias, mas vou lhe dar descanso.*

— Sr. Luo, por favor, vista isto — pediu o rapaz, que se ajoelhou para abrir uma maleta assim que entrou no quarto.

O homem parecia muito educado, mas Luo Ji não conseguiu conter um desconforto, como se tivesse engolido uma mosca. Porém, ao ver as roupas que o homem tirou da maleta, percebeu que não se tratava de um uniforme de presidiário: parecia um casaco marrom comum. Ele pegou o casaco e examinou o material. Shi Qiang e o rapaz vestiram casacos semelhantes, só que de outras cores.

— Pode vestir. É confortável e leve. Ao contrário do modelo antigo que a gente usava, que era grudento demais — comentou Shi Qiang.

— É à prova de balas — acrescentou o rapaz.

Por que alguém ia querer me matar?, pensou Luo Ji ao trocar de casaco.

Os três saíram do quarto e seguiram pelo corredor até o elevador. O teto estava revestido de tubos retangulares de metal, e eles passaram diante de várias portas fechadas, todas pareciam pesadas. Luo Ji reparou em um slogan meio apagado em uma das paredes manchadas. Só uma parte estava visível, mas ele conhecia aquele slogan de cor: "Cavar túneis profundos, armazenar grãos, não buscar hegemonia".*

— Defesa Aérea Civil? — indagou.

— Não do tipo comum. Defesa contra bombas atômicas, mas a estrutura agora está obsoleta. Na época, só pessoas escolhidas podiam entrar aqui.

— Então estamos... nas Colinas Ocidentais? — perguntou Luo Ji, mas Shi Qiang e o rapaz não responderam.

Luo Ji tinha ouvido histórias sobre o centro de comando secreto. Assim que os três entraram no elevador antigo, começaram a subir, ouvindo um rangido enorme. O ascensorista, um soldado da Polícia Armada Popular, carregava uma submetralhadora e dava a impressão de que estava fazendo aquele serviço pela primeira vez na vida. O soldado precisou mexer nos controles por algum tempo até o elevador enfim parar no andar -1.

Ao sair do elevador, Luo Ji viu que se encontravam em um local amplo e de pé-direito baixo, como um estacionamento subterrâneo. Havia diferentes carros estacionados em duas fileiras, alguns com o motor ligado, enchendo o ar com os gases que saíam do escapamento. Algumas pessoas estavam paradas ao lado dos carros, outras caminhando entre as fileiras. Como só havia uma luz acesa, em um canto distante, as pessoas pareciam sombras escuras naquele lugar mal iluminado. Só quando eles passaram perto da lâmpada Luo Ji viu que as pessoas eram soldados armados até os dentes. Alguns gritavam em rádios, tentando se fazer ouvir por cima do barulho dos motores. As vozes pareciam tensas.

* Como medida defensiva em caso de ataques inimigos, imensas redes de túneis foram construídas em cidades chinesas a partir do final da década de 1960. Este slogan, adaptado de conselhos dados ao fundador da dinastia Ming, foi promulgado como diretriz de Mao Tsé-Tung no Editorial de Ano-Novo do *Diário do Povo*, em janeiro de 1973.

Shi Qiang conduziu Luo Ji pelas fileiras de carros, seguido de perto pelo rapaz. A lâmpada do estacionamento e os faróis vermelhos dos carros lançavam uma luminosidade de cores fugidias no corpo de Shi Qiang, e Luo Ji pensou no bar escuro onde havia conhecido a mulher.

Shi Qiang foi com Luo Ji até um carro, abriu a porta e pediu para ele entrar. O carro era espaçoso, mas as janelas estranhamente pequenas revelavam a espessura da carroceria. Um veículo blindado com janelas pequenas e escurecidas, provavelmente uma medida de proteção contra bombas. A porta do carro ficou entreaberta, e Luo Ji escutou a conversa de Shi Qiang com o rapaz.

— Capitão Shi, eles acabaram de ligar para avisar que já percorreram a rota. Todos os guardas estão posicionados.

— A rota é complicada demais. Só conseguimos percorrer o caminho todo um punhado de vezes. É muito pouco. Quanto aos guardas posicionados, repito o que disse, você precisa pensar como o inimigo. Se você estivesse do outro lado, onde se esconderia? Consulte os especialistas da Polícia Armada Popular outra vez. A propósito, o que foi planejado para a entrega?

— Não falaram nada.

Shi Qiang levantou a voz.

— Idiotas. Eles não podem deixar solta uma parte tão importante.

— Capitão Shi, parece que o alto-comando quer que a gente siga tudo à risca.

— Eu posso seguir tudo à risca a vida inteira, mas, como vai acontecer uma entrega na chegada, é preciso que as responsabilidades estejam identificadas com toda a clareza. Tem que haver uma linha. Qualquer coisa que aconteça antes da linha é responsabilidade nossa. Depois é deles.

— Não falaram...

— Zheng, eu sei que você está chateado com a promoção de Chang Weisi. Porra, parece que a gente nem existe para os antigos subordinados dele. Só que deveríamos ter um pouco de amor-próprio, sabe? Quem eles pensam que são? Algum desses sujeitos já se meteu no meio de um tiroteio ou já disparou em alguém? Aquele pessoal usou tanta parafernália tecnológica na última operação que parecia um circo. Usaram até o sistema aéreo de alerta antecipado. Mas, no fim das contas, a quem recorreram para achar o local de encontro? A nós. Isso nos rendeu um pouco de crédito. Zheng, foi muito difícil convencer vocês a migrarem para cá, mas eu me pergunto se isso não acabou sendo prejudicial.

— Capitão Shi, não diga isso.

— O mundo está complicado. Entende? A moralidade não significa mais a mesma coisa. Todo mundo despeja o próprio azar em cima de outras pessoas, então é importante tomar cuidado... Estou falando isso porque não sei quanto tempo ainda vou durar. Tenho medo de que tudo acabe caindo no seu colo.

— Capitão Shi, o senhor precisa pensar na sua doença. O alto escalão não o designou para hibernação?

— Tenho muita coisa para pôr em ordem antes. Família, trabalho. E por acaso acha que não me preocupo com vocês aqui?

— Não se preocupe conosco. Na sua condição, não dá para adiar. Seus dentes estavam sangrando de novo hoje cedo.

— Isso não é nada. Sou um cara de sorte. Você devia saber. Três das armas que já atiraram contra mim falharam.

Os carros em uma das extremidades do andar começaram a sair. Shi Qiang entrou, fechou a porta e, quando o carro ao lado partiu, seguiu atrás. Shi Qiang fechou as cortinas dos dois lados, e o divisor opaco entre os bancos da frente e os de trás impediu que Luo Ji visse qualquer coisa do lado de fora. Durante o percurso, o rádio de Shi Qiang chiava o tempo todo, mas Luo Ji não conseguia entender as falas que saíam do aparelho. Shi Qiang respondia aos ruídos do rádio com frases curtas.

— A situação está mais complicada do que você imagina — disse Luo Ji para Shi Qiang, depois de algum tempo.

— Isso mesmo. Está tudo complicado agora — respondeu Shi Qiang, com indiferença, ainda concentrado no rádio.

Eles não trocaram mais nenhuma palavra durante a viagem. O percurso correu sem sustos e sem interrupções, e depois de mais ou menos uma hora o veículo parava.

Quando saiu do carro, Shi Qiang fez um gesto para Luo Ji continuar dentro do veículo e fechou a porta. Luo Ji ouviu uma vibração que parecia vir de cima do teto. Após alguns minutos, Shi Qiang voltou a abrir a porta e mandou Luo Ji sair. Nesse momento, ele percebeu que aquilo era um aeroporto: a vibração tinha se transformado em estrondo. Luo Ji olhou para cima e viu dois helicópteros no ar, virados para direções contrárias, como se vigiassem o espaço aberto. Na sua frente havia uma aeronave grande, que parecia um avião comercial, mas Luo Ji não viu nenhum logo. Uma escada de passageiros fora colocada na entrada, e Shi Qiang e Luo Ji subiram para embarcar no avião. Quando Luo Ji olhou para trás pela porta da aeronave, a primeira coisa que chamou sua atenção foram os caças alinhados em um pátio ao longe, sinal de que aquele aeroporto não era civil. Mais perto estavam os carros do comboio e os soldados que haviam saído dos veículos e formado um círculo em torno do avião. O sol estava se pondo, projetando uma grande sombra na pista de decolagem diante do avião, como se fosse um gigantesco ponto de exclamação.

Luo Ji e Shi Qiang entraram e foram recebidos por três homens de terno preto. A cabine dianteira estava totalmente vazia e lembrava a de um avião de passageiros, com quatro fileiras de assentos. Na cabine do meio, Luo Ji viu um escritório relativamente amplo e uma suíte com a porta entreaberta, cuja mobília não tinha nada de mais, mas era limpa e organizada. Se não fossem os cintos de segurança verdes no sofá e nas cadeiras, ninguém diria que aquilo estava dentro de um avião. Luo Ji sabia que havia pouquíssimos aviões daquele tipo no país.

Dois dos três homens que os receberam sumiram por uma porta rumo à cabine traseira, deixando para trás o mais jovem.

— Vocês podem se sentar onde quiserem — disse ele —, mas precisam afivelar os cintos, não só durante a decolagem e o pouso, mas durante o voo todo. Se dormirem, afivelem também o cinto do leito. Tudo que não estiver afixado ficará exposto. Permaneçam sempre no assento ou no leito e, se precisarem se levantar, por favor, avisem antes o comandante. Isto aqui é um botão do intercomunicador. Todo assento e leito tem um. Pressionem e segurem para falar. Se precisarem de algo, por favor, usem o botão para nos chamar a qualquer momento.

Luo Ji olhou para Shi Qiang, confuso.

— O avião talvez precise realizar algumas manobras especiais — explicou Shi Qiang.

O homem confirmou com a cabeça.

— Correto. Por favor, avisem se tiverem algum problema. Podem me chamar de Xiao Zhang. Vou trazer o jantar assim que estivermos voando.

Depois que Xiao Zhang saiu, Luo Ji e Shi Qiang se sentaram no sofá e afivelaram os cintos. Luo Ji olhou à volta. Afora as janelas redondas e as paredes ligeiramente curvas, o cômodo parecia tão convencional e familiar que era um pouco estranho usar cinto de segurança. Mas logo essa impressão foi desfeita pelo barulho e pela vibração das turbinas: ele estava a bordo de um avião taxiando pela pista. Alguns minutos depois o barulho mudou e ele e Shi Qiang foram pressionados contra o sofá. Em seguida, as vibrações no chão pararam e o escritório ficou inclinado. Conforme o avião subia, o sol, que já havia mergulhado, voltou a aparecer na janela, o mesmo sol que dez minutos antes havia lançado os últimos raios do dia no quarto de hospital do pai de Zhang Beihai.

Quando o avião de Luo Ji sobrevoou o litoral, Wu Yue e Zhang Beihai estavam dez mil metros abaixo, olhando mais uma vez para o *Tang* inacabado. Os dois soldados não testemunhariam avanços na embarcação.

Assim como na visita anterior, a enorme superestrutura do *Tang* estava imersa na pálida luz do anoitecer. A chuva de faíscas no casco já não parecia tão intensa, e as lâmpadas que iluminavam o navio estavam consideravelmente menos potentes. E, desta vez, Wu Yue e Zhang Beihai não faziam mais parte da Marinha.

— Ouvi dizer que o Departamento de Armamentos Gerais decidiu encerrar o projeto *Tang* — comentou Zhang Beihai.

— O que isso tem a ver com a gente? — perguntou com frieza Wu Yue, afastando o olhar do *Tang* para os últimos resquícios de claridade no oeste.

— Você está de mau humor desde que entrou para a força espacial.

— Você deveria saber o motivo. Sempre consegue ler meus pensamentos, às vezes até melhor do que eu, que acabo lembrando o que estou pensando de verdade.

Zhang Beihai se virou para Wu Yue.

— Você está deprimido diante da ideia de entrar em uma guerra cuja derrota é inevitável. Tem inveja daquela derradeira geração que vai ser jovem o bastante para combater na força espacial e ser sepultada no espaço, junto com a frota. Você tem dificuldade em aceitar que vai dedicar uma vida inteira para uma iniciativa inútil.

— Tem algum conselho?

— Não. O fetichismo e o triunfalismo tecnológicos estão profundamente arraigados na sua mente, e descobri há muito tempo que não posso mudar você. Só posso tentar minimizar o dano que essa mentalidade causa. Além do mais, não acho que seja impossível que a humanidade ganhe essa guerra.

Wu Yue tirou a máscara de frieza e encarou Zhang Beihai.

— Beihai, você já foi uma pessoa pragmática. Se posicionou contra a construção do *Tang* e, em diversas ocasiões, externou suas dúvidas quanto a desenvolver uma Marinha oceânica, defendendo que essa iniciativa não era compatível com nossa força nacional. Você acredita que nossas forças navais deveriam permanecer em águas costeiras e contar com o apoio e a proteção de poder de fogo baseado em terra, uma ideia que foi ridicularizada e chamada de estratégia de tartaruga pelos jovens impetuosos, mas você insistiu... Então, onde você encontra essa confiança em uma vitória no espaço? Acha mesmo que barcos de madeira conseguem afundar um porta-aviões?

— Depois da independência, a Marinha recém-fundada usou barcos de madeira para afundar contratorpedeiros nacionalistas. Mesmo antes, há registros de que nosso exército usou cavalaria para derrotar tanques.

— Não acredito que você ache mesmo que essas façanhas contam como regra na teoria militar normal.

— No campo de batalha, a civilização terrestre não vai precisar seguir teorias militares comuns e batidas. — Zhang Beihai levantou o dedo. — Uma exceção é o suficiente.

Wu Yue estampou um sorriso debochado.

— Eu adoraria saber como você vai conseguir essa exceção.

— É claro que não sei nada de guerra espacial. De qualquer maneira, para usar sua comparação de um barco de madeira contra um porta-aviões, acho que não passa de uma questão de coragem na ação e de confiança na vitória. Um barco de madeira poderia transportar um pequeno grupo de mergulhadores para se posicionar na rota do porta-aviões. Quando o inimigo se aproximasse, o barco de madeira já estaria distante, e os mergulhadores prenderiam uma bomba embaixo do casco do porta-aviões e afundariam o navio... É claro que isso seria extremamente difícil, mas não impossível.

Wu Yue assentiu com a cabeça.

— Nada mau. As pessoas já tentaram isso antes. Na Segunda Guerra Mundial, os ingleses fizeram algo semelhante na tentativa de afundar o *Tirpitz*, só que usaram minissubmarinos. Nos anos 1980, durante a Guerra das Malvinas, alguns soldados das forças especiais da Argentina levaram minas magnéticas para a Espanha e tentaram explodir um navio de guerra britânico ancorado no porto de Gibraltar. Você sabe o que aconteceu com eles.

— Tudo bem, mas o que temos não é um mero barquinho de madeira. Uma bomba nuclear de mil ou duas mil toneladas pode ser pequena o bastante para que um ou dois mergulhadores a levem para baixo d'água. Agora, quando for presa ao casco de um porta-aviões, o navio não vai apenas afundar: ele vai ser pulverizado.

— Às vezes você tem uma imaginação bem fértil — alfinetou Wu Yue, com um sorriso.

— Confio na nossa vitória — rebateu Zhang Beihai.

Ele olhou para o *Tang*, e a chuva distante de faíscas se refletiu em suas pupilas como duas chamas pequenas. Wu Yue também olhou para o navio, e uma nova imagem se formou em sua mente: o *Tang* não era mais uma fortaleza ancestral em ruínas, e sim um penhasco pré-histórico marcado por uma infinidade de cavernas profundas, e as faíscas espalhadas eram a luz das fogueiras dentro das cavernas.

Depois da decolagem e durante o jantar, Luo Ji preferiu não perguntar nada a Shi Qiang sobre o destino do voo, nem sobre o que exatamente havia acontecido, imaginando que, se Shi Qiang tivesse intenção de dizer qualquer coisa, já teria dito. Em uma oportunidade, soltou o cinto de segurança e se levantou para olhar pela janela, mesmo sabendo que não enxergaria nada na escuridão, mas Shi Qiang foi em seu encalço e fechou a cortina, dizendo que não havia nada para ver lá fora.

— Que tal a gente conversar um pouco mais e depois dormir? — perguntou Shi Qiang, puxando um cigarro, lembrando que estava dentro de um avião e voltando a guardá-lo.

— Dormir? Então este voo vai ser longo?

— Que diferença faz? Esse avião dispõe de leitos. Acho que a gente deveria aproveitar.

— Você só é responsável por me levar até o meu destino, certo?

— Do que você está reclamando? Ainda teremos que fazer o caminho de volta! — Shi Qiang abriu um sorriso largo, como se estivesse tremendamente satisfeito. Pelo visto, gostava de uma dose de sarcasmo. Depois, ficou mais sério: — Eu não sei muito mais do que você sobre a sua viagem. Além disso, ainda não é hora para eu contar nada. Relaxe. No momento de entrega, vai ter alguém para explicar as coisas.

— Faz um bom tempo que estou tentando imaginar uma explicação, mas só consegui pensar em uma hipótese plausível.

— Então me diga, e vamos ver se é a mesma coisa que estou pensando.

— A mulher que morreu era uma pessoa comum, mas provavelmente tinha contatos, ou amigos, ou familiares importantes.

Luo Ji não sabia nada sobre a família da falecida, bem como de nenhuma de suas outras amantes. Não estava interessado e esquecia tudo o que elas falavam.

— Quem? Ah, aquela sua namorada? Pode esquecer, já que você não liga mesmo. Agora, se quiser, que tal comparar o nome e o rosto dela com algumas celebridades?

A mente de Luo Ji arriscou algumas comparações, mas nada bateu.

— Luo, meu caro, você sabe blefar? — perguntou Shi Qiang.

Luo Ji havia percebido uma lógica na forma como Shi o tratava. Quando estava brincando, Shi o chamava de "meu amigo", mas quando estava um pouco mais sério era "meu caro".

— Preciso blefar com alguém?

— Claro que precisa... Então, o que me diz de aprender a blefar? Posso ensinar, mas também não sou nenhum mestre na arte. Sabe, trabalho mais na linha de desbaratar golpes. Preste atenção, vou ensinar como funcionam as coisas na sala de interrogatório. Talvez seja útil mais tarde, para você descobrir o que está acontecendo. Naturalmente, são as estratégias mais batidas, mais comuns. É difícil explicar algo mais complicado. Vamos começar com a estratégia mais usada, que é também a mais simples: a Lista. Como você deve imaginar, é uma lista de perguntas relacionadas a determinado caso, e aí o interrogador faz uma de cada vez e grava as respostas, depois começa de novo e grava as novas respostas. Se necessário, uma mesma pergunta pode ser repetida várias vezes, e depois a gente compara as respostas e descobre se a pessoa falou alguma mentira, já que a resposta vai variar. Embora seja uma estratégia simples, não deve ser subestimada. Ninguém sem treinamento contra interrogatório consegue bater a Lista, então o melhor a fazer é simplesmente ficar em silêncio.

Enquanto falava, Shi Qiang mexeu de novo no cigarro sem perceber, mas depois voltou a guardá-lo.

— Peça para eles. Este é um voo fretado, então deve ser permitido fumar — sugeriu Luo Ji.

Shi Qiang estava discorrendo com empolgação e pareceu um pouco desconcertado pela interrupção. Luo Ji pensou que talvez Shi Qiang estivesse falando sério. Do contrário, tinha um senso de humor estranho. Shi Qiang apertou o botão vermelho do intercomunicador ao lado do sofá e, depois de ouvir de Xiao Zhang que podia fazer o que quisesse, acendeu um cigarro e ofereceu outro a Luo Ji, que aceitou.

— A próxima estratégia é mais ou menos batida. Dá para alcançar o cinzeiro... ele está preso, você tem que puxar para cima. Certo. Esta técnica de interrogatório se chama Bom e Mau. Depende da colaboração de várias pessoas e é um pouco mais complicada. Primeiro chegam os policiais do mal, na maioria das vezes pelo menos dois, e eles pegam pesado. Alguns na parte verbal, outros na parte física, mas todos com requintes de crueldade. É uma tática: a ideia é deixar você com medo e, principalmente, fazer você se sentir sozinho, como se o mundo inteiro quisesse acabar com você. Depois vem o policial bonzinho, só um, com um rosto gentil, e ele segura os policiais do mal e fala que você é um ser humano, que tem direitos e não pode ser tratado assim. Os policiais do mal falam para ele dar o fora, que está atrapalhando o trabalho. O bonzinho insiste e grita: "Vocês não podem fazer isso!". Os do mal rebatem: "Eu sempre soube que você não tinha coragem para este trabalho. Se você não aguenta, caia fora". O bonzinho protege você com o próprio corpo e diz: "Eu vou preservar os direitos desse cidadão e seguir a lei à risca!". Os do mal esbravejam: "Você está com os dias contados, espere só amanhã!". Depois saem batendo a porta, furiosos. E aí ficam só vocês dois na sala, e o policial bonzinho limpa o seu sangue e o seu suor e fala para você não se assustar, e que você tem direito a permanecer em silêncio! Agindo assim, como você deve imaginar, ele se transforma no seu único amigo na face da Terra, então, quando pergunta alguma coisa, você não consegue mais ficar quieto... Essa técnica funciona melhor com intelectuais, mas a diferença em relação à Lista é que perde o efeito quando você já sabe como ela funciona.

Shi Qiang falava com animação e parecia prestes a soltar o cinto e se levantar. Luo Ji foi invadido por um forte pavor e se sentiu como se tivesse caído em um abismo. Quando Shi Qiang percebeu a inquietação do outro, parou:

— Bom, então nada de falar de interrogatórios... Ainda que pudesse ser útil, você não teria como absorver tudo de uma vez só. Certo, eu também queria ensinar você a enganar pessoas, então se lembre disto: astúcia de verdade é não exibir nenhuma astúcia. Não funciona como nos filmes, entende? As pessoas espertas de verdade não ficam o dia inteiro fazendo pose no meio das trevas nem ficam exibindo a própria inteligência. Parecem sempre tranquilas e inocentes. Algumas são cafonas e melodramáticas, outras descuidadas e brincalhonas. O fundamental é não deixar que os outros tenham motivo para prestar atenção em você. Procure ser desprezado ou ignorado, assim ninguém vai sentir que você é um obstáculo. Você tem que ser uma vassoura no canto. O auge é você conseguir ser imperceptível, como se só existisse no momento em que os outros morrerem nas suas mãos.

— Será que algum dia vou ter a necessidade ou a chance de ser esse tipo de pessoa? — perguntou Luo Ji.

— Como eu disse, não sei muito mais do que você. Mas tenho um pressentimento de que você vai ter que se tornar uma pessoa assim. Luo, meu caro, você precisa!

Shi Qiang se empolgou e deu um tapa tão forte no ombro de Luo Ji que ele fez uma careta. Depois, os dois ficaram sentados em silêncio, vendo as nuvens de fumaça rodopiando até o teto e desaparecendo por uma fenda.

— Ah, que se dane. Vamos dormir — disse Shi Qiang, esmagando o cigarro no cinzeiro. Ele balançou a cabeça e sorriu. — Fiquei falando sem parar como um idiota. Quando você se lembrar deste momento, não ria de mim.

No quarto, Luo Ji tirou o casaco à prova de balas e se enrolou no saco de dormir de segurança. Shi Qiang ajudou a apertar as fivelas que prendiam o saco de dormir à cama e colocou um frasco pequeno na mesinha de cabeceira.

— Comprimidos para dormir. Tome se não conseguir pegar no sono. Pedi álcool, mas falaram que não tem.

Shi Qiang reforçou que Luo Ji deveria avisar o comandante antes de deixar a cama e se virou para sair.

— Policial Shi — chamou Luo Ji.

Na porta, Shi Qiang se virou um pouco e olhou para ele:

— Não sou policial. A polícia não está envolvida nisto. Todo mundo me chama de Da Shi.

— Então, Da Shi, quando estávamos conversando, reparei em uma coisa que você falou na sua primeira resposta. Eu disse "a mulher", e por um instante você não sabia de quem eu estava falando, o que significa que ela não é importante para este caso.

— Você é uma das pessoas mais calmas que já conheci.

— A calma vem do cinismo. Não consigo me importar com muitas coisas no mundo.

— Seja o que for, nunca vi ninguém que conseguisse manter a calma numa situação dessas. Esqueça tudo aquilo que falei antes. Só gosto de fazer algumas brincadeiras.

— Você só estava tentando prender minha atenção para completar sua missão com tranquilidade.

— Peço desculpas se aticei sua imaginação.

— Você acha que eu deveria pensar no que agora?

— Pela minha experiência, qualquer pensamento pode acabar fugindo do controle. O melhor a fazer é dormir.

Shi Qiang saiu. Após fechar a porta, o quarto ficou escuro, iluminado apenas por uma lâmpada vermelha pequena, na cabeceira da cama. O constante rumor de fundo do motor estava particularmente nítido, como se o céu infinito da noite atrás das paredes emitisse um zumbido grave.

De repente Luo Ji teve a impressão de que não era uma ilusão, de que o som estava mesmo vindo de algum lugar distante no lado de fora. Ele saiu do saco de dormir e abriu a cortina da janela perto da cama. Do lado de fora, a lua brilhava acima de um mar de nuvens, um imenso oceano prateado. Luo Ji percebeu que, acima das nuvens, havia outras coisas cintilando com uma luz prateada, quatro linhas retas que chamavam a atenção diante do pano de fundo do firmamento noturno. As quatro linhas se estendiam na mesma velocidade do avião, e suas extremidades se confundiam com a escuridão da noite, como quatro espadas prateadas voando sobre as nuvens. Lu Ji olhou para a ponta das linhas prateadas e percebeu que estavam sendo traçadas por quatro objetos de brilho metálico. Quatro caças. Não era difícil imaginar que havia mais quatro do outro lado do avião.

Luo Ji fechou a janela e se enfiou de novo no saco de dormir. Fechou os olhos e procurou relaxar. Não queria dormir, e sim acordar daquele sonho.

A reunião de trabalho da força espacial prosseguia noite adentro. Zhang Beihai empurrou o laptop e os documentos que estavam na mesa à sua frente e se levantou, olhando para o rosto cansado dos oficiais, até se virar para Chang Weisi.

— Comandante, antes da apresentação do nosso relatório, eu gostaria de expor algumas opiniões. Acredito que a liderança militar não tenha dado a devida atenção ao trabalho político e ideológico entre as forças. Por exemplo, o departamento de política é o último dos seis departamentos estabelecidos a apresentar o relatório nesta reunião.

Chang Weisi assentiu com a cabeça.

— Concordo. Nem todos os comissários políticos assumiram ainda, então coube a mim supervisionar o trabalho político. Agora que finalmente começamos os trabalhos em todas as áreas, fica difícil dar a devida atenção ao campo. Para a maior parte do trabalho, precisaremos contar com você e os outros que estão encarregados dos detalhes.

— Comandante, na minha opinião, a situação atual é perigosa. — Esse comentário chamou a atenção de alguns oficiais, e Zhang Beihai continuou. — Peço perdão pela rispidez. Como passamos o dia inteiro em reuniões e estamos todos cansados, ninguém vai prestar atenção se eu não for direto. — Algumas pessoas sorriram, mas os demais, abatidos e exaustos, não esboçaram reação. — O principal é que estou preocupado. A batalha à nossa frente é de uma força completamente sem precedentes na história da guerra humana, então acredito que até segunda ordem a maior ameaça à força espacial é o derrotismo. O perigo é extraordinário. A disseminação do derrotismo resultará não apenas na erosão do moral, como talvez leve também ao colapso completo do poder militar espacial.

Chang Weisi assentiu de novo com a cabeça.

— Concordo. O derrotismo é nosso maior inimigo no momento. A Comissão Militar Central está muito atenta a essa questão. Por isso, o trabalho político e ideológico será crucial nas Forças Armadas. Quando as unidades básicas da força espacial estiverem instaladas, o trabalho ficará mais complexo.

Zhang Beihai abriu o laptop.

— Aqui está o relatório — disse ele, começando a ler: — Desde o estabelecimento da força espacial, nosso trabalho político e ideológico com o efetivo se concentrou principalmente na realização de uma pesquisa sobre a situação ideológica geral entre oficiais e soldados. Como no momento atual a organização desta força nova é simples, com poucos integrantes e níveis administrativos, a pesquisa foi realizada em reuniões informais e ocasiões de interação pessoal, sem mencionar a criação de um fórum pertinente na intranet. Os resultados da pesquisa são preocupantes. O pensamento derrotista prevalece e se dissemina rapidamente pelo efetivo. Uma proporção considerável de nossos camaradas adota uma mentalidade de terror em relação ao inimigo e de falta de confiança quanto ao futuro da guerra.

“Esse derrotismo é consequência, sobretudo, de uma idolatria da tecnologia e de uma visão subestimada ou até de uma desconsideração pelo papel da iniciativa humana e do espírito humano em uma guerra. Representa um resultado e uma extensão do tecnotriunfalismo e da teoria ‘armas decidem tudo’ que se infiltraram nas Forças Armadas ao longo dos últimos anos. A tendência é particularmente alta em oficiais de formação sólida. O derrotismo assume as seguintes formas junto ao efetivo:

“Primeira. O modo de encarar as obrigações na força espacial como uma atividade comum: apesar de trabalhar com dedicação e responsabilidade, o camarada carece de entusiasmo e de sentimento de missão e questiona o sentido final de sua atividade.

“Segunda. Espera passiva: a crença de que o resultado da guerra depende de cientistas e engenheiros; de que, antes de avanços em pesquisa de base e tecnologias fundamentais, a força espacial não passa de um delírio, tornando incompreensível a importância do trabalho atual. A espera passiva também é marcada pelo mero contentamento em realizar as tarefas associadas ao estabelecimento desta Força Armada e pela falta de inovação.

"Terceira. Fantasias pouco realistas: pedido de acesso à tecnologia de hibernação para saltar quatro séculos até o futuro e participar diretamente da Batalha do Fim dos Tempos. Alguns camaradas mais jovens já expressaram esse desejo, e um chegou até a apresentar uma solicitação formal. Esse estado de espírito pode parecer positivo, um anseio de se lançar nas linhas de frente, mas em essência é apenas mais uma forma de derrotismo. Sem confiança na vitória e na importância da atividade atual, o trabalho e a vida dependem exclusivamente da dignidade do soldado.

"Quarta. O contrário da terceira: dúvidas quanto à dignidade do soldado, a crença de que o código moral tradicional dos militares já não vale para o campo de batalha, e que a luta até o fim carece de propósito. Essa quarta forma também é marcada pela convicção de que a dignidade do soldado só existe quando presenciada por alguém. Logo, quando uma batalha acabar em derrota e não restarem seres humanos no universo, essa dignidade perderá qualquer sentido. Embora essa noção seja adotada por apenas uma minoria, o abandono do valor da força espacial é extremamente nocivo."

Neste momento, Zhang Beihai olhou para os camaradas reunidos e viu que, embora sua fala tivesse despertado um pouco de interesse, não fora suficiente para superar a fadiga que pairava na sala de reunião. Ele tinha certeza de que seu comentário seguinte mudaria a situação.

— Vou citar um exemplo específico de alguém que exibe uma forma típica de derrotismo. Eu me refiro ao capitão de mar e guerra Wu Yue.

Zhang Beihai apontou para o assento de Wu Yue na mesa de reunião.

O cansaço que reinava na sala desapareceu no mesmo instante, e os presentes saíram do estado de inércia. O nervosismo era visível, e todos olharam para Zhang Beihai, e depois para Wu Yue, que encarava os olhares com placidez, a personificação da calma.

— Wu Yue e eu trabalhamos na Marinha por muito tempo e nos conhecemos de longa data. Ele tem um complexo tecnológico forte e, como capitão de mar e guerra, é de perfil técnico, ou, por assim dizer, um engenheiro. Embora isso não seja algo ruim por si, lamentavelmente seu raciocínio militar depende demais da tecnologia e, ainda que não diga de maneira explícita, o capitão nutre a crença inconsciente de que o avanço tecnológico é o principal, se não o único fator determinante da eficácia em combate. Ele ignora completamente o elemento humano na batalha e não compreende as vantagens únicas que nosso exército desenvolveu em função de condições históricas difíceis. Quando soube da Crise Trissolariana, o capitão perdeu toda a confiança no futuro e, ao ingressar na força espacial, essa desesperança ficou ainda mais intensa. O sentimento derrotista do camarada Wu Yue é tão pesado e entranhado que não há qualquer esperança de recuperação para ele. Devemos adotar medidas rigorosas o mais rápido possível para conter o avanço do derrotismo em nossas fileiras. Por isso, acredito que o camarada Wu Yue já não esteja mais apto para trabalhar na força espacial.

Todos os rostos estavam virados para Wu Yue, que agora observava o símbolo da força espacial em seu quepe, sobre a mesa. Ele continuava calmo.

Enquanto falava, Zhang Beihai sequer olhara na direção de Wu Yue.

— Comandante, camarada Wu Yue e demais — continuou ele —, peço a compreensão de todos. Só estou dizendo isso por me preocupar com o atual estado ideológico de nosso quadro. Claro, também gostaria de ter uma conversa direta, franca e aberta com Wu Yue.

Wu Yue levantou a mão, pedindo permissão para falar. Chang Weisi assentiu com a cabeça.

— O que o camarada Zhang Beihai disse sobre meu estado de espírito é correto, e aceito sua conclusão: já não sou apto para servir na força espacial. Acatarei qualquer decisão da organização.

O clima ficou pesado. Alguns oficiais olharam para o laptop de Zhang Beihai, curiosos para saber se alguém mais seria afetado.

Um coronel veterano da Força Aérea se levantou e disse:

— Camarada Zhang Beihai, esta é uma reunião de rotina. Você deveria recorrer aos canais burocráticos pertinentes em vez de apresentar a questão desta forma. Por acaso acha adequado tratar disso abertamente?

Suas palavras encontraram eco imediato entre muitos oficiais.

— Eu sei que minhas considerações violam princípios burocráticos — respondeu Zhang Beihai — e assumo toda a responsabilidade. Apesar disso, acredito que seja meu dever adotar qualquer meio para chamar a atenção dos presentes para a gravidade de nossa situação atual.

Chang Weisi levantou a mão para refrear outras respostas.

— Ressalto que a responsabilidade e a urgência demonstradas pelo camarada Zhang Beihai em seu trabalho são louváveis. A existência do derrotismo em nossas fileiras é um fato que deve ser enfrentado de modo racional. O derrotismo não vai desaparecer enquanto houver um desnível tecnológico entre os dois lados. Esse problema não pode ser resolvido por métodos simples, mas precisará de um trabalho árduo e contínuo, e também de mais interação e debates. Ainda assim, devo concordar com a observação do coronel: as questões referentes a ideologias pessoais devem ser tratadas sobretudo por meio de comunicação e, em caso de necessidade de relatório, o material deve ser encaminhado aos canais pertinentes.

Os oficiais suspiraram aliviados. Pelo menos naquela reunião Zhang Beihai não diria o nome deles.

Conforme imaginava o céu noturno infinito acima das nuvens, Luo Ji se esforçava para organizar as ideias. Sem se dar conta, seus pensamentos vaguearam até aquela mulher morta: a voz e o rosto sorridente dela apareceram na escuridão, e o coração de Luo Ji ficou pesado, com uma tristeza que ele nunca havia sentido antes. Logo em seguida, Luo Ji foi tomado por um sentimento de autocensura, um desdém que já experimentara inúmeras vezes, mas nunca com tamanha intensidade. Por que estava pensando nela? Até aquele momento, sua única reação diante daquela morte, exceto pelo medo e pelo espanto, tinha sido a de pensar em sua própria inocência, e só agora, ao saber que a importância da mulher para a situação do momento era insignificante, Luo Ji lhe dedicou parte de sua valiosa tristeza. Que tipo de ser humano era?

Mas o que ele podia fazer? Ele era daquele jeito.

Na cama, as pequenas oscilações do avião faziam Luo Ji pensar que estava em um berço. Ele se lembrava de ter dormido em um berço quando bebê, e certo dia encontrara no porão da casa dos pais, sob uma velha cama infantil, os pés que balançavam o berço, cobertos de poeira. Ao fechar os olhos e imaginar seus pais o ninando, ele se perguntou: *Desde o dia em que você saiu daquele berço, já se importou com alguém mais além daquelas duas pessoas? Já abriu algum espaço no coração, por mínimo que fosse, para abrigar mais alguém?*

Sim, ele tinha aberto espaço uma vez. Cinco anos antes, seu coração resplandecera com a luz dourada do amor. Só que a experiência tinha sido irreal.

Tudo começara com Bai Rong, uma autora de livros infantojuvenis. Embora ela escrevesse no tempo livre, havia conquistado um público grande o suficiente para ganhar em direitos autorais mais do que recebia de salário. De todas as mulheres que Luo Ji havia conhecido, fora com Bai Rong que ele passara mais tempo, e os dois chegaram a cogitar um casamento. Tinham um relacionamento comum, nada muito intenso ou inesquecível, mas eles estavam satisfeitos com o sentimento de leveza e felizes um com o outro. Apesar de certo medo do casamento, achavam que seria o passo mais responsável.

A pedido dela, Luo Ji havia lido toda a obra de Bai Rong e, embora não pudesse dizer que gostava, a leitura não era tão dolorosa quanto os outros livros do gênero que havia folheado. Ao contrário de outros escritores infantojuvenis, Bai Rong tinha um estilo elegante e uma lucidez única. Só que esse estilo não era complementado pelo conteúdo dos livros. Ler aqueles romances era como observar as gotas de orvalho em um arbusto: eram puras e transparentes, mas a única distinção entre uma e outra era a forma como a luz se refletia e a maneira como elas deslizavam pelas folhas, juntando-se umas às outras e se separando ao cair, até a evaporação total poucos minutos depois do nascer do sol. Cada vez que lia um livro dela, Luo Ji ficava com uma dúvida por baixo daquele estilo gracioso: de que aquelas pessoas vivem, se passam vinte e quatro horas por dia apaixonadas?

— Esse amor tão recorrente em sua obra... você acredita que exista no mundo real? — perguntou Luo Ji, uma vez.

— Acredito.

— Já viu ou já sentiu pessoalmente?

Ela apertou os ombros de Luo Ji.

— Seja o que for, estou dizendo que ele existe — respondeu Bai Rong, misteriosa, ao pé do ouvido dele.

Às vezes ele fazia sugestões para os livros que ela estava escrevendo ou até ajudava na revisão.

— Parece que você tem mais talento do que eu — comentou ela, certa vez. — Você não revisa a trama, mas os personagens, e essa é a parte mais difícil. Sempre acrescenta detalhes que deixam os personagens mais vívidos. Sua capacidade de criar figuras literárias é notável.

— Você deve estar de brincadeira. Sou formado em astronomia.

— Lembre que Wang Xiaobo* estudava matemática.

Um ano antes, ela havia pedido um presente específico de aniversário:

— Você poderia escrever um livro para mim?

— Um livro inteiro?

— Bom, um que tenha mais de cem páginas.

— Com você como protagonista?

— Não. Uma vez vi uma exposição interessante em que artistas do sexo masculino pintaram um quadro da mulher mais bonita que eles conseguiam imaginar. A protagonista de seu livro deve seguir essa linha. Você pode esquecer a realidade e criar um anjo baseado no seu sonho de perfeição feminina.

Ele nunca soube qual teria sido a motivação por trás do pedido. Talvez nem ela soubesse. Olhando para trás, parecia que o humor dela na época era um misto de sagacidade e ambivalência.

Então Luo Ji começou a construir uma protagonista. Primeiro, imaginou o rosto, depois inventou as roupas, a ambientação e as demais personagens, e no final colocou sua protagonista naquele ambiente, dando-lhe movimentos e falas.

* Wang Xiaobo (1952-1997) foi um romancista, ensaísta e roteirista influente cuja obra conquistou imensa popularidade após sua morte prematura.

Mas a tarefa logo ficou entediante, e ele contou para Bai Rong as dificuldades que estava enfrentando.

— Ela parece uma marionete. Eu penso em cada palavra e em cada ação, mas ela parece que não tem alma, não tem a fagulha da vida.

— Você está partindo de um pressuposto errado — disse ela. — Você está escrevendo um ensaio, em vez de criar literatura. O que um personagem literário faz em dez minutos talvez seja o reflexo de dez anos de experiências. Você não pode se limitar à trama de um livro. Tem que imaginar a vida inteira por trás da protagonista, sabendo que só a ponta do iceberg acaba indo para o papel.

Então Luo Ji seguiu o conselho. Descartou tudo o que queria escrever e passou a imaginar a vida inteira da personagem nos mínimos detalhes. Ele a imaginou bebê, mamando no peito da mãe, sugando com entusiasmo e satisfação o leite com a boquinha minúscula; ele a imaginou tentando correr atrás de um balão vermelho pela rua, mas caindo no chão logo no primeiro passo, chorando ao ver o balão voar para longe sem se dar conta de que havia acabado de andar pela primeira vez; ele a imaginou caminhando pela chuva e, movida por um impulso, fechando a sombrinha para sentir os pingos; ele a imaginou no primeiro dia na escola nova, sentada sozinha na sala de aula estranha, incapaz de ver os pais nas janelas ou à porta, e quase começando a chorar, até perceber que sua melhor amiga do jardim de infância estava sentada numa carteira próxima; ele a imaginou na primeira noite na faculdade, deitada na cama do alojamento e vendo no teto as sombras das árvores criadas pelas luzes da rua... Luo Ji imaginou cada um dos pratos preferidos de sua protagonista, a cor e o estilo de cada roupa no armário, os enfeites no celular, os romances que ela lia, as músicas que escutava, os sites que visitava, os filmes que adorava... mas nunca os itens de maquiagem, porque ela não precisava de maquiagem... Como um criador alheio ao tempo, Luo Ji entrelaçou as diversas fases da vida de sua personagem e, aos poucos, descobriu o prazer infinito da criação.

Um dia, na biblioteca, Luo Ji a imaginou lendo diante de uma estante. Estava vestida com a roupa preferida dele, de modo que a silhueta delicada se destacasse mais em sua mente. De repente, ela tirou os olhos do livro, virou-se para ele e deu um sorriso. Luo Ji ficou espantado: ele havia pedido para ela sorrir? Não fazia diferença, porque o sorriso já se havia gravado para sempre em sua memória, como uma mancha no gelo.

O divisor de águas foi a noite seguinte. A neve e o vento aumentaram, a temperatura caiu, e Luo Ji viu, do calor de seu quarto no alojamento, a agitação que abafava todos os outros sons da cidade, os flocos de neve que batiam no vidro da janela como uma tempestade de areia. Um imenso tapete branco cobria tudo do lado de fora. A cidade parecia não existir mais, abandonando o alojamento da faculdade em meio a uma planície nevada sem fim. Ele voltou para a cama, mas, antes de adormecer, foi tomado por um pensamento súbito: se ela estivesse lá fora naquele tempo horrível, sentiria muito frio. Até que se lembrou: pouco importa, ela só estará lá fora se eu quiser. Só que naquela oportunidade sua imaginação não funcionou, e ela continuou caminhando pela nevasca, frágil como uma folha que poderia ser levada pelo vento a qualquer momento. Ela ainda estava com aquele casaco branco e o cachecol vermelho, que era a única coisa que Luo Ji conseguia enxergar vagamente no meio da neve e do vento, como uma pequena chama resistindo na tempestade.

Foi impossível dormir. Ele se sentou na cama, vestiu alguma coisa e foi para o sofá. Pensou em fumar, mas lembrou que ela odiava o cheiro, então fez um pouco de café e bebeu devagar. Tinha que esperá-la. A nevasca e a noite gelada deixaram seu coração apertado. Foi a primeira vez que sentiu tanta dor e tanto desejo por alguém.

Conforme a mente de Luo Ji começava a despertar, ela se aproximou tranquilamente, o corpo delicado coberto pelo véu de frio das intempéries, mas diante do gelo havia um sopro de primavera. Os flocos de neve no cabelo logo se transformaram em pequenas gotas brilhantes, enquanto ela desenrolava o cachecol e cobria a boca com as mãos para assoprar dentro. Ele segurou as mãos dela para aquecer a maciez gelada, e ela o envolveu com um olhar de entusiasmo e fez a pergunta que ele estava prestes a fazer:

— Você está bem?

Luo Ji só conseguiu assentir com a cabeça, em silêncio. Depois, ajudou-a a tirar o casaco.

— Venha se aquecer — convidou ele.

Luo Ji massageou aqueles ombros macios e a levou até a lareira.

— Está bem quente. Que maravilha...

Ela se sentou no tapete na frente da lareira e riu com alegria, enquanto observava as chamas.

Droga! Qual é o meu problema?, pensou ele, no meio do quarto vazio. Não bastava inventar cem páginas, imprimir em um papel de alta qualidade, criar uma bela capa no Photoshop, mandar encadernar, embrulhar para presente e depois dar de aniversário para Bai Rong? Por que havia se afundado tanto naquela armadilha? Ele ficou impressionado ao se dar conta de que estava com os olhos marejados. Em seguida, refletiu: *Uma lareira? De onde tirei uma lareira? Por que eu pensaria numa lareira?* Mas entendeu: queria não uma lareira, e sim a luminosidade das chamas, pois uma mulher é mais bela à luz do fogo. Pensou na beleza dela naquele momento diante do fogo...

Não! Não pense nela. Vai ser um desastre! Apenas durma!

Contrariando suas expectativas, ele não sonhou com ela durante a noite. Dormiu bem, imaginando que a cama de solteiro era um bote flutuando em um mar calmo. Quando acordou na manhã seguinte, sentia-se renovado, como uma vela que, depois de passar anos coberta de poeira, tivesse sido acesa por aquela pequena chama na nevasca da noite anterior. Ele caminhou pela rua com empolgação até o prédio das salas de aula e, apesar da neblina provocada pela nevasca, tinha a sensação de que conseguia enxergar até mil quilômetros de distância. Os choupos às margens da rua não estavam cobertos de neve. Os galhos desfolhados apontavam para o céu frio, mas, para Luo Ji, pareciam mais vivos do que na primavera.

Ele começou a aula e, para sua felicidade, lá estava ela de novo, sentada no fundo do auditório, sozinha em uma fileira vazia, longe dos outros alunos. O casaco todo branco e o cachecol vermelho repousavam na cadeira ao lado, e ela usava um suéter bege de gola alta. Ao contrário do resto da turma, ela não estava cabisbaixa, folheando o livro, e sim olhando para ele. Ela abriu mais um sorriso, suave como um amanhecer nublado.

Luo Ji ficou nervoso. Os batimentos se aceleraram, e ele precisou sair por uma porta lateral até o terraço, para respirar o ar frio até ficar calmo. Só havia se sentido daquele jeito nos dias que antecederam a defesa de tese de seus dois doutorados. Durante a aula, esforçou-se ao máximo para se exibir, e as inúmeras citações e o discurso apaixonado conquistaram uma rara salva de palmas da turma. Ela não participou, limitando-se a sorrir e a acenar com a cabeça.

Depois da aula, ele caminhou ao lado dela pela avenida arborizada sem sombras, escutando o som das botas azuis esmagando a neve. As duas fileiras de choupos ouviram em silêncio a conversa franca entre os dois.

— Sua aula é muito boa, mas não entendi bem.

— Você não é desse curso, certo?

— Não.

— Costuma assistir a aulas de outros cursos?

— Só nesses últimos dias. Entro em uma sala aleatória e fico por um tempo. Acabei de me formar e em breve vou embora. Percebi de repente que aqui é ótimo e estou com medo do mundo exterior...

Ao longo dos três ou quatro dias seguintes, ele passou a maior parte do tempo com ela, mas alguém que visse de fora acharia que ele estava o tempo todo sozinho, passeando sem companhia. Era muito fácil explicar para Bai Rong: ele estava pensando no presente de aniversário dela. E, de fato, não era mentira.

Na véspera de Ano-Novo, Luo Ji comprou uma garrafa de vinho tinto que ele nunca havia bebido antes, voltou para o quarto, desligou as luzes e acendeu algumas velas na mesa perto do sofá. Quando as três velas estavam acesas, ela se sentou ao seu lado, sem falar nada.

— Ah, olhe — exclamou ela, apontando para a garrafa com um entusiasmo infantil.

— O quê?

— Olhe por aqui, de onde dá para ver a luz das velas. O vinho é lindo.

Vista através do vinho, a luz da vela tinha um tom vermelho escuro e cristalino, coisa de sonho.

— Parece um sol morto — comentou ele.

— Não pense assim — pediu ela, com uma sinceridade de derreter o coração. — Acho que parece... os olhos do crepúsculo.

— Por que não os olhos da alvorada?

— Eu prefiro crepúsculo.

— Por quê?

— Quando o crepúsculo se dissolve, a gente vê as estrelas. Quando a alvorada se dissolve, a única coisa que fica para trás é...

— A única coisa que fica para trás é a pesada luz da realidade.

— É, isso mesmo.

Eles conversaram sobre tudo, concordando inclusive nos assuntos mais triviais, até a garrafa onde estavam os olhos do crepúsculo ficar completamente vazia.

Luo Ji se deitou meio embriagado na cama e viu as velas ainda ardendo na mesa. Ela havia sumido sob a luz das chamas, mas ele não estava preocupado. Sempre que quisesse, podia fazê-la reaparecer, a qualquer instante.

Neste momento, alguém bateu à porta. Como Luo Ji sabia que a batida vinha da realidade e não tinha nada a ver com ela, ignorou. A porta se abriu e Bai Rong entrou. Quando acendeu a lâmpada, foi como se tivesse ligado a cinzenta luz da realidade. Bai Rong olhou para as velas na mesa, sentou-se na cabeceira da cama e suspirou.

— Ainda está tudo bem.

— O quê?!

Ele levantou a mão para se proteger da luz forte.

— Você ainda não chegou ao ponto de servir uma taça para ela também.

Ele cobriu os olhos, mas não respondeu. Bai Rong afastou as mãos dele e, encarando-o, perguntou:

— Ela está viva, não é?

Ele assentiu com a cabeça e se sentou.

— Rong, eu achava que a personagem de um livro era controlada pelo criador, que ela seria o que o autor desejasse e que faria tudo o que ele mandasse, que nem Deus faz com a gente.

— Ledo engano... — respondeu ela, levantando-se e começando a andar pelo quarto. — Agora você percebe que estava errado. Essa é a diferença entre um escritor comum e um artista. Uma criação literária atinge o nível mais alto quando as personagens ganham vida na mente do autor, que não tem nenhum controle e talvez nem consiga prever o gesto seguinte delas. O máximo que podemos fazer é observar, fascinados, e registrar os mínimos detalhes da vida das personagens, como um voyeur. É assim que nasce um clássico.

— Então, no fim das contas, a literatura é um ato de perversão.

— Era assim para Shakespeare, Balzac e Tolstói, pelo menos. As imagens clássicas que esses gênios criaram nasceram do ventre mental. Mas as pessoas que praticam literatura hoje em dia perderam essa criatividade. A mente delas só é capaz de gerar fragmentos arruinados e monstrengos, cujos breves sopros de vida não passam de espasmos incompreensíveis destituídos de razão. Depois, elas jogam todos esses fragmentos dentro de um saco e fecham com um rótulo de "pós-modernidade" ou "desconstrucionismo" ou "simbolismo" ou "irracionalidade".

— Então você está dizendo que eu me tornei um escritor de literatura clássica?

— De jeito nenhum. Sua mente só está gestando uma imagem, e é a mais fácil de todas. A mente desses escritores clássicos gerou centenas e milhares de quadros. Eles formaram o retrato de uma era, algo que só um gênio consegue fazer. Mas o que você fez não é nada fácil. Para ser sincera, não achei que você conseguiria.

— Você já fez isso?

— Só uma vez — se limitou a responder ela, não insistindo no assunto. Ela o pegou pelo pescoço e disse: — Deixe para lá. Não quero mais este presente de aniversário. Volte para a vida normal, certo?

— E se isso tudo continuar, o que eu faço?

Ela observou Luo Ji por alguns segundos, antes de soltá-lo. Em seguida, balançou a cabeça e sorriu.

— Eu sabia que era tarde demais.

Ela pegou a bolsa sobre a cama e foi embora.

Pouco depois que ela partiu, Luo Ji ouviu gente fora do quarto fazendo a contagem regressiva: cinco, quatro, três, dois, um. Do prédio das salas de aula, de onde até então se ouvia música, explodiu um som alto de risadas. No campo de atletismo, as pessoas lançaram fogos de artifício. Luo Ji olhou o relógio e constatou que o último segundo daquele ano tinha acabado de passar.

— Amanhã é feriado. Para onde vamos? — perguntou ele.

Deitou-se na cama, mas sabia que sua personagem já havia aparecido ao lado da lareira imaginária.

— Você não vai com *ela*? — indagou a mulher, com grande inocência, apontando para a porta ainda aberta.

— Não. Só nós dois. Aonde você gostaria de ir?

Ela se deleitou nas chamas bruxuleantes da lareira antes de responder.

— Tanto faz o lugar. A viagem em si já é maravilhosa.

— Então vamos sair e ver até onde chegamos?

— Excelente.

Na manhã seguinte, Luo Ji entrou em seu carro, saiu do campus e pegou a estrada rumo a oeste, sentido escolhido apenas para evitar a dor de cabeça de ter que atravessar a cidade inteira. Pela primeira vez na vida, experimentou a liberdade maravilhosa de uma viagem sem destino definido. Conforme as construções à sua volta começavam a rarear e os campos a aparecer, ele abriu um pouco o vidro do carro para respirar o ar gelado do inverno. Sentiu o cabelo comprido dela se agitar com o vento, e as mechas fizeram cócegas no lado direito de sua cabeça.

— Olhe, montanhas! — exclamou ela, apontando para o horizonte.

— A visibilidade está boa hoje. Aquela é a cordilheira Taihang, que segue em paralelo com esta estrada e faz uma curva para formar um paredão no oeste, onde se encontra com a rodovia. Acho que agora nós estamos...

— Não, não. Não fale onde estamos! Quando sabemos onde estamos, o mundo fica delimitado como um mapa. Quando não sabemos, o mundo parece infinito.

— Tudo bem. Então vamos fazer o possível para nos perder.

Ele pegou uma estrada menos movimentada e, pouco depois, mudou de direção de novo. Agora, por todos os lados, estavam cercados por campos sem fim. A neve ainda não havia derretido completamente, e alguns trechos apresentavam neve e solo exposto, em proporção mais ou menos igual. Não havia verde naquela alva imensidão, mas o sol brilhava.

— Uma clássica paisagem do norte — disse ele.

— Pela primeira vez me dou conta de que uma paisagem sem o menor traço de verde também pode ser bonita.

— O verde está hibernando nos campos e espera a chegada da primavera. O trigo do inverno vai brotar quando ainda estiver muito frio, e então isto aqui vai virar um mar de verde. Imagine, toda essa paisagem...

— Ela não precisa de verde. É bonita neste exato momento. Veja, a terra não parece uma grande vaca leiteira dormindo sob o sol?

— Como? — Surpreso, ele olhou primeiro para ela, depois para a planície irregular de neve que se descortinava dos dois lados da estrada. — Ah, realmente lembra! Então, qual é sua estação preferida?

— Outono.

— Por que não a primavera?

— A primavera... carrega muitas sensações espremidas no mesmo lugar. É cansativa. O outono é melhor.

Ele parou o carro e saiu com ela até a margem do campo para olhar as pegas, que ciscavam no chão. Quando eles chegarem bem perto, os pássaros saíram voando para árvores distantes. Depois, os dois contemplaram um rio que estava quase congelado, só com um fiapo de água correndo no meio do leito. Apesar disso, ainda era um rio do norte, e eles pegaram umas pedrinhas lisas geladas, as arremessaram na superfície e viram a água turva e amarelada brotar dos buracos abertos no gelo fino. Passaram por uma cidadezinha e ficaram um tempo na feira. Ela se ajoelhou diante de um aquário de carpas e não quis sair mais, vendo pelo vidro os peixes reluzindo como chamas líquidas sob o sol. Luo Ji comprou dois peixes para ela e colocou os sacos cheios de água no banco traseiro do carro. Em seguida, entraram em um povoado, mas não viram nada que lembrasse o interior: as casas e as construções eram muito novas, diversos portões tinham carros estacionados em frente, e as pessoas se vestiam como nas cidades — algumas meninas chegavam a ser estilosas demais. Até os cachorros eram os mesmos parasitas de pelo longo e pernas curtas que perambulavam pelas cidades. O que mais chamava atenção era o grande palco na entrada do povoado: os dois ficaram maravilhados com a ideia de que um povoado tão pequeno pudesse ter um palco imenso daqueles. Como o lugar estava vazio, com algum esforço Luo Ji subiu na estrutura e — olhando para sua única espectadora na plateia — cantou um verso de "Tonkaya Ryabina", sobre a árvore esguia. Ao meio-dia, almoçaram em outra cidadezinha, onde a comida era mais ou menos igual à da capital, só que com porções duas vezes maiores. Depois do almoço, eles se sentaram sonolentos em um banco na frente da prefeitura para aproveitar o calor do sol e, então, seguiram viagem sem nenhum destino específico.

Quando se deram conta, a estrada já havia chegado às montanhas, que tinham formato tradicional e não exibiam outra vegetação além de mato seco e ramos em frestas entre as pedras cinzentas. No decorrer de centenas de milhões de anos, as montanhas, cansadas de ficar em pé, haviam se deitado, afundando-se na letargia sob o tempo e a luz do sol, a tal ponto que quem caminhasse por elas se tornava igualmente preguiçoso.

— As montanhas aqui parecem camponeses idosos relaxando ao sol — disse ela.

Porém, eles não haviam visto nenhum desses idosos nos povoados por onde passaram, nem tinham encontrado ninguém mais sossegado que as montanhas. Em mais de uma ocasião, o carro teve que parar enquanto um rebanho de ovelhas atravessava a estrada. Às margens da pista, enfim surgiram povoados como os que eles haviam imaginado, com casas rupestres, caquizeiros e nogueiras, construções baixas com telhas de pedra, telhados cobertos com pilhas de cascas de milho. Até os cachorros eram maiores e mais bravos.

Eles andaram e pararam no caminho pelas montanhas e, quando deram por si, a tarde havia passado. O sol estava se pondo, e já fazia muito tempo que a estrada mergulhara nas sombras. Luo Ji dirigiu por uma vereda de terra cheia de buracos até uma plataforma elevada onde o sol ainda brilhava, e eles decidiram que ali seria o último ponto da viagem. Assistiriam ao pôr do sol e voltariam para casa. Os cabelos longos dela dançaram na brisa suave do anoitecer, como se estivessem se esforçando para agarrar os últimos raios dourados.

Eles haviam acabado de voltar para a estrada quando o eixo traseiro do carro quebrou, de modo que precisariam ligar para a assistência. Pouco depois, Luo Ji conseguiu descobrir o nome daquela região ao perguntar para um homem que passou dirigindo um caminhão pequeno. Ficou aliviado ao constatar que o celular estava com sinal. Quando disse sua localização ao atendente, foi informado de que o guincho levaria pelo menos quatro ou cinco horas para chegar.

A temperatura do ar da montanha caiu bastante depois do pôr do sol. Quando começou a escurecer, ele juntou alguns caules de uma plantação de milho próxima e acendeu uma fogueira.

— Quentinho — disse ela, olhando para as chamas, feliz como naquela primeira noite na frente da lareira.

Mais uma vez, Luo Ji ficou fascinado por aquela silhueta à luz das chamas, sufocado por emoções que nunca sentira na vida, como se ele ardesse que nem uma fogueira cuja existência servia exclusivamente para dar calor a ela.

— Será que tem lobos por aqui? — perguntou ela, olhando para os lados em meio à crescente escuridão.

— Não. O norte da China só parece desolado, mas na verdade é uma das regiões mais populosas do país. Repare na estrada. Em média, passa um carro a cada dois minutos.

— Eu queria que você dissesse que tinha lobos — respondeu ela, com um sorriso gentil. Depois, olhou para a nuvem de faíscas subindo feito estrelas para a noite.

— Tudo bem. Tem lobos, mas eu estou aqui.

Os dois não falaram mais nada, limitando-se a contemplar a fogueira em silêncio. Às vezes, alimentavam as chamas com mais um punhado de mato. Depois de algum tempo, ele não sabia dizer quanto, o celular tocou. Era Bai Rong, que perguntou, com delicadeza:

— Você está com ela?

— Não, estou sozinho — respondeu Luo Ji, levantando o olhar.

Não era mentira. Ele realmente estava sozinho, sentado diante de uma fogueira à beira de uma estrada na cordilheira Taihang. A luz das chamas revelava pedras à sua volta, e acima de sua cabeça havia apenas um céu estrelado.

— Eu sei que você está sozinho. Mas está com ela?

Ele hesitou.

— Estou — admitiu, em voz baixa.

Ele olhou para o lado, e lá estava ela, alimentando a fogueira e sorrindo diante da chama que iluminava a área onde os dois estavam.

— Agora você acredita que o amor presente nos meus livros existe de verdade?

— Acredito.

Assim que falou essa palavra, ele se deu conta do tamanho do abismo que separava os dois. Luo Ji e Bai Rong ficaram em silêncio por um bom tempo, e nesse intervalo as ondas telefônicas lançaram seus invisíveis fios através das montanhas para sustentar esse último contato.

— Você tem alguém assim também, não é? — quis saber Luo Ji.

— Tenho. Há muito tempo.

— Onde ele está agora?

Ele escutou a risada suave dela.

— Onde mais ele estaria?

Ele também riu.

— Verdade, onde mais?

— Bom, se cuide. Adeus.

Bai Rong desligou, rompendo os invisíveis fios que se projetavam pelo céu noturno e deixando Luo Ji meio triste, mas nada além disso.

— Está fazendo frio demais. Vamos dormir no carro — disse Luo Ji para ela.

Ela balançou a cabeça com delicadeza.

— Quero ficar com você aqui. Você gosta de me ver diante do fogo, não é?

Já era meia-noite quando o guincho chegou de Shijiazhuang. Os mecânicos ficaram surpresos ao ver aquele homem sentado perto de uma fogueira.

— O senhor deve estar morrendo de frio. O motor não está com problema. Não seria mais quente ficar dentro do carro com o aquecedor ligado?

Depois do conserto, Luo Ji rodou noite adentro, saindo das montanhas e voltando para a planície, e chegou a Shijiazhuang ao amanhecer. Já passava das dez da manhã quando retornou a Beijing.

Em vez de ir para a faculdade, ele foi direto consultar um psicólogo.

— Você talvez precise de um pequeno período de adaptação, mas não é nada sério — decretou o psicólogo, após a longa narrativa de Luo Ji.

— Nada sério? — repetiu Luo Ji, arregalando os olhos vermelhos. — Estou perdidamente apaixonado por uma mulher imaginária de um livro que inventei. Passei tempo com ela, viajei com ela e até terminei com minha namorada de carne e osso por causa dela. Você acha que isso não é nada sério?

O psicólogo abriu um sorriso tolerante.

— Você não entende? Ofereci meu amor mais profundo para uma ilusão!

— Você acha que o objeto do amor das outras pessoas existe de verdade?

— Isso é uma pergunta retórica?

— A maioria das pessoas ama algo que só existe na imaginação delas. O objeto do amor não é um homem ou uma mulher da realidade, mas o que ele ou ela é na imaginação. A pessoa real não passa de um molde usado para criar esse amor ideal. Com o tempo, as pessoas descobrem as diferenças entre esse amor ideal e o molde. Elas vão permanecer juntas se conseguirem se acostumar com essas diferenças. Caso contrário, vão se separar. Como pode ver, é bastante simples. O seu caso só se distingue da maioria em um aspecto: você não precisou de um molde.

— Então não estou doente?

— Apenas no sentido mencionado por sua namorada de carne e osso: você tem um talento literário natural. Se quiser chamar isso de doença, fique à vontade.

— Mas não é um pouco excessivo esse nível de imaginação?

— Imaginação nunca é demais. Especialmente no que diz respeito ao amor.

— Então o que eu faço? Como posso esquecê-la?

— É impossível. Você não vai conseguir esquecê-la, então nem tente. Essa vontade só vai produzir efeitos colaterais e talvez até distúrbios psicológicos. Deixe a vida seguir seu curso natural. Acredite em mim: não tente esquecê-la. Não vai dar certo. Fique tranquilo porque, com o passar do tempo, ela vai exercer cada vez menos influência na sua vida. No fundo, você até que tem muita sorte. Mesmo que ela não exista, você teve a felicidade de amar.

Essa foi a experiência romântica mais profunda de Luo Ji, um amor que só acontece uma vez na vida de um homem. Depois disso, ele assumiu uma atitude despreocupada com tudo, indo aonde a vida o levasse, como naquele dia em que entrara no carro e saíra com ela. Como o psicólogo havia observado, ela foi exercendo cada vez menos influência na vida de Luo Ji. Não aparecia quando ele ficava com alguma mulher de carne e osso e, com o tempo, passou a aparecer raramente, até quando ele estava sozinho. Porém, ele sabia que o recôndito mais íntimo de sua alma pertencia a ela, e que ela permaneceria ali para sempre. Ele até via com clareza o mundo que ela habitava, uma paisagem tranquila coberta de neve eterna, com um céu perpetuamente ornamentado por estrelas prateadas e uma lua crescente. Naquele silêncio, quase dava para ouvir os flocos caindo no chão como delicados grãos brancos de açúcar. Dentro de uma linda cabana no meio da neve, a Eva que Luo Ji havia formado a partir de uma das costelas de sua mente estava sentada diante de uma lareira antiga, observando com tranquilidade a dança das chamas.

Sozinho naquele voo agourento, Luo Ji sentia falta da companhia dela e queria tentar adivinhar com ela o que o aguardava no final da viagem. Só que ela não apareceu, ainda que ele sentisse sua presença em uma região remota da alma, sentada em silêncio diante da lareira, nunca solitária, porque ela sabia que seu mundo estava dentro dele.

Luo Ji esticou o braço para pegar o frasco de comprimidos ao lado da cama, pensando em tomar um para se obrigar a dormir. No entanto, no instante em que seus dedos encostaram na tampa, o frasco pulou da mesinha e voou até o teto, assim como as roupas que ele havia pendurado na cadeira. Tudo ficou grudado no teto por alguns segundos. Luo Ji sentiu o corpo se afastar da cama, mas não saiu voando, porque o saco de dormir estava preso. Quando o frasco caiu de volta, Luo Ji foi pressionado com força contra a cama. Por alguns segundos, a sensação foi de que seu corpo estava sendo comprimido por algum objeto pesado, e Luo Ji não conseguiu se mexer. A alternância repentina entre a falta de peso e a hipergravidade provocou tonturas, mas ele levou menos de dez segundos até voltar a ficar bem.

Ele ouviu passos leves de pessoas circulando no carpete do lado de fora do quarto. A porta se entreabriu e pela fresta apareceu a cabeça de Shi Qiang.

— Luo Ji, tudo bem com você?

Quando Luo Ji respondeu que sim, Shi Qiang fechou a porta sem entrar. Do lado de fora, vozes baixas continuaram falando.

— Parece que foi um equívoco durante a troca de escolta. Nada preocupante.

— O que o alto escalão falou na ligação? — perguntou a voz de Shi Qiang.

— Disseram que a formação de escolta precisaria ser abastecida em voo daqui a meia hora, e que não deveríamos ficar preocupados.

— O plano não previa esse abastecimento, não é?

— Nada parecido. Nesse caos de agora há pouco, sete dos aviões de escolta descartaram o tanque de combustível secundário.

— Por que está tão nervoso? Esqueça isso. Vá dormir. Tente se acalmar.

— Como é que a gente dorme numa situação dessas?

— Deixe alguém de vigia. O que você vai conseguir fazer se estiver esgotado? Eles tentam nos manter em alerta máximo o tempo todo, mas defendo minha tese sobre o trabalho de segurança: depois que você pensa em tudo o que precisa pensar, e faz tudo o que precisa fazer, deve deixar acontecer. Não dá para fazer mais nada, sabe? Não vale a pena ficar estressado.

Ao escutar as palavras "troca de escolta", Luo Ji abriu a cortina e olhou pela janela. O mar de nuvens ainda estava lá no céu noturno. A lua descia no horizonte, e Luo Ji conseguiu ver os rastros da formação de caças, agora com seis linhas novas. Ao observar as minúsculas aeronaves na ponta dos rastros, Luo Ji percebeu que eram de um modelo diferente dos quatro caças anteriores.

A porta do quarto se entreabriu, e a cabeça de Shi Qiang voltou a aparecer na fresta.

— Luo Ji, meu caro, foi só um probleminha. Não se preocupe. Não vai acontecer mais nada daqui para a frente. Volte a dormir.

— Ainda dá tempo de dormir? Há quantas horas estamos voando?

— Faltam mais algumas horas ainda. Pode dormir.

Shi Qiang fechou a porta e foi embora.

Luo Ji se virou na cama e pegou o frasco. Shi havia sido cuidadoso: o frasco só continha um comprimido. Depois de tomá-lo, Luo Ji observou a luzinha vermelha embaixo da janela, imaginando que era a luz das chamas de uma lareira, e adormeceu.

Quando foi acordado por Shi Qiang, Luo Ji tinha dormido seis horas de um sono sem sonhos e se sentia revigorado.

— Estamos quase chegando. Acorde e se prepare.

Luo Ji foi ao banheiro para lavar o rosto e, quando voltou ao escritório para tomar um café da manhã simples, percebeu que o avião estava descendo. Dez minutos depois, o avião fretado estava em solo, tinham feito quinze horas de voo.

Shi Qiang mandou Luo Ji esperar dentro do escritório e desembarcou. Voltou acompanhado de um homem alto com cara de europeu, que se vestia de modo impecável e parecia alguma autoridade de alto escalão.

— Esse é o dr. Luo? — arriscou o homem, ao olhar para ele. Ao perceber a dificuldade de Shi Qiang para compreender a pergunta, o homem repetiu em chinês.

— Sim, é Luo Ji — respondeu Shi Qiang, apresentando rapidamente o homem. — Luo Ji, este é o sr. Kent. Ele está aqui para receber você.

— É uma honra — disse Kent, fazendo uma mesura.

Quando trocaram um aperto de mãos, Luo Ji sentiu que o sujeito era bastante experiente. Havia muito oculto por trás do decoro, mas o brilho naqueles olhos traía segredos. Luo Ji ficou fascinado por aquele olhar, que parecia a um só tempo a personificação do bem e do mal, uma bomba atômica e uma pedra preciosa do mesmo tamanho... Em meio às informações complexas que aqueles olhos transmitiam, Luo Ji distinguiu só uma: aquele momento tinha uma importância significativa para a vida do sujeito.

Kent se virou para Shi Qiang.

— Você se saiu muito bem. Seu segmento foi o executado com mais eficiência. Os outros tiveram um pouco de dificuldade na viagem até aqui.

— Nós prestamos atenção aos nossos superiores. O princípio que seguimos foi o de minimizar a quantidade de etapas — explicou Shi Qiang.

— Você tem toda a razão. Nas atuais circunstâncias, minimizar etapas é maximizar a segurança. Agora adotaremos o mesmo princípio e seguiremos direto para a sala da conferência.

— Quando começa a sessão?

— Daqui a sessenta minutos.

— Chegamos tão em cima da hora assim?

— O início da sessão foi marcado a partir da chegada do último candidato.

— Ótimo. Vamos fazer a entrega, então?

— Não. Você continua responsável pela segurança deste aqui. Como falei antes, você foi quem se saiu melhor.

Shi Qiang não disse nada por uns dois segundos e olhou para Luo Ji. Depois, assentiu com a cabeça.

— Nos últimos dias, enquanto estávamos nos acostumando com a situação, nosso pessoal enfrentou uma série de contratempos.

— Garanto que não vai se repetir mais nada do tipo daqui para a frente. Você pode contar com a total cooperação das forças policiais e militares locais. Muito bem — disse Kent, olhando para os dois homens. — Podemos ir.

Ao sair pela porta da aeronave, Luo Ji percebeu que ainda era noite. Considerando a hora da decolagem, ele tinha uma boa noção de que parte do globo era aquela. Em meio à neblina cerrada e à fraca luminosidade amarela das lâmpadas, a cena da decolagem pareceu se repetir diante de seus olhos: helicópteros no ar, sombras difusas com luzes no meio da névoa; o avião sendo cercado rapidamente por um círculo de veículos militares e soldados virados de costas; e um grupo de diversos oficiais armados discutindo algo pelo rádio e às vezes lançando olhares na direção da escada de passageiros. Um zumbido vindo do alto deixou Luo Ji arrepiado, e até o imperturbável sr. Kent cobriu as orelhas. Ao olhar para cima, eles avistaram uma luz indefinida voando baixo: era a formação de escolta, que continuava sobrevoando as alturas, traçando no ar um grande círculo vagamente visível através da neblina, como se um gigante cósmico tivesse marcado aquele pedaço da Terra com giz.

Os três entraram em um carro blindado que esperava ao pé da escada e saíram da pista. A cortina nas janelas estava fechada, mas, considerando a iluminação que entrava no carro, Luo Ji percebeu que eles estavam no meio de um comboio. O silêncio pairou durante todo o trajeto, uma estrada até um fim desconhecido. Embora tivesse levado apenas quarenta minutos, essa parte da viagem pareceu extremamente demorada.

Quando Kent disse que haviam chegado, Luo Ji enxergou uma forma, cuja silhueta era projetada nas cortinas pela luz de outro edifício. Ele jamais se enganaria com uma forma tão peculiar: um revólver gigantesco com um nó no cano. Luo Ji sabia exatamente onde estava: no prédio das Nações Unidas em Nova York.

Assim que saíram do carro, eles foram cercados por pessoas que pareciam seguranças: eram todos altos, e muitos usavam óculos escuros apesar de ser noite. Luo Ji não conseguiu observar nada à sua volta e foi impulsionado para a frente pelo grupo, espremido com tanta força entre os seguranças que seus pés praticamente saíram do chão. Apenas o som de passos rasgava o silêncio. Quando estava a ponto de surtar com todo aquele estranho clima de tensão, de repente os homens à sua frente se afastaram. Seus olhos foram ofuscados por uma luz, e o resto dos seguranças parou na hora, deixando que ele, Shi Qiang e Kent seguissem adiante. Eles entraram em um salão grande e silencioso, ocupado só por alguns guardas de uniforme preto que falavam em voz baixa em um rádio portátil sempre que os três passavam perto de cada um. Eles cruzaram uma plataforma suspensa na direção de um vitral cujo turbilhão de cores e linhas intricadas traçavam a forma distorcida de seres humanos e animais. Em seguida, viraram à esquerda e entraram em uma sala pequena. Assim que a porta foi fechada, Kent e Shi Qiang trocaram um sorriso e exibiram uma expressão de alívio.

Luo Ji olhou à sua volta e descobriu que o cômodo era relativamente peculiar. Uma das paredes estava toda coberta por uma pintura abstrata composta por formas geométricas amarelas, brancas, azuis e pretas, que se sobrepunham de maneira aleatória e pareciam flutuar acima de um oceano completamente azul. Porém, o elemento mais estranho era a pedra enorme em formato retangular, como um bloco, bem no meio da sala e iluminada por várias lâmpadas fracas. Um olhar mais atento revelava que a pedra apresentava marcas de ferrugem. A pintura abstrata e a pedra eram as únicas decorações da sala, que afora isso estava vazia.

— Dr. Luo, o senhor precisa trocar de roupa? — perguntou Kent em inglês.

— O que ele falou? — quis saber Shi Qiang e, quando Luo Ji traduziu, ele balançou a cabeça vigorosamente. — Não, vá assim mesmo.

— Mas esta é uma ocasião formal — rebateu Kent, arranhando o mandarim.

— Não! — repetiu Shi Qiang, voltando a balançar a cabeça.

— Só embaixadores têm acesso a este salão, não a mídia. Deve ser relativamente seguro.

— Já falei que não. Se entendi bem, eu continuo responsável pela segurança dele.

Kent desistiu.

— Tudo bem. Não é nenhum grande problema.

— Seria interessante dar alguma explicação para ele — comentou Shi Qiang, fazendo um gesto com a cabeça na direção de Luo Ji.

— Eu não tenho autorização para dizer nada.

— Fale qualquer coisa — respondeu Shi Qiang, rindo.

Kent se virou para Luo Ji, assumindo repentinamente uma expressão tensa no rosto austero e ajeitando a gravata com um gesto inconsciente. Luo Ji se deu conta de que Kent vinha tentando evitar encará-lo. E percebeu também que Shi Qiang parecia outra pessoa. O sorriso debochado constante dera lugar a uma expressão solene, e Shi Qiang olhava para Kent com o corpo em uma inusitada posição de sentido. Neste momento, Luo Ji soube que tudo o que Shi Qiang mencionara antes era verdade: ele realmente não fazia a menor ideia do motivo daquela visita.

— Dr. Luo — disse Kent —, só posso revelar que o senhor está prestes a participar de uma reunião importante que será marcada por um anúncio importante. Nessa reunião, o senhor não precisará fazer nada.

Depois disso, os três não trocaram mais nenhuma palavra. A sala mergulhou em completo silêncio. Luo Ji escutava com clareza as batidas do próprio coração. Percebeu que aquela era a Sala de Meditação. O destaque era o bloco retangular de seis toneladas composto de minério de ferro, um símbolo de força e atemporalidade. Tinha sido um presente da Suécia. De qualquer maneira, Luo Ji não estava com a menor disposição de meditar naquele instante. Na verdade, esforçou-se ao máximo para não pensar em nada, convencido do que Shi dissera: qualquer pensamento pode acabar fugindo do controle. Ficou contando as formas na pintura.

De repente, a porta se abriu, e a cabeça que apareceu fez um gesto para Kent, que se virou para Luo Ji e Shi Qiang.

— Está na hora de entrar. Ninguém conhece o dr. Luo, então não haverá nenhum tumulto se eu entrar com ele.

Shi Qiang assentiu com a cabeça e acenou para Luo Ji, sorrindo.

— Vou esperar você aqui fora.

Essas palavras acalentaram o coração de Luo Ji. Naquele momento, Shi Qiang era seu único apoio espiritual.

Ele acompanhou Kent da Sala de Meditação até o Salão da Assembleia Geral das Nações Unidas.

O lugar estava lotado de gente sentada e conversando. A princípio, Luo Ji não chamou atenção ao ser conduzido por Kent ao longo do corredor, mas os presentes começaram a virar a cabeça à medida que os dois se aproximavam da frente. Kent deixou Luo Ji em um assento de corredor na quinta fileira e seguiu mais adiante para se sentar na segunda.

Luo Ji examinou o lugar, que havia visto tantas vezes pela televisão. Com base nas breves imagens que saíam no noticiário, ele nunca conseguira assimilar a mensagem que os arquitetos quiseram transmitir com o edifício. À sua frente, a alta parede amarela com o logo em baixo-relevo da ONU que servia de fundo para a tribuna era inclinada para a frente em um ângulo agudo, lembrando o paredão de um penhasco prestes a desabar. A cúpula, feita para representar um céu estrelado, não era ligada estruturalmente à parede amarela e não tinha nenhuma função de estabilizá-la. Na verdade, a cúpula parecia um peso gigantesco suspenso nas alturas, aumentando a instabilidade da parede e transmitindo àquele ambiente a forte impressão de que tudo estava a ponto de cair. No entanto, nas circunstâncias atuais, parecia que os onze arquitetos que projetaram o edifício em meados do século XX tinham previsto de maneira extraordinária o drama recente da humanidade.

Desviando a atenção da parede distante, Luo Ji ouviu a conversa de duas pessoas ao seu lado. Não soube identificar suas nacionalidades, mas elas falavam inglês com fluência.

— Você acredita mesmo na interferência decisiva de um indivíduo na história?

— Bom, acho que essa é uma questão impossível de ser comprovada ou refutada, a menos que a gente volte no tempo, mate algumas pessoas importantes e veja como a história avança. Agora, é claro que não podemos descartar a possibilidade de que os rumos da história tenham sido determinados pelos rios escavados e represados por essas figuras importantes.

— Só que existe outra possibilidade: essas suas figuras importantes podem ser meros nadadores no rio da história. Seus nomes talvez tenham ficado marcados graças aos recordes mundiais que bateram e aos elogios e ao renome que conquistaram, mas eles não tiveram nenhum efeito no curso desse rio... Ah, do jeito que as coisas estão, de que adianta pensar nisso?

— O problema é que, ao longo de todo o processo decisório, ninguém pensou nos problemas por esse lado. Todos os países estão enrolados em discussões sobre igualdade entre candidatos e direitos sobre recursos.

O salão ficou em silêncio quando a secretária-geral Say foi até a tribuna. A gestão da política filipina tinha começado bem na transição entre o pré e o pós-crise. Se a eleição tivesse acontecido pouco depois, Say nunca teria sido escolhida, pois uma mulher asiática sofisticada não transmitia a ideia de poder que o mundo desejava para enfrentar a Crise Trissolariana. Agora, seu porte pequeno parecia insignificante e indefeso diante do penhasco inclinado da parede. Quando ela se dirigia para a tribuna, Kent a segurou e sussurrou algo ao seu ouvido. Ela olhou para baixo, assentiu com a cabeça e continuou andando.

Luo Ji tinha certeza de que a secretária-geral olhara na direção onde ele estava sentado.

Do púlpito, ela contemplou a assembleia antes de falar:

— A décima nona sessão do Conselho de Defesa Planetária chegou ao último item da pauta: a divulgação dos candidatos a Barreira e o anúncio do início do Projeto Barreiras.

"Antes de tratarmos dessa questão da pauta, acredito que seja necessário fazer uma rápida retrospectiva do Projeto Barreiras.

"No começo da Crise Trissolariana, os membros permanentes do antigo Conselho de Segurança realizaram negociações de emergência e formularam o Projeto Barreiras.

"Os países se conscientizaram dos seguintes fatos: após o surgimento dos dois primeiros sófons, indícios cada vez maiores revelaram que havia mais sófons chegando ao sistema solar e à Terra, um processo constante e ainda em curso. Por isso, para o inimigo, a Terra se tornou um planeta completamente transparente, um livro aberto, algo que eles podem ler a qualquer momento. A humanidade não guarda segredo algum.

"A comunidade internacional lançou recentemente um grande programa de defesa, do qual tanto o raciocínio estratégico quanto os mínimos detalhes tecnológicos e militares encontram-se totalmente expostos aos olhos do inimigo. Cada sala de reuniões, cada arquivo, cada disco rígido e cada memória de cada computador... não há nada que os sófons não vejam. Cada plano, cada programa e cada deslocamento, por mais ínfimos que sejam, serão visíveis ao comando do inimigo a quatro anos-luz daqui no instante em que acontecerem na Terra. Qualquer tipo de comunicação resultará em vazamentos.

"Precisamos atentar para o seguinte fato: o progresso tecnológico não evolui na mesma proporção dos ardis táticos e estratégicos. Informações detalhadas comprovaram que os trissolarianos se comunicam diretamente por meio de pensamentos abertos e, portanto, são limitadíssimos em matéria de ardis, camuflagem e mentira, o que representa uma enorme vantagem para a civilização humana diante do inimigo. Não podemos nos dar ao luxo de perder essa vantagem. Os idealizadores do Projeto Barreiras acreditam que é necessário desenvolver outros planos estratégicos paralelamente ao programa de defesa principal, e que tais planos precisam ser secretos e insondáveis pelo inimigo. Algumas propostas foram consideradas, mas apenas o Projeto Barreiras se mostrou factível.

"Uma correção ao que acabei de dizer: a humanidade ainda guarda segredos, no foro íntimo e individual. Os sófons são capazes de compreender idiomas humanos, ler e acessar informações armazenadas em qualquer mídia eletrônica a uma velocidade ultrarrápida, mas não são capazes de ler pensamentos humanos. Desde que não comunicados ao mundo exterior, os segredos de cada indivíduo podem ser protegidos para sempre contra os sófons. Essa é a base para o Projeto Barreiras.

"O cerne do projeto consiste em selecionar um grupo de pessoas encarregadas de formular e dirigir planos estratégicos. Os selecionados desenvolverão seus planos de modo completamente autônomo na própria mente, sem fazer qualquer menção a eles ao mundo exterior. A verdadeira estratégia por trás desses planos, as medidas necessárias para sua realização e os objetivos finais permanecerão ocultos, guardados em seus pensamentos. Nós batizaremos os escolhidos de Barreiras em referência à ancestral técnica oriental de meditação diante de uma parede, cuja prática se assemelha às características desse projeto. Durante a execução de seus planos estratégicos, essas Barreiras apresentarão ao mundo pensamentos e gestos completamente falsos, uma cuidadosa combinação de dissimulação, desinformação e mentiras. Essas mentiras terão como alvo o mundo inteiro, inimigos e aliados, de modo a erguer um labirinto incompreensível de ilusões que anule a capacidade de discernimento do inimigo e adie ao máximo sua compreensão de nossas verdadeiras intenções estratégicas.

"Será outorgada a essas Barreiras uma série de vastos poderes para mobilizar e explorar uma parcela dos recursos militares do planeta. Durante a fase de implementação de seu planejamento estratégico, as Barreiras estarão dispensadas de prestar quaisquer esclarecimentos a respeito de suas ações e ordens, por mais incompreensíveis que sejam. O monitoramento e o controle das atividades das Barreiras ficarão a cargo do Conselho de Defesa Planetária da ONU, a única instituição com autoridade para vetar ordens de Barreiras de acordo com a Resolução Barreiras da ONU.

"A fim de garantir a continuidade do projeto, as Barreiras terão acesso a tecnologias de hibernação para transpor os séculos até a Batalha do Fim dos Tempos. As próprias Barreiras decidirão em que momento, em quais circunstâncias e por quanto tempo vão hibernar. Ao longo dos próximos quatro séculos, a Resolução Barreiras da ONU ocupará no direito internacional um nível equivalente à Carta das Nações Unidas e atuará em conjunto com as leis nacionais para assegurar a execução dos planos estratégicos das Barreiras.

"As Barreiras serão responsáveis por realizar a missão mais difícil da história da humanidade. Cada um dos indivíduos estará realmente sozinho, isolado do mundo, do universo inteiro. Cada um será sua única companhia, seu único apoio espiritual. Ao assumir essa imensa responsabilidade, os escolhidos enfrentarão muitos anos solitários, então me permitam, em nome de toda a humanidade, oferecer nosso absoluto respeito.

"Agora, em nome das Nações Unidas, anunciarei os quatro candidatos escolhidos pelo Conselho de Defesa Planetária da ONU para o Projeto Barreiras."

Como os demais presentes, Luo Ji ouvira o discurso da secretária-geral com grande atenção e prendeu a respiração ao esperar o anúncio da lista de nomes. Queria saber que tipo de pessoa receberia aquela missão inconcebível. Nem cogitou pensar no próprio destino naquele momento porque, seja lá o que estivesse reservado para ele, seria insignificante em comparação com a importância daquele momento histórico.

— A Primeira Barreira: Frederick Tyler.

Quando teve o nome mencionado pela secretária-geral, Tyler se levantou do assento da primeira fila e com passos firmes subiu à tribuna, de onde olhou para a assembleia com um rosto impassível. Os presentes observaram em silêncio, sem aplaudir, a Primeira Barreira. Com sua fisionomia alta e magra e seus óculos de armação quadrada, Tyler era bastante conhecido no mundo todo. Ex-secretário de Defesa americano e recém-aposentado, havia exercido grande influência na estratégia nacional dos Estados Unidos. Sua postura ideológica fora expressada em um livro intitulado *A verdade da tecnologia*, obra em que defendia que a tecnologia beneficia, em última instância, os países pequenos, e que os esforços irrestritos investidos pelos países maiores no desenvolvimento tecnológico na realidade preparavam o terreno para que os menores dominassem o mundo. Para defender esse ponto de vista, Tyler argumentava que o progresso tecnológico anulava a vantagem de recursos e população de países maiores e proporcionava aos menores uma alavanca para influenciar o mundo. Com a tecnologia nuclear, passou a ser possível que um país com população de poucos milhões de pessoas representasse uma ameaça considerável a outro com cem milhões, algo que em outros tempos seria praticamente impossível. Um dos principais argumentos de Tyler era que as vantagens de um país grande só eram de fato significativas em épocas pouco tecnológicas e perderiam força com o progresso acelerado da tecnologia, que por sua vez aumentaria a importância estratégica de países pequenos. Alguns desses países poderiam passar por uma ascensão rápida, como já acontecera na época de dominação mundial de Portugal e Espanha. Sem dúvida, a visão de Tyler oferecia uma base teórica para a guerra global ao terror promovida pelos Estados Unidos. Porém, ele não era apenas um estrategista, como também um homem de ação, tendo em diversos momentos conquistado popularidade por demonstrações de coragem e visão diante de ameaças graves. Por isso, em matéria de pensamento estratégico e liderança, Tyler era digno do Projeto Barreiras.

— A Segunda Barreira: Manuel Rey Diaz.

Quando aquele sul-americano moreno e atarracado subiu à tribuna, com uma expressão obstinada nos olhos, Luo Ji ficou surpreso, pois a presença de Rey Diaz na ONU era extremamente incomum. No entanto, considerando a conjuntura, fazia sentido. Luo Ji até se perguntou por que não havia considerado aquela hipótese antes. Rey Diaz era o presidente da Venezuela, que sob sua liderança demonstrara com habilidade a teoria de Tyler sobre a ascensão de países pequenos. Ele assumiu a Revolução Bolivariana instigada por Hugo Chávez: em um mundo contemporâneo regido pelo capitalismo e pela economia de mercado, Rey Diaz promoveu na Venezuela o que Chávez chamava de Socialismo do Século XXI, concebido a partir de lições extraídas da experiência de movimentos socialistas internacionais no século anterior. Rey Diaz havia causado surpresa ao obter um sucesso considerável, ampliando o poder da Venezuela em todos os aspectos, e, por algum tempo, fez de seu país uma luz para o mundo, um símbolo internacional de igualdade, justiça e prosperidade. Os demais países da América do Sul seguiram seus passos, e o socialismo se alastrou pelo continente por um breve momento. Rey Diaz herdou de Chávez não só a ideologia socialista, mas também o forte sentimento anti-Estados Unidos, lembrando sempre que o quintal latino-americano poderia se tornar uma nova União Soviética se deixado aos próprios cuidados.

Em uma oportunidade rara, um acidente e um mal-entendido proporcionaram aos Estados Unidos uma desculpa para invadir a Venezuela e depor o governo de Rey Diaz de maneira análoga ao que aconteceu no Iraque. No entanto, com essa guerra, a série pós-Guerra Fria de vitórias das grandes potências ocidentais sobre países pequenos do Terceiro Mundo finalmente foi interrompida. Ao entrar na Venezuela, o Exército americano não encontrou nenhuma força armada institucional. Todo o Exército venezuelano havia se dividido em pequenos grupos guerrilheiros, disfarçados em meio à população civil, e seu único objetivo de combate era destruir as forças essenciais do invasor. A estratégia de guerra de Rey Diaz se baseava em uma ideia simples: armamentos modernos sofisticados podem ser úteis contra alvos individuais, mas contra alvos espalhados em uma grande área apresentavam desempenho semelhante ao de armamentos convencionais. Além disso, na prática, o custo e a disponibilidade limitada tornavam esses armamentos sofisticados irrelevantes. Rey Diaz era um gênio da tecnologia avançada a baixo custo. Na virada do século, um engenheiro australiano havia criado um míssil de longo alcance de cinco mil dólares, com a intenção de auxiliar o combate ao terrorismo. Pois bem, os milhares de grupos guerrilheiros de Diaz foram armados com um total de duzentos mil mísseis desses, produzidos em massa ao custo unitário de apenas trezentos dólares. Embora os mísseis fossem montados com peças baratas e de fácil acesso no mercado, todos estavam equipados com altímetro de radar e GPS, e tinham alcance de cinco quilômetros com margem de erro de menos de cinco metros. O índice de acertos durante a guerra talvez fosse de menos de dez por cento, mas os mísseis causaram um estrago enorme no invasor. Outros dispositivos avançados produzidos em massa, como projéteis explosivos para atiradores de elite, apresentaram um resultado excepcional durante a guerra contra os Estados Unidos. Em sua curta permanência na Venezuela, o exército americano sofreu baixas comparáveis às da Guerra do Vietnã e acabou sendo obrigado a recuar. A derrota dos fortes nas mãos dos fracos transformou Rey Diaz em um herói do século XXI.

— A Terceira Barreira: Bill Hines.

Um inglês jovial subiu à tribuna, a imagem perfeita de refinamento em meio à frieza de Tyler e à obstinação de Rey Diaz. Bill Hines cumprimentou a assembleia com um gesto gracioso. Também era muito conhecido pelo mundo, embora não tivesse a mesma aura dos outros dois escolhidos. A vida de Hines se dividia em duas fases bem distintas. Como cientista, ele tinha sido a primeira pessoa na história a ser indicada ao prêmio Nobel por uma só descoberta em duas disciplinas ao mesmo tempo. Durante pesquisas realizadas com a neurocientista Keiko Yamasuki, Hines descobriu que a atividade cerebral responsável por pensamentos e pela memória operava em nível quântico, não em nível molecular como antes se suspeitava. A descoberta deslocou os mecanismos do cérebro para o microestado da matéria, transformando todos os estudos anteriores em meros esforços rasos que exploraram apenas a superfície da neurociência. A pesquisa de Hines também demonstrou que a capacidade de processamento do cérebro de animais era muito maior do que a imaginada, dando crédito à antiga hipótese de que o cérebro tem estrutura holográfica. Hines foi indicado aos prêmios Nobel de Física e Medicina por sua descoberta. Seu trabalho era radical demais para lhe render o prêmio em qualquer uma das categorias, mas Keiko Yamasuki, que se tornara sua esposa, venceu o Nobel de Medicina daquele ano pela aplicação da teoria no tratamento de amnésia e doenças mentais.

A segunda fase da vida de Hines refletia sua faceta política. Em seus dois anos como presidente da União Europeia, Hines foi reconhecido por sua prudência e experiência, ainda que seu mandato não tenha exigido muitos desafios à sua competência política. Naquela época, o trabalho era majoritariamente de coordenação transacional, de modo que o currículo de Hines parecia um pouco inferior na comparação com os dos outros dois homens. Apesar disso, era evidente que a escolha de Hines levava em conta tanto sua experiência política quanto seu conhecimento científico, uma combinação perfeita e muito rara.

Sentada na última fileira do salão, Keiko Yamasuki, autoridade mundial em neurociência, observava o marido na tribuna com um olhar amoroso.

A assembleia ficou em silêncio à espera do anúncio da última Barreira. Como as três primeiras escolhas — Tyler, Rey Diaz e Hines — representavam equilíbrio e concessões entre as potências políticas dos Estados Unidos, do Terceiro Mundo e da Europa, era grande o interesse em torno do último selecionado. Enquanto observava a secretária-geral Say voltar os olhos ao papel sobre a tribuna, a mente de Luo Ji repassou nomes de fama mundial. A última Barreira seria alguém assim, incontestável. Luo Ji olhou para os assentos quatro fileiras à frente e examinou a parte de trás da cabeça das pessoas sentadas na primeira fila. As três primeiras Barreiras estavam lá antes de subir à tribuna, mas Luo Ji não conseguiu identificar ali nenhuma das opções em que havia pensado. De qualquer forma, a Quarta Barreira com certeza deveria sair dali.

Say levantou a mão devagar, e ele a viu apontar para um lugar acima da primeira fileira.

Seria apenas uma impressão, ou a secretária-geral estava apontando para ele?

— A Quarta Barreira: Luo Ji.

* * *

— É o meu Hubble! — gritou Albert Ringier, juntando as mãos com força.

Seus olhos cheios de lágrimas refletiam a bola de fogo distante que rugiu por alguns segundos até se afastar. Ele e o animado grupo de astrônomos e físicos às suas costas deveriam estar em uma plataforma VIP mais próxima para acompanhar o lançamento, mas um sujeitinho da Nasa disse que eles não tinham autorização, porque o objeto que estava sendo enviado para o espaço não era deles. Depois, o sujeito se dirigiu ao grupo de generais empertigados feito postes e, com uma subserviência canina, passou com eles pela guarita, conduzindo-os até a plataforma de observação. Ringier e seus colegas foram obrigados a permanecer naquele lugar afastado onde, no século anterior, fora instalado um relógio para contagens regressivas. Separado da plataforma de lançamento por um lago, o lugar era aberto ao público, mas àquela hora da noite não havia nenhum observador além dos cientistas.

Visto daquela distância, o lançamento parecia um nascer do sol acelerado. Os holofotes não acompanharam a subida do foguete, e o corpo imenso só era visível pelas chamas que cuspia. De seu esconderijo na escuridão da noite, o mundo se expôs em um magnífico espetáculo de luzes, e a superfície negra e viscosa do lago se cobriu de ondas douradas, como se as chamas tivessem incendiado a própria água. Os cientistas viram o foguete subir e, quando ele passou pelas nuvens, metade do céu ganhou uma tonalidade vermelha digna de sonhos. Quando o foguete desapareceu no céu da Flórida, a breve alvorada voltou a ser engolida pela noite.

O telescópio espacial Hubble II era um modelo de segunda geração, com vinte e um metros de diâmetro, contra os 4,27 metros de seu antecessor, e com cinquenta vezes mais capacidade observacional. Dispunha de uma tecnologia de lentes compostas cujas partes eram produzidas no solo e montadas em órbita. Foram necessários onze lançamentos para levar todos os componentes para o espaço, e aquele era o último. A montagem do Hubble II nas proximidades da Estação Espacial Internacional estava quase concluída. Dali a dois meses, o Hubble II poderia dirigir seus olhos para as profundezas do universo.

— Você e seu bando de ladrões! Roubaram mais uma obra de arte — disse Ringier para o homem alto a seu lado, o único do grupo que não se sensibilizara pela cena presenciada.

George Fitzroy já havia visto muitos dos lançamentos e passou o processo inteiro recostado no relógio de contagem regressiva, fumando um cigarro. Ele tinha sido designado o representante das Forças Armadas quando o Hubble II foi confiscado, mas, como usava trajes civis na maior parte do tempo, Ringier não sabia sua patente nem o tratava com formalidade. Chamar um ladrão pelo nome bastava.

— Doutor, em tempos de guerra, as Forças Armadas têm o direito de confiscar qualquer equipamento civil. Além do mais, vocês não produziram nenhuma lente nem projetaram um parafuso sequer do Hubble II. Só estão aqui para apreciar o sucesso do telescópio, e não estão em posição de reclamar.

Fitzroy bocejou, como se fosse muito cansativo lidar com aquele bando de cientistas.

— Mas, sem nós, o Hubble II não teria nenhum motivo para existir! Equipamentos civis? Ele é capaz de sondar os limites do universo, mas a mentalidade estreita de vocês só quer usar o telescópio para olhar a estrela mais próxima!

— Como eu disse, estamos em tempos de guerra. Uma guerra pela defesa de toda a humanidade. Você pode até ter se esquecido de que é americano, mas ainda se recorda de que é humano, certo?

Ringier resmungou e assentiu em silêncio, antes de balançar a cabeça e soltar um suspiro.

— Mas o que vocês querem que o Hubble II veja? Devem saber que ele não vai ser capaz de enxergar o planeta trissolariano.

— É pior do que isso. A opinião pública acha que o telescópio vai enxergar a Frota Trissolariana — explicou Fitzroy, com um suspiro.

— Que ótimo — desdenhou Ringier.

Embora não pudesse enxergar o rosto do outro na escuridão, Fitzroy podia sentir a satisfação sardônica na expressão de Ringier. Aquela sensação o incomodou tanto quanto o cheiro pungente que vinha da plataforma de lançamento e dominava o ar.

— Doutor, você deve saber quais são as consequências.

— Se a opinião pública depositou suas esperanças no Hubble II, provavelmente as pessoas só vão acreditar que o inimigo existe se virem a Frota Trissolariana com os próprios olhos.

— E você acha que isso é aceitável?

— Vocês já explicaram para a opinião pública, não?

— Mais de mil vezes! Convocamos quatro coletivas de imprensa, e eu repeti à exaustão que, embora o Hubble II seja muito mais poderoso que os maiores telescópios existentes, é impossível que consiga detectar a Frota Trissolariana, porque ela é pequena demais! Detectar um planeta em outro sistema estelar é o mesmo que detectar um mosquito em uma lâmpada na Costa Leste a partir da Costa Oeste, mas a Frota Trissolariana é do mesmo tamanho de uma bactéria nas patas desse mosquito. Teria como ser mais claro?

— Realmente, isso foi bem claro.

— O que mais podemos fazer? A opinião pública acredita no que quiser. Já faz algum tempo que trabalho com isso e nunca vi um único projeto espacial importante que não tenha sido interpretado de maneira errada.

— Muito tempo atrás, falei que as Forças Armadas perderam toda a credibilidade que tinham em relação a projetos espaciais.

— Mas a opinião pública está disposta a acreditar em você. Seria diferente. As pessoas não o batizaram de o novo Carl Sagan? Você ganhou uma fortuna com aqueles seus best-sellers de cosmologia. Quebre esse galho para nós. É um pedido das Forças Armadas, que agora estou comunicando oficialmente.

— Como estamos em uma negociação, seria justo ouvir minhas condições, não?

— Não existe nenhuma condição! É sua obrigação como cidadão americano. Como cidadão da Terra.

— Me dê um pouco mais de tempo para observação. Não preciso de muito. E aumente para vinte por cento, tudo bem?

— Você está muito bem com doze e meio por cento, e ninguém tem como garantir esse espaço reservado no futuro. — Fitzroy fez um gesto com a mão na direção da plataforma de lançamento, onde a fumaça produzida pelo foguete se dissipava e formava um rastro sujo pelo céu noturno. Iluminado pelas luzes da plataforma, aquilo parecia uma mancha de leite em uma calça jeans. O cheiro estava mais desagradável. O primeiro estágio do foguete utilizava oxigênio e hidrogênio líquidos como combustíveis e não devia produzir aquele cheiro, então provavelmente alguma coisa nas proximidades fora queimada pelas chamas espalhadas durante o lançamento. — Estou falando, isso tudo com certeza vai piorar.

Luo Ji se sentiu como se estivesse suportando todo o peso do penhasco inclinado nos ombros e, por um momento, não conseguiu se mexer. O salão ficou em completo silêncio, até que uma voz às costas de Luo Ji disse, delicadamente:

— Dr. Luo, por favor.

Ele se levantou sem jeito e andou com passos mecânicos até a tribuna. Durante o breve percurso, foi como se tivesse voltado à fragilidade da infância e quisesse que alguém o levasse pela mão. Mas ninguém fez isso. Luo Ji subiu à plataforma, parou ao lado de Hines e se virou para a assembleia, para todos aqueles rostos que o encaravam, rostos que representavam seis bilhões de pessoas e mais de duzentos países da Terra.

O que aconteceu no restante da sessão Luo Ji apagou da memória. Só lembrava que, depois de ficar lá em pé por algum tempo, foi conduzido até um assento no meio da primeira fila, ao lado das outras Barreiras. Atordoado, havia perdido o momento histórico do anúncio do Projeto Barreiras.

Algum tempo depois, quando a sessão parecia ter terminado e as pessoas, incluindo os três escolhidos como Barreiras à esquerda de Luo Ji, começaram a se dispersar, um homem, talvez Kent, sussurrou algo em seu ouvido antes de sair. Em seguida, não restou mais ninguém no salão além da secretária-geral, que continuava de pé na tribuna. Sua silhueta pequena contrastava com a de Luo Ji diante do penhasco inclinado.

— Dr. Luo, imagino que tenha algumas perguntas.

A voz delicada de Say ecoou pelo salão vazio como um espírito saído do céu.

— Aconteceu algum engano? — quis saber Luo Ji, cuja voz também soou etérea, como se não pertencesse a ele.

Na tribuna, Say deu uma risadinha que significava: *Você acha mesmo que isso seria possível?*

— Por que eu? — perguntou ele.

— Você precisa encontrar sua própria resposta — respondeu ela.

— Eu não passo de um homem comum.

— Diante desta crise, todos nós não passamos de pessoas comuns. Mas todos temos nossas responsabilidades.

— Ninguém pediu minha opinião antes. Eu não fazia a menor ideia.

Say riu de novo.

— Seu nome não significa "lógica" em chinês?

— Significa.

— Então você deve ser capaz de entender que teria sido impossível pedir a opinião dos escolhidos antes de atribuir essa missão a eles.

— Eu recuso — decretou ele, com firmeza, sem nem sequer refletir sobre as palavras que Say havia acabado de proferir.

— Você tem essa opção.

A rapidez da resposta de Say à sua recusa deixou Luo Ji sem reação por um instante. Após alguns segundos de silêncio, ele disse:

— Eu rejeito a posição de Barreira, rejeito todos os poderes conferidos à função e não assumirei qualquer responsabilidade atribuída a mim.

— Você tem essa opção.

A resposta de Say, simples e imediata, suave como o toque de uma libélula na água, anulou a capacidade de raciocínio de Luo Ji, causando um branco completo em sua mente.

— Então quer dizer que estou livre para ir embora?

Essa foi a única pergunta que ele conseguiu fazer.

— Você tem essa opção, dr. Luo. É um homem livre para fazer o que quiser.

Luo Ji se virou e avançou pelas fileiras de assentos vazios. A facilidade com que pôde descartar a identidade de Barreira e suas responsabilidades não proporcionou uma única gota de paz e liberdade. Sua mente agora estava tomada por uma sensação de irrealidade, como se tudo aquilo fizesse parte de alguma peça pós-moderna sem lógica nenhuma.

Ele chegou até a saída, virou para trás e viu que Say o observava da tribuna. Ela parecia pequena e indefesa diante do penhasco, mas, quando o encarou, fez um gesto com a cabeça e sorriu.

Luo Ji seguiu em frente, passou pelo Pêndulo de Foucault — que demonstrava a rotação da Terra — na entrada e encontrou Shi Qiang, Kent e um grupo de seguranças de terno preto que o encaravam com uma expressão de dúvida. Naqueles olhares, Luo Ji viu sentimentos novos de admiração e respeito. Nem Shi Qiang e Kent, que sempre o haviam tratado com naturalidade, tentaram disfarçar. Luo Ji passou por eles sem falar nada. Em seguida, cruzou o saguão vazio, que estava ocupado apenas pelos guardas de uniforme preto, como na chegada. Como na ocasião anterior, sempre que passava por algum, o guarda falava algo em voz baixa no rádio. Quando Luo Ji chegou à saída, Shi Qiang e Kent o seguraram.

— Talvez seja perigoso lá fora. Precisa de segurança? — indagou Shi Qiang.

— Não, não preciso. Saia da minha frente — rebateu Luo Ji, olhando para a frente.

— Muito bem. Só podemos fazer o que você pedir — concordou Shi Qiang.

Ele se afastou, Kent fez o mesmo, e Luo Ji saiu pela porta, recebendo o ar frio da rua como uma bofetada no rosto. Ainda era noite, mas o exterior do prédio estava iluminado por lâmpadas potentes. As delegações que compareceram à sessão especial já tinham ido embora, e as poucas pessoas na praça eram turistas ou moradores locais. A assembleia histórica ainda não chegara aos noticiários, então ninguém reconheceu Luo Ji, cuja presença não atraiu atenção.

Assim, Luo Ji, uma Barreira, caminhou feito sonâmbulo pela absurda realidade. Em seu transe, havia perdido a capacidade de usar a razão e não sabia para onde ia. Sem perceber, pisou no gramado e se aproximou de uma estátua. Ao passar os olhos por ela, reparou que representava um homem martelando uma espada: *Transformemos Espadas em Arados*. Havia sido um presente da antiga União Soviética à ONU, mas, na cabeça de Luo Ji, a combinação poderosa do martelo, do homem musculoso e da espada curvada dava à obra um quê de violência.

De repente, o homem com o martelo acabou dando um golpe tão forte no peito de Luo Ji que ele caiu no chão e desmaiou antes mesmo de bater na grama. Só que o choque passou logo, e não demorou até ele recuperar parcialmente a consciência, junto com dor e desorientação. Luo Ji havia fechado os olhos para se proteger da luz intensa das lâmpadas à sua volta. Depois, os aros de luz recuaram e Luo Ji enxergou um círculo de rostos acima dele. Em meio à nuvem negra de confusão e agonia, ele reconheceu Shi Qiang assim que ouviu sua voz:

— Você precisa de proteção? Só podemos fazer o que você pedir!

Luo Ji anuiu com um gesto fraco de cabeça. Depois, tudo se passou muito rápido. Ele sentiu que era colocado no que parecia uma maca e, em seguida, que a maca era erguida. Estava cercado por uma roda compacta de pessoas, como se estivesse dentro de um poço apertado com paredes feitas de corpos humanos. A única coisa visível pela boca do poço era a escuridão do céu noturno, e foi só pelo movimento das pernas das pessoas à sua volta que ele percebeu que estava sendo carregado. Em pouco tempo, o poço desapareceu, assim como o céu acima de Luo Ji, dando lugar ao teto iluminado de uma ambulância. Ele sentiu o gosto de sangue na boca e esvaziou o estômago após um acesso de náusea. Alguém a seu lado, com movimentos treinados, recolheu o vômito — sangue e a comida do avião — em uma sacola plástica. Depois que Luo Ji vomitou, uma máscara de oxigênio foi presa em seu rosto. Agora que conseguia respirar com mais facilidade, ele começou a se sentir um pouco melhor, embora o peito ainda doesse. Ele sentiu suas roupas sendo cortadas na altura do peito e imaginou, em pânico, que havia um ferimento aberto, jorrando sangue fresco, mas aparentemente não era o caso, já que ninguém estava usando gazes. Alguém colocou um cobertor sobre seu corpo. Pouco depois, a ambulância parou. Luo Ji foi carregado para fora e viu o céu noturno se mover diante de seus olhos, e depois o teto iluminado dos corredores de um hospital, e o teto de uma sala de emergência, e então, deslocando-se sem pressa no alto, a luz vermelha do aparelho de tomografia. De vez em quando, Luo Ji via rostos de médicos e enfermeiras, que provocavam dores ao manipular o seu peito e fazer examinações. Por fim, quando Luo Ji passou a ver o teto do quarto, tudo se acalmou.

— Uma costela fraturada e uma pequena hemorragia interna. Não é grave. Você não ficou seriamente ferido, mas precisa de repouso por causa da hemorragia — informou o médico de óculos que olhava para ele.

Dessa vez, Luo Ji aceitou imediatamente o comprimido para dormir: a enfermeira o ajudou a tomar, e ele adormeceu logo em seguida. Duas cenas se alternaram em seus sonhos: a tribuna no Salão da Assembleia da ONU erguida nas alturas, e o homem musculoso da escultura *Transformemos Espadas em Arados* batendo nele várias vezes com um martelo. Depois, Luo Ji acessou a região tranquila cheia de neve no fundo de seu coração e entrou na linda e simplória cabana. A Eva que ele criou se levantou diante da lareira, e seus belos olhos estavam marejados... Ele acordou e sentiu lágrimas nos próprios olhos e uma parte úmida no travesseiro. Alguém havia diminuído as luzes do quarto e, como ela não aparecia quando Luo Ji estava acordado, ele voltou a dormir, com a esperança de voltar para a cabana. Só que, desta vez, não teve sonhos.

Quando acordou novamente, ficou sabendo que havia dormido horas a fio. Sentia-se revigorado e, embora continuasse com uma dor intermitente no peito, agora acreditava que os ferimentos não eram graves. Quando tentou se sentar, não foi impedido pelo enfermeiro louro, que se limitou a ajustar o travesseiro para que ele se recostasse. Depois de um tempo, Shi Qiang entrou e se sentou ao lado da cama.

— Como você está se sentindo? Já levei três tiros usando colete à prova de balas. Não deve ser nada de mais — começou ele.

— Da Shi, você salvou a minha vida — disse Luo Ji, com a voz fraca.

Shi Qiang fez um gesto com a mão.

— Isso só aconteceu porque vacilamos. Não tomamos medidas de proteção adequadas no momento certo. Temos que fazer o que você pedir. Mas fique tranquilo que já acabou.

— E os outros três?

Shi Qiang soube na mesma hora a quem ele se referia.

— Estão bem. Não foram tão descuidados como você, de sair andando sozinho.

— A OTT quer nos matar?

— Provavelmente. O atirador já foi detido. Foi bom termos instalado um olho de serpente atrás de você.

— O que é isso?

— Um sistema preciso de radar que consegue determinar rapidamente a posição do atirador a partir da trajetória do projétil. A identidade do sujeito foi confirmada. É um guerrilheiro profissional da milícia da OTT. Nunca imaginamos que alguém do inimigo se atreveria a atacar em um centro urbano como aquele. As ações desse miliciano foram praticamente suicidas.

— Eu gostaria de ter uma conversa com ele.

— Com quem? Com o atirador?

Luo Ji confirmou com a cabeça.

— Tudo bem. Mas não tenho autoridade para isso. Só estou encarregado de proteção e segurança. De qualquer maneira, vou fazer a solicitação.

Ao terminar essas palavras, Shi Qiang se virou e saiu. Parecia mais cauteloso e atento, diferente da imagem despreocupada que exibia antes. Luo Ji não estava acostumado.

Shi Qiang voltou pouco depois.

— Você pode ter a sua conversa — confirmou ele. — Aqui ou em outro lugar. O doutor disse que não tem problema você andar.

Luo Ji pensou em dizer que gostaria de ter a conversa em outro local e até fez menção de se levantar. No entanto, quando lhe ocorreu que um semblante doentio seria mais adequado para seu propósito, voltou a se deitar.

— Quero ter a conversa aqui.

— Estão trazendo o sujeito, então você vai ter que esperar um pouco. Que tal comer alguma coisa? Já faz um dia que você fez sua última refeição, durante o voo. Vou mandar trazerem algo.

Ele saiu outra vez.

Assim que Luo Ji terminou de comer, trouxeram o atirador, que tinha um rosto europeu bonito. Porém, o traço que mais se destacava era o sorrisinho, que parecia tão petrificado que nunca sumia. O homem não estava algemado, mas, quando entrou, dois brutamontes que pareciam guarda-costas profissionais se sentaram nas cadeiras e outros dois ficaram na porta. Os quatro usavam distintivos de agentes do CDP.

Luo Ji tentou ao máximo passar a impressão de que estava à beira da morte, mas o agressor não se convenceu.

— Doutor, sem dúvida não é nada tão grave! — exclamou ele, sorrindo. Era um sorriso diferente e se sobrepunha ao outro, permanente, como uma fina camada de óleo flutuando na água. — Sinto muito.

— Sente muito por ter tentado me matar? — Luo Ji afastou a cabeça do travesseiro para encarar o atirador.

— Sinto muito por não ter conseguido. Não imaginei que fosse usar um colete em uma assembleia daquelas. Nunca passou pela minha cabeça que o senhor pudesse ser tão cuidadoso com a sua proteção. Caso contrário, eu teria usado balas de calibre mais pesado ou só mirado na sua cabeça. Então teria completado minha missão, e o senhor teria se libertado da sua, essa missão absurda que seria insuportável para alguém normal.

— Pois saiba que já estou livre dessa missão. Apresentei minha recusa à secretária-geral e rejeitei a posição de Barreira e todos os direitos e responsabilidades correspondentes. A secretária aceitou minha negativa em nome da ONU. É claro que você não sabia disso quando tentou me executar. Lamento informar, mas a OTT desperdiçou um assassino.

O sorriso no rosto do atirador se iluminou, como um monitor ajustado para mais brilho.

— O senhor é engraçado.

— Como assim? Estou falando a verdade. Se não acredita em mim...

— Eu acredito, mas o senhor continua sendo engraçado — interrompeu o agressor, ainda com o sorriso iluminado no rosto.

Era um sorriso que Luo Ji reparou de passagem, mas que logo ficaria gravado em sua mente como metal líquido, marcando-o para o resto da vida. Luo Ji balançou a cabeça, suspirou e se recostou na cama de novo. Não falou nada.

— Doutor — disse o sujeito —, acho que não temos muito tempo. Imagino que não tenha me chamado aqui só para me contar essa piada infantil.

— Ainda não entendi o que você está querendo dizer.

— Se não entendeu, sua inteligência não o habilita para ser uma Barreira, dr. Luo Ji. O senhor não é lógico como seu nome sugere. Parece que minha vida realmente foi desperdiçada. — O atirador olhou para os dois homens de pé em alerta às suas costas e disse: — Senhores, acho que podemos ir.

Os dois lançaram um olhar de dúvida para Luo Ji, que fez um gesto com a mão, e o atirador foi levado embora.

Luo Ji se sentou na cama e pensou nas palavras do atirador. Estava com uma sensação estranha de que havia algo errado, mas não sabia dizer o quê. Saiu da cama e deu alguns passos: nenhum obstáculo, além da dor difusa no peito. Quando foi até a porta e olhou para fora, os brutamontes armados com fuzis que estavam sentados ao lado da porta se levantaram na mesma hora, e um deles falou no rádio preso ao ombro. Luo Ji viu um corredor iluminado, limpo e completamente vazio, exceto por outros dois guardas armados no final. Ele fechou a porta, foi até a janela e abriu a cortina. Do seu andar, dava para ver guardas armados até os dentes posicionados na entrada do hospital, e dois veículos militares verdes estacionados bem na frente. Com exceção de um ou outro funcionário de uniforme branco que entrava ou saía às pressas do hospital, Luo Ji não viu mais ninguém. Olhando com mais atenção, reparou que no terraço do edifício da frente havia duas pessoas, examinando os arredores com binóculos ao lado de fuzis. Luo Ji teve uma certeza instintiva de que havia atiradores de elite semelhantes no terraço do hospital.

Os seguranças não eram da polícia. Pareciam militares. Ele chamou Shi Qiang.

— O hospital está sob forte vigilância, correto? — perguntou.

— Correto.

— O que aconteceria se eu pedisse para você dispensar a segurança?

— Nós obedeceríamos, mas não recomendo. Neste momento, é perigoso.

— De que departamento você é? Qual é a sua função?

— Eu faço parte do Departamento de Segurança da Defesa Planetária e sou responsável por sua segurança.

— Mas eu não sou mais uma Barreira. Como não passo de um cidadão comum, mesmo se estiver correndo perigo, deveria ser protegido pela polícia. Por que eu teria direito a esse nível de proteção da defesa planetária? Por que eu poderia dispensar ou afastar os guardas se quisesse? Quem me conferiu esse poder?

O rosto de Shi Qiang continuou impassível, como uma máscara.

— Foram as ordens que recebemos.

— Então... onde está Kent?

— Lá fora.

— Mande ele entrar!

Kent entrou pouco depois da saída de Shi Qiang. Havia assumido outra vez a postura graciosa de representante da ONU.

— Dr. Luo, eu queria esperar até o senhor se recuperar.

— O que você faz agora?

— Sou seu contato diário com o Conselho de Defesa Planetária.

— Mas eu não sou mais uma Barreira! — gritou Luo Ji. — A mídia já anunciou o Projeto Barreiras?

— Já. A imprensa do mundo inteiro.

— E minha recusa à posição de Barreira?

— Também foi divulgada, claro.

— Como foi o anúncio?

— Ah, algo bem simples. "Após a conclusão da sessão especial da ONU, Luo Ji declarou que rejeitava a posição e a missão de Barreira."

— Então o que você continua fazendo aqui?

— Eu faço seus contatos diários.

Luo Ji o encarou com uma expressão perdida. Kent parecia estar com a mesma máscara de Shi Qiang. Era impossível adivinhar o que ele estava pensando.

— Se o senhor não deseja mais nada, vou me retirar. Descanse. Pode me chamar a qualquer momento — disse Kent, fazendo menção de sair. Quando passou pela porta, Luo Ji pediu para ele parar.

— Quero ver a secretária-geral.

— O Conselho de Defesa Planetária é a agência específica responsável pela direção e pela execução do Projeto Barreiras. A liderança suprema é da presidência rotativa do CDP. A secretária-geral da ONU não exerce nenhuma autoridade direta sobre o CDP.

Luo Ji pensou no que disse Kent.

— Ainda assim, quero ver a secretária-geral. Devo ter poder para isso.

— Muito bem. Espere um instante. — Kent saiu do quarto e voltou pouco depois. — A secretária-geral o aguarda no gabinete dela. Vamos?

Durante o caminho até o gabinete da secretária-geral, no trigésimo quarto andar do Secretariado, foi montado um esquema de segurança tão rigoroso que Luo Ji se sentia praticamente dentro de um cofre móvel. O gabinete era menor do que havia imaginado e tinha uma decoração simples. Uma bandeira da ONU ocupava um bom espaço atrás da mesa, que Say contornou para recebê-lo.

— Dr. Luo, eu gostaria de ter feito uma visita no hospital, mas... — Ela fez um gesto na direção da pilha de papéis em cima da mesa. O único toque pessoal era um belo porta-canetas de bambu.

— Sra. Say, vim aqui para reafirmar a posição que tomei ontem no final da assembleia — disse ele.

Say assentiu com a cabeça, mas não falou nada.

— Quero ir para casa. Se eu estiver em perigo, por favor, informe a polícia de Nova York e deixe minha segurança aos cuidados dos policiais. Não passo de um cidadão comum. Não preciso da proteção do CDP.

Say assentiu de novo.

— Podemos fazer isso, sem dúvida, mas recomendo que o senhor aceite a proteção atual. O CDP é mais especializado e confiável do que a polícia.

— Por favor, responda com sinceridade: ainda sou uma Barreira?

Say voltou para a mesa. Parada diante da bandeira da ONU, ela abriu um pequeno sorriso para Luo Ji.

— O que o senhor acha?

Depois, fez um gesto para que Luo Ji se sentasse no sofá.

O pequeno sorriso estampado no rosto de Say era familiar. Ele havia visto o mesmo sorriso no rosto do jovem atirador e, no futuro, o veria nos olhos e no rosto de todas as pessoas que encontrasse. Esse sorriso passaria a ser conhecido como o "sorriso Barreira" e ficaria tão famoso quanto o sorriso da *Mona Lisa* e o do gato de Cheshire. O sorriso de Say acabou o acalmando. Era a primeira vez que ele se sentia realmente calmo desde que a secretária-geral subira à tribuna e anunciara para o mundo que ele era uma Barreira. Luo Ji se sentou vagarosamente no sofá e, ao refletir sobre a situação, entendeu tudo.

Meu Deus!

Luo Ji demorou apenas um instante para compreender a verdadeira natureza de sua condição de Barreira. Como Say dissera, antes que a missão fosse atribuída, seria impossível pedir a opinião dos escolhidos. E, uma vez que a missão e a identidade das Barreiras fossem reveladas, seria impossível recusar ou abandonar a função. Essa impossibilidade não estava ligada a qualquer ato de coerção, mas à pura lógica, determinada pela própria natureza do projeto: assim que alguém se tornava uma Barreira, uma tela invisível e impenetrável se erguia entre o indivíduo e as pessoas comuns, fazendo com que toda ação do escolhido fosse significativa. Era isto que os sorrisos dirigidos às Barreiras queriam dizer:

Como é que vamos saber se você já não começou a trabalhar?

Ele agora compreendia que as Barreiras tinham uma missão muito mais estranha do que qualquer outra já imaginada, com uma lógica fria e inusitada que era tão impiedosa quanto as correntes que prenderam Prometeu. Tratava-se de uma maldição irreversível que as Barreiras jamais conseguiriam desfazer por conta própria. Por mais que Luo Ji se debatesse, todo gesto seria recebido pelo sorriso Barreira e carregado do peso do Projeto Barreiras.

Como é que vamos saber se você já não começou a trabalhar?

Seu coração se encheu de uma fúria sem precedentes. Luo Ji quis mandar todos para o quinto dos infernos, quis ofender a mãe de Say, e a mãe de todos na ONU, e a mãe de todas as delegações na sessão especial e no CDP, e a mãe de toda a raça humana, e por fim as mães imaginárias dos trissolarianos. Teve vontade de sair pulando pelo gabinete, de destruir coisas, de jogar no chão os documentos, o globo e o porta-canetas de bambu na mesa de Say e de rasgar a bandeira azul... Porém, acabou compreendendo onde estava e o que precisaria enfrentar, então se controlou e ficou de pé, mas logo desabou de novo no sofá.

— Por que fui escolhido? — perguntou Luo Ji, cobrindo o rosto com as mãos. — Em comparação com os outros três selecionados, não tenho capacitação. Não tenho talento nem experiência. Nunca participei de uma guerra, muito menos comandei um país. Também não sou um cientista renomado. Não passo de um professor universitário que empurra a carreira com a barriga e escreve artigos fajutos. Sou um homem que vive para o presente. Não quero ter filhos e não dou a mínima para a sobrevivência da civilização humana... Por que me escolheram?

Quando terminou de falar, já estava de pé de novo.

O sorriso de Say desapareceu.

— Para falar a verdade, dr. Luo, também ficamos confusos. E é por isso que o senhor tem acesso a menos recursos que as outras Barreiras. A sua escolha foi a maior aposta da história da humanidade.

— Mas eu devo ter sido escolhido por algum motivo!

— E foi, mas por uma causa indireta. Ninguém sabe o motivo verdadeiro. Como eu disse, o senhor precisa encontrar sua própria resposta.

— E qual é a causa indireta?

— Sinto muito, não tenho autorização para revelar. Mas acredito que o senhor descobrirá no momento certo.

Luo Ji sentiu que havia chegado ao fim da conversa, então começou a ir embora e só quando chegou à porta se deu conta de que não havia se despedido. Ele se virou. Como no Salão da Assembleia Geral, Say assentiu com a cabeça e sorriu. Mas, desta vez, Luo Ji sabia o que aquele sorriso significava.

— Foi um prazer revê-lo — disse ela. — Mas, no futuro, seu trabalho será realizado dentro da estrutura do CDP, então o senhor responderá diretamente à presidência rotativa do CDP.

— A senhora não tem nenhuma confiança em mim, não é? — indagou Luo Ji.

— Como mencionei, sua escolha foi uma aposta enorme.

— Então a senhora tem razão.

— Por ter apostado?

— Não. Por não ter nenhuma confiança.

Sem se despedir, ele saiu do gabinete. Com o mesmo estado de espírito apresentado logo após o anúncio de que seria uma Barreira, Luo Ji começou a andar sem rumo. No final do corredor, entrou em um elevador e desceu até o térreo, e de lá saiu do Secretariado e foi para a Praça das Nações Unidas, cercado de seguranças por todo o percurso. Por mais que empurrasse aqueles homens com impaciência de vez em quando, eles grudavam como ímãs e o seguiam para todos os lados. Já era dia, e Shi Qiang e Kent foram até ele na praça ensolarada e lhe pediram para voltar para o prédio ou entrar em algum veículo o mais depressa possível.

— Eu nunca mais vou ver o sol de novo, não é? — perguntou ele a Shi Qiang.

— Não é isso. Esta zona já foi examinada, então é relativamente segura. Mas muitos visitantes vão reconhecê-lo. É difícil lidar com multidões, e provavelmente você também não quer isso.

Luo Ji olhou à sua volta. Pelo menos naquele momento ninguém estava prestando atenção neles. Luo Ji seguiu em direção ao Edifício da Assembleia Geral e entrou às pressas pela segunda vez. Estava decidido e sabia bem aonde tinha que ir. Passando pela passarela vazia, ele viu o painel de vitrais coloridos. Entrou à direita na Sala de Meditação e fechou a porta, deixando Shi Qiang, Kent e os seguranças do lado de fora.

Quando viu o bloco retangular de minério de ferro pela segunda vez, o primeiro instinto de Luo Ji foi se jogar de cabeça e acabar com tudo. No entanto, ele apenas se deitou na superfície lisa da pedra, e o contato frio absorveu parte da irritação de sua mente. Sentiu no corpo a dureza do ferro e, curiosamente, pensou num problema que seu professor de física do ensino médio havia proposto: como deixar uma cama de mármore tão macia quanto um colchão de penas? A resposta: escave uma depressão no mármore que tenha exatamente o mesmo tamanho e formato de um corpo humano. Assim, quando a pessoa se deitar na pedra, a pressão vai se distribuir de maneira uniforme e a cama parecerá extremamente macia. Ele fechou os olhos e imaginou o calor de seu corpo derretendo o minério de ferro e formando essa depressão... Aos poucos, se acalmou. Depois de um tempo, abriu os olhos e fitou o teto vazio.

A Sala de Meditação havia sido projetada por Dag Hammarskjöld, o segundo secretário-geral da ONU, que acreditava que a organização precisava ter um espaço voltado para meditação que fosse separado das decisões históricas tomadas no Salão da Assembleia Geral. Luo Ji não sabia se algum chefe de Estado ou embaixador na ONU chegara a meditar naquela sala, mas sem dúvida Hammarskjöld morreu em 1961 sem nunca imaginar que uma Barreira como ele mergulharia em devaneios ali.

Luo Ji sentiu que estava começando a ficar preso em uma armadilha lógica outra vez, e novamente teve certeza de que não conseguiria se libertar.

Então, voltou sua atenção para o poder que tinha ao seu alcance. Say comentara que ele seria o mais limitado das quatro Barreiras, mas ainda assim poderia dispor de uma quantidade impressionante de recursos. E o principal era que não precisaria se justificar para ninguém. Na verdade, uma parte importante de sua função era agir de maneira sempre obscura para as outras pessoas e fazer de tudo para gerar desinformação. A humanidade nunca tinha visto nada parecido! Talvez os monarcas absolutistas do passado pudessem fazer o que quisessem, mas até eles precisavam responder por suas ações em algum momento.

Se o que me resta é esse poder estranho, por que não aproveitar? Luo Ji se sentou e, depois de pensar um pouco, decidiu qual seria o passo seguinte. Ele se levantou da dura cama de pedra, abriu a porta e pediu para falar com a presidência do CDP.

O presidente em exercício, um russo chamado Garanin, era um senhor de idade, corpulento e com barba branca. O gabinete da presidência ficava um andar abaixo do da secretária-geral. Garanin estava se despedindo de alguns visitantes, metade deles usava farda, quando Luo Ji entrou.

— Ah, dr. Luo! Como fiquei sabendo que andou com alguns probleminhas, não me apressei para ver o senhor.

— O que as outras Barreiras estão fazendo?

— Os três estão ocupados estabelecendo departamentos gerais de pessoal, algo que recomendo que o senhor comece a fazer o quanto antes. Enviarei alguns consultores para auxiliar nas etapas iniciais.

— Não preciso de um departamento geral de pessoal.

— Não? Se o senhor acha que seria melhor assim... Se sentir necessidade, podemos estabelecer um a qualquer momento.

— Pode me dar papel e caneta?

— Claro.

— Sr. presidente — disse Luo Ji, olhando para a folha —, o senhor já sonhou?

— Em que sentido?

— Por exemplo, já sonhou que morava em algum lugar perfeito?

Garanin balançou a cabeça e abriu um sorriso irônico.

— Acabei de chegar de Londres. Passei a viagem inteira trabalhando e, quando desembarquei, dormi menos de duas horas antes de vir correndo para cá. Quando a sessão regular do CDP terminar hoje, vou pegar um voo noturno para Tóquio... Minha vida é uma correria sem fim, e não passo mais de três meses por ano em casa. De que adiantaria para mim sonhar com esse tipo de coisa?

— Nos meus sonhos, eu tenho vários lugares perfeitos. Escolhi o mais bonito. — Luo Ji pegou o lápis e começou a rabiscar o papel. — Não está colorido, então o senhor precisa imaginar. Está vendo estas montanhas nevadas aqui? São íngremes como as espadas dos deuses ou as presas da terra e brilham como cetim prateado sob o céu azul. Completamente deslumbrante...

— Hum — fez Garanin, acompanhando com muita atenção. — É um lugar muito frio.

— Nada disso! A terra abaixo dos picos nevados não pode ser fria. É um clima subtropical. Isso é importante! Na frente das montanhas tem um lago grande, e a água é ainda mais azul do que o céu, azul como os olhos de sua esposa...

— Minha esposa tem olhos pretos.

— Bom, a água do lago é de um azul tão intenso que parece preto. Melhor ainda: o lago está cercado por bosques e campos, mas não se esqueça que precisa ser os dois, nem só um, nem só outro. A paisagem é assim: picos nevados, um lago, bosques e campos. E tudo ali está intocado, virgem. Quem vê o lugar precisa imaginar que o ser humano nunca pisou na Terra. Aqui, no gramado rente ao lago, construa uma casa. Não precisa ser grande, mas tem que estar totalmente equipada para uma vida moderna. Pode ser de estilo clássico ou moderno, mas deve combinar com o ambiente natural ao redor. E precisa dispor do necessário, como chafarizes e uma piscina, para que o morador possa levar uma vida confortável de aristocrata.

— E quem será o morador?

— Eu.

— O que o senhor vai fazer lá?

— Passar o resto da minha vida em paz.

Luo Ji esperou Garanin responder com alguma grosseria, mas o presidente se limitou a assentir com um gesto sério da cabeça.

— Executaremos o pedido assim que for avaliado pela comissão — informou ele.

— Minha motivação não será questionada pelo senhor e sua comissão?

Garanin deu de ombros.

— A comissão pode questionar as Barreiras em duas situações: quando o uso dos recursos excede a escala determinada, e se houver dano a vidas humanas. Fora essas duas exceções, todo questionamento viola o espírito do Projeto Barreiras. E, para ser franco, Tyler, Rey Diaz e Hines me decepcionaram. Olhando para as estratégias que adotaram nos últimos dois dias, é possível ver sem dificuldade para onde vai o grande planejamento deles. O senhor age diferente. Seu comportamento é confuso. É assim que uma Barreira tem que ser.

— O senhor acredita mesmo que exista o lugar que eu descrevi?

Garanin sorriu, deu uma piscadela e fez sinal de o.k.

— O mundo é grande o bastante para ter um lugar assim. Aliás, para ser sincero, já vi algo parecido antes.

— Que maravilha. E garanta que eu possa levar uma vida confortável de aristocrata. Isso faz parte do Projeto Barreiras.

Garanin assentiu com a cabeça, sério.

— Ah, e mais uma coisa. Quando encontrarem um lugar adequado e eu me mudar, não me digam onde é.

Não, vocês não podem me dizer onde é! Quando sabemos onde estamos, o mundo fica delimitado como um mapa. Quando não sabemos, o mundo parece infinito.

Garanin assentiu com a cabeça de novo, parecendo satisfeito desta vez.

— Dr. Luo, o senhor tem outra característica que combina com minha ideia de Barreira: dos quatro, o seu projeto é o que exige o menor investimento, pelo menos por enquanto.

— Se é assim, aparentemente nunca vou ser o maior investimento.

— Nesse caso, o senhor será uma alegria para todos os meus sucessores. O dinheiro é uma dor de cabeça enorme... Os departamentos específicos responsáveis pela execução do seu pedido talvez entrem em contato para esclarecer alguns detalhes. Acredito que especialmente sobre a casa.

— Ah, por falar na casa — disse Luo Ji. — Esqueci um detalhe muito importante.

— Sim.

Luo Ji reproduziu o sorriso irônico e a piscadela de Garanin.

— Ela precisa ter uma lareira.

Após o funeral do pai, Zhang Beihai voltou com Wu Yue ao estaleiro do porta-aviões, onde todos os trabalhos de construção do *Tang* tinham sido suspensos. As faíscas de solda no casco desapareceram, e não havia nenhum sinal de vida no gigantesco navio sob o sol do meio-dia. O *Tang* parecia a própria imagem da passagem do tempo.

— Isto está morto — disse Zhang Beihai.

— Seu pai era um dos almirantes mais sábios do alto escalão da Marinha. Se ele ainda estivesse entre nós, talvez eu não tivesse ficado tão preso — comentou Wu Yue.

— Seu derrotismo se desenvolveu em uma base racional — objetou Zhang Beihai —, ou pelo menos é uma conclusão sua, então acho que ninguém jamais conseguiria animar você de verdade. Não vim aqui para pedir desculpas, Wu Yue. Sei que você não me odeia por causa daquele episódio.

— Eu queria agradecer, Beihai. Você me libertou.

— Você pode voltar para a Marinha. O trabalho aqui seria muito bom para você.

Wu Yue balançou a cabeça devagar.

— Já pedi baixa. O que eu faria se voltasse? A construção de fragatas e contratorpedeiros foi interrompida, e a esquadra não tem mais lugar para mim. Trabalho de escritório no Comando Naval? Nem pensar. Além do mais, sou um péssimo soldado. Alguém que só quer travar uma guerra que possa ser vencida não está apto para ser soldado.

— Nós não veremos nem vitória nem derrota.

— Mas você tem fé na vitória, Beihai. Invejo isso, de verdade, invejo muito. Essa sua fé é o ápice da felicidade para os militares hoje em dia. Você realmente puxou ao seu pai.

— Então você tem algum plano?

— Não. Tenho a sensação de que minha vida acabou. — Wu Yue apontou para o *Tang*, ao longe. — Que nem ele, acabado antes mesmo de ser lançado.

Eles ouviram um ronco baixo vindo da direção do estaleiro, e o *Tang* começou a se mexer devagar. Para liberar o dique, a embarcação precisava ser lançada à água antes da hora e ser rebocada para outro dique, para ser demolida. Quando a proa afiada do *Tang* rompeu a superfície do mar, Zhang Beihai e Wu Yue sentiram um sinal de raiva no casco imenso. O navio entrou no mar apressadamente e lançou ondas enormes, balançando os outros barcos no porto, como se essas embarcações lhe estivessem prestando tributo. O *Tang* se deslocou aos poucos, desfrutando placidamente o abraço do mar. Em sua breve e interrompida carreira, aquele porta-aviões gigante pelo menos encontrou o mar uma vez.

Era noite no mundo virtual de *Três Corpos*. Fora os resquícios de luz das estrelas, o mundo estava todo imerso em uma densa escuridão, até o horizonte era invisível, e a terra vazia e o céu se misturavam nas trevas.

— Administrador, inicie uma Era Estável. Não percebeu que estamos fazendo uma reunião? — gritou uma voz.

A voz do administrador pareceu vir do próprio céu.

— Não posso fazer isso. A era roda de maneira aleatória a partir do modelo central e não pode ser alterada externamente.

— Então aumente a velocidade e ache alguma luz de um dia estável — pediu outra voz na escuridão. — Não deve demorar muito.

O mundo piscou. Sóis voaram pelo céu, e pouco depois o tempo voltou ao normal. Um sol estável iluminou o mundo.

— Certo. Não sei quanto tempo isso vai durar — disse o administrador.

O sol brilhava sobre um grupo de pessoas no deserto, e havia alguns rostos conhecidos entre os presentes: o rei Wen de Zhou, Newton, Von Neumann, Aristóteles, Mo Zi, Confúcio e Einstein. Espalhados de modo disperso, eles olhavam para Qin Shi Huang, que estava de pé em cima de uma pedra, com uma espada apoiada nos ombros.

— Não estou sozinho — avisou ele. — Quem fala aqui é a liderança central de sete.

— Você não devia falar de uma liderança nova antes de ela ser formalizada — rebateu alguém, e os demais começaram a se agitar.

— Basta! — exclamou Qin Shi Huang, esforçando-se para levantar a espada. — Vamos deixar a controvérsia da liderança de lado por enquanto e nos concentrar em questões mais urgentes. Todos estamos cientes do lançamento do Projeto Barreiras, a tentativa da humanidade de usar raciocínio estratégico isolado para resistir à espionagem dos sófons. Como a mente transparente do Senhor é incapaz de percorrer esse labirinto, a humanidade reconquistou a vantagem com esse plano, e as quatro Barreiras representam uma ameaça ao Senhor. Em conformidade com a resolução aprovada na última assembleia física, devemos lançar o Projeto Destruidor de Barreiras imediatamente.

O silêncio reinou após essas últimas palavras, e ninguém expressou qualquer objeção.

— Indicaremos um Destruidor para cada Barreira — prosseguiu Qin Shi Huang. — Os Destruidores terão acesso a todos os recursos da organização, mas o maior benefício será os sófons, que revelarão toda a ação das Barreiras. O único mistério será o pensamento de cada indivíduo. Logo, a missão dos Destruidores será analisar os atos abertos e secretos das Barreiras, com a ajuda dos sófons, e decifrar o máximo possível da verdade por trás dos objetivos de suas estratégias. A liderança agora indicará os Destruidores.

Qin Shi Huang estendeu a espada e, como se estivesse ungindo um cavaleiro, tocou-a no ombro de Von Neumann.

— Você é o Primeiro Destruidor de Barreiras — decretou ele. — Você é o Destruidor de Frederick Tyler.

Von Neumann se ajoelhou e prestou continência com a mão esquerda no ombro direito.

— Aceito a missão.

Qin Shi Huang tocou a espada no ombro de Mo Zi.

— Você é o Segundo Destruidor de Barreiras. É o Destruidor de Manuel Rey Diaz.

Em vez de se ajoelhar, Mo Zi estufou o peito e assentiu com orgulho.

— Eu vou ser o primeiro a destruir uma Barreira.

A espada tocou o ombro de Aristóteles.

— Você é o Terceiro Destruidor de Barreiras. Você é o Destruidor de Bill Hines.

Aristóteles também não se ajoelhou, limitando-se a sacudir o manto e a responder, em tom pensativo:

— Sim, sou a única pessoa capaz de destruir essa Barreira.

Qin Shi Huang voltou a apoiar a espada no próprio ombro e olhou para as pessoas à sua volta.

— Ótimo. Agora temos os Destruidores de Barreiras. Vocês, assim como as Barreiras, são a elite da elite. O Senhor esteja convosco! Com o auxílio da hibernação, vocês começarão a longa jornada até o fim dos tempos junto com as Barreiras.

— Acho que não será preciso hibernar — disse Aristóteles. — Posso completar minha missão de Destruidor de Barreiras durante o tempo de vida normal.

Mo Zi concordou com a cabeça.

— Quando eu destruir a Barreira, encararei pessoalmente meu adversário e apreciarei a angústia e o desespero de seu espírito. Vale muito a pena dedicar o resto da vida a essa causa.

O último Destruidor de Barreiras também declarou a intenção de destruir sua Barreira pessoalmente.

— Eu vou desvendar os últimos resquícios de qualquer segredo que a humanidade possa tentar guardar dos sófons — declarou Von Neumann. — Esse é o último ato que podemos fazer pelo Senhor, porque depois não haverá motivo para a nossa existência.

— E o Destruidor de Barreiras de Luo Ji? — indagou alguém.

A pergunta pareceu despertar algo na mente de Qin Shi Huang, que cravou a espada no chão e se perdeu em pensamentos. O sol de repente passou a acelerar sua descida no horizonte, espalhando sombras. No meio do pôr do sol, o astro mudou de direção abruptamente e subiu e desceu algumas vezes no horizonte — como o dorso reluzente de uma baleia rompendo a superfície do oceano escuro —, fazendo aquele imenso deserto e o pequeno grupo de pessoas daquele mundo bruto se alternarem entre a luz e a as trevas.

— Luo Ji será seu próprio Destruidor de Barreiras. Ele precisa descobrir como pode ameaçar o Senhor — respondeu Qin Shi Huang.

— Nós ao menos sabemos se Luo Ji é uma ameaça? — perguntou alguém.

— Eu não, mas o Senhor sabe, e Evans sabia. Antes de morrer, Evans ensinou o Senhor a guardar esse segredo. Não podemos saber.

— Então, de todas as Barreiras, Luo Ji é a maior ameaça? — insistiu alguém, hesitante.

— Como eu disse, não sabemos. A única certeza que temos é a seguinte: de todas as quatro Barreiras, ele é o único que está enfrentando diretamente o Senhor — respondeu Qin Shi Huang, olhando o dossel do firmamento mudar do azul para o preto.

Reunião de trabalho, Departamento de Política da Força Espacial

Chang Weisi ficou em silêncio por um bom tempo depois de começar a reunião, algo que nunca havia feito antes. Ele passou os olhos pelas duas fileiras de oficiais políticos na mesa de reuniões e fixou o olhar em um ponto distante, enquanto batia de leve com o lápis na mesa, um toque fraco que parecia marcar o compasso de seus pensamentos. Depois, enfim emergiu de seus devaneios.

— Camaradas, de acordo com uma circular enviada ontem pela Comissão Militar Central, eu agora sou o comandante do Departamento de Política das Forças Armadas. Aceitei o cargo há uma semana, mas só neste momento, com todos reunidos, vejo que me encontro em um dilema. Acabo de perceber que estou diante do grupo de pessoas mais abalado da força espacial, e agora sou um de vocês. Não percebi isso antes e peço desculpas. — Ele abriu um documento que estava à sua frente. — Esta parte da reunião não será registrada. Camaradas, vamos trocar opiniões sinceras. Vamos fazer de conta que somos trissolarianos e abrir nossos pensamentos uns para os outros. Isso é fundamental para nosso trabalho no futuro.

O olhar de Chang Weisi parou por um ou dois segundos no rosto de cada oficial, mas todos continuaram em silêncio. Então, ele se levantou e começou a caminhar em volta da mesa, atrás dos oficiais sentados.

— Nosso dever é instaurar em nossas forças a fé em nossa vitória na guerra do futuro. Por isso, cabe a seguinte pergunta: essa fé existe dentro de nós? Por favor, levante a mão quem acha que sim. Volto a repetir que precisamos estar de peito aberto.

Ninguém levantou a mão. Quase todos estavam com os olhos fixos na mesa. Chang Weisi reparou em um homem olhando para a frente: Zhang Beihai.

— Vocês acreditam que a vitória seja possível? — continuou ele. — Por possível, não me refiro a uma vitória acidental, a uma chance em milhões, mas sim a uma possibilidade concreta e significativa.

Zhang Beihai levantou a mão. Foi o único.

— Bom, quero agradecer a todos pela honestidade — disse Chang Weisi e, virando-se para Zhang Beihai, acrescentou: — Excelente, camarada Zhang. Conte para nós, em que você baseia sua confiança?

Zhang Beihai se levantou, mas Chang Weisi fez um gesto para que ele se sentasse.

— Esta não é uma reunião formal — explicou. — É apenas uma conversa franca.

— Comandante — começou Zhang Beihai, ainda em posição de sentido —, não posso dar uma resposta adequada à sua pergunta com poucas palavras, porque desenvolver a fé é um processo longo e complexo. Para começar, gostaria de destacar o pensamento equivocado que está difundido em nossas forças atualmente. Todos aqui sabem que, antes da Crise Trissolariana, nós defendíamos o futuro da guerra a partir de uma perspectiva científica e racional, e uma inércia poderosa preservou essa mentalidade até os dias de hoje. É o que acontece no momento com a força espacial, em que esse pensamento foi exacerbado pela entrada de um grande contingente de acadêmicos e cientistas. Se usarmos essa mentalidade para contemplar uma guerra interestelar que vai se desenrolar daqui a quatrocentos anos, nunca conseguiremos desenvolver a fé na vitória.

— O que o camarada Zhang Beihai está dizendo é curioso — comentou um coronel. — A fé obstinada por acaso não se fundamenta na ciência e na razão? Não existe fé sólida que não tenha base em fatos objetivos.

— Então vamos examinar mais uma vez a ciência e a razão. Nossas próprias ciência e razão, vejam bem. O desenvolvimento avançado dos trissolarianos nos mostra que nossa ciência não passa, por assim dizer, de uma criança que apanha conchas na praia sem nunca ter visto o mar da verdade. Os fatos que vemos com a orientação de nossa ciência e razão talvez *não* sejam verdades objetivas. E, nesse caso, precisamos aprender a ignorá-los de maneira seletiva. Nós precisamos ver as transformações do mundo à medida que elas acontecem e nunca descartar o futuro por determinismo tecnológico e materialismo mecânico.

— Excelente — observou Chang Weisi, indicando com a cabeça para que ele continuasse.

— Precisamos estabelecer a fé na vitória, uma fé que seja a base do senso de dever e dignidade militar! Certa feita, quando as Forças Armadas chinesas enfrentaram em condições complicadas um poderoso inimigo, as tropas estabeleceram uma fé sólida na vitória por meio de uma noção de responsabilidade em relação ao povo e à pátria. Acredito que, hoje, uma noção de responsabilidade em relação à raça humana e à civilização terráquea seja capaz de incentivar a mesma fé.

— Mas como é que fazemos com questões ideológicas específicas? — quis saber um oficial. — A força espacial é composta de engrenagens complexas, o que significa que a ideologia é complexa. É um grande desafio.

— Acho que, pelo menos por enquanto, deveríamos focar na mentalidade da tropa — disse Zhang Beihai. — No nível macro: semana passada, visitei homens da Força Aérea e da Aviação Naval que acabaram de entrar para a nossa divisão e percebi que a rotina diária de treinamento dessas forças está incrivelmente descuidada. No micro: são cada vez mais frequentes os problemas de disciplina militar. Todo o pessoal já devia ter começado a usar as fardas de verão, mas muita gente no quartel-general continua vestindo as fardas de inverno. Essa mentalidade precisa mudar o mais rápido possível. Observem: a força espacial está se transformando em uma academia de ciências. É claro que não podemos negar que a missão atual também passa por estabelecer uma academia de ciências militares, mas temos que lembrar que somos um exército, e que esse exército está em guerra!

A conversa continuou por mais algum tempo, até que Chang Weisi voltou para sua cadeira.

— Obrigado. Espero que possamos continuar com essas conversas sinceras. Agora, vamos passar para a pauta da reunião formal.

Enquanto falava, ele levantou o rosto e observou o olhar firme de Zhang Beihai mais uma vez, identificando uma determinação que acalentava um pouco seu coração.

Zhang Beihai, eu sei que você tem fé. Com um pai como o seu, seria impossível não ter. Só que as coisas não são tão simples como você fala. Não sei em que se baseia essa sua fé nem o que ela engloba. Você me lembra seu pai, que eu admirava, mas nunca consegui entender.

Chang Weisi abriu o documento à sua frente.

— As pesquisas sobre guerra espacial estão avançando a todo vapor, mas já encontramos um problema: sem sombra de dúvida, o estudo da guerra interplanetária precisa estar embasado em certo nível de desenvolvimento tecnológico. Mas agora, a pesquisa de base acabou de começar, e os avanços tecnológicos só vão acontecer em um futuro distante. Em outras palavras, na atual conjuntura nossa pesquisa não se sustenta. Nessas circunstâncias, o quartel-general reviu o plano de pesquisa inicial e dividiu a pesquisa unificada sobre teoria de guerra espacial em três segmentos, para atender aos níveis que a tecnologia humana pode atingir no futuro: uma estratégia de baixa tecnologia, uma estratégia de média tecnologia e uma estratégia de alta tecnologia.

"Há um trabalho em curso para delimitar esses três níveis de tecnologia, e também para definir uma grande quantidade de parâmetros básicos para todas as principais disciplinas científicas, mas o parâmetro central será a velocidade e o alcance de uma nave espacial da classe dez quilotons.

"O Nível de Baixa Tecnologia: a velocidade da nave espacial é até cinquenta vezes maior do que a terceira velocidade cósmica,* ou cerca de oitocentos quilômetros por segundo. A nave espacial não está equipada com sistemas de manutenção de vida. Nessas condições, a nave possui um raio de ação limitado ao sistema solar interno. Ou seja, até a órbita de Netuno, ou trinta unidades astronômicas a partir do Sol.

* A primeira velocidade cósmica é a velocidade inicial de que um corpo precisa para entrar em órbita, a segunda é o valor necessário para escapar da atração gravitacional de um objeto, e a terceira, a velocidade necessária para sair do sistema solar.

"O Nível de Média Tecnologia: a velocidade da nave espacial é até trezentas vezes maior do que a terceira velocidade cósmica, ou quatro mil e oitocentos quilômetros por segundo. A nave é equipada com sistemas parciais de manutenção de vida. Nessas condições, o raio de ação da nave vai além do Cinturão de Kuiper e abrange todo o espaço a até mil unidades astronômicas do Sol.

"O Nível de Alta Tecnologia: a velocidade da nave espacial é até mil vezes maior do que a terceira velocidade cósmica, ou dezesseis mil quilômetros por segundo, o que corresponde a cinco por cento da velocidade da luz. A nave espacial é equipada com sistemas completos de manutenção de vida. Nessas condições, o raio de ação vai até a Nuvem de Oort,* com capacidade inicial de navegação interestelar.

"O derrotismo é a maior ameaça às Forças Armadas no espaço, então os encarregados pelo trabalho ideológico e político terão uma função muito importante na força espacial. Os departamentos de política das Forças Armadas participarão na íntegra do estudo da teoria de guerra espacial, para erradicar a mácula do derrotismo e garantir a orientação correta das pesquisas.

"Vocês farão parte da força-tarefa de teoria de guerra espacial. Talvez haja alguma redundância entre integrantes dos três segmentos de tecnologia, mas as instituições de pesquisa são independentes e receberão os nomes provisórios de Instituto de Estratégia em Baixa Tecnologia, Instituto de Estratégia em Média Tecnologia e Instituto de Estratégia em Alta Tecnologia. Na sessão de hoje, gostaria de saber onde cada um prefere atuar, para servir de referência para a próxima fase de designações do Departamento de Política. Façam suas escolhas."

Dos trinta e dois oficiais políticos em volta da mesa, vinte e quatro escolheram baixa tecnologia e sete escolheram média tecnologia. Só um oficial pediu alta tecnologia: Zhang Beihai.

— Parece que o camarada Beihai quer estudar ficção científica — alfinetou alguém, arrancando risadas de parte dos presentes.

— Minha escolha representa a única esperança de vitória. O nível tecnológico alto é o único que confere à humanidade pelo menos uma chance de desenvolver um sistema defensivo útil para a Terra e o sistema solar — rebateu Zhang Beihai.

— Ainda nem dominamos a fusão nuclear controlada. Fazer uma belonave de dez mil toneladas voar a cinco por cento da velocidade da luz? Dez mil vezes mais rápido do que as atuais carretas espaciais da humanidade? Não é nem ficção científica, é fantasia pura!

* A Nuvem de Oort é um conjunto de objetos gelados distribuídos em uma esfera que contorna o sistema solar a uma distância de cinquenta mil a cem mil unidades astronômicas. Acredita-se que seja a origem de cometas de longo período.

— Mas nós não temos mais quatro séculos? Precisamos pensar no potencial de progresso.

— Só não se esqueça que é impossível progredir em física básica.

— Nós ainda não esgotamos nem um por cento do potencial de aplicações das teorias existentes — argumentou Zhang Beihai. — Tenho a sensação de que o maior problema no momento é a forma como o setor tecnológico encara a pesquisa. Há um grande desperdício de tempo e dinheiro com tecnologias grosseiras. Por exemplo, na área de propulsão, não existe absolutamente nenhum motivo para trabalhar com propulsão por fissão, mas não só estamos dedicando uma quantidade absurda de P&D nisso, como também estamos investindo o mesmo esforço em estudos sobre uma nova geração de propulsão química! Deveríamos concentrar nossos recursos no estudo de motores por fusão, indo além da fusão material. Acontece o mesmo problema em outras áreas de pesquisa. Ecossistemas autônomos, por exemplo, são uma tecnologia necessária para uma nave interestelar, e que não dependem tanto de teoria básica, mas a pesquisa nessa área é limitadíssima.

— O camarada Zhang Beihai apresentou pelo menos uma questão digna de atenção — constatou Chang Weisi. — As comunidades militares e científicas estão ocupadas dando início ao trabalho, mas não têm uma comunicação adequada. Felizmente, os dois lados sabem disso e vão organizar uma conferência conjunta. Além dessa ação, as comunidades militares e científicas já estabeleceram agências especiais para fortalecer a comunicação entre as partes, com o intuito de formar um ambiente totalmente interativo entre estratégia espacial e pesquisa científica. O próximo passo é enviar representantes militares às diversas áreas de pesquisa e fazer um grande grupo de cientistas estudar teoria de guerra espacial. Repito, não podemos ficar sentados esperando pelos avanços tecnológicos. Temos que formar nossa própria estratégia ideológica o quanto antes e promovê-la em todas as áreas.

“E agora, eu gostaria de falar sobre a relação entre a força espacial e as Barreiras.”

— Barreiras? — repetiu alguém, admirado. — Esses sujeitos vão interferir no trabalho da força espacial?

— Ainda não há sinais de algo assim, embora Tyler tenha proposto uma visita de inspeção às Forças Armadas. De qualquer maneira, precisamos ter consciência de que os escolhidos têm poder para isso e que qualquer possível interferência talvez produza efeitos inesperados. Temos que estar psicologicamente preparados para essa situação. Quando acontecer, precisamos manter o equilíbrio entre o Projeto Barreiras e a defesa principal.

Após a reunião, Chang Weisi ficou sentado sozinho na sala, fumando. A fumaça do cigarro flutuou até um feixe de luz do sol que entrava pela janela e pareceu pegar fogo.

Aconteça o que acontecer, pelo menos já começou, pensou ele com seus botões.

Pela primeira vez, Luo Ji sentiu que um sonho havia se tornado realidade. Achava que Garanin estava apenas se gabando — claro que o homem encontraria um lugar deslumbrante e intocado, mas com certeza seria muito diferente do que ele, Luo Ji, tinha imaginado. No entanto, quando saiu do helicóptero, foi como se estivesse entrando em um mundo de sonhos: os picos nevados distantes, o lago à sua frente, o campo e o bosque ao lado do lago, tudo idêntico ao desenho que havia esboçado para Garanin na Sala de Meditação. Aliás, nem chegara ao ponto de imaginar um ambiente tão imaculado. Tudo parecia ter brotado de um conto de fadas. O ar fresco tinha um leve toque doce, e até o sol parecia repleto de cautela, lançando apenas a parte mais delicada e preciosa de seus raios naquele lugar. O mais incrível de tudo era a propriedade construída às margens do lago, que parecia pequena por fora, mas era uma mansão por dentro. Kent, que acompanhou Luo Ji na viagem, disse que a casa datava de meados do século XIX, mas ela parecia mais antiga, e a passagem do tempo a fizera se integrar ao ambiente.

— Não fique surpreso. Às vezes as pessoas sonham com lugares que existem de verdade — disse Kent.

— Alguém mora aqui? — perguntou Luo Ji.

— Ninguém num raio de cinco quilômetros. Para além dessa área existem alguns povoados pequenos.

Luo Ji imaginou que aquele lugar devia ficar no norte da Europa, mas não perguntou.

Kent o levou para dentro da casa. Assim que pôs os olhos na espaçosa sala de estar de estilo europeu, Luo Ji viu uma lareira e, ao lado, uma pequena pilha de lenha, que exalava uma fragrância agradável.

— O antigo dono me pediu para dizer que lhe dá as boas-vindas. Ele tem orgulho de saber que uma Barreira vai morar aqui.

Kent então explicou que a propriedade estava equipada com mais do que Luo Ji havia pedido: um estábulo com dez cavalos, pois a melhor maneira de chegar às montanhas era a pé e a cavalo; uma quadra de tênis e um campo de golfe; uma adega; e, no lago, uma lancha e alguns barcos a vela. Por trás da fachada antiga, a casa fora completamente modernizada. Cada quarto dispunha de um computador, internet de banda larga e televisão com sinal via satélite. Além disso, a casa também contava com uma sala de exibição com sistema de projeção digital e, como Luo Ji reparara na chegada, com um heliporto, que nitidamente não fora construído às pressas.

— O homem tem dinheiro.

— Muito mais do que dinheiro. Ele não quis se identificar, mas você provavelmente saberia quem é se eu dissesse o nome. Ele doou a propriedade inteira para a ONU, um presente muito maior do que o de Rockefeller. Só para deixar claro, o terreno e toda a área construída pertencem à ONU. Você só tem direito a morar. Mas não precisa ficar triste porque, quando o dono saiu, disse que tinha retirado todos os objetos pessoais e que tudo o que ficou para trás era seu. Só esses quadros já devem valer um bocado.

Kent conduziu Luo Ji para um tour por todos os cômodos da casa. Luo Ji percebeu que o antigo proprietário tinha bom gosto e que cada cômodo estava decorado com elegante tranquilidade. Uma parte considerável dos livros na biblioteca era de edições antigas em latim. A maioria dos quadros era modernista, mas nenhum parecia deslocado nos cômodos com aquela forte atmosfera clássica. Um detalhe que chamou a atenção de Luo Ji foi a ausência total de pinturas de paisagem, sinal de uma sensibilidade estética madura: decorar uma casa no Jardim do Éden com quadros de paisagem seria tão inútil quanto despejar um balde d'água no mar.

Ao voltar para a sala de estar, Luo Ji se sentou na confortável poltrona diante da lareira. Encostou em algo ao esticar os braços, então pegou e examinou o objeto. Era um cachimbo daqueles de piteira longa e fina, usado nos salões da classe alta. Olhou para a parede e para as prateleiras vazias, imaginando o que teria sido retirado da decoração original.

Kent voltou e apresentou algumas pessoas: a governanta, a cozinheira, o chofer, o cavalariço, o encarregado da casa de barcos, todos antigos funcionários do proprietário anterior. Depois que os empregados se retiraram, Kent apresentou a Luo Ji um coronel vestido à paisana, o responsável pela segurança. Assim que o coronel saiu, Luo Ji perguntou para Kent onde estava Shi Qiang.

— Ele transferiu a equipe de segurança e provavelmente voltou para casa.

— Quero que ele assuma o lugar do coronel. Acho que vai se sair melhor.

— Também acho, mas ele não fala inglês, o que vai dificultar o trabalho dele.

— Então substitua também os seguranças daqui por outros chineses.

Kent anuiu com a cabeça e saiu para fazer as ligações. Luo Ji também deixou a sala e atravessou o bem cuidado jardim até um píer que avançava lago adentro. Apoiou-se na amurada do píer e olhou para o reflexo dos picos nevados na superfície espelhada do lago. Envolvido pelo ar adocicado e pela luz do sol, ele pensou em voz alta:

— Em comparação com a vida de hoje, que importa como vai ser o mundo daqui a quatro séculos?

Que se dane o Projeto Barreiras.

— Como foi que aquele sacana entrou? — sussurrou o pesquisador no terminal.

— As Barreiras têm total liberdade de acesso — respondeu, também aos sussurros, o colega ao lado.

— É bastante sem graça, não? Imagino que seja uma decepção, sr. presidente — lamentou o dr. Allen, diretor do Laboratório Nacional de Los Alamos, que conduzia Rey Diaz pela fileira de computadores.

— Não sou mais presidente — respondeu Rey Diaz com um tom de voz severo, examinando o ambiente ao redor.

— Este é nosso centro de simulação de armas nucleares. O Los Alamos tem quatro centros semelhantes, e o Lawrence Livermore tem três.

Dois objetos não tão sem graça chamaram a atenção de Rey Diaz. Pareciam novos, com tela grande e console cheio de botões pequenos. Rey Diaz se aproximou para examinar melhor, mas Allen segurou seu braço.

— É só um fliperama. Nossos computadores não servem para jogar, então instalamos duas máquinas apenas para relaxar.

Rey Diaz reparou em outros dois objetos não tão sem graça. Com estrutura complexa, eram transparentes e continham um líquido borbulhante. Ele fez menção de se aproximar para examiná-los, e dessa vez Allen balançou a cabeça e sorriu, mas não o segurou.

— É um umidificador de ar. O Novo México tem um clima seco. O outro não passa de uma cafeteira. Mike, sirva uma xícara para o sr. Rey Diaz... Não, espere, desse aí não. Vou fazer um café com a torra especial do meu escritório.

Para Rey Diaz só restava examinar as fotografias ampliadas em preto e branco que estavam penduradas na parede. Ele reconheceu o homem magro de chapéu e cachimbo, Oppenheimer, até que Allen chamou sua atenção para os monitores desligados.

— Essas telas estão obsoletas — disse Rey Diaz.

— Mas por trás delas fica o computador mais poderoso do mundo, rodando a trinta petaflops.

Um engenheiro se aproximou de Allen.

— Doutor, o AD44530G está funcionando.

— Excelente.

O engenheiro abaixou o tom de voz:

— Suspendemos o módulo de saída — informou, olhando para Rey Diaz.

— Pode rodar — respondeu Allen, que então se virou para Rey Diaz: — Viu, não temos nada a esconder das Barreiras.

De repente Rey Diaz escutou o barulho de algo sendo rasgado e viu as pessoas sentadas diante dos monitores rasgando papel.

— Vocês não têm nenhuma fragmentadora de papel? — murmurou ele.

Imaginava que as pessoas estavam destruindo documentos, mas logo percebeu que estavam rasgando folhas de papel em branco.

— Pronto! — gritou alguém, e todos comemoraram e jogaram os pedaços de papel para o alto, e o chão bagunçado ficou ainda mais parecido com uma lata de lixo.

— É uma tradição do centro de simulação. Quando a primeira bomba atômica foi detonada, o dr. Fermi jogou aparas de papel para o alto e, de acordo com a distância que as aparas se deslocaram pela onda de choque, ele conseguiu determinar com precisão a potência da bomba. Agora fazemos a mesma coisa a cada simulação rodada.

— Vocês fazem testes nucleares todos os dias — observou Rey Diaz, tirando fragmentos de papel de cima da cabeça e dos ombros —, mas para vocês é algo tão simples quanto jogar videogame. Não é assim para nós. Não temos nenhum supercomputador. Precisamos fazer testes de verdade... Fazemos as mesmas coisas, mas os pobres sempre acabam sendo o incômodo.

— Sr. Rey Diaz, ninguém aqui está interessado em política.

Rey Diaz se inclinou para examinar melhor os monitores, mas só viu listas de dados e curvas em movimento. Quando por fim achou alguns gráficos, eram tão abstratos que não conseguiu entender nada. Rey Diaz se inclinou na direção de outro monitor, e o físico que estava sentado diante da tela olhou para ele e disse:

— Sr. presidente, se está procurando uma nuvem de cogumelo, não vai encontrar.

— Não sou presidente — repetiu Rey Diaz, aceitando a xícara de café que Allen estendia.

— Então precisamos conversar sobre o que podemos fazer pelo senhor — arriscou Allen.

— Projetem uma bomba nuclear.

— Claro. Los Alamos pode ser uma instituição multidisciplinar, mas imaginei que o senhor não estaria aqui por outro motivo. Pode passar os detalhes? Que tipo de bomba? Que potência?

— Em breve o CDP enviará os requisitos técnicos completos, então vou resumir apenas os pontos cruciais. Grande potência, a maior possível. O máximo que vocês puderem fazer. Duzentos megatons, no mínimo.

Allen o encarou por um instante e abaixou a cabeça, pensativo.

— Isso vai levar algum tempo.

— Vocês não têm modelos matemáticos?

— Temos, claro. Temos modelos para qualquer coisa entre granadas de quinhentas toneladas e bombas grandes de vinte megatons, desde a variante de nêutrons até a de pulsos eletromagnéticos, mas a potência explosiva que o senhor quer é grande demais. É mais de dez vezes maior do que o maior dispositivo termonuclear do mundo. Precisaria de um ativador e uma base de sustentação completamente novos, e talvez seja necessário até criar uma estrutura totalmente original. Não temos nenhum modelo adequado.

Eles conversaram um pouco mais sobre o planejamento geral de alguns projetos de pesquisa e, no momento da despedida, Allen disse:

— Sr. Rey Diaz, sei que sua equipe no CDP conta com excelentes físicos. Imagino que eles tenham explicado a utilidade do armamento nuclear na guerra espacial.

— Você tem minha permissão para ser redundante.

— Muito bem. Na guerra espacial, bombas nucleares talvez sejam armas pouco eficientes, já que explosões nucleares não produzem ondas de choque no vácuo do espaço e só uma quantidade insignificante de pressão a partir da luz produzida. Logo, não acontece o mesmo impacto mecânico de explosões em uma atmosfera. Toda a energia é liberada sob a forma de radiação e pulsos eletromagnéticos e, pelo menos para os seres humanos, blindagem contra radiação e pulsos eletromagnéticos é uma tecnologia relativamente sólida.

— E se o alvo for atingido diretamente?

— Aí é outra história. Nesse caso, o calor vai ser um fator decisivo, e o alvo talvez derreta ou até vaporize. Só que uma bomba de algumas centenas de milhões de toneladas provavelmente seria do tamanho de um prédio, então receio que não seria muito simples atingir diretamente o alvo... Na verdade, o impacto mecânico de armas nucleares é menor do que o de armas cinéticas, a radiação é menos intensa do que a de armas de raios de partículas, e a destruição térmica nem se compara com a de lasers de raios gama.

— Tudo bem, mas essas armas não estão prontas para aplicação. As bombas nucleares são a tecnologia bélica madura mais poderosa da humanidade. E, quanto aos mencionados problemas de desempenho em combate espacial, é possível pensar em formas de contornar isso. Por exemplo, poderíamos acrescentar um meio para criar uma onda de choque, como bolinhas de metal dentro de uma granada.

— É uma ideia intrigante. Dá para ver que o senhor tem formação em ciência e tecnologia.

— Eu estudei energia nuclear, e é por isso que gosto de bombas nucleares. Elas me passam uma boa impressão.

Allen riu.

— Quase esqueci: é ridículo discutir essas questões com uma Barreira.

Os dois deram uma gargalhada, mas Rey Diaz logo recobrou a seriedade.

— Dr. Allen — disse ele —, assim como todo o mundo, você está tratando a estratégia das Barreiras como algo misterioso. O armamento mais potente disponível para a humanidade hoje é a bomba de hidrogênio. É perfeitamente natural se concentrar nisso, não? Acredito que minha tática seja a correta.

Os dois pararam na alameda silenciosa por onde estavam caminhando sozinhos, em meio às árvores.

— Fermi e Oppenheimer andaram por esta alameda inúmeras vezes — observou Allen. — Depois de Hiroshima e Nagasaki, os arquitetos da primeira geração de armas nucleares passaram o resto da vida mergulhados em depressão. A maioria deles, pelo menos. Eles ficariam gratos se soubessem a missão que as armas nucleares da humanidade têm pela frente.

— Por mais assustadoras que sejam, armas podem ser algo bom... Só para avisar, espero não ver papel sendo jogado para todos os lados na minha próxima visita. Nós devíamos passar uma impressão de limpeza para os sófons.

Keiko Yamasuki acordou no meio da noite, sozinha na cama. O outro lado do lençol estava frio. Ela se levantou, vestiu o roupão e saiu do quarto. Logo viu a sombra do marido em meio ao bambuzal do jardim, como sempre. Eles tinham casa na Inglaterra e no Japão, mas Bill Hines preferia a propriedade do Japão e dizia que o luar no Oriente acalmava seu coração. Aquela noite não tinha lua: o bambu e a silhueta do quimono perderam a profundidade e pareciam recortes de papel pendurados sob as estrelas.

Hines ouviu os passos de sua esposa, mas não se virou. Curiosamente, Keiko Yamasuki usava os mesmos sapatos na Inglaterra e no Japão. Nunca usava *geta*, nem mesmo em sua cidade natal. Ainda assim, apenas no Japão ele conseguia ouvir os passos dela.

— Meu amor, você não dorme direito há dias — disse ela, com voz suave.

Os insetos pararam de chiar, e a paz envolvia os dois como uma enchente de verão.

Ela ouviu o suspiro do marido.

— Keiko, não dá. Não consigo pensar em nada. De verdade... não consigo imaginar absolutamente nada.

— Ninguém consegue. Acho que não existe nenhum plano definitivo de vitória.

Keiko deu dois passos para a frente, mas alguns caules de bambu ainda se interpunham entre marido e mulher. O bambuzal era o espaço de contemplação do casal, e a inspiração para a maior parte de suas pesquisas. Eles quase nunca demonstravam intimidade naquele lugar sagrado e sempre se tratavam com a cortesia adequada a uma atmosfera que parecia imbuída de filosofia oriental.

— Bill, você precisa relaxar. Fazer o melhor possível já é o suficiente.

Ele se virou, mas seu rosto estava mergulhado na escuridão do bambuzal.

— Como é possível isso? Cada passo que dou consome uma quantidade absurda de recursos.

— Então por que não escolhe uma direção que, mesmo que não seja um sucesso, traga algum benefício durante o processo de execução? — sugeriu Keiko, sem pestanejar. Obviamente, ela já vinha pensando na questão.

— Keiko, era exatamente nisso que eu estava pensando. Veja o que decidi: mesmo se não conseguir pensar num plano, posso ajudar outras pessoas a pensarem em algum.

— Que outras pessoas? As outras Barreiras?

— Não, elas não se encontram em situação muito mais favorável. Estou falando de nossos descendentes. Keiko, você já pensou nisso? Leva pelo menos vinte mil anos para a evolução biológica natural surtir qualquer efeito, mas a humanidade tem só cinco mil anos de história, e a civilização tecnológica moderna, só duzentos. Ou seja, o estudo da ciência moderna de hoje é feito pelo cérebro do homem primitivo.

— Você quer usar a tecnologia para acelerar a evolução cerebral?

— Nós temos estudado o cérebro, e devíamos dedicar mais esforços para expandir as pesquisas até um nível em que se possa desenvolver um sistema de defesa planetária. Se trabalharmos bastante durante um ou dois séculos, talvez consigamos aumentar a inteligência humana e permitir que a ciência do futuro se liberte da prisão dos sófons.

— Inteligência é um termo vago na nossa área. O que exatamente...

— Estou falando de inteligência no sentido mais amplo. Não apenas o significado tradicional de raciocínio lógico, mas também capacidade de aprendizado, imaginação e inovação. Sem contar a capacidade de acumular conhecimentos gerais e experiências, sem perder vigor intelectual. Também precisamos aumentar a resistência mental, para que o cérebro possa pensar sem parar e sem se cansar. Podemos considerar até a possibilidade de se eliminar a necessidade de sono. E assim por diante.

— O que vai ser necessário? Você tem alguma ideia, mesmo que vaga?

— Não. Ainda não. Talvez o cérebro possa ser conectado diretamente a um computador, que usaria o poder de computação para amplificar a inteligência humana. Ou podemos desenvolver uma interface direta entre cérebros humanos e mesclar os pensamentos de diferentes pessoas. Ou herdar memórias. De qualquer maneira, independentemente do método escolhido para aumentar a inteligência humana, precisamos partir de uma compreensão básica dos mecanismos cerebrais.

— Que é o nosso campo de interesse.

— Podemos continuar na mesma carreira. A diferença é que teremos condições de despejar uma quantidade imensa de recursos na área!

— Meu amor, estou realmente feliz. Estou em êxtase! Só tem uma questão. Como Barreira, você não acha que esse plano é um pouco...

— Um pouco indireto? Talvez. Mas pense comigo, Keiko: a civilização humana, no fim das contas, é o próprio ser humano. Se começarmos evoluindo os seres humanos, o plano não vai adquirir uma dimensão maior? Além do mais, que outra coisa eu posso fazer?

— Bill, você é maravilhoso!

— Então considere o seguinte por um instante: se transformarmos a neurociência e o estudo do pensamento em um projeto mundial de engenharia, e se pudermos investir uma quantidade significativa de dinheiro na área, quanto tempo teremos que esperar até o sucesso?

— Mais ou menos um século.

— Sejamos um pouco mais pessimistas e pensemos em dois séculos. Logo, os seres humanos superinteligentes terão ainda outros dois séculos e, se usarem um século para desenvolver a ciência de base e outro para transformar essas teorias em tecnologia...

— Mesmo se não der certo, teremos feito o que queríamos fazer.

— Keiko, venha comigo até o fim dos dias — murmurou Hines.

— Sim, Bill. Com certeza, temos tempo.

Os insetos no bambuzal pareciam ter se acostumado à presença dos dois e retomaram os chiados melódicos. Quando uma brisa fraca soprou por entre os bambus, e as constelações da noite cintilaram nas brechas entre as folhas, foi como se o coro de insetos estivesse vindo das estrelas.

Era o terceiro dia da primeira Sessão do Projeto Barreiras do CDP. Rey Diaz e Hines já haviam falado da fase inicial de seus respectivos projetos, que foram submetidos às discussões preliminares por embaixadores dos membros permanentes do CDP.

Os dois haviam apresentado seus planos no dia anterior, mas Tyler esperara até aquele momento para revelar o seu, e os embaixadores estavam bastante ansiosos para saber detalhes.

Tyler começou com uma breve introdução:

— Preciso estabelecer uma força armada no espaço que suplemente a frota da Terra, mas que esteja sob meu comando.

Ao fim dessa frase, as outras duas Barreiras jogaram a mão para o alto.

— O sr. Hines e eu fomos acusados de usar recursos demais em nossos planos — reclamou Rey Diaz. — Agora, isso é absurdo, porque o sr. Tyler quer uma força espacial só para ele!

— Eu não disse que era uma força espacial — objetou Tyler, com calma. — A intenção não é construir belonaves ou naves espaciais grandes, e sim uma frota de caças espaciais. Cada um vai ter mais ou menos o mesmo tamanho de um caça terrestre convencional e lugar para um piloto. Como serão uma espécie de mosquitos no espaço, batizei o plano de "nuvem de mosquitos". A formação precisa ter no mínimo o mesmo tamanho da Frota Trissolariana invasora. Mil naves.

— Você quer atacar uma belonave trissolariana com um mosquito? Não vai fazer nem cócegas — desdenhou um membro da sessão.

Tyler levantou o dedo.

— Vai sim, se cada um desses mosquitos estiver equipado com uma bomba de hidrogênio de cem megatons. Então vou precisar da tecnologia mais avançada de superbombas... Não reclame antes de ouvir tudo, sr. Rey Diaz. Aliás, não reclame em momento algum. De acordo com os princípios do Projeto Barreiras, essa tecnologia não é propriedade exclusiva sua. Se tiver sido desenvolvida, eu terei o direito de usar.

Rey Diaz olhou para ele:

— Minha pergunta é simples: você pretende plagiar meu plano?

Tyler deu um sorriso sardônico.

— Se o plano de uma Barreira pode ser copiado, ele ainda é uma Barreira?

— Mosquitos não têm um alcance muito grande — comentou Garanin, o presidente rotativo do CDP. — O alcance de combate desses caças espaciais de brinquedo só chega até a órbita de Marte, acredito eu.

— Cuidado. O próximo pedido de Tyler talvez seja um porta-aviões espacial — alfinetou Hines, com uma risadinha.

Tyler respondeu com elegância.

— Isso não será necessário. Os caças espaciais podem ser interligados de modo que a esquadra inteira se transforme em uma única unidade, um grupo de mosquitos que atue como porta-aviões espacial e seja impulsionado por um motor externo ou pelo motor de uma pequena parte das naves que o compõem. Em velocidade de cruzeiro, o grupo terá a mesma capacidade de navegação espacial de longo alcance de naves maiores. Quando chegar ao campo de batalha, essa imensa unidade vai se desmembrar e combater como uma frota de caças independentes.

— Seu grupo de mosquitos vai levar anos para alcançar a zona defensiva do perímetro do sistema solar. Um piloto de caça não pode passar tanto tempo dentro de um cockpit, sem ter sequer a opção de se levantar. E uma nave pequena assim vai ter espaço para provisões? — perguntou alguém.

— Hibernação — respondeu Tyler. — Eles terão que hibernar. Meu plano depende da realização de duas tecnologias: minissuperbombas e unidades de hibernação compactas.

— Hibernar durante alguns anos dentro de um caixão de metal para depois acordar e se lançar em um ataque suicida. Sem sombra de dúvida, o trabalho de um piloto de mosquito não é nada invejável — ironizou Hines.

O entusiasmo de Tyler desapareceu. Ele ficou em silêncio por alguns segundos, antes de assentir com a cabeça.

— Sim. Encontrar pilotos é a parte mais difícil do plano.

Os detalhes do plano de Tyler foram distribuídos aos membros reunidos, mas ninguém estava interessado em discutir os pontos. O presidente encerrou a sessão.

— Luo Ji ainda não chegou? — indagou o embaixador americano, irritado.

— Ele não virá. Declarou que sua reclusão e sua ausência na sessão do CDP fazem parte de seu plano — explicou Garanin.

Os presentes começaram a cochichar. Alguns pareciam irritados, outros abriram sorrisos enigmáticos.

— Ele é um peso morto, um inútil! — bradou Rey Diaz.

— E *você* é o quê? — perguntou Tyler, com grosseria, embora seu plano de nuvem de mosquitos dependesse das superbombas de hidrogênio de Rey Diaz.

— Eu prefiro expressar minha admiração pelo dr. Luo. Ele se conhece e tem consciência da própria capacidade, então não quer desperdiçar recursos à toa — disse Hines, e se virou com elegância para Rey Diaz. — Acho que o sr. Rey Diaz devia aprender algo com ele.

Todo mundo percebeu que Tyler e Hines não estavam defendendo Luo Ji, apenas alimentavam uma imensa antipatia por Rey Diaz.

Garanin bateu o martelo na mesa.

— Ordem! Realmente a Barreira Rey Diaz extrapolou com seu comentário. Gostaria de lembrar que o senhor deve demonstrar respeito pelas outras Barreiras. Agora, também preciso esclarecer que as palavras das Barreiras Hines e Tyler não cabem nesta sessão.

— Sr. presidente — pediu a palavra Hines —, o plano da Barreira Rey Diaz revelou apenas a brutalidade de um soldado. Seguindo os passos do Irã e da Coreia do Norte, o país dele sofreu sanções da ONU por causa de seu programa de armamento nuclear, o que levou Rey Diaz a desenvolver um fascínio perturbado em relação à bomba. Na prática, não existe nenhuma diferença entre o programa da nuvem de mosquitos do sr. Tyler e o plano da bomba gigante de hidrogênio. Ambos são uma decepção, porque deixam transparecer o pensamento estratégico.

Nenhum desses projetos simplórios exibe a astúcia, que é a vantagem estratégica do Projeto Barreiras.

— Já o seu plano, sr. Hines, parece um devaneio ingênuo — rebateu Tyler.

Quando a sessão terminou, as Barreiras foram para a Sala de Meditação, o lugar que mais apreciavam na sede da ONU. Agora parecia que aquele espaço projetado para o silêncio tinha sido construído especialmente para eles. Reunidos ali, os três não falaram nada, cada um imaginando que jamais poderia trocar ideias com ninguém até o momento da guerra definitiva. O bloco retangular de minério de ferro também permanecia calado entre aqueles homens, como uma testemunha silenciosa que absorvesse e guardasse os pensamentos das Barreiras.

— Vocês já ouviram falar dos Destruidores de Barreiras? — perguntou Hines, em voz baixa, quebrando o silêncio.

Tyler assentiu com a cabeça.

— A OTT acabou de divulgar no site oficial, e o anúncio foi confirmado pela CIA.

Os três homens voltaram a mergulhar no silêncio, e cada um formou em sua mente a imagem de seu respectivo Destruidor. Era uma imagem que voltaria a aparecer inúmeras vezes em seus pesadelos, pois o dia em que um Destruidor de Barreiras aparecesse provavelmente seria o fim de um deles.

Quando viu o pai entrar, Shi Xiaoming recuou para o canto, mas Shi Qiang se limitou a se sentar ao lado do filho, em silêncio.

— Não tenha medo. Não vou bater em você nem xingar. Não tenho energia para isso.

Ele tirou um maço do bolso, puxou dois cigarros e ofereceu um para o filho. Shi Xiaoming hesitou antes de aceitar. Depois eles ficaram fumando em silêncio por algum tempo.

— Recebi uma missão — disse Shi Qiang, enfim. — Vou sair do país daqui a algumas horas.

— E a sua doença? — perguntou Shi Xiaoming, olhando para o pai através da fumaça, com uma expressão preocupada.

— Vamos falar de você primeiro.

A expressão de Shi Xiaoming se transformou em apelo.

— Pai, isso vai dar uma pena pesada...

— Se fosse qualquer outro crime, eu poderia ter dado um jeito, mas não vai ser possível. Ming, somos adultos. Precisamos assumir a responsabilidade por nossas ações.

Shi Xiaoming abaixou a cabeça e tragou o cigarro, sem responder.

— Metade da culpa é minha — reconheceu Shi Qiang. — Nunca dei atenção a você na infância. Chegava todos os dias tarde em casa, tão cansado que só conseguia beber alguma coisa e ir dormir. Nunca fui a nenhuma reunião de pais na escola, nunca conversei direito com você sobre nada... Como eu disse: precisamos assumir a responsabilidade por nossas ações.

Com lágrimas nos olhos, Shi Xiaoming esmagou o cigarro várias vezes na beirada da cama, como se estivesse apagando a segunda metade da própria vida.

— A prisão não passa de uma espécie de treinamento de bandidos. Não reforma ninguém. Pode tirar essa ideia da cabeça. Não se misture com os outros detentos e aprenda a se proteger um pouco. Pegue isto... — Shi Qiang colocou um saco plástico na cama, com dois pacotes de cigarro Yun Yan. — Se você precisar de mais alguma coisa, sua mãe vai mandar.

Shi Qiang foi até a porta e então se virou para o filho e disse:

— Ming, você talvez me veja de novo. Provavelmente vai estar mais velho do que eu quando isso acontecer, e então vai entender o que meu coração está sentindo neste momento.

Pela janelinha da cela, Shi Xiaoming viu o pai sair do centro de detenção. De costas, parecia muito velho.

Numa era completamente dominada pela ansiedade, Luo Ji havia se tornado o homem mais pacato do mundo. Ele caminhava às margens do lago, andava de barco, explorava a enorme seleção de títulos da biblioteca e, quando se cansava, saía para jogar golfe com os seguranças. Colhia cogumelos, pescava peixes e pedia para criarem iguarias saborosas. Passeava a cavalo pelo campo e pela trilha do bosque na direção dos picos nevados, mas nunca chegava ao pé da montanha. Muitas vezes, apenas se sentava em um banco à beira do lago e olhava para o reflexo da montanha na água, sem fazer nada, sem pensar em nada, deixando o dia passar sem nem perceber.

Luo Ji estava sozinho, sem qualquer ligação com o mundo exterior. Embora Kent também ficasse na mansão e tivesse uma pequena sala própria, raramente incomodava. Luo Ji só havia conversado uma vez com o agente responsável pela segurança, para pedir que a equipe não o seguisse de um lado para outro e que, se fosse inevitável, que os homens tomassem cuidado para que ele não os visse.

Luo Ji se sentia como o barco na água, flutuando serenamente com a vela recolhida, sem saber onde estava ancorado e sem dar a mínima para onde estava indo. De vez em quando, ao pensar em sua vida anterior, ele se surpreendia ao descobrir que já não conseguia mais reconhecê-la, apesar do curto espaço de tempo decorrido. Havia se acostumado muito bem com a situação atual, que o agradava.

Ele tinha um interesse especial pela adega. Sabia que a coleção de garrafas empoeiradas continha apenas o melhor. Luo Ji vivia bebendo, na sala de estar, na biblioteca ou, às vezes, no barco; mas nunca bebia demais, só o bastante para permanecer naquele estado perfeito entre a embriaguez e a sobriedade. Nessas horas, apanhava o cachimbo de piteira comprida deixado pelo dono anterior e dava suas baforadas.

Luo Ji nunca acendia a lareira, mesmo em dias de chuva, quando fazia frio na sala de estar, porque sabia que ainda não era hora. Também nunca entrava na internet, mas às vezes assistia à televisão, ignorando os noticiários e preferindo programas sem qualquer ligação com a atualidade. Ainda era possível encontrar esse tipo de conteúdo, embora fosse cada vez mais raro nos estertores da Era de Ouro.

Certa vez, tarde da noite, ele apreciava uma garrafa de conhaque de trinta e cinco anos, enquanto zapeava sem interesse pelos canais da TV, quando um documentário em inglês chamou sua atenção. Era sobre os destroços de um clíper do século XVII, que havia zarpado de Roterdã com destino a Faridabad e naufragara perto do cabo Horn. Entre os objetos resgatados pelos mergulhadores estava um pequeno barril lacrado de vinho fino, que especialistas acreditavam ainda ser consumível e ter um sabor inigualável, depois de três séculos abrigado no fundo do oceano. Luo Ji gravou a maior parte do documentário e chamou Kent.

— Quero esse barril. Compre para mim — pediu ele.

Kent saiu para fazer um telefonema. Duas horas depois, explicou para Luo Ji que o preço do barril era escandaloso: o lance inicial do leilão seria de trezentos mil euros.

— Esse valor não é nada para o Projeto Barreiras. Compre o barril. Faz parte do plano.

E, com isso, o Projeto Barreiras deu origem a uma nova expressão além de "sorriso Barreira". Qualquer pedido absurdo, mas que precisava ser cumprido, era chamado de "parte do plano da Barreira", ou apenas "parte do plano".

Ao fim de dois dias, o barril, com a superfície envelhecida coberta de conchas, foi colocado na sala de estar da mansão. Luo Ji pegou uma torneira com broca feita especialmente para barris de madeira, que encontrou na adega, e furou com cuidado a lateral do barril, para se servir a primeira taça. O líquido apresentava um tom verde-esmeralda tentador. Ele deu uma cheirada e levou o cálice aos lábios.

— Doutor, isso também faz parte do plano? — perguntou Kent, em voz baixa.

— Exatamente. Faz parte do plano. — Luo Ji estava prestes a beber, mas, ao ver tanta gente na sala, ordenou: — Todo mundo para fora.

Kent e os demais não fizeram um único movimento.

— Mandar todos saírem também faz parte do plano. Para fora!

Luo Ji lançou um olhar irritado para os presentes. Kent balançou a cabeça com delicadeza e levou as pessoas para fora.

Luo Ji deu um gole e procurou ao máximo se convencer de que o sabor era divino. Porém, no fim das contas, não teve coragem de tomar o segundo gole. Apesar disso, aquele único gole causou estrago: na mesma noite, Luo Ji passou mal, teve diarreia e vomitou muitas vezes, até cuspir bílis da cor do vinho e ficar debilitado a ponto de não conseguir nem sair da cama. Mais tarde, quando médicos e especialistas abriram a tampa do barril, descobriram que havia uma placa de latão de tamanho considerável na parede interna, algo comum naquela época. Com o tempo, alguma reação química tinha acontecido entre o cobre e o vinho, que normalmente conviviam sem problema, e alguma substância se dissolvera no líquido... Quando levaram o barril embora, Luo Ji viu o olhar de satisfação no rosto de Kent.

Exausto, prostrado na cama e olhando a bolsa de soro pingar, Luo Ji foi tomado por um intenso sentimento de solidão. Sabia que seu ócio recente não passava da leveza de quem cai no abismo da solidão, e que havia enfim chegado ao fundo. Ainda assim, tinha previsto esse momento e estava preparado. A etapa seguinte do plano começaria assim que a pessoa que ele estava esperando chegasse. Da Shi.

Tyler estava com um guarda-chuva aberto, sob a garoa de Kagoshima. A dois metros de distância às suas costas, encontrava-se o chefe de defesa Koichi Inoue, que continuava com o guarda-chuva fechado. Nos últimos dois dias, Inoue havia permanecido afastado pela mesma distância de Tyler, física e mentalmente. Os dois estavam no Museu da Paz de Chiran, dedicado aos pilotos camicases, de frente para a estátua de um piloto e ao lado de um avião branco, código 502. Uma leve camada de chuva cobria a superfície da estátua e a do avião, deixando as duas obras com um aspecto vívido enganador.

— Minha proposta não permite nenhum espaço para debate? — perguntou Tyler.

— Recomendo fortemente que o senhor não comente isso com a opinião pública. Vai gerar problemas.

As palavras de Koichi Inoue eram gélidas como a chuva.

— É um tema tão delicado assim, mesmo hoje em dia?

— O delicado não é a história, mas sua proposta de recriar as unidades de ataque camicase. Por que o senhor não sugere isso nos Estados Unidos ou em algum outro lugar? Os japoneses são os únicos que podem morrer pelo dever? E os demais povos do mundo?

Tyler fechou o guarda-chuva e se aproximou de Koichi Inoue, que, embora não tivesse recuado, parecia protegido por algum campo de força que impedia a aproximação do americano.

— Eu nunca disse que as forças camicases do futuro seriam formadas apenas por japoneses. Minha ideia seria criar uma força internacional. Agora, como os camicases tiveram origem em seu grande país, não é perfeitamente natural que o ponto de partida seja aqui?

— Em uma guerra interplanetária, um ataque dessa natureza surtiria algum efeito significativo? O senhor deve saber que as vitórias dessas unidades especiais foram limitadas e não mudaram os rumos da batalha.

— Comandante, a força espacial que estabeleci é uma frota de caças equipados com superbombas de hidrogênio.

— Por que uma frota assim precisaria de pilotos humanos? Caças controlados por computador não podem chegar perto o bastante para o ataque?

Aparentemente, essa pergunta era a oportunidade que Tyler estava esperando, e ele se empolgou.

— O problema é exatamente esse! Os computadores atuais são incapazes de substituir o cérebro humano, de modo que precisaríamos de um avanço na teoria de base para a criação de computadores quânticos e outras gerações de dispositivos. Só que esse avanço foi travado pelos sófons. Então, daqui a quatro séculos, a inteligência de computação continuará limitada, e armas controladas por seres humanos serão indispensáveis... Para falar a verdade, hoje, recriar as tropas camicases somente tem peso moral, porque apenas daqui a dez gerações algum piloto teria que abraçar a morte. Só que, para estabelecer esse espírito e essa fé, é preciso começar agora!

Koichi encarou Tyler pela primeira vez. O cabelo molhado estava grudado em sua testa, e as finas gotas de chuva em seu rosto pareciam lágrimas.

— Essa perspectiva é uma violação dos princípios morais básicos da sociedade moderna: as vidas humanas têm prioridade, e o Estado e o governo não podem exigir que nenhum indivíduo assuma uma missão suicida. Acho que me lembro de uma fala do protagonista Yang Wen-li em *Lenda dos Heróis Galácticos*: "Nesta guerra está em jogo o destino do país, mas de que vale isso diante de direitos e liberdades individuais? Façam todos o máximo que puderem".

Tyler suspirou.

— Quer saber? O senhor desperdiçou seu recurso mais precioso.

O americano então voltou a abrir o guarda-chuva de repente, virou as costas e saiu andando, com raiva. Quando chegou ao portão do memorial, olhou para trás e viu que Koichi Inoue continuava sob a garoa, diante da estátua.

Caminhando em meio à brisa do mar, Tyler se lembrou de uma frase em um bilhete suicida que havia visto no museu, de um piloto camicase para a mãe:

Mãe, vou ser um vaga-lume.

— É pior do que eu imaginava — confessou Allen para Rey Diaz.

Os dois estavam ao lado de um obelisco preto feito de rocha vulcânica, o marco zero da primeira bomba atômica da humanidade.

— A estrutura é mesmo tão diferente assim? — perguntou Rey Diaz.

— Totalmente diferente das bombas nucleares atuais. A criação do modelo matemático talvez seja cem vezes mais complicada do que as bombas de hoje. É um empreendimento enorme.

— O que eu preciso fazer?

— Cosmo faz parte de sua equipe, certo? Peça para ele vir ao meu laboratório.

— William Cosmo?

— Isso mesmo.

— Mas ele... ele...

— É um astrofísico, uma autoridade em matéria de estrelas.

— O que ele vai fazer?

— É o que eu vou explicar. Para o senso comum, uma bomba nuclear explode assim que é detonada, mas o processo na verdade é mais uma queima. Quanto maior a potência, mais longa a combustão. Uma explosão nuclear de vinte megatons, por exemplo, cria uma bola de fogo que dura mais de vinte segundos. A superbomba que estamos projetando tem duzentos megatons, e essa bola de fogo vai arder por alguns minutos. Imagine. Vai parecer o quê?

— Um pequeno sol.

— Exato! A estrutura de fusão dela é muito semelhante à de uma estrela, e durante um período muito reduzido ela vai reproduzir o processo evolutivo de uma estrela. Por isso, o modelo matemático que precisamos desenvolver é o modelo de uma estrela.

Eles estavam diante de um mar de areia branca. Naqueles momentos que antecediam o nascer do sol, era impossível distinguir detalhes do deserto escuro. Olhando para a paisagem, eles não conseguiram deixar de pensar no cenário básico do *Três Corpos*.

— Estou muito animado, sr. Rey Diaz. Por favor, perdoe minha falta de entusiasmo inicial. Vendo o projeto agora, compreendo que a importância vai muito além da construção de uma superbomba propriamente dita. O senhor sabe o que estamos fazendo? Estamos criando uma estrela virtual!

Rey Diaz balançou a cabeça, insatisfeito.

— O que isso tem a ver com a defesa da Terra?

— Não se limite pela defesa planetária. Afinal, eu e meus colegas do laboratório somos cientistas. Sem contar que existe uma importância prática. Usando os parâmetros certos, essa estrela poderia ser um modelo do nosso Sol. Consegue imaginar? Sempre é bom ter o Sol na memória do computador. É a maior presença do cosmo na proximidade imediata do nosso planeta, mas ainda não tiramos muito proveito dele. O modelo pode revelar muitas descobertas iminentes.

— Não se esqueça de que foi usando o Sol que a humanidade chegou à beira do precipício e trouxe você e eu para este lugar — observou Rey Diaz.

— Mas novas descobertas podem traçar um novo rumo para a humanidade. Por isso convidei o senhor para ver o nascer do sol aqui, neste lugar.

O sol nascente estava começando a despontar no horizonte. O deserto diante deles se tornou nítido como uma fotografia revelada, e Rey Diaz viu que aquele lugar, antes devastado pelas chamas do inferno, agora estava coberto por uma vegetação esparsa.

— Eu me tornei a morte, o destruidor de mundos! — exclamou Allen.

— O quê?! — Rey Diaz virou a cabeça de repente, como se alguém tivesse disparado em suas costas.

— Oppenheimer proferiu essas palavras quando viu a primeira explosão nuclear. Acho que é uma frase do *Bhagavad Gita*.

O disco no leste se expandiu rapidamente, lançando uma teia dourada de luz sobre a Terra. O mesmo Sol estava presente naquela manhã em que Ye Wenjie sintonizara a antena da Costa Vermelha, e antes, muito antes, o mesmo Sol havia iluminado a poeira baixando após a primeira explosão nuclear. Os australopiteco de um milhão de anos atrás e os dinossauros de cem milhões de anos atrás haviam voltado seus olhos ignorantes para o mesmíssimo Sol, e antes, muito antes, a luz difusa que havia penetrado a superfície do oceano primitivo e fora sentida pela primeira célula viva fora emitida pelo mesmo Sol.

— E então — continuou Allen — um homem chamado Bainbridge rebateu a declaração de Oppenheimer com outra, que não tinha absolutamente nada de poético: "Agora nós somos todos uns filhos da puta".

— Do que você está falando? — perguntou Rey Diaz, cuja respiração estava entrecortada diante do nascer do sol.

— Estou agradecendo, sr. Rey Diaz, porque a partir de agora não somos uns filhos da puta.

No leste, o sol subia com imponente solenidade, como se declarasse para o mundo: "Tudo é como sombra diante de mim".

— Qual é o problema, sr. Rey Diaz?

Allen percebeu que Rey Diaz estava agachado, com a mão no chão, o corpo sacudindo, em silêncio. Seu rosto tinha perdido a cor e parecia coberto de suor frio, e ele não tinha forças para tirar a mão de cima do ramo de espinhos em que ela estava apoiada.

— Vá para o carro — pediu Rey Diaz, com voz débil.

Ele virou a cabeça para evitar o sol e procurou se proteger da luz com a mão. Não conseguiu se levantar. Allen tentou ajudar, mas não era capaz de erguer aquele corpo pesado.

— Traga o carro para cá... — insistiu Rey Diaz, em um murmúrio entrecortado, cobrindo os olhos com a mão.

Quando Allen voltou com o carro, Rey Diaz havia caído no chão. Com dificuldade, Allen o ajudou a entrar no banco traseiro.

— Óculos escuros. Preciso de óculos escuros...

Rey Diaz ficou meio deitado no banco, as mãos atacando o ar. Allen entregou os óculos escuros que estavam em cima do painel e, depois de colocá-los no rosto, Rey Diaz começou a respirar melhor.

— Estou bem. Vamos sair daqui. Depressa — disse ele, com fraqueza.

— Que diabos aconteceu? Qual é o problema?

— Talvez seja o sol.

— Ah... quando foi a primeira vez que você teve esse tipo de reação?

— Agora.

Desde então, essa fobia peculiar do sol acometeu Rey Diaz, levando-o à beira do colapso físico e mental sempre que via o astro e o impedindo de sair de casa.

— O voo foi muito longo? Parece que você está esgotado.

Essas foram as primeiras palavras de Luo Ji quando Shi Qiang chegou.

— Pois é. Não existe avião mais confortável do que o que a gente pegou — respondeu Shi Qiang, enquanto examinava os arredores.

— Nada mau, hein?

— É péssimo — disse Shi Qiang, balançando a cabeça. — Tem floresta em três lados, o que facilitaria a vida de quem quisesse se esconder perto da casa. Sem falar do lago: com a casa tão perto assim da água, seria difícil se defender de mergulhadores, que teriam fácil acesso aos bosques. Mas o campo em volta é bastante bom e proporciona um pouco de espaço aberto.

— Você não podia ser um pouco mais romântico?

— Estou aqui para trabalhar, meu amigo.

— É em trabalho romântico que estou falando.

Luo Ji fez um gesto e se dirigiu para a sala de estar. Shi Qiang a examinou, mas não pareceu muito impressionado pelo luxo e pela elegância. Luo Ji serviu uma bebida em um cálice de cristal, mas Shi Qiang recusou com um gesto da mão.

— É um conhaque envelhecido de trinta e cinco anos.

— Não posso beber agora... Diga, que trabalho romântico é esse?

Luo Ji bebericou seu conhaque e se sentou.

— Da Shi, quero pedir um favor. No seu trabalho antigo, você já teve que procurar alguém pelo país inteiro, ou até pelo mundo?

— Já.

— Você era bom nisso?

— Em encontrar pessoas? Claro.

— Ótimo. Por favor, me ajude a encontrar uma pessoa. Uma mulher de vinte e poucos anos. Faz parte do plano.

— Nacionalidade? Nome? Endereço?

— Nada. Até a probabilidade de que ela exista no mundo é baixa.

Shi Qiang olhou para ele e, depois de alguns segundos, disse:

— Você sonhou com ela?

Luo Ji assentiu com a cabeça:

— Sonhei acordado também.

Shi Qiang também assentiu com a cabeça e, então, disse algo que Luo Ji não esperava:

— Tudo bem.

— O quê?

— Tudo bem, desde que você saiba fazer a descrição.

— Bom... ela é oriental, então digamos que é chinesa... — começou Luo Ji, apanhando papel e lápis. — O rosto dela é assim. O nariz, assim. E a boca... puxa, não consigo desenhar. E os olhos... droga, como é que desenho os olhos dela? Você tem um negócio daqueles, um programa que mostre um rosto e permita que a gente vá ajustando olhos e nariz e tudo mais, de acordo com a descrição de alguma testemunha para gerar uma imagem correta de um suspeito?

— Tenho, aqui no meu laptop.

— Então abra e vamos desenhar!

Shi Qiang se deitou no sofá e se acomodou.

— Não é necessário. Você não precisa desenhá-la. Só fale mais. Esqueça a aparência e comece descrevendo o tipo de pessoa.

Uma parte da mente de Luo Ji se inflamou, e ele ficou de pé e começou a andar de um lado para outro na frente da lareira.

— Ela... como posso dizer? Bem... ela é como um lírio que brotou em um amontoado de lixo. Muito... muito pura e delicada. Nada pode contaminá-la, mas tudo pode machucá-la. Sim, tudo! A primeira reação que a gente tem ao vê-la é que precisamos proteger... não só proteger... tomar conta dela, mostrar que estamos dispostos a qualquer coisa para defendê-la dos males da bruta e selvagem realidade. Ela... ela é tão... ah, eu me atrapalho todo para falar. Não consigo dizer nada com clareza.

— É sempre assim — garantiu Shi Qiang, rindo. Aquela risada, que Luo Ji tinha achado grosseira e debochada na primeira vez em que escutou, parecia agora cheia de sabedoria e o confortou. — Mas você está deixando bem claro.

— Tudo bem. Certo, vou continuar, então... Pensando bem, de que adianta? Por mais que eu fale, não consigo expressar o que ela é no meu coração.

Luo Ji ficou irritado e parecia disposto a arrancar o coração do peito e mostrar para Shi Qiang, que se limitou a fazer um gesto com a mão para acalmá-lo.

— Deixe para lá. Conte o que acontece quando vocês dois estão juntos. Quanto mais detalhes, melhor.

Luo Ji arregalou os olhos, maravilhado.

— Como você sabia de nós dois?

Shi Qiang riu de novo. Em seguida, deu uma olhada para os lados.

— Por acaso tem algum charuto por aqui?

— Claro!

Luo Ji pegou uma caixa de madeira elegante de cima da lareira e puxou de dentro um Davidoff. Com um cortador ainda mais elegante do que a caixa, tirou a ponta do charuto, que entregou para Shi Qiang. Depois acendeu para ele com uma lâmina de cedro feita especialmente para charutos.

Shi Qiang deu uma baforada e assentiu com a cabeça, satisfeito.

— Continue.

Luo Ji superou o bloqueio e desatou a falar. Descreveu o primeiro momento em que ela ganhara vida, na biblioteca, a vez em que ela apareceu no auditório durante a aula que ele ministrava, o encontro dos dois na frente da lareira imaginária de seu quarto, a beleza da luz das chamas, como olhos do crepúsculo, se refletindo no rosto dela através da garrafa de vinho. Lembrou, com prazer, da viagem que fizeram, descrevendo os mínimos detalhes: os campos depois da neve, a cidadezinha e o povoado debaixo do céu azul, as montanhas que pareciam camponeses idosos relaxando ao sol, o entardecer e a fogueira às margens da estrada, ao pé da montanha...

Quando ele terminou de contar tudo, Shi Qiang apagou o charuto.

— Bom, isso já deve ser suficiente. Vou adivinhar algumas coisas sobre a moça, e você me diz se estou certo.

— Tudo bem.

— Escolaridade: ela tem pelo menos um diploma de graduação, mas não tem doutorado.

Luo Ji confirmou com a cabeça.

— Sim, sim. Ela tem boa formação, mas não chega ao ponto de ficar indiferente. Os estudos só a deixaram mais sensível à vida e ao mundo.

— Ela provavelmente nasceu em uma família de alto nível de escolaridade e teve uma vida sem muita riqueza, mas com mais condições do que a média das pessoas. Durante a infância, cercada pelo amor dos pais, teve pouco contato com a comunidade, sobretudo com as camadas inferiores da sociedade.

— Certo, totalmente certo! Ela nunca se abriu a respeito das condições da família, nem contou nada pessoal, mas acho que deve ser isso mesmo.

— O.k. Agora, me avise se alguma das especulações a seguir estiver errada. Ela gosta de usar... como você diria... roupas simples e elegantes, um pouco mais discretas que outras mulheres da mesma faixa etária. — Luo Ji balançou a cabeça em afirmação algumas vezes, sem falar nada. — Apesar disso, sempre tem alguma coisa branca, como uma blusa ou um colar, que se destaca bastante das cores escuras do resto do conjunto.

— Da Shi, você é... — começou Luo Ji, com admiração nos olhos.

— Por fim, ela não é alta — prosseguiu Shi Qiang, ignorando-o. — Tem mais ou menos um metro e sessenta, e o corpo é... bem, imagino que você diria esbelto, como se ela pudesse ser levada por uma rajada de vento... ela também não é atarracada... Posso pensar em mais algumas características, claro. Não estou muito longe, certo?

Luo Ji estava prestes a se ajoelhar diante de Shi Qiang.

— Da Shi, eu tiro meu chapéu. Você é a encarnação de Sherlock Holmes!

Shi Qiang se levantou do sofá.

— Agora vou traçar um desenho dela no laptop.

Naquela noite, Shi Qiang levou o laptop a Luo Ji. Quando o retrato da mulher apareceu na tela, Luo Ji ficou olhando, sem mexer um músculo sequer, como se tivesse sido atingido por um feitiço. Evidentemente, a reação não surpreendeu Shi Qiang, que pegou outro charuto de cima da lareira, tirou a ponta com o cortador e, depois de acender, começou a fumar. Ao fim de algumas baforadas, voltou o rosto e viu que Luo Ji continuava vidrado na tela.

— Basta dizer o que está errado que eu ajusto.

Com dificuldade, Luo Ji desviou os olhos da tela, ficou de pé e foi até a janela, para contemplar o brilho do luar no pico nevado distante.

— Nada — murmurou ele, como se estivesse sonhando.

— Imaginei — comentou Shi Qiang, fechando o laptop.

Ainda com o olhar distante, Luo Ji definiu Shi Qiang com uma expressão que muitos haviam utilizado antes:

— Da Shi, você é um demônio.

Shi Qiang se sentou no sofá, exausto.

— Não tem nada de sobrenatural nisso. Nós dois somos homens.

Luo Ji se virou para ele.

— Mas cada homem idealiza o amor de um jeito diferente!

— O amor ideal é basicamente o mesmo para certos tipos de homem.

— Ainda assim, devia ser impossível chegar tão perto!

— Não esqueça, você me disse muita coisa.

Luo Ji foi até o laptop e o abriu de novo.

— Mande uma cópia para mim. — Enquanto Shi Qiang anexava o arquivo, ele perguntou: — Você consegue encontrá-la?

— Por enquanto, só posso dizer que é bem provável. Mas não posso descartar a chance de fracasso.

— Como assim?

As mãos de Luo Ji pararam de se mexer, e ele se virou para Shi Qiang, chocado.

— Você acha que eu poderia garantir cem por cento de chance com uma coisa dessas? — indagou Shi Qiang.

— Não, não foi isso o que quis dizer. Na verdade, era o contrário. Imaginei que você diria que era praticamente impossível encontrá-la, mas que não descartaria uma chance ínfima, de um milésimo de um por cento. Se você tivesse falado isso, eu teria ficado satisfeito. — Ele olhou para a imagem na tela de novo e murmurou: — Será que existe alguém assim no mundo?

Shi Qiang deu um sorriso debochado.

— Dr. Luo, quantas pessoas você já viu?

— Não tantas quanto você, é claro. Apesar disso, sei que não existe ninguém perfeito no mundo, seja homem ou mulher.

— Como eu disse para você, sou bom em encontrar pessoas. Posso encontrar um indivíduo no meio de dezenas de milhares de pessoas e, com a experiência que acumulei, garanto para você que existe gente de todo tipo. De todo tipo, meu amigo. Homens perfeitos, mulheres perfeitas. Você só não conhece ninguém assim.

— Essa é a primeira vez que escuto alguém dizer isso.

— É porque a pessoa perfeita na sua cabeça não necessariamente é perfeita na cabeça de outros. Essa sua garota dos sonhos... para mim... bem, ela tem imperfeições óbvias. Por isso é bem provável que eu a encontre.

— Mas alguns diretores de cinema não conseguem achar um ator ideal nem procurando entre dezenas de milhares de candidatos.

— Esses diretores não chegam aos pés da nossa capacidade de busca profissional. Não estamos procurando entre dezenas de milhares de pessoas, nem centenas de milhares, nem milhões. As ferramentas e técnicas que usamos são mais sofisticadas do que as de qualquer diretor. Os computadores do centro de análises da polícia levam metade de um dia para identificar um rosto entre mais de cem milhões de pessoas... O único problema é que isso vai além da minha função, logo preciso informar as instâncias superiores. Se autorizarem, é claro que vou fazer todo o possível.

— Diga que é uma parte importante do Projeto Barreiras e que precisa ser levada a sério.

Shi Qiang deu uma risadinha fraca e saiu.

— O quê? Ele quer que o CDP encontre...? — Kent tentou se lembrar da palavra em chinês. — Um amor ideal? Esse sujeito já foi paparicado demais. Sinto muito, não posso encaminhar o pedido.

— Nesse caso, é uma violação do princípio do Projeto Barreiras: por mais incompreensível que seja a ordem de uma Barreira, ela deve ser comunicada e executada. Só o CDP tem direito de veto.

— Mas não podemos usar os recursos da sociedade para permitir que uma pessoa como ele leve uma vida de imperador! Sr. Shi, não trabalhamos juntos há muito tempo, mas tenho grande respeito por você, que considero um homem experiente e inteligente. Por isso, seja sincero: você acha mesmo que Luo Ji está seguindo o Projeto Barreiras?

Shi Qiang balançou a cabeça.

— Não sei. — Ele levantou a mão antes que Kent tivesse tempo para reclamar. — No entanto, isso é só ignorância da minha parte, não a opinião de nossos superiores. Esta é a maior diferença entre nós dois: eu sou apenas uma pessoa que segue ordens à risca. Você é uma pessoa que sempre precisa perguntar o porquê.

— Isso é errado?

— Não se trata de certo ou errado. Se todo mundo tivesse que entender os motivos antes de executar uma ordem, a sociedade já teria mergulhado no caos há muito tempo. Sr. Kent, sua posição hierárquica é superior à minha, mas, no fim das contas, nós dois temos que seguir ordens. Precisamos entender que não cabe a pessoas como nós pensar em determinadas coisas. Devemos apenas cumprir nossa obrigação. Se você não puder fazer isso, receio que terá uma vida difícil.

— Já estou tendo uma vida difícil! Acabamos de desperdiçar uma fortuna para comprar aquele barril naufragado. Eu só fico pensando... olhe, ele parece uma Barreira?

— Como uma Barreira deveria parecer?

Kent ficou sem palavras por um instante.

— Mesmo se existisse um modelo de Barreira, acredito que Luo Ji não fugiria completamente do padrão — disse Shi Qiang.

— O quê? — perguntou Kent, um pouco surpreso. — Você está dizendo que enxerga alguma qualidade nesse sujeito?

— Estou dizendo exatamente isso.

— E poderia me explicar por quê?

Shi Qiang apoiou a mão no ombro de Kent.

— Se o manto da Barreira caísse em seus ombros, por exemplo, você se entregaria a um hedonismo oportunista que nem Luo Ji.

— Eu teria surtado há muito tempo.

— Pois é. Já Luo Ji é tranquilo e imperturbável. Kent, meu velho, você acha que isso é fácil? Isso é ter mente aberta, e quem pretende realizar algo grandioso precisa ter mente aberta. Alguém como você não realiza nada grandioso.

— Mas ele é tão... quer dizer... essa tranquilidade toda, o que isso tem a ver com o Projeto Barreiras?

— Estou tentando explicar esse tempo todo e você ainda não entendeu? Já disse que não sei. Como você pode saber se esse pedido não faz parte do plano? Repito, não cabe a pessoas como nós pensar em determinadas coisas. Até porque, mesmo se nossa primeira impressão estiver certa... — Shi Qiang se aproximou de Kent e abaixou a voz — algumas coisas precisam de tempo.

Kent ficou olhando para Shi Qiang por longos segundos e, por fim, balançou a cabeça, sem saber se havia entendido a última frase.

— Está bem. Vou comunicar o pedido. Agora, será que antes você poderia me mostrar esse amor ideal?

Quando viu a mulher na tela, o rosto envelhecido de Kent se suavizou por um instante.

— Ah... meu Deus. Duvido que exista alguém assim, mas espero que você encontre essa mulher logo.

— Comissário, seria uma postura um pouco abrupta da minha parte inspecionar o trabalho político e ideológico de sua força na condição de Barreira? — questionou Tyler ao conhecer Zhang Beihai.

— Não, sr. Tyler. Temos um precedente. Certa vez, na minha época de estudante, Rumsfeld visitou a Escola do Partido na Comissão Militar Central.

Zhang Beihai não demonstrava a curiosidade, a cautela e o distanciamento que Tyler havia observado nos outros oficiais. Ele parecia sincero, o que facilitava a conversa.

— Seu inglês é bom. Você deve ser da Marinha.

— Isso mesmo. Fiquei sabendo que a Força Espacial dos Estados Unidos recrutou uma proporção maior ainda da Marinha do que nós.

— Essa divisão antiga e respeitável jamais teria imaginado que suas belonaves singrariam o espaço... Vou ser sincero, quando o general Chang Weisi apresentou você como o melhor quadro político da Força Espacial Chinesa, imaginei que você seria do Exército, porque o Exército é a alma das Forças Armadas da China.

Era nítido que Zhang Beihai discordava, mas deu uma risada diplomática.

— A mesma alma existe nos diferentes braços das Forças Armadas. Em todos os países, a cultura militar da força espacial nascente carregará a influência de todas as divisões militares.

— Estou muito interessado em seu trabalho político e ideológico. Gostaria de conduzir uma investigação aprofundada.

— Não será nenhum problema. Meus superiores me orientaram a não omitir nada da esfera de meu trabalho.

— Obrigado! — Tyler hesitou antes de continuar. — Esta minha visita tem um propósito. Venho em busca de uma resposta. Se não se importar, gostaria de perguntar para você primeiro.

— Claro, fique à vontade.

— Comissário, você acredita que seja possível restaurar o espírito dos exércitos do passado?

— O que pretende dizer com "passado"?

— Um grande intervalo de tempo, talvez desde a Grécia antiga até a Segunda Guerra Mundial. O essencial é o conjunto de atributos espirituais que mencionei em outras ocasiões: dever e honra acima de tudo, e também, se necessário, a capacidade de entregar a própria vida sem hesitação. Você talvez tenha reparado que, após a Segunda Guerra Mundial, esse espírito desapareceu das Forças Armadas, tanto em países democráticos quanto em regimes autoritários.

— Como o Exército é um espelho da sociedade, esse espírito do passado referido pelo senhor precisaria ser restabelecido em toda a sociedade.

— Temos o mesmo ponto de vista nessa questão.

— Agora, sr. Tyler, isso me parece impossível.

— Por quê? Temos quatrocentos anos pela frente. No passado, a sociedade humana levou exatamente a mesma quantidade de tempo para evoluir da era do heroísmo coletivo para uma de individualismo. Então, por que não podemos usar o mesmo período para uma nova evolução coletiva?

Zhang Beihai refletiu por um instante antes de responder.

— Essa é uma pergunta profunda, mas acredito que a sociedade cresceu e jamais conseguirá voltar à infância. Nos quatrocentos anos de formação da sociedade moderna, não houve nenhuma preparação cultural ou mental para esse tipo de crise.

— Nesse caso, poderia me dizer de onde você retira sua inspiração para ser tão confiante? Pelo que sei, você é um triunfalista ferrenho. Como uma força espacial inundada pelo derrotismo vai encarar um inimigo poderoso?

— O senhor não acabou de lembrar que temos quatrocentos anos? Se não pudermos voltar para trás, só nos resta avançar com determinação.

A resposta de Zhang Beihai era nebulosa, e Tyler não conseguiu extrair mais nada do restante da conversa. Ao sair, teve certeza de que nenhuma visita rápida revelaria toda a profundidade dos pensamentos do comissário.

Tyler passou por uma sentinela ao deixar a sede da força espacial chinesa. Quando seus olhares se encontraram, a sentinela esboçou um sorriso tímido. Era algo que ele não havia visto nas Forças Armadas de outros países, cujas sentinelas permaneciam com os olhos fixos à frente. Ao ver o rosto do rapaz, Tyler repetiu de si para si aquela frase:

Mãe, vou ser um vaga-lume.

Naquela noite, choveu pela primeira vez desde que Luo Ji chegara à mansão. Na sala de estar fria, ele se sentou ao lado da lareira apagada e ficou ouvindo a chuva tamborilar do lado de fora, sentindo-se como se morasse em uma ilha deserta no meio de um oceano escuro. A solidão infinita envolvia tudo. Sem a presença de Shi Qiang na casa, Luo Ji passara a esperar tranquilamente, e a própria espera solitária era uma espécie de felicidade. De repente, escutou o som de um carro parar na entrada e captou fragmentos de uma conversa. A voz delicada e suave de uma mulher dizendo "Obrigada" e "Tchau" o atingiu como uma descarga elétrica.

Dois anos antes, havia escutado a mesma voz em seus sonhos, dia e noite. Aquela voz etérea, um fio de seda flutuando pelo céu azul, trouxe um raio efêmero de luz para aquela noite melancólica.

Uma batida leve na porta. Luo Ji continuou imóvel e demorou um bom tempo até abrir a boca e dizer:

— Entre.

A porta se abriu. Uma silhueta esbelta entrou flutuando em um sopro de vento e chuva. A única luz na sala de estar vinha de uma luminária com cúpula antiquada, que lançava um círculo de claridade ao lado da lareira, mas deixava o resto da sala na penumbra. Luo Ji não conseguiu ver o rosto dela, mas percebeu que ela usava calças brancas e uma jaqueta escura que contrastava com o colar branco, fazendo-o pensar em lírios.

— Olá, sr. Luo.

— Olá — disse ele, levantando-se. — Está fazendo frio lá fora?

— Não estava, no carro. — Embora não conseguisse vê-la direito, sabia que ela estava sorrindo. — Mas aqui — ela olhou para os lados —, aqui está um pouco frio... Ah, a propósito, sou Zhuang Yan. Prazer, sr. Luo.

— Prazer, Zhuang Yan. Vamos acender a lareira.

Luo Ji então se ajoelhou e colocou algumas toras da pilha de lenha na lareira.

— Você já viu uma dessas? — perguntou ele. — Por favor, sente-se.

Ela se aproximou e se sentou no sofá, ainda imersa nas sombras.

— Ah, sim... mas só em filmes.

Luo Ji riscou e aproximou um fósforo do acendedor embaixo da madeira. A chama se espalhou como se estivesse viva, e a mulher aos poucos foi tomando forma diante do brilho dourado. Luo Ji segurou o fósforo com força nos dois dedos, enquanto o palito ardia. Precisava sentir a dor para saber se não estava sonhando. Foi como se tivesse acendido o sol, que agora brilhava em um mundo de sonhos que se materializava e se transformava em realidade. Para Luo Ji, fora da mansão, o sol podia ficar perdido para sempre atrás das nuvens e da noite, contanto que no seu mundo existissem a luz de uma lareira e ela.

Da Shi, você é mesmo um demônio. Onde encontrou ela? Como é que você conseguiu essa proeza?

Luo Ji desviou o olhar e virou o rosto para a lareira, e seus olhos se encheram de lágrimas rebeldes. Hesitou um pouco em olhar para ela com os olhos marejados, mas percebeu que não havia motivo para se esconder: ela provavelmente pensaria que ele estava lacrimejando por causa da fumaça. Luo Ji enxugou as lágrimas com a palma da mão.

— Está bem quente e agradável... — disse ela, sorrindo, enquanto olhava as chamas.

Suas palavras e seu sorriso fizeram o coração de Luo Ji estremecer.

— Por que é assim? — Ela levantou o rosto e deu mais uma olhada pela sala escura.

— Não é como você tinha imaginado?

— Não.

— Não... — repetiu ele, antes de acrescentar, pensando no nome dela: — Não parece "digno" o suficiente para você?

Ela sorriu.

— "Yan" significa cor, não dignidade.

— Ah, entendi. Talvez você imaginasse um monte de mapas, e uma tela grande, e um punhado de generais de farda, e eu ali no meio apontando para as coisas com uma vareta.

— Exatamente, sr. Luo.

Cheio de alegria, o sorriso dela se abriu como um botão de rosa que desabrochava. Luo Ji se levantou.

— Você deve estar cansada da viagem. Gostaria de um pouco de chá? — Ele hesitou. — Ou prefere um vinho? Pode ser bom para esquentar o corpo.

Ela assentiu com a cabeça.

— Tudo bem.

Ela aceitou a taça com um gesto silencioso de agradecimento e tomou um pequeno gole.

A visão da inocência de Zhuang Yan, segurando a taça de vinho, sensibilizou todas as partes da mente de Luo Ji: ela bebia quando lhe ofereciam algo, e acreditava no mundo, que encarava sem qualquer ressalva. Sim, o mundo inteiro estava à espreita para feri-la, mas não ali. Ela precisava ser protegida ali. Aquele era seu castelo.

Ele se sentou e olhou para ela.

— O que contaram para você durante a viagem? — indagou ele, procurando manter a calma.

— Que eu viria trabalhar, claro. — Ela abriu aquele sorriso inocente que lhe derretia o coração. — Sr. Luo, qual será o meu trabalho?

— O que você estuda?

— Estudava pintura tradicional, na Academia Central de Belas-Artes.

— Ah, quer dizer que você já se formou?

— Já. Acabei de tirar o diploma e estava procurando emprego, enquanto me preparo para o início da pós-graduação.

Luo Ji refletiu um pouco sobre a situação, mas não conseguiu pensar em nenhum trabalho para ela.

— Bom, vamos conversar sobre seu trabalho amanhã. Você deve estar cansada e precisa tirar uma boa noite de sono... Gostou do lugar?

— Para ser franca, não sei. Tinha muita neblina do aeroporto até aqui e estava escuro, então não consegui ver nada... Sr. Luo, onde estamos?

— Não faço a menor ideia.

Ela balançou a cabeça e deu uma risadinha, obviamente sem acreditar naquelas palavras.

— Falo a verdade: não sei mesmo onde estamos. A paisagem lembra a Escandinávia. Posso ligar para alguém e perguntar agora mesmo.

Ele fez menção de pegar o telefone ao lado do sofá.

— Não, sr. Luo. Melhor não saber.

— Por quê?

— Depois que a gente sabe, o mundo fica delimitado.

Meu Deus, pensou ele.

— Sr. Luo — disse ela, de repente —, olhe como o vinho fica lindo com a luz da fogueira.

Inundado pela luz das chamas, o vinho brilhava com um tom cristalino de carmesim que só poderia existir em sonhos.

— O que você acha que parece? — perguntou ele, nervoso.

— Bom, acho que parecem olhos.

— Os olhos do crepúsculo, não é?

— Olhos do crepúsculo? É uma descrição maravilhosa, sr. Luo.

— Entre alvorada e crepúsculo, você prefere crepúsculo, não é?

— Isso mesmo. Como sabe? Amo pintar o crepúsculo.

Os olhos dela cintilavam à luz da lareira, como se perguntassem: *Qual é o problema disso?*

Na manhã seguinte, depois da noite de chuva, Luo Ji ficou com a impressão de que Deus havia lavado e preparado aquele Jardim do Éden para a chegada de Zhuang Yan. Quando ela contemplou o lugar, Luo Ji não ouviu os gritos, a agitação e as exclamações que jovens como ela sempre davam. Nada disso. Diante de tão magnífica vista, ela mergulhou em um estado de admiração e espanto, incapaz de pronunciar uma palavra sequer de elogio. Luo Ji percebeu que ela era muito mais sensível à beleza natural do que outras pessoas.

— Ontem você comentou que gosta muito de pintar — disse ele.

Ela continuou contemplando o pico nevado distante, sem conseguir falar nada, e demorou um pouco até enfim se recompor.

— Ah, sim, tem razão. Mas, se eu tivesse crescido aqui, provavelmente não gostaria.

— Por quê?

— Sabe, já imaginei muitos lugares maravilhosos e, quando pinto, é como se estivesse neles. Agora, este lugar tem tudo o que sempre sonhei e imaginei... Então, de que adiantaria pintar?

— É verdade. Quando a beleza da imaginação se torna realidade, é muito...

Ele interrompeu o que estava falando e olhou para Zhuang Yan, o anjo que havia saído de seus sonhos. Naquela alvorada, a felicidade de seu coração dançava como as ondas no lago, que refletia os raios do sol. A ONU e o CDP nunca imaginaram que o Projeto Barreiras teria uma consequência como aquela. Luo Ji não daria a mínima se morresse naquele instante.

— Sr. Luo, se choveu tanto ontem à noite, por que a neve naquela montanha não derreteu? — quis saber ela.

— A chuva caiu abaixo da linha da neve. O pico daquela montanha tem neve o ano todo. O clima daqui é muito diferente do da China.

— Você já foi até a montanha?

— Não. Faz pouco tempo que me mudei para cá. — Ele reparou que a moça não tirava os olhos da montanha. — Você gosta de picos nevados?

Ela assentiu com a cabeça.

— Então vamos.

— Sério? Quando? — perguntou ela, empolgada.

— Pode ser agora mesmo. É uma estrada simples que leva até o sopé da montanha. Se sairmos agora, podemos voltar ao anoitecer.

— E o trabalho? — Zhuang Yan se obrigou a tirar os olhos da montanha e se virar para Luo Ji.

— Podemos deixar o trabalho para depois. Afinal, você acabou de chegar — respondeu ele, com um tom despreocupado.

— Hum... — fez ela, inclinando a cabeça, e o coração de Luo Ji deu um salto. Ele já havia visto aquela expressão ingênua inúmeras vezes antes. — Sr. Luo, preciso saber o que devo fazer.

Ele olhou para um ponto distante e pensou durante alguns segundos.

— Eu conto quando chegarmos à montanha — falou enfim, decidido.

— Ótimo! Então é melhor sairmos, não?

— Certo. O caminho mais curto é pegar um barco, atravessar o lago e dirigir a partir da outra margem.

Os dois foram até o píer. Luo Ji percebeu que, como o vento estava a favor, poderiam pegar o veleiro. A direção do vento mudaria à noite, de modo que poderiam voltar pelo lago também. Ele estendeu a mão para ajudar Zhuang Yan a embarcar. Foi a primeira vez que tocou aquela mão, que era macia e fria, exatamente igual à que havia segurado naquela imaginária noite de inverno. Ela ficou surpresa e contente quando ele subiu a vela branca. Quando o veleiro saiu do píer, ela se preparou para colocar a mão na água.

— A água do lago é bem fria — alertou Luo Ji.

— Mas é muito limpa e transparente!

Como seus olhos, pensou ele.

— Por que você gosta de picos nevados?

— Eu amo pintura tradicional.

— O que isso tem a ver com picos nevados?

— Sr. Luo, sabe qual é a diferença entre pintura tradicional e pintura a óleo? Quadros a óleo são carregados de cores vivas. Um mestre disse certa vez que, em um quadro a óleo, o branco vale ouro. Já pinturas tradicionais são diferentes. Tem um monte de espaço em branco, e o espaço em branco forma os olhos da pintura. A paisagem não passa da fronteira desse espaço em branco. Olhe para aquele cume nevado. Não parece o espaço em branco de uma pintura tradicional?

Ela nunca havia falado tanto com ele até aquele momento. Deu uma aula para a Barreira, despejando palavras e transformando-o sem qualquer constrangimento em um aluno novato.

Você é como o espaço em branco em uma pintura tradicional: pura, mas infinitamente interessante para um olhar maduro, refletiu Luo Ji, olhando para ela.

O veleiro chegou ao píer do outro lado do lago. Havia um jipe conversível estacionado perto das árvores, e quem deixara o carro ali não estava por perto.

— Isso é um carro militar? Avistei soldados por perto quando cheguei e tive que passar por três postos de controle — informou ela, quando eles entraram no jipe.

— Não tem importância. Ninguém vai nos perturbar — tranquilizou ele, dando a partida.

A estrada que cortava a floresta era estreita e esburacada, mas não ofereceu muitos problemas. Na mata, a neblina da manhã ainda não tinha se dissipado, e o sol penetrava os grandes pinheiros com feixes de luz. Apesar do barulho do motor, eles conseguiam ouvir o canto dos pássaros nas árvores. Uma brisa agradável agitava o cabelo de Zhuang Yan, jogando as pontas dos fios no rosto de Luo Ji, que pensava no passeio de inverno dois anos antes.

O cenário em volta não tinha nenhuma relação com a cordilheira Taihang nem com as planícies nevadas do norte da China. Porém, os sonhos daquela viagem combinavam tão bem com a realidade do momento que Luo Ji teve dificuldade em acreditar que aquilo estava mesmo acontecendo.

Ele se virou e olhou para Zhuang Yan, que também o fitava, aparentemente havia algum tempo. O olhar dela era um misto de ligeira curiosidade, inocência e bondade. Raios de sol se refletiam em seu rosto e seu corpo. Quando viu que Luo Ji a observava, Zhuang Yan não desviou o olhar.

— Sr. Luo, você vai mesmo conseguir derrotar os alienígenas?

Luo Ji ficou bastante espantado com a natureza infantil de Zhuang Yan. Apenas ela faria uma pergunta dessas a uma Barreira, ainda mais levando em conta o pouco tempo que se conheciam.

— Zhuang Yan, o essencial do Projeto Barreiras é guardar a verdadeira estratégia da humanidade dentro da mente, que é o único lugar protegido contra a espionagem dos sófons. Eles tiveram que escolher alguns candidatos, mas isso não significa que essas pessoas sejam super-heróis. Não existe super-herói.

— Mas por que escolheram você?

Essa pergunta era ainda mais fora de lugar e absurda do que a anterior, mas parecia natural saída da boca de Zhuang Yan, na medida em que, naquele coração transparente, cada raio de luz era transmitido e refratado com clareza cristalina. De repente, Luo Ji parou o carro. Ela o encarou com surpresa, e ele manteve o rosto virado para a frente, contemplando os trechos iluminados pelo sol na estrada.

— As Barreiras são as pessoas menos confiáveis da história. Os maiores mentirosos do mundo — disse ele.

— Sim, mas é uma obrigação.

Ele balançou a cabeça, confirmando.

— De qualquer maneira, vou contar a verdade para você, Zhuang Yan, e peço que acredite em mim...

Ela assentiu.

— Sr. Luo, continue, por favor. Prometo que acredito.

Ele ficou um bom tempo em silêncio, dando mais peso às palavras que diria.

— Não sei por que me escolheram. — Ele se virou para ela. — Não passo de um homem comum.

Ela assentiu de novo.

— Deve ser muito difícil.

Essas palavras e o olhar inocente de Zhuang Yan voltaram a encher de lágrimas os olhos de Luo Ji. Era a primeira vez que recebia um gesto de compreensão como aquele desde que se tornara Barreira. Aqueles olhos eram como um paraíso, e no olhar puro da moça ele não viu nem sinal da expressão que as pessoas dirigiam às Barreiras. O sorriso dela também era um paraíso. Não era o sorriso Barreira, e sim um sorriso sincero e ingênuo, como uma gota de orvalho encharcado de sol que mergulhava devagar na parte mais seca da alma dele.

— Vai ser difícil, mas eu quero tornar mais fácil e... pronto. Aqui termina a verdade. Agora voltamos ao estado de espírito Barreira — decretou ele, dando partida no carro outra vez.

Os dois seguiram em silêncio, até as árvores escassearem e o azul intenso do céu emergir nas alturas.

— Sr. Luo, veja aquela águia! — gritou Zhuang Yan.

— E aquilo ali parece um cervo!

Ele apontou logo para outro lado, para distraí-la, porque sabia que o objeto no céu não era uma águia, e sim um drone de vigilância. De repente, pensou em Shi Qiang, apanhou o celular e telefonou.

Shi Qiang atendeu.

— Olá, querido Luo. Quer dizer que ainda se lembra de mim, certo? Comece me dizendo como vai Yan Yan.

— Vai bem. Excelente. Uma maravilha. Obrigado!

— Que bom. Então consegui completar minha última missão.

— Última missão? Onde você está?

— Voltei para casa. Estou me preparando para hibernar.

— O quê?

— Eu tenho leucemia. Vou para o futuro para me curar.

Luo Ji enfiou o pé no freio e parou o carro bruscamente. Zhuang Yan soltou um grito. Ele olhou para ela, preocupado, mas viu que não havia nada de errado e continuou a conversa com Shi Qiang.

— Hum... quando foi que isso aconteceu?

— Fui contaminado por radiação em uma das missões anteriores. Ano passado fiquei doente.

— Meu Deus! Atrasei a sua hibernação?

— Nesse tipo de situação, atrasos são irrelevantes. Quem sabe como vai ser a medicina do futuro?

— Sinto muito, Da Shi.

— Ah, não tem problema. Ossos do ofício. Não incomodei você com o assunto porque imaginei que voltaríamos a nos encontrar em algum momento. Agora, caso não ocorra esse reencontro, gostaria de dizer uma palavrinha.

— Fique à vontade.

Depois de um silêncio demorado, Shi Qiang disse:

— "Existem três atos não filiais, e a falta de posteridade é o pior."* Querido Luo, a linhagem da família Shi para os próximos quatrocentos anos está em suas mãos.

Shi Qiang desligou. Luo Ji olhou para o céu e constatou que o drone havia desaparecido. A vastidão vazia do céu azul era o seu coração.

— Você estava conversando com Da Shi? — perguntou Zhuang Yan.

— Isso. Você chegou a conhecê-lo?

— Sim. É um homem bom. No dia da minha viagem para cá, ele cortou a mão sem querer e sangrou sem parar. Foi bastante assustador.

— Ah... Ele falou alguma coisa para você?

— Ele disse que você estava fazendo a coisa mais importante do mundo e me pediu para ajudar.

A floresta já tinha ficado para trás, e entre eles e a montanha despontava apenas uma vegetação rasteira. Prata e verde, a paisagem se tornara simples e pura e, na visão de Luo Ji, cada vez mais semelhante à garota sentada a seu lado. Luo Ji percebeu uma ponta de melancolia nos olhos de Zhuang Yan e notou que ela suspirava de leve.

— Yan Yan, qual é o problema? — perguntou ele.

Era a primeira vez que a chamava assim, mas pensou: *Se Da Shi pode, por que eu não poderia?*

— O mundo é tão bonito, mas dá uma tristeza pensar que algum dia talvez não haja ninguém para contemplá-lo.

* Esta frase famosa sobre lealdade filial aparece em *Mêncio*, uma coletânea de diálogos e histórias associada ao filosofo confuciano de mesmo nome, que viveu no final do século IV a.C.

— Os alienígenas não vão estar aqui?

— Acho que eles não compreendem a beleza.

— Por quê?

— Meu pai dizia que pessoas sensíveis à beleza são naturalmente boas, mas que os perversos são incapazes de compreender a beleza.

— Yan Yan, a iniciativa deles em relação aos humanos é uma opção racional, o gesto mais responsável para garantir a sobrevivência da própria espécie. Não tem nada a ver com o bem ou o mal.

— Não tinha pensado por esse lado. Sr. Luo, você vai se encontrar com eles, não vai?

— Talvez.

— Se eles realmente forem assim e se você conseguir derrotá-los na Batalha do Fim dos Tempos, bem que você poderia...

Ela inclinou a cabeça para encará-lo e hesitou. Ele estava prestes a dizer que uma possibilidade de vitória era quase nula, mas se controlou.

— O que eu poderia?

— Por que você precisa expulsá-los para a morte no espaço? Por acaso não poderia conceder um pedaço de terra e deixá-los coexistir conosco? Não seria maravilhoso?

Luo Ji ficou em silêncio por um instante para assimilar as emoções e, então, apontou para o céu.

— Yan Yan, não fui o único a ouvir o que você acabou de falar.

Zhuang Yan olhou para o alto, nervosa.

— Ah, sim. Deve haver um monte de sófons à nossa volta.

— Talvez o próprio Alto-Comando de Trissolaris tenha ouvido.

— E todos estão rindo de mim, não é?

— Não, Yan Yan... Sabe no que estou pensando agora? — Ele sentiu um grande impulso de segurar a delicada mão esquerda dela, que estava perto do volante, mas se controlou. — Estou pensando que talvez a pessoa que consiga salvar o mundo seja você.

— Eu? — repetiu ela, e começou a rir.

— Sim, você. Mas você é só uma e, infelizmente, não existem muitas pessoas como você. Se um terço da humanidade fosse assim, Trissolaris talvez negociasse com a humanidade a opção de coexistir no mundo. Só que agora...

Ele deu um longo suspiro. Zhuang Yan abriu um sorriso resignado.

— Sr. Luo, não tem sido fácil para mim. Quando precisei encarar o mundo depois de me formar, me senti como um peixe entrando em um mar de águas turvas. Eu não conseguia enxergar nada e queria nadar para águas mais claras... Sabe, nadar e nadar sem sair do lugar cansa...

Eu queria poder ajudar você a nadar até essas águas, pensou Luo Ji.

A estrada começou a subir a montanha e a vegetação foi escasseando, expondo a rocha preta nua. Durante aquele trecho, parecia que eles estavam dirigindo pela superfície da Lua. No entanto, logo encontraram a neve e se viram cercados de uma imensidão branca e de um frio agudo, que dominava o ar. Luo Ji tirou alguns casacos da bolsa que estava no banco traseiro, e os dois se agasalharam e seguiram em frente.

Pouco depois, chegaram a um bloqueio na estrada. Uma discreta placa no meio da pista advertia: PERIGO: TEMPORADA DE AVALANCHE. ACESSO FECHADO. Luo Ji e Zhuang Yan então saíram do carro e foram até o acostamento.

O sol tinha começado a descer, lançando sombras na encosta nevada ao redor. A neve intacta tinha um tom azul-claro, quase vagamente fluorescente. Os cumes irregulares ao longe ainda estavam banhados de claridade e lançavam raios de prata em todas as direções, uma luz que parecia brotar da própria neve, como se o mundo sempre tivesse sido iluminado por aquela montanha, e não pelo sol.

— Certo, agora o quadro está completamente branco — disse ele, gesticulando com as mãos.

Zhuang Yan sorveu o mundo branco à sua volta.

— Sr. Luo, cheguei a pintar um quadro assim uma vez. De longe, parece uma folha de papel em branco, quase totalmente vazia, mas de perto dá para ver juncos delicados no canto inferior esquerdo e, no superior direito, sinais fugidios de um pássaro. No centro vazio, há duas pessoas minúsculas... É o quadro que mais me dá orgulho.

— Posso imaginar. Deve ser magnífico... Então, Zhuang Yan, agora que estamos neste mundo vazio, você está interessada em saber qual será seu trabalho?

Ela assentiu com a cabeça, mas parecia ansiosa.

— Você conhece o Projeto Barreiras e sabe que o sucesso do programa depende da falta de entendimento. Em última instância, ninguém na Terra nem em Trissolaris pode decifrá-lo, ninguém além da própria Barreira. Então, Zhuang Yan, por mais que seu trabalho pareça inexplicável, ele definitivamente tem algum sentido. Não tente compreender nada, apenas faça o melhor possível.

Ela assentiu, nervosa.

— Sim, entendo... — Ela deu uma risada e balançou a cabeça. — Quer dizer, claro.

Olhando para ela em meio à neve, a imensidão branca perdeu todas as dimensões, e o mundo se desfez ao redor, sobrando apenas Zhuang Yan. Dois anos antes, quando a imagem literária criada por ele ganhara vida em sua imaginação, Luo Ji conhecera o amor. Agora, no espaço vazio daquela pintura natural grandiosa, ele compreendeu o mistério mais elevado do amor.

— Zhuang Yan, seu trabalho é ser feliz.

Ela arregalou os olhos.

— Você precisa se tornar a mulher mais feliz da Terra. Isso faz parte do plano da Barreira.

O brilho da montanha que iluminava aquele mundo se refletia nos olhos de Zhuang Yan, e a pureza daquele olhar se cobriu de sentimentos complexos. O pico nevado absorvia todos os sons externos, e Luo Ji esperou sem pressa em meio à quietude, até que enfim ela rasgou o silêncio, com uma voz que parecia vir de muito longe:

— Então... o que eu faço?

Luo Ji se empolgou.

— O que quiser! Amanhã, ou mesmo esta noite, você pode ir para onde quiser, fazer o que tiver vontade e levar a vida como achar melhor. Como Barreira, posso ajudar a realizar tudo isso.

— Mas eu... — Ela o encarou com um olhar angustiado. — Sr. Luo, eu... eu não preciso de nada.

— Não é possível. Todo mundo precisa de algo. Jovens não estão sempre perseguindo alguma coisa?

— Você está me perguntando se já persegui alguma coisa? — Ela balançou a cabeça devagar. — Não, acho que não.

— Ah, sim. Uma moça despretensiosa como você talvez não precise perseguir nada. Mas você deve ter pelo menos algum sonho. Você gosta de pintar, então já pensou em ter uma mostra individual na maior galeria ou no maior museu de arte do mundo?

Ela riu, como se Luo Ji tivesse virado um menino boboca.

— Sr. Luo, eu pinto apenas para mim. Nunca pensei nesse tipo de coisa.

— Ora, você deve ter sonhado com um grande amor, então — disse ele, sem hesitar. — Agora que você tem os recursos, que tal ir em busca desse amor?

O pôr do sol estava recolhendo sua luz da montanha nevada. Os olhos de Zhuang Yan ficaram com expressão séria, e seu rosto se esvaziou.

— Sr. Luo, não dá para sair em busca disso — respondeu ela, com delicadeza.

— Verdade. — Ele se acalmou e assentiu com a cabeça. — Nesse caso, gostaria de fazer uma sugestão: não pense a longo prazo, pense só no dia de amanhã. No dia de amanhã, sabe? Para onde quer ir amanhã? O que quer fazer? O que vai deixá-la feliz amanhã? Com certeza você consegue pensar em algo.

Ela refletiu por um longo momento até que perguntou, com um pouco de hesitação:

— Se eu disser, você pode mesmo realizar?

— Claro. Diga.

— Bem, sr. Luo, será que você pode me levar ao Louvre?

* * *

Quando Tyler tirou a venda, seus olhos ainda não haviam se acostumado à luz, e ele apertou as pálpebras. Apesar das lâmpadas fortes presas nas paredes rochosas daquela caverna na montanha, estava escuro ali — bastante escuro, para falar a verdade —, porque as paredes absorviam a luz. Ele sentiu cheiro de antissépticos e percebeu que a caverna tinha sido transformada em uma enfermaria improvisada: havia muitas caixas de alumínio abastecidas com estoques bem empilhados de medicamentos, além de cilindros de oxigênio, pequenas estufas de esterilização ultravioleta, focos cirúrgicos móveis e vários equipamentos médicos portáteis que pareciam aparelhos de raios X e desfibriladores. A impressão era de que tudo aquilo havia acabado de ser desempacotado e podia voltar para as caixas a qualquer momento. Tyler viu dois fuzis pendurados em uma parede de pedra, mas era difícil reparar neles por causa da semelhança da cor com o fundo rochoso. Um homem e uma mulher, impassíveis, passaram por ele. Embora não usassem jaleco branco, deviam ser o médico e a enfermeira.

Perto da entrada da caverna, havia uma imensidão branca: a cama, as cortinas atrás, o velho debaixo dos lençóis, a barba comprida do velho, o lenço enrolado em sua cabeça e até o rosto — tudo branco. A iluminação naquela área era fraca, como à luz de velas, lançando sombras sobre a brancura e projetando um verniz dourado em tudo, fazendo o lugar parecer uma pintura clássica a óleo de algum santo.

Tyler se retorceu por dentro. *Maldição. Como é que chegou a este ponto?*

Ao se aproximar da cama, procurou andar com equilíbrio e dignidade, na tentativa de resistir à dor nos quadris e na parte interna das coxas. Parou ao lado da cama, diante do homem que durante muitos anos ele e seu governo haviam sonhado em encontrar. Tyler mal acreditava que a cena era real. Olhou para o rosto pálido do velho e confirmou o que os meios de comunicação sempre diziam: aquele era o rosto mais gentil do mundo.

O ser humano era de fato um animal peculiar.

— É uma honra conhecê-lo — disse Tyler, com uma ligeira mesura.

— A honra é minha — respondeu o velho, com educação.

Ele não se mexeu, mas sua voz, ainda que extremamente debilitada, era capaz de transmitir força sem jamais se romper, como teia de aranha. O velho indicou o pé da cama, e Tyler se sentou com cuidado, sem saber se o gesto era mera educação ou não. Afinal, não havia nenhuma cadeira ali.

— Você deve estar cansado. É a primeira vez que anda de mula? — perguntou o velho.

— Ah, não. Já andei uma vez, quando visitei o Grand Canyon. — Mas suas pernas não haviam doído tanto naquela ocasião. — Você está bem?

O velho balançou a cabeça devagar.

— Você provavelmente está vendo que não terei muito mais tempo de vida. — De repente, seus olhos encovados brilharam com uma luz brincalhona. — Você deve ser a última pessoa do mundo a querer que eu morra assim. Sinto muito.

A ironia dessa última frase foi uma alfinetada, mas era verdade. Um dos maiores medos de Tyler era que aquele homem morresse de doença ou velhice. O secretário de Defesa havia rezado muitas vezes para que um míssil americano ou a bala de algum soldado das Forças Especiais acertasse a cabeça do homem antes que ele morresse de causas naturais, mesmo se fosse um minuto antes da morte. Uma morte natural seria o maior triunfo do inimigo e representaria o fracasso da Guerra ao Terror. Naquele instante, o homem estava se aproximando lentamente da glória. Houve oportunidades, claro: uma vez, um drone Predator conseguira fotografar o homem no pátio de uma mesquita, nas montanhas do norte do Afeganistão. Fazer o drone cair em cima daquele inimigo já teria sido uma proeza histórica, sem contar que no dia o veículo aéreo não tripulado estava carregado com mísseis Hellfire. No entanto, o jovem oficial de serviço não tivera a coragem de tomar uma decisão unilateral ao identificar o homem. Preferira comunicar o fato às instâncias superiores da hierarquia e, quando voltaram a olhar, o alvo havia sumido. Quando acordou e ficou sabendo, Tyler gritara de raiva e destruíra uma preciosa porcelana chinesa que tinha em casa.

Como Tyler não queria abordar diretamente o tema complicado, levantou e acomodou a valise na cama.

— Tenho um presentinho para você — disse ele, abrindo a valise e tirando uma série de livros de capa dura. — Esta é a edição árabe mais recente.

Com esforço, o velho estendeu dedos delicados como gravetos e puxou o volume de baixo da pilha.

— Ah, só li a trilogia original. Pedi para alguém comprar os outros volumes, mas nunca tive tempo de ler. Depois, acabei perdendo os livros... Excelente, obrigado. Gosto muito dessa série.

— Reza a lenda que o nome da sua organização foi inspirado nesses romances.*

O velho apoiou o livro com delicadeza na cama e sorriu.

— Vamos deixar que continue como lenda. Vocês têm riqueza e tecnologia. Nós só temos lendas.

Tyler pegou o livro que o velho tinha deixado na cama e olhou para o homem como um pastor com uma Bíblia na mão.

— Eu vim transformá-lo em Seldon.

* Em chinês, o nome "Al-Qaeda" costuma ser traduzido, não transliterado, e é conhecido como *Jīdì*, o mesmo termo empregado para intitular a série "Fundação", de Isaac Asimov.

O mesmo brilho brincalhão voltou a aparecer nos olhos do velho.

— Ah, é? O que eu preciso fazer?

— Permita que sua organização perdure.

— Perdure até quando?

— Até daqui a quatro séculos. Até a Batalha do Fim dos Tempos.

— E você acha que é possível?

— Acho, se ela continuar se desenvolvendo. Consinta que a alma e o espírito de sua organização se infiltrem na força espacial e façam parte dela para sempre.

— E você dá tanto valor a isso porque...?

O sarcasmo na voz do velho ficou mais forte.

— Porque ela é uma das poucas forças armadas da humanidade que emprega vidas como arma. Você sabe que a ciência de base foi paralisada pelos sófons, o que limita os avanços em ciências da computação e inteligência artificial. Como na Batalha do Fim dos Tempos os caças espaciais ainda precisarão de pilotos humanos, é necessário um contingente dotado desse espírito. Relâmpagos globulares só funcionam em ataques de curto alcance.

— O que mais você trouxe além desses livros?

Tyler se levantou da cama com animação.

— Depende do que você precisar. Se garantir a continuidade de sua organização, posso conseguir qualquer coisa.

O velho indicou para que Tyler se sentasse.

— Entendo. Depois de tantos anos, você ainda não sabe do que precisamos de fato nem o que realmente nos move.

— Pode dizer.

— Armas? Dinheiro? Não, nada disso. O que nos move é muito mais valioso. A organização não existe por causa de objetivos ambiciosos como os de Seldon. É impossível fazer uma pessoa em pleno juízo acreditar e morrer por isso. A organização existe porque tem algo, algo que respira, que corre em suas veias. Sem isso, ela definharia da noite para o dia.

— E o que é?

— Ódio.

Tyler ficou em silêncio.

— Não deixa de ser engraçado. Por um lado, graças ao inimigo mútuo, nosso ódio pelo Ocidente arrefeceu. Por outro, como o odiado Ocidente faz parte da humanidade que Trissolaris quer destruir, para nós, perecermos juntos seria uma felicidade. Então não odiamos Trissolaris. — O velho abriu as mãos. — Veja bem, o ódio é um tesouro mais valioso do que ouro ou diamantes. Vou além, é a arma mais poderosa do mundo, mas está desaparecendo e você não pode reverter o quadro. Por isso, assim como eu, a organização não terá muito mais tempo de vida.

Tyler continuou em silêncio.

— Quanto a Seldon, eu diria que o plano dele é impossível.

Tyler suspirou e voltou a se sentar na cama.

— Você está dizendo que já leu o final?

O velho ergueu uma das sobrancelhas, surpreso.

— Não, não li. É só a minha opinião... Quer dizer que o Plano Seldon fracassa no livro? Se for assim, o autor é brilhante. Eu imaginava que ele tivesse escrito um final feliz, que Alá o proteja.

— Asimov morreu muitos anos atrás.

— Ah, os sábios sempre morrem cedo. Que ele encontre o paraíso, seja lá qual for...

Durante a maior parte do caminho de volta, Tyler não esteve vendado e pôde ver as montanhas íngremes e desoladas do Afeganistão. O jovem que conduzia a mula confiava o bastante em Tyler para deixar o fuzil pendurado na sela, bem perto da mão do americano.

— Você já matou alguém com essa arma? — perguntou Tyler.

O rapaz não entendeu, mas um homem mais velho, desarmado, que acompanhava os dois respondeu.

— Não. Já não lutamos há bastante tempo.

O jovem olhou para Tyler com uma expressão de dúvida. Tinha um rosto infantil e imberbe, e seus olhos eram claros como o céu azul do oeste asiático.

Mãe, vou ser um vaga-lume.

Na Quarta Sessão do Projeto Barreiras do CDP, Tyler parecia exausto pela longa viagem enquanto apresentava adendos para seu plano de nuvem de mosquitos.

— Quero que cada caça da frota de mosquitos seja equipado com dois sistemas de controle: um modo operado pelo piloto e outro operado por controle remoto. O modo de controle remoto me permitirá o controle de todos os caças da frota.

— Você gosta de botar a mão na massa — debochou Hines.

— Eu poderei instruir a frota a formar um grupo de mosquitos e viajar até a zona de batalha e, então, darei ordens para que se separem ou reassumam a formação. Quando a frota enfrentar o inimigo, darei comando para que o módulo de armamentos de cada caça selecione seu próprio alvo e ataque de maneira automática. Imagino que, mesmo com o entrave das pesquisas de base em física, a tecnologia atual de inteligência artificial terá evoluído o bastante nos próximos três séculos para que isso seja possível.

— Quer dizer que você pretende hibernar até a Batalha do Fim dos Tempos e então enfrentar a Frota Trissolariana pessoalmente?

— Que outra escolha eu tenho? Vocês sabem que já fui ao Japão, à China e ao Afeganistão e não encontrei o que estava procurando.

— Ficamos sabendo que você visitou certa pessoa — mencionou o embaixador americano.

— Isso mesmo, visitei, mas... — Tyler soltou um suspiro longo e demorado. — Nada. Vou continuar tentando estabelecer uma força de pilotos mas, se não conseguir, terei que guiar os caças durante o ataque final.

Ninguém falou nada. Em relação à Batalha do Fim dos Tempos, as pessoas normalmente decidiam ficar em silêncio.

Tyler continuou.

— Tenho mais um adendo para o plano da nuvem de mosquitos. Quero conduzir meus próprios estudos a respeito de certos corpos do sistema solar em áreas de minha preferência. Esses corpos incluem Europa, Ceres e alguns cometas.

— O que isso tem a ver com a frota de caças espaciais? — perguntou alguém.

— Preciso responder? — rebateu Tyler, olhando para o presidente rotativo.

Ninguém disse nada. Claro que Tyler não precisava responder.

— Por fim, tenho uma recomendação. O CDP e todas as nações do planeta deveriam diminuir os ataques contra a OTT.

Rey Diaz levantou da cadeira de um salto.

— Sr. Tyler, mesmo se alegar que isso faz parte do plano, já adianto que discordo com veemência dessa proposta absurda!

Tyler balançou a cabeça.

— Não faz parte do plano. Não tem nenhuma relação com o Projeto Barreiras. O motivo para minha sugestão é óbvio: se persistirmos com nossos ataques contra a OTT, em dois ou três anos talvez eliminemos a organização, de modo que perderemos o único canal direto de comunicação entre a Terra e Trissolaris. Perderemos a fonte mais importante de informações sobre o inimigo. Com certeza, todos entendem as consequências disso.

— Concordo. Mas essa proposta não deveria ser feita por uma Barreira — comentou Hines. — Para a opinião pública, nós três somos uma unidade, então peço por gentileza que considere a *nossa* reputação.

A sessão terminou em discussões infrutíferas, mas foi acordado que o CDP avaliaria os adendos do plano de Tyler e os submeteria à votação na sessão seguinte.

Tyler continuou sentado até os presentes saírem do salão da assembleia. Estava exausto e com sono após a longa viagem. Olhando à sua volta pelo salão vazio, de repente percebeu um risco que havia ignorado: precisava arrumar um médico, um psicólogo ou um especialista em medicamentos para dormir.

Precisava arrumar alguém que o impedisse de falar durante o sono.

* * *

Luo Ji e Zhuang Yan chegaram à entrada principal do Louvre às dez da noite, seguindo recomendação de Kent, que aconselhara a visita noturna para facilitar um esquema de segurança mais apropriado. A primeira imagem que os dois viram foi a pirâmide de vidro, protegida da iluminação da noite de Paris pelo palácio em forma de U e repousando em silêncio sob o luar translúcido, como se feita de prata.

— Sr. Luo, você não tem a sensação de que ela chegou do espaço? — perguntou Zhuang Yan, apontando para a pirâmide.

— Todo mundo tem essa sensação — concordou Luo Ji.

— À primeira vista, a pirâmide parece um pouco deslocada, mas, quanto mais a gente olha, mais parece que é parte fundamental daqui.

O encontro de dois mundos extremamente distintos, pensou Luo Ji, sem verbalizar.

A pirâmide toda se iluminou, transformando o prata do luar em ouro brilhante. Os chafarizes ao redor começaram a lançar simultaneamente grandes jatos de água e luz para o alto. Preocupada, Zhuang Yan olhou para Luo Ji, abalada pelo despertar do Louvre. Acompanhados pelos sons da água, eles desceram pela pirâmide até o Hall Napoléon e entraram no palácio.

O destino era a maior galeria do museu, com duzentos metros de comprimento e uma iluminação suave. Os passos deles ecoaram pela imensidão, mas Luo Ji logo percebeu que apenas seus pés ressoavam, pois Zhuang Yan andava sem fazer barulho, com a delicadeza de um gato, ou como uma menina que entrasse em um castelo mágico de conto de fadas e tivesse medo de acordar algo adormecido lá dentro. Luo Ji começou a andar mais devagar, não por causa das obras, que não despertavam seu interesse, mas para aumentar a distância entre ele e Zhuang Yan e poder apreciá-la em meio àquele mundo de arte, para poder contemplar a beleza daquela mulher oriental ao lado de imagens clássicas de deuses gregos, de anjos e da Santa Virgem nas pinturas a óleo penduradas nas paredes. Como a pirâmide de vidro no pátio, Zhuang Yan logo se misturou ao ambiente e se transformou em parte daquele domínio sagrado da arte. Sem ela, o lugar ficaria incompleto. Perdido em devaneios, sonhos ou visões, ele deixou o tempo escorrer tranquilamente.

Depois de alguns minutos, Zhuang Yan enfim se lembrou da presença de Luo Ji e lhe dirigiu um sorriso rápido. O coração dele vacilou diante do que pareceu um raio de luz lançado ao mundo dos mortais por um quadro do monte Olimpo.

— Ouvi falar que um especialista em arte levaria um ano inteiro para apreciar todas as peças do Louvre — comentou ele.

— Eu sei.

A resposta dela foi simples, mas seus olhos diziam: *O que eu poderia fazer?* Ela então se virou para os quadros. Desde que haviam entrado, ela só vira cinco.

— Não tem importância, Yan Yan. Posso vir com você todas as noites durante um ano para ver as obras...

Aquelas palavras escaparam de sua boca. Ela se virou para ele, visivelmente empolgada.

— Sério?

— Sério.

— Hum... Sr. Luo, você por acaso já veio aqui antes?

— Não. Mas fui ao Centro Pompidou quando estive em Paris há três anos. Imaginei que você estaria mais interessada em ir lá.

Ela balançou a cabeça.

— Não gosto de arte moderna.

— Então, tudo isto... — Ele olhou para os deuses, os anjos e a Santa Virgem. — Você não acha que é datado demais?

— Não gosto de nada datado demais. Só gosto dos quadros do Renascimento.

— Esses também são bem datados.

— Não parecem datados para mim. Aqueles pintores foram os primeiros a descobrir a beleza humana e pintaram Deus como alguém agradável. Quando olho para esses quadros, consigo ver a alegria desses gênios com a pintura, a mesma alegria que senti quando vi o lago e o pico nevado pela primeira vez.

— Isso é ótimo, mas o espírito humanista lançado pelos mestres renascentistas se tornou um obstáculo.

— Você se refere à Crise Trissolariana?

— Exatamente. Você deve ter visto o que vem acontecendo nos últimos tempos. Daqui a quatro séculos, pode ser que o mundo pós-desastre volte à Idade Média e a humanidade esteja sujeita outra vez a uma repressão extrema.

— E a arte vai mergulhar em uma longa noite de inverno, não é?

Vendo aqueles olhos inocentes, ele sorriu por dentro. *Você conhece a arte, mas como é ingênua... Se a humanidade sobreviver, o retorno a uma sociedade primitiva seria um preço baixo.*

— Quando chegar a hora — respondeu ele —, talvez aconteça um novo Renascimento, e você possa redescobrir e pintar a beleza esquecida.

Zhuang Yan esboçou um sorriso triste, demonstrando que tinha entendido o sentido por trás das palavras de consolo de Luo Ji.

— Só fico pensando: depois do fim dos tempos, o que vai acontecer com todas estas pinturas e obras de arte?

— Você está preocupada com isso? — indagou Luo Ji.

Quando ela mencionou o fim dos tempos, ele sentiu o coração apertar. Se sua tentativa anterior de consolá-la não tinha dado certo, ele acreditava que a próxima não falharia. Então, pegou a mão dela e disse:

— Venha, vamos ver a mostra da Ásia.

Antes da construção do saguão da pirâmide, o Louvre era um gigantesco labirinto. Para chegar a qualquer galeria específica, era preciso fazer um grande e intrincado desvio. Agora já era possível sair do Hall Napoléon embaixo da pirâmide e ir diretamente para qualquer ponto do museu. Luo Ji e Zhuang Yan voltaram à entrada, seguiram as placas que indicavam as Artes da África, da Ásia, da Oceania e das Américas e acabaram em um universo totalmente distinto das galerias de pinturas europeias clássicas.

Luo Ji apontou para as esculturas, os quadros e os documentos antigos da Ásia e da África.

— Essas obras foram tiradas de uma civilização atrasada por outra avançada — disse ele. — Algumas foram parte de butins, outras foram pilhadas ou surrupiadas, mas veja onde estão agora... Todas bem preservadas. Até mesmo durante a Segunda Guerra Mundial esses objetos foram transferidos para um lugar seguro. — Eles pararam diante de um mural de Dunhuang, protegido por vidro. — Pense em quanto tumulto, quantas guerras a China viu desde a época em que o abade Wang deu isto para os franceses. Se os murais tivessem ficado em nossa terra, você acredita que teriam sido tão bem conservados?

— Você acredita mesmo que os trissolarianos vão preservar a herança cultural da humanidade? Eles não têm a menor consideração por nós.

— Acha isso porque eles disseram que nós somos insetos? Mas não é esse o significado. Yan Yan, sabe qual é o maior gesto de consideração que uma raça ou civilização pode receber?

— Não, qual?

— Aniquilação. Esse é o maior sinal de respeito possível para uma civilização. Eles só se sentiriam ameaçados por uma civilização que realmente respeitam.

Os dois passaram em silêncio pelas vinte e quatro galerias que continham arte asiática, caminhando pelo passado longínquo enquanto vislumbravam um futuro sombrio. Sem se darem conta, chegaram à galeria de Antiguidades do Egito.

— Sabe em quem estou pensando agora? — Luo Ji parou ao lado de um display de vidro com a máscara dourada de um faraó mumificado e tentou trazer um assunto mais leve. — Sophie Marceau.

— Por causa de *O fantasma do Louvre*, não é? Sophie Marceau é linda. Ela também tem traços orientais.

Por algum motivo, com ou sem razão, Luo Ji sentiu uma pontada de ciúme e ofensa na voz dela.

— Yan Yan, na verdade ela não é tão bonita quanto você.

Ele sentiu vontade de acrescentar: *É possível ver a beleza dela em meio a estas obras de arte, mas a sua ofusca todas as outras*, mas ficou com medo de soar sarcástico. Como uma nuvem, a sombra de um sorriso tímido dançou no rosto dela, um sorriso que ele se lembrava de ter visto pela primeira vez em seus sonhos.

— Vamos voltar para as pinturas a óleo — pediu ela, com uma voz delicada.

Eles voltaram ao Hall Napoléon, mas esqueceram qual entrada deviam usar. As placas mais visíveis apontavam para as três joias do palácio: a *Mona Lisa*, a *Vênus de Milo* e a *Vitória de Samotrácia*.

— Vamos ver a *Mona Lisa* — sugeriu ele.

Enquanto seguiam na direção do quadro, ela comentou:

— Nosso professor dizia que, depois que visitou o Louvre, ficou um pouco irritado com a *Mona Lisa* e com a *Vênus de Milo*.

— Por quê?

— Porque os turistas vêm ver essas duas obras, mas não têm nenhum interesse por outras menos famosas, mas que também são excepcionais.

— Entendo. Bom, eu não passo de um dos grandes incultos.

Eles chegaram ao sorriso enigmático, que estava atrás de uma espessa barreira de vidro protetor e era muito menor do que Luo Ji imaginara. Nem Zhuang Yan parecia particularmente animada.

— Ver a *Mona Lisa* me faz pensar em vocês todos — disse ela, apontando para o quadro.

— Todos nós?

— As Barreiras, claro.

— O que a *Mona Lisa* tem a ver com as Barreiras?

— Bom, eu fico pensando... é só especulação, então não ria. Eu fico pensando se nós poderíamos descobrir alguma forma de comunicação que apenas os seres humanos compreendessem, mas não os sófons. Assim, a humanidade poderia se libertar da vigilância dos sófons.

Luo Ji olhou para ela durante alguns segundos e depois observou a *Mona Lisa*.

— Entendo o que você quer dizer. O sorriso dela é algo que os sófons e os trissolarianos jamais vão entender.

— Isso mesmo. As expressões humanas, sobretudo os olhares, são sutis e complexos. Uma olhadela ou um sorriso podem transmitir muita informação! E só os humanos conseguem entender essa informação. Só os humanos têm essa sensibilidade.

— É verdade. Um dos maiores problemas com a inteligência artificial é a identificação de expressões faciais e olhares. Alguns especialistas até dizem que os computadores nunca serão capazes de interpretar um olhar.

— Então é possível criar uma linguagem de expressões e passar a falar com o rosto e com os olhos?

Luo Ji pensou com seriedade e depois balançou a cabeça e sorriu. Apontou para a *Mona Lisa*.

— Nós não conseguimos interpretar nem a expressão *dela*. Sempre que olho para ela, o sentido do sorriso muda a cada segundo e nunca se repete.

Zhuang Yan deu alguns pulinhos, como uma criança animada.

— Mas isso significa que expressões faciais podem transmitir informações complexas!

— E se a informação fosse "A nave saiu da Terra, com destino para Júpiter"? Como você transmitiria isso com expressões faciais?

— Quando o homem primitivo começou a falar, com certeza foi para transmitir apenas mensagens simples. Talvez fosse até menos complexo do que cantos de pássaros. A linguagem foi ganhando complexidade gradualmente, com o tempo.

— Bom, vamos tentar transmitir uma informação simples com expressões faciais.

— Está bem! — exclamou ela, empolgada, assentindo com a cabeça. — Cada um pensa em uma mensagem e depois a transmite.

Luo Ji pensou por um instante.

— Já sei a minha.

Zhuang Yan demorou bem mais e por fim assentiu com a cabeça.

— Certo, vamos lá.

Eles se encararam, mas não conseguiram resistir nem meio minuto e desataram a rir quase ao mesmo tempo.

— Minha mensagem era: "Eu gostaria de levá-la para jantar na Champs-Élysées hoje à noite" — revelou ele.

Ela se contorceu de tanto rir.

— A minha era: "Você... precisa fazer a barba"!

— Vamos tentar de novo. Como são questões cruciais para o destino da humanidade, precisamos ficar sérios — propôs Luo Ji, segurando o riso.

— Desta vez, não podemos rir! — concordou ela, com a mesma seriedade de uma criança que redefine as regras de um jogo.

Eles ficaram de costas um para o outro, cada um pensando em uma mensagem, e então se viraram e voltaram a se encarar. Luo Ji sentiu o impulso de dar risada e se esforçou para reprimi-la, mas logo ficou muito mais fácil, porque os olhos claros de Zhuang Yan tinham começado a tocar as cordas do coração dele outra vez.

E assim a Barreira e a jovem permaneceram, com olhares fixos um no outro, diante da *Mona Lisa*, no Louvre, na calada da noite.

Um vazamento havia começado a erodir a represa da alma de Luo Ji, transformando uma rachadura minúscula em uma corredeira turbulenta. Ele ficou com medo e tentou reparar o rompimento da represa, mas não conseguiu. O colapso era inevitável.

Depois, ele se sentiu como se estivesse sobre um grande despenhadeiro. Os olhos da moça eram o vasto abismo abaixo, coberto de um mar perfeitamente branco de nuvens. Só que a luz do sol chegava de todos os lados e transformava as nuvens em um brilhante espetáculo de cores que se agitavam sem parar. Ele se sentiu escorregando para a ponta, muito devagar, por vontade própria, sem conseguir evitar. Em pânico, agitou braços e pernas para tentar se segurar em algum lugar, mas sob seu corpo só havia gelo liso. Ele passou a escorregar mais depressa, até que por fim, com uma vertigem súbita, começou a cair no abismo. Em um instante, a alegria da queda chegou ao limite máximo da dor.

A *Mona Lisa* estava se deformando. As paredes estavam se deformando, derretendo como gelo enquanto o Louvre desmoronava e suas pedras se transformavam em magma ardente. Quando o magma passou por cima do corpo deles, a sensação foi fresca como córrego límpido. Eles caíram com o Louvre, atravessando a Europa derretida até o centro da Terra, e, quando chegaram lá, o mundo ao redor explodiu em um espetáculo deslumbrante de fogos cósmicos. Depois, as faíscas se apagaram e, num piscar de olhos, o espaço ficou cristalino. As estrelas entrelaçaram raios de cristais até formar um gigantesco cobertor prateado, e os planetas vibraram, emitindo uma bela música. O mar de estrelas se encheu mais e mais, como maré alta. O universo se contraiu e encolheu, até tudo ser aniquilado pela luz criativa do amor.

— Precisamos observar Trissolaris agora mesmo! — disse o general Fitzroy para Ringier.

Os dois estavam na sala de controle do telescópio espacial Hubble II, uma semana depois da conclusão da montagem.

— General, receio que não seja possível.

— Estou com a sensação de que as observações que vêm sendo realizadas não passam de projetos pessoais de vocês, astrônomos.

— Eu faria meus próprios projetos se pudesse, mas o Hubble II ainda está em fase de testes.

— Você trabalha para as Forças Armadas. Sua única obrigação é obedecer a ordens.

— Aqui não temos nenhum outro militar além de você. Estamos seguindo o plano de testes da Nasa.

O general aliviou o tom:

— Doutor, você não pode fazer os testes usando Trissolaris como alvo?

— Os alvos dos testes foram selecionados com cuidado, de acordo com a distância e a classificação de brilho. Além disso, o plano de testes foi formulado de modo a maximizar a economia, para que o telescópio complete todos os testes com só uma rotação. Para observarmos Trissolaris agora, teríamos que fazer um deslocamento de quase trinta graus e depois voltar. Como talvez saiba, fazer esse brinquedo girar consome combustível. Estamos poupando o dinheiro das Forças Armadas, general.

— Ah, então vamos dar uma olhada no jeito de vocês de economizar. Acabei de achar isto no seu computador — disse Fitzroy, mostrando uma folha que estivera segurando atrás das costas.

Era uma fotografia aérea de um grupo de pessoas empolgadas, olhando para cima. Tratava-se da equipe que trabalhava naquela mesma sala de controle, incluindo Ringier, além de três mulheres em poses sensuais, talvez namoradas de alguns integrantes do grupo. Ficava evidente que o pano de fundo da foto era o terraço do edifício da sala de controle, e a imagem estava muito nítida, como se tivesse sido tirada de uma altura de dez ou vinte metros. A única diferença entre uma foto comum e aquela era a série de números complicados sobreposta à imagem.

— Doutor, você está parado no ponto mais alto do edifício. Até onde eu saiba, lá não tem nenhum suporte mecânico de estúdio de cinema, não é? Você disse que custa dinheiro fazer o Hubble II girar trinta graus. Bom, poderia me dizer quanto custa fazer o telescópio girar trezentos e sessenta graus? Sabe, aqueles dez milhões de dólares não foram um investimento para que vocês pudessem tirar fotos com suas namoradas a partir do espaço. Acha que devo mandar a conta para vocês?

— General, é claro que sua ordem será executada — disse Ringier às pressas, e os engenheiros começaram a trabalhar no mesmo segundo.

A equipe logo resgatou as coordenadas no banco de dados de alvos. No espaço, o cilindro enorme, com mais de vinte metros de diâmetro e mais de cem metros de comprimento, começou a se virar lentamente, passando pelo campo estrelado que a tela da sala de controle exibia.

— Isso é o que o telescópio enxerga? — perguntou o general.

— Não, essa é apenas a imagem produzida pelo sistema de posicionamento. O telescópio produz imagens fixas que precisam ser processadas antes de ser possível a exibição.

Cinco minutos depois, o movimento parou, e o sistema de controle notificou que o posicionamento fora concluído. Ao fim de mais cinco minutos, Ringier disse:

— Ótimo. Agora voltem à posição de teste.

— O quê? Acabou? — indagou Fitzroy, surpreso.

— Sim. Agora as imagens estão sendo processadas.

— Vocês não podem tirar mais algumas?

— General, capturamos duzentas e dez imagens em diversas distâncias focais. — Nesse momento, o processamento da primeira imagem observacional ficou pronto, e Ringier apontou para a tela. — Olhe, general. Ali está o mundo inimigo que o senhor queria tanto ver.

Fitzroy não viu nada além de um grupo de três círculos de luz em um fundo escuro. Como eram difusos, lembravam postes de luz vistos através da neblina. Aquelas eram as três estrelas que determinariam o destino de duas civilizações.

— Então não podemos *mesmo* ver o planeta.

Fitzroy não conseguiu disfarçar a decepção.

— Claro que não. Mesmo quando estiver pronto o Hubble III, vamos conseguir observar Trissolaris em pouquíssimas posições, e só vamos conseguir distinguir um ponto, sem nenhum detalhe.

— Mas aqui tem algo mais, doutor. O que você acha que é? — perguntou um dos engenheiros, apontando para um lugar perto dos três círculos.

Fitzroy se aproximou, mas não viu nada. Era algo tão sutil que só um especialista perceberia.

— O diâmetro é maior do que o de uma estrela — observou um engenheiro.

Após algumas ampliações da área, o objeto preencheu a tela inteira.

— É um pincel! — gritou o general, alarmado.

Um leigo sempre inventa nomes melhores do que um especialista. Por isso, quando especialistas dão nome a algo, costumam adotar a perspectiva de alguém de fora do ramo. Dessa maneira, "pincel" passou a ser o nome da figura, porque a descrição do general era adequada: tratava-se de um pincel cósmico. Ou, para ser mais preciso, de um conjunto de cerdas cósmicas sem cabo. Claro, a imagem também podia ser interpretada como pelos arrepiados.

— Deve ser um arranhão no revestimento! No estudo de factibilidade, mencionei que uma lente composta poderia apresentar problema — disse Ringier, balançando a cabeça.

— Todos os revestimentos passaram por testes rigorosos. Um arranhão desses não aconteceria. Isso também não foi gerado por nenhum defeito nas lentes. Já recebemos dezenas de milhares de imagens de teste, e algo assim nunca apareceu — afirmou um especialista da Zeiss, a fabricante da lente.

Um silêncio pairou na sala de controle. Todos se acotovelaram em volta da tela para observar a imagem, e logo havia tanta gente ali que alguns tiveram que abrir a imagem em outros terminais. Fitzroy sentiu a mudança de clima na sala: especialistas que, por exaustão, tinham passado a trabalhar com desleixo após demorados testes agora estavam ansiosos, como se tivessem sido atingidos por uma maldição que paralisava tudo, exceto os olhos, que ficavam cada vez mais arregalados.

— Meu Deus! — exclamaram várias vozes ao mesmo tempo.

De repente, a inércia se transformou em alvoroço. Os pedaços de diálogo que Fitzroy captou eram técnicos demais para ele.

— Tem poeira em volta da posição do alvo? Confira...

— Não precisa. Já concluí esse item. Observando a absorção do movimento radial estelar de fundo, acontece um pico de absorção em duzentos milímetros. Pode ser uma micropartícula de carbono, densidade classe F.

— Alguma opinião sobre o efeito de impacto em alta velocidade?

— O rastro se dispersa ao longo do eixo do impacto, mas o raio de dispersão... Temos algum modelo disso?

— Sim. Só um instante... Aqui. Velocidade de impacto?

— Cem vezes a terceira velocidade cósmica.

— Já está alta assim?

— É um cálculo conservador... Para o corte transversal do impacto, use... Isso, isso mesmo. É por aí. Só uma estimativa vaga.

Todos os especialistas estavam atarefados. Ringier, ao lado de Fitzroy, pediu:

— General, você poderia fazer o possível para contar a quantidade de cerdas no pincel?

O general confirmou com a cabeça, inclinou-se por cima da tela e começou a contar.

O computador precisou de quatro ou cinco minutos para completar cada cálculo. No entanto, como houve alguns erros, levou meia hora para os resultados ficarem prontos.

— O rastro dispersa a poeira até um diâmetro máximo de duzentos e quarenta mil quilômetros, ou duas vezes o tamanho de Júpiter — informou o astrônomo que estava processando o modelo matemático.

— Faz sentido — disse Ringier, levantando os braços e olhando para o teto, como se estivesse tentando enxergar o céu. — Bom, isso confirma — falou, com voz estremecida, antes de acrescentar, mais para si mesmo: — Então está confirmado.

A sala de controle voltou a mergulhar em silêncio, dessa vez um silêncio pesado e opressivo. Fitzroy queria fazer uma pergunta, mas, diante das cabeças abaixadas e solenes, não conseguiu abrir a boca. Depois de um tempo, ouviu pequenos soluços e viu um rapaz tentando disfarçar as lágrimas.

— Pare com isso, Harris. Você não era o único cético aqui. É difícil para todo mundo — sentenciou alguém.

O jovem engenheiro Harris levantou os olhos marejados:

— Eu sei que o ceticismo não passa de uma forma de consolo, mas eu queria viver meus dias sem saber. Meu Deus, agora não tenho sorte nem de ter isso.

O silêncio voltou.

De repente, Ringier se lembrou de Fitzroy.

— General, me permita explicar. As três estrelas estão cercadas por poeira estelar. Antes, um conjunto de corpos deslocando-se em alta velocidade atravessou essa poeira, e o impacto em alta velocidade produziu um rastro. Esse rastro continuou se expandindo e agora o diâmetro é duas vezes maior do que o do planeta Júpiter. A diferença entre o rastro e o restante da poeira é muito sutil, então é impossível detectá-lo de perto. Só aqui, a quatro anos-luz de distância, podemos observá-lo.

— Contei as cerdas. São cerca de mil — comentou o general Fitzroy.

— Claro. Esse número confirma nossos dados de inteligência. General, estamos olhando para a Frota Trissolariana.

A descoberta do Hubble II, a confirmação definitiva da realidade da invasão trissolariana, extinguiu as últimas ilusões da raça humana. Uma nova onda de desespero, pânico e confusão dominou a humanidade, conduzindo os seres humanos para uma vida marcada pela Crise Trissolariana. Então vieram tempos difíceis. Com uma mudança brusca de direção, o tempo se desviou para outro caminho.

A única constante em um mundo de intensas transformações é a passagem acelerada do tempo. Cinco anos passaram como um borrão.

PARTE II

O feitiço

ANO 8, ERA DA CRISE

Distância entre a Frota Trissolariana e o sistema solar: 4,20 anos-luz

Tyler andava inquieto ultimamente. Apesar dos contratempos, o plano de nuvem de mosquitos acabou sendo aprovado pelo CDP. Os caças espaciais começaram a ser desenvolvidos, mas com progresso lento devido à falta de tecnologias avançadas. A humanidade continuava aprimorando a tecnologia de machadinhas e tacapes da Idade da Pedra, inventando foguetes por propulsão química. O projeto suplementar de Tyler, o estudo de Europa, Ceres e cometas diversos, era tão curioso que alguns desconfiavam que ele houvesse pensado nisso só para acrescentar um toque de mistério ao plano bastante direto. No entanto, como o estudo podia ser incorporado ao programa de defesa principal, ele teve autorização para iniciar os trabalhos também nesse projeto.

Nada restava a Tyler senão esperar. Então voltou para casa e, pela primeira vez desde que fora nomeado Barreira cinco anos antes, procurou viver como uma pessoa comum.

O interesse da opinião pública sobre as Barreiras era cada vez maior. Mesmo sem ter pedido o trabalho, os escolhidos tinham sido apresentados ao público como figuras messiânicas. A consequência disso foi a criação de um culto às Barreiras. Por mais que a ONU e o CDP se esforçassem para desmentir, lendas sobre as habilidades sobrenaturais das Barreiras se disseminaram e foram se tornando cada vez mais elaboradas. Em filmes de ficção científica, os escolhidos eram apresentados como super-heróis e, para muitas pessoas, eram a única esperança da humanidade. Com isso, as Barreiras contavam com uma quantidade enorme de capital político e popularidade, o que garantia que o imenso consumo de recursos por eles não gerasse problemas.

Luo Ji era a exceção. Ele seguia recluso e jamais mostrava o rosto. Ninguém sabia onde ele estava nem o que fazia.

Certo dia, Tyler recebeu uma visita. Como as outras Barreiras, a casa do americano vivia sob forte vigilância, e todos os visitantes eram submetidos a minuciosa revista e pesquisa de antecedentes. No entanto, assim que avistou o visitante na sala de estar, Tyler soube que o homem tinha passado pela segurança sem problemas, já que obviamente não representava ameaça para ninguém. Naquele dia quente, o sujeito estava com um terno amarrotado, uma gravata também amarrotada e, o que era mais irritante, um chapéu-coco daqueles que ninguém mais usava. Estava nítido que o indivíduo queria passar uma impressão de mais formalidade na visita, pois provavelmente nunca havia comparecido a um evento formal até então. Pálido e magro, o homem parecia subnutrido. Seus óculos de armação pesada se destacavam no rosto chupado e esmaecido, o pescoço mal parecia capaz de sustentar o peso da cabeça, e o terno parecia praticamente cobrir o vazio, como se estivesse pendurado em um cabide. Com sua experiência política, Tyler percebeu na hora que o visitante pertencia a uma daquelas classes sociais medíocres em que a pobreza era mais espiritual do que material, como os burocratas mesquinhos de Gogol que, apesar do status social inferior, continuavam se dedicando a preservar essa condição e passavam a vida inteira realizando meticulosamente atividades aleatórias exaustivas e nada criativas. Pessoas assim têm medo de cometer erros em tudo o que fazem, têm medo de causar incômodo a todos que encontram e não se atrevem a olhar nem por um segundo para a barreira de vidro que as separa de um patamar superior da sociedade. Tyler detestava pessoas desse tipo, que considerava absolutamente dispensáveis, e a ideia de que a maior parte do mundo que ele queria salvar era composta de gente assim deixava um sabor amargo na boca.

O homem entrou pela porta da sala de estar com passos hesitantes, mas não se atreveu a avançar mais. Parecia ter medo de manchar o tapete com a sola suja de seus sapatos. Tirou o chapéu e olhou para o dono da casa através dos óculos grossos, fazendo várias mesuras com a cabeça. Tyler decidiu que o mandaria embora assim que ele terminasse de falar a primeira frase, pois, mesmo que o homem tivesse algo importante a dizer, para Tyler não significaria nada.

Com uma voz fraca, o homem miserável pronunciou sua primeira frase, a qual atingiu como um raio Tyler, que ficou tão atordoado que praticamente se sentou no chão. Para o americano, cada palavra soou como um trovão.

— Barreira Frederick Tyler, eu sou seu Destruidor.

— Quem diria que algum dia estaríamos diante de um mapa de batalha como este! — exclamou Chang Weisi, olhando para a carta do sistema solar em escala de um para um trilhão exibida em um monitor tão grande que parecia tela de cinema.

A imagem era quase totalmente escura, exceto pelo minúsculo ponto amarelo no centro, o Sol. O mapa ia até o meio do Cinturão de Kuiper. Quando exibido por completo, era o equivalente a olhar para o sistema solar a uma distância de cinquenta unidades astronômicas acima do plano eclíptico. O mapa marcava corretamente a órbita dos planetas e satélites, assim como a condição dos asteroides conhecidos, e podia apresentar um corte transversal do sistema solar a partir de qualquer ponto ao longo do milênio seguinte. Com as marcas de posição dos corpos celestes desativadas, a tela do mapa tinha luz suficiente para que, com observação atenta, fosse possível ver Júpiter. Não passava de um pontinho luminoso indistinto, mas, daquela distância, os outros sete planetas principais eram invisíveis.

— Sim, estamos diante de grandes mudanças — concordou Zhang Beihai.

As Forças Armadas tinham acabado de fazer uma reunião para avaliar o primeiro mapa espacial, e agora só restavam Zhang Beihai e Chang Weisi na espaçosa sala.

— Comandante, por acaso percebeu os olhares dos nossos camaradas quando viram este mapa?

— Claro que percebi, mas é até compreensível. Eles deviam imaginar que um mapa espacial seria parecido com as ilustrações consagradas de livros de ciência: um punhado de bolas coloridas de sinuca girando em volta de uma bola de fogo. Só quando se viram diante de uma representação em escala foi que puderam assimilar a vastidão do sistema solar. Além disso, para quem vem da Força Aérea ou da Marinha, por mais longe que suas aeronaves ou embarcações possam chegar, a distância não é nem um pixel na tela grande.

— Parece que a visão do campo de batalha do futuro não inspirou em nossos camaradas uma guinada de confiança ou de paixão pelo combate.

— E voltamos outra vez ao derrotismo.

— Comandante, não quero conversar sobre a realidade do derrotismo hoje. Isso é assunto para uma reunião formal. O que eu gostaria de tratar é... bom...

Zhang Beihai hesitou e sorriu, algo raro para alguém que costumava ser tão direto. Chang Weisi tirou os olhos do mapa e sorriu para ele.

— Parece que está prestes a dizer algo pouco ortodoxo.

— Sim. Ou pelo menos algo sem precedentes. Pretendo fazer uma recomendação.

— Prossiga. Vá direto ao ponto. Você sabe que não precisa fazer cerimônia.

— Sim, comandante. Bem, ao longo dos últimos cinco anos, tivemos poucos avanços no campo de defesa planetária básica e pouco progresso em estudos sobre viagens espaciais. A tecnologia preliminar daqueles dois programas, o de fusão nuclear controlada e o do elevador espacial, ainda está na estaca zero, sem nenhuma evolução à vista, e os foguetes químicos de maior empuxo estão apresentando vários problemas. Se a situação se mantiver nesse ritmo, receio que a frota espacial, mesmo de baixa tecnologia, nunca vai deixar de ser ficção científica.

— Você escolheu o segmento de alta tecnologia, camarada Beihai. Deve saber muito bem as regras da pesquisa científica.

— É claro que sei. A pesquisa é um processo de saltos, e transformações qualitativas só ocorrem mediante o acúmulo quantitativo de longo prazo. Os avanços em teoria e tecnologia costumam acontecer em impulsos concentrados... Apesar disso, comandante, quantas pessoas encaram o problema como eu? É muito provável que daqui a dez, vinte, cinquenta anos, ou até daqui a um século, ainda não tenhamos nenhum avanço significativo em qualquer ramo científico ou técnico. A essa altura, será preciso perguntar: até que ponto terá chegado o derrotismo? Qual será a condição espiritual e mental dominante da força espacial? Comandante, estou mesmo exagerando?

— Beihai, o que mais admiro em você é sua capacidade de trabalhar sempre pensando a longo prazo. Isso é uma raridade entre os quadros políticos das nossas Forças Armadas. Por favor, continue.

— Bom, só posso falar a respeito da minha própria atividade. Partindo desses pressupostos, que tipo de dificuldades e pressões nossos camaradas no futuro enfrentarão em seu trabalho político e ideológico na força espacial?

— Uma pergunta mais preocupante seria: quantos quadros políticos ideologicamente habilitados restarão nas forças? — acrescentou Chang Weisi. — Para conter o derrotismo, antes precisamos ter uma fé inabalável na vitória. Agora, não há dúvida de que isso será mais difícil no seu futuro hipotético.

— É justamente essa a minha preocupação, comandante. Quando chegar a hora, o trabalho político na força espacial não dará conta.

— Sua recomendação?

— Envie reforços!

Chang Weisi olhou para Zhang Beihai por alguns segundos e, então, se virou para a tela. Mexeu o cursor e ampliou o Sol até as dragonas de ambos refletirem a luz solar.

— Comandante, o que eu quero dizer é...

Ele levantou a mão, interrompendo.

— Eu sei o que você quer dizer. — Chang Weisi recuou o cursor de novo, até o mapa inteiro aparecer na tela, voltando a mergulhar a sala na escuridão, e depois ampliou o Sol mais uma vez... e repetiu o processo continuamente enquanto pensava, até enfim dizer: — Já ocorreu a você que, se hoje o trabalho político e ideológico na força espacial é uma atividade difícil e complexa, ele ficará consideravelmente mais complicado se hibernarmos e mandarmos nossos melhores oficiais políticos para o futuro?

— Estou ciente, comandante. É só uma sugestão pessoal. Claro que cabe aos meus superiores considerar o panorama como um todo.

Chang Weisi se levantou e acendeu as luzes, iluminando a sala.

— Não, camarada Beihai, esse é o seu trabalho de agora em diante. Abandone tudo o mais. A partir de amanhã, você se concentrará no Departamento de Política da Força Espacial, fará um estudo sobre as outras forças e preparará um relatório preliminar para a Comissão Militar Central o quanto antes.

O sol estava se pondo atrás das montanhas quando Tyler chegou. Ao sair do carro, o americano encontrou uma visão do paraíso, com um levíssimo toque da luminosidade nos picos nevados, no lago e na floresta. Luo Ji e sua família desfrutavam aquela tarde transcendental no gramado à beira do lago. A primeira coisa que chamou a atenção de Tyler foi a mãe, muito jovem, como uma irmã mais velha, com uma bebê de um ano. Era difícil vê-la direito de longe, mas, ao se aproximar, seu olhar foi atraído para a criança. Se não tivesse visto com seus próprios olhos, Tyler não teria acreditado que era possível existir uma criaturinha tão adorável. Parecia uma célula-tronco de encanto, o estado embrionário de toda a beleza. Mãe e filha estavam desenhando em uma grande folha de papel branca, enquanto Luo Ji permanecia afastado, olhando a amada com o mesmo interesse de quando foram ao Louvre, anos antes. Ao se aproximar ainda mais, Tyler viu nos olhos de Luo Ji uma alegria infinita, uma felicidade que parecia permear tudo que havia entre a montanha e o lago naquele Jardim do Éden...

Como o americano havia acabado de chegar do mundo exterior sombrio, aquela cena não parecia real. Tyler fora casado duas vezes, mas agora estava solteiro, e a felicidade de construir uma família não significara muito para ele durante sua busca pela glória pessoal. Ali, pela primeira vez, sentiu que sua vida tinha sido vazia.

Cativado pela esposa e pela filha, Luo Ji só reparou em Tyler quando o americano estava bem perto. Devido às barricadas mentais exigidas pela situação deles, até o momento os dois homens não tinham estabelecido nenhum contato pessoal. No entanto, como já haviam conversado por telefone, Luo Ji não demonstrou nenhuma surpresa com a chegada de Tyler e cumprimentou o visitante com simpatia e educação.

— Senhora, por favor, perdoe minha intromissão — pediu Tyler, fazendo uma leve mesura para Zhuang Yan, que havia se aproximado com a criança.

— Bem-vindo, sr. Tyler. Raramente recebemos visitas, então ficamos felizes com sua chegada.

Ela falava com um inglês pouco fluente, mas sua voz ainda carregava uma delicadeza infantil. Continuava com aquele sorriso revigorante como uma nascente, que acariciou a alma cansada de Tyler como as mãos de um anjo.

— Esta é nossa filha, Xia Xia.

O americano quis abraçar a criança mas, como tinha medo de perder o controle sobre os próprios sentimentos, se limitou a responder:

— A viagem foi cansativa, mas vejo que valeu a pena. Vocês são lindas como dois anjos.

— Obrigada. Agora vamos deixar vocês conversarem. Vou preparar o jantar — informou ela, sorrindo para os dois homens.

— Não, não se incomode. Eu só queria ter uma palavrinha com o dr. Luo. Não vou demorar muito.

Zhuang Yan insistiu carinhosamente para que o visitante ficasse para o jantar e depois se retirou com a criança.

Luo Ji indicou para que Tyler se sentasse em uma cadeira branca no gramado. Quando o americano se sentou, o corpo inteiro murchou, como se todos os tendões tivessem sido cortados. Era um viajante que enfim havia chegado ao destino após uma longa jornada.

— Doutor, parece que você sumiu para o mundo nos últimos dois anos — disse Tyler.

— Sim — confirmou Luo Ji, que continuou de pé e fez um gesto com a mão, indicando os arredores. — Isto aqui é tudo para mim.

— Você é mesmo um homem inteligente e, pelo menos por uma perspectiva, mais responsável do que eu.

— Como assim? — indagou Luo Ji, com um sorriso confuso estampado no rosto.

— Pelo menos você não desperdiçou recursos... Então ela também não vê televisão? Digo, sua esposa.

— Zhuang Yan? Não sei. Como ultimamente ela tem ficado sempre com Xia Xia, acho que não vê muito.

— Quer dizer que vocês dois realmente não sabem o que aconteceu no mundo nos últimos dias?

— O que aconteceu? Você não parece muito bem. Gostaria de descansar um pouco? Aceitaria uma bebida?

— Sim, qualquer uma — concordou Tyler, contemplando com olhos atordoados os últimos raios dourados do sol poente no lago. — Quatro dias atrás, meu Destruidor apareceu.

Luo Ji terminou de servir uma taça de vinho e, ao fim de um instante de silêncio, perguntou:

— Já?

Tyler assentiu com um gesto pesado de cabeça.

— Essa foi a primeira coisa que eu falei para ele.

* * *

— Já? — perguntou Tyler para o Destruidor, tentando manter um tom de voz calmo, mas soando frágil.

— Eu gostaria de ter vindo antes, mas pensei em reunir mais provas, então me atrasei. Sinto muito — respondeu o Destruidor.

Ele estava parado atrás de Tyler como se fosse um criado e falava devagar, com a humildade de um serviçal. A última frase traía até um tom de meticulosidade e consideração, a mesma consideração que um carrasco demonstra para com sua vítima.

Depois, um silêncio sufocante dominou a sala de estar. Quando Tyler enfim juntou coragem para olhar para o Destruidor, o homem perguntou, respeitosamente:

— Senhor, devo prosseguir?

Tyler assentiu com a cabeça, mas desviou o olhar. Sentou-se no sofá e fez o possível para se acalmar.

— Obrigado, senhor. — O Destruidor de Barreiras fez mais uma mesura, ainda com o chapéu-coco na mão. — Primeiro, gostaria de descrever o plano que o senhor apresentou para o mundo exterior: com uma frota de caças espaciais ágeis armados com superbombas de cem megatons, seus pilotos auxiliarão a frota da Terra com um ataque suicida contra a Frota Trissolariana. Talvez seja um resumo simplificando demais, mas é basicamente isso, certo?

— De que adiantaria discutir isso com você? — objetou Tyler.

Ele estava considerando encerrar a conversa. Assim que o Destruidor se revelou, Tyler, com sua intuição política e sua experiência de estrategista, concluiu que o homem tinha vencido. No entanto, àquela altura, teria sorte se sua mente não fosse completamente devassada.

— Se preferir, nem continuo, e o senhor pode me prender. De qualquer maneira, imagino que saiba que, independente do que acontecer, sua verdadeira estratégia e todas as informações que comprovam minha hipótese serão veiculadas nos jornais amanhã, quem sabe ainda hoje à noite. Arrisco o resto da minha vida com esta visita e espero que o senhor honre meu sacrifício.

— Pode continuar — falou Tyler, fazendo um gesto com a mão.

— Obrigado, senhor. É realmente uma honra, e não tomarei muito de seu tempo.

O Destruidor fez nova mesura. Um respeito modesto extremamente raro no mundo moderno parecia correr em suas veias, um respeito que podia se manifestar a qualquer momento, como um nó se apertando aos poucos em volta do pescoço de Tyler.

— Então, senhor, o resumo que fiz de sua estratégia estava correto?

— Estava.

— Não — rebateu o Destruidor. — Senhor, me desculpe, mas não estava correto.

— Por quê?

— Levando em conta a capacidade tecnológica da humanidade, os armamentos mais poderosos que teremos no futuro provavelmente serão superbombas de hidrogênio. Em um ambiente de batalha no espaço, as bombas precisam ser detonadas em contato direto com o alvo, para que possam destruir as naves inimigas. Como caças espaciais são ágeis e podem ser enviados em grandes números, mandar uma frota de caças para o ataque em uma nuvem suicida sem dúvida é a melhor opção. Seu plano é perfeitamente razoável. Todas as suas atitudes, incluindo as viagens ao Japão, à China e às montanhas do Afeganistão em busca de camicases espaciais dotados de espírito de sacrifício, assim como seu plano de assumir remotamente o controle de toda a frota de mosquitos em virtude do fracasso dessa busca, também eram totalmente razoáveis.

— Qual é o problema? — indagou Tyler, empertigando-se no sofá.

— Não tem nenhum problema. Só que essa não passa da estratégia que o senhor apresentou para o mundo. — O Destruidor se sentou, se aproximou de Tyler e continuou falando em voz baixa. — Sua verdadeira estratégia tinha algumas pequenas alterações. O senhor me deixou confuso durante bastante tempo. Confesso que foi uma agonia e que quase desisti.

Tyler percebeu que estava se agarrando ao sofá com muita força e tentou relaxar.

— Até que o senhor revelou a chave para desvendar todo o quebra-cabeça. A peça se encaixou com tanta perfeição que, por um instante, duvidei da minha própria sorte. O senhor sabe a que me refiro: seu estudo sobre diversos corpos do sistema solar, Europa, Ceres e os cometas. O que eles têm em comum? Água. Todos têm água, e em grande quantidade! Tanto Europa quanto Ceres têm mais água do que todos os oceanos da Terra juntos...

"Quem é infectado pela raiva tem medo de água e pode sofrer espasmos só de ouvir a palavra. Imagino que o senhor esteja sentindo algo semelhante no momento."

O Destruidor se aproximou mais de Tyler e falou ao pé do ouvido dele. Seu hálito não era nem um pouco quente: parecia um vento fantasmagórico saído de um túmulo.

— Água — sussurrou ele, como se estivesse falando durante o sono. — Água...

Tyler continuou em silêncio, o rosto imóvel como estátua.

— É necessário que eu continue? — perguntou o Destruidor, levantando-se.

— Não — respondeu Tyler, em voz baixa.

— Mas vou continuar mesmo assim — rebateu o Destruidor, quase contente. — Deixarei aos historiadores um registro completo, ainda que a história da humanidade não vá durar muito. E também uma explicação para o Senhor, claro. Nem todo mundo tem o intelecto apurado de nós dois, nem todo mundo é capaz de compreender o todo a partir de uma parte ínfima. Sobretudo o Senhor, que talvez nem compreenda a explicação completa. — Ele levantou a mão, como se estivesse se lembrando dos trissolarianos que o ouviam, e riu. — Peço perdão.

A expressão de Tyler relaxou, e seus ossos pareceram derreter. Ele afundou no sofá, acabado, e seu espírito já não habitava seu corpo.

— Bom, então vamos deixar a água de lado por um momento e falar da nuvem de mosquitos. Os primeiros alvos do ataque não seriam os invasores trissolarianos, mas a própria força espacial da Terra. Essa hipótese, baseada em indícios muito vagos, é um pequeno tiro no escuro, mas acredito que esteja correta. O senhor viajou pelo mundo tentando estabelecer uma força camicase para a humanidade, mas seus esforços fracassaram, algo que era previsível. Com esse fracasso, o senhor chegou a duas conclusões. A primeira foi uma absoluta desesperança em relação à humanidade, e a segunda... bem, abordarei em breve. Como eu dizia, após suas viagens pelo mundo, o senhor ficou desiludido com a dedicação da humanidade e também se convenceu de que a força espacial da Terra não teria a menor chance de derrotar Trissolaris em um combate tradicional. Por isso, o senhor refez os planos iniciais e concebeu uma estratégia ainda mais radical. Na minha opinião, era um estratagema com poucas chances de sucesso e um risco imenso. Ainda assim, os princípios do Projeto Barreiras determinam que, nessa guerra, o mais seguro é arriscar.

"É claro que a estratégia estava só no começo. Sua traição contra a humanidade seria um processo demorado, mas o senhor tinha o tempo a seu favor. Nos meses e anos seguintes, o senhor estaria preparado para manipular os acontecimentos de modo a ampliar o muro que construiria para separá-lo da raça humana. Aos poucos, seu desespero cresceria, seu pesar se intensificaria e o senhor se afastaria cada vez mais do mundo humano, aproximando-se na mesma proporção da OTT e de Trissolaris. Na verdade, o senhor deu os primeiros passos nessa direção quando pediu que diminuíssem os ataques contra a OTT na última sessão do CDP, embora o pedido não tenha sido puro teatro. O senhor realmente precisaria que a organização sobrevivesse, porque precisaria que os integrantes da OTT pilotassem seus caças espaciais na Batalha do Fim dos Tempos. Era uma questão de espera e paciência, mas o senhor conseguiria, porque a OTT também precisaria do senhor, da sua ajuda e dos recursos à sua disposição. Não seria difícil entregar a frota de mosquitos para a OTT, desde que o resto do mundo não soubesse. E, se por acaso alguém descobrisse, o senhor poderia dizer que era tudo parte do plano."

Tyler parecia não ouvir o Destruidor. Estava sentado no sofá, com os olhos meio fechados e um aspecto exausto, como se já tivesse desistido e estivesse começando a relaxar.

— Muito bem. Vamos falar da água agora. Na Batalha do Fim dos Tempos, a frota de mosquitos controlada pela OTT provavelmente faria um ataque surpresa contra a frota da Terra e, em seguida, escaparia para a frota do Senhor. Depois dessa prova de deslealdade em relação à Terra, os trissolarianos talvez estivessem dispostos a aceitar os integrantes da OTT em sua frota, mas o Senhor não aceitaria o exército vira-casaca com tanta facilidade. Seria necessário oferecer um presente de valor adequado para conquistá-lo. O que o sistema solar pode oferecer que seria indispensável para o Senhor? Água. Após uma viagem de quatro séculos, a Frota Trissolariana já teria consumido a maior parte de seu estoque de água. Ao se aproximarem do sistema solar, os trissolarianos desidratados a bordo teriam que ser reidratados. Como a água usada para isso passaria a fazer parte do corpo deles, sem dúvida seria preferível usar água limpa em vez do líquido estagnado e já reciclado inúmeras vezes nas naves. A frota de mosquitos ofereceria ao Senhor um iceberg composto de imensa quantidade de água extraída de Europa, de Ceres e dos cometas. Não sei a quantidade específica, e imagino que o senhor também não saiba, mas acredito que dezenas de milhares de toneladas.

"Esse gigantesco bloco de gelo seria transportado pela nuvem de mosquitos. A frota provavelmente se aproximaria muito das naves do Senhor para entregar o presente, quando então seria aplicada a segunda etapa do plano, a segunda conclusão a que o senhor chegou após seu fracasso em estabelecer uma força camicase. A total desesperança na humanidade e, por consequência, a utilização de pilotos da OTT inspiraram seu pedido muito lógico de instalar um sistema de controle independente em toda a frota de mosquitos. Quando os caças da Terra se aproximassem da frota de Trissolaris, o senhor assumiria o controle dos pilotos da OTT e daria ordem para que os caças atacassem os alvos determinados. As superbombas seriam detonadas a grande proximidade, aniquilando todas as naves do Senhor."

O Destruidor de Barreiras se empertigou, saiu do lado de Tyler e foi até as janelas que davam vista para o jardim. O vento fantasmagórico que havia soprado no ouvido de Tyler se dissipou, mas não deixou de gelar o corpo do americano.

— Um plano extraordinário — prosseguiu o Destruidor. — Não estou mentindo, mas certos descuidos são inexplicáveis. Por que o senhor estava tão ansioso para começar estudos de corpos celestes que tivessem água? A tecnologia para extrair e transportar grandes volumes de água é inexistente hoje, e o processo de pesquisa e desenvolvimento da engenharia para algo dessa proporção poderia levar anos ou até décadas. Mesmo se tivesse achado que precisava começar o quanto antes, por que não acrescentar alguns alvos que não contivessem água, como as luas de Marte, por exemplo? Se tivesse procedido assim, não me impediria de descobrir com o tempo suas verdadeiras intenções, mas teria sido muito mais difícil. Como é que um estrategista tão habilidoso quanto o senhor poderia se descuidar com gestos tão simples? Mas tudo bem, reconheço que o senhor está sob grande pressão.

O Destruidor de Barreiras pôs a mão delicadamente no ombro de Tyler, e o americano sentiu um vislumbre de gentileza, a mesma gentileza de um carrasco por sua vítima. Ele até se comoveu um pouco.

— Não se torture. O senhor se saiu bem, de verdade. Espero que não seja esquecido pela história. — O Destruidor de Barreiras tirou a mão, e uma onda de energia renovada se espalhou por seu rosto antes abatido e doentio. Ele estendeu os braços. — Bom, sr. Tyler. Terminei. Pode chamar seu pessoal.

— Pode ir embora — disse Tyler, ainda de olhos fechados.

Quando o Destruidor de Barreiras abriu a porta, Tyler murmurou uma última pergunta:

— E daí se o que você disse for verdade?

O Destruidor se virou para ele.

— E daí nada, sr. Tyler. Quer eu tenha destruído seu plano quer não, isso não tem qualquer importância para o Senhor.

Luo Ji ficou sem palavras por um bom tempo após ouvir o relato de Tyler.

Ao falar com uma Barreira, uma pessoa comum sempre pensava *Ele é uma Barreira, não posso confiar em suas palavras*, e essa desconfiança dificultava a comunicação. Agora, quando duas Barreiras conversavam entre si, essa desconfiança mútua multiplicava ainda mais a dificuldade de interlocução. Na realidade, essa circunstância privava de todo significado tudo o que qualquer dos lados dissesse, de modo que a própria comunicação perdia completamente o sentido. Era por isso que Luo Ji e Tyler nunca haviam interagido.

— Qual é sua avaliação sobre a análise do Destruidor de Barreiras? — perguntou Luo Ji para romper o silêncio, embora soubesse que se tratava de uma pergunta inútil.

— Ele acertou — respondeu Tyler.

Luo Ji gostaria de dizer algo, mas o quê? O que poderia ser dito? Os dois eram Barreiras.

— Essa era minha verdadeira estratégia — continuou Tyler, que nitidamente estava precisando falar e não ligava se o interlocutor acreditaria. — Claro, ainda estava na fase preliminar. A tecnologia toda é muito complicada, embora eu esperasse uma resolução gradual para todas as questões teóricas e técnicas ao longo dos próximos quatro séculos. Enfim... considerando a postura do inimigo em relação ao plano, não faria diferença. Eles não se importam. É o verdadeiro cúmulo do desdém.

— E isso foi... — Luo Ji sentia que aquelas palavras inúteis saíam de sua boca como se ele não passasse de um ventríloquo.

— Um dia depois da visita do Destruidor de Barreiras — interrompeu Tyler —, uma análise completa da minha estratégia foi publicada na internet, com milhões de palavras, a maioria obtida pelo monitoramento dos sófons. O material gerou polêmica. Anteontem, o CDP realizou uma sessão para discutir o tema e decidiu: "Planos de Barreiras não podem abranger nada que represente ameaça à vida de seres humanos". Se meu plano realmente existisse, sua execução seria considerada crime contra a humanidade, e eu deveria ser impedido e punido de acordo com a lei. Percebe que o CDP invoca crimes contra a humanidade mais do que nunca ultimamente? Enfim, apesar disso, a resolução concluiu que: "De acordo com os princípios básicos do Projeto Barreiras, as informações apresentadas para o mundo talvez sejam apenas parte da estratégia de dissimulação da Barreira e não podem ser usadas como provas de que a Barreira pretendia desenvolver e executar esse plano". Por isso, não vou ser processado.

— Imaginei — disse Luo Ji.

— Só que na sessão eu declarei que a análise do Destruidor de Barreiras estava correta e que minha estratégia era mesmo aquela. Pedi para ser julgado nos termos das leis nacionais e internacionais.

— Já imagino a reação deles.

— O presidente rotativo do CDP e todos os embaixadores dos membros permanentes me olharam com aquele sorriso Barreira, e o presidente declarou que a sessão estava encerrada. Bando de babacas!

— Sei como é.

— Eu surtei. Saí correndo do salão, fui para a praça na frente do prédio e fiquei gritando: "Eu sou a Barreira Frederick Tyler! Meu Destruidor revelou minha estratégia! Ele acertou! Vou atacar a frota da Terra com a nuvem de mosquitos! Sou desumano! Sou um demônio! Mereço castigo, mereço a morte!".

— Aposto que esse gesto não adiantou nada.

— O que mais odeio é a expressão que as pessoas fazem quando olham para mim. Fui cercado por um formigueiro de curiosos na praça, e aqueles olhares traíam as fantasias das crianças, a reverência dos adultos e a preocupação dos idosos. Todos os rostos como que diziam: "Vejam ali, uma Barreira. Ele está elaborando um grande plano, mas é a única pessoa do mundo que sabe o que está fazendo. Consegue perceber como ele está trabalhando bem? Ele é um mestre na arte de fingir. Como o inimigo seria capaz de imaginar a estratégia de verdade de um sujeito assim? A grande, grande, grande estratégia que só ele sabe e que vai salvar o mundo...". Quanto disparate! Bando de idiotas!

Luo Ji decidiu ficar em silêncio e se limitou a sorrir para Tyler. Quando Tyler o encarou, um pequeno sorriso despontou em seu rosto pálido e evoluiu para uma gargalhada histérica.

— Rá! Você está fazendo o sorriso Barreira! Uma Barreira sorrindo para outra! Você acha que estou trabalhando, que estou interpretando um papel e que vou salvar o mundo! — Ele riu de novo. — Como foi que acabamos nessa situação tão hilária?

— Acredito que nós nunca vamos nos libertar desse círculo vicioso — respondeu Luo Ji, dando um pequeno suspiro.

Tyler parou de rir de repente.

— Nunca vamos nos libertar? Não, dr. Luo, existe um jeito. Realmente existe um jeito, e vim aqui hoje para contar qual é.

— Você precisa descansar. Fique hospedado por uns dias — sugeriu Luo Ji.

Tyler assentiu com um vagaroso gesto de cabeça.

— Sim, preciso descansar. Somos os únicos que compreendemos a dor um do outro, doutor. Por isso eu vim. — Ele olhou para cima. Já fazia algum tempo que o sol havia se posto, e o Jardim do Éden ficara pouco nítido no crepúsculo. — Aqui é o paraíso. Posso sair sozinho para dar uma caminhada no entorno do lago?

— Pode fazer o que quiser aqui. Procure relaxar. Daqui a pouco eu chamo para o jantar.

Tyler foi dar sua caminhada na área do lago, e Luo Ji ficou sentado e perdido em pensamentos opressivos. Havia passado cinco anos imerso em um oceano de felicidade. O nascimento de Xia Xia o levou a esquecer completamente o mundo exterior. O amor pela esposa e pela filha se misturava e embriagava sua alma e, naquele lar agradável isolado do resto do mundo, ele se afundara cada vez mais em uma ilusão: talvez o mundo exterior realmente tivesse algo de quântico e só existisse ao ser observado.

No entanto, essa ilusão não tinha mais como ser sustentada, agora que o abominável mundo exterior invadira seu Jardim do Éden, provocando confusão e pavor. Luo Ji começou a pensar nas últimas palavras de Tyler, que ainda ecoavam em seus ouvidos. Seria mesmo possível para uma Barreira romper o círculo vicioso, desfazer os grilhões de ferro da lógica...?

Ele se levantou de um salto e correu para o lago. Queria gritar, mas tinha medo de assustar Zhuang Yan e Xia Xia, então só correu com todas as forças pelo anoitecer silencioso. O único som que ouvia era o de seus pés na grama à beira do lago. Até que um breve PAM rasgou essa cadência.

O barulho de um tiro no lago.

Luo Ji voltou para casa tarde da noite, depois que sua filha já estava dormindo.

— O sr. Tyler foi embora? — perguntou Zhuang Yan, em voz baixa.

— Sim. Ele se foi — respondeu Luo Ji, esgotado.

— Ele parecia pior do que você.

— Sim. É porque ele não trilhou um caminho fácil... Yan, você tem visto televisão ultimamente?

— Não. Eu...

Ela hesitou, e Luo Ji sabia em que sua esposa estava pensando. À medida que o mundo exterior ficava cada dia mais sério e que aumentava o abismo entre a vida deles e a vida lá fora, essa diferença incomodava Zhuang Yan.

— A nossa vida faz mesmo parte do plano da Barreira? — questionou ela, olhando para Luo Ji com aquele mesmo rosto inocente.

— Claro. Qual é a dúvida?

— Mas nós podemos mesmo ser felizes enquanto toda a humanidade é infeliz?

— Meu amor, sua responsabilidade quando a humanidade inteira estiver infeliz é ser feliz. Com Xia Xia, sua felicidade ganha um ponto, e o plano da Barreira também ganha um ponto.

Zhuang Yan o encarou em silêncio. A linguagem de expressões faciais que ela havia concebido diante da *Mona Lisa* cinco anos antes parecia ter se materializado parcialmente entre os dois. Luo Ji se mostrava cada vez mais capaz de ler os pensamentos no olhar da esposa, e dessa vez o que leu foi: *Como é que eu posso acreditar nisso?*

Ele refletiu por um bom tempo.

— Yan, tudo tem um fim — disse Luo Ji, quebrando o silêncio. — Como o Sol e o universo vão morrer um dia, por que a humanidade deveria acreditar que precisa ser imortal? Preste atenção, nosso mundo é paranoico. Combater uma guerra inútil é perda de tempo, então veja a Crise Trissolariana por outra perspectiva e esqueça suas preocupações. Não só as angústias que têm relação com a crise, mas todas. Use o tempo que ainda nos resta para aproveitar a vida. Quatrocentos anos! Ou, se abdicarmos de lutar na Batalha do Fim dos Tempos, quase quinhentos. É uma quantidade bem razoável de tempo. A humanidade levou o mesmo período para ir do Renascimento à era da informação, e nesse mesmo intervalo poderíamos experimentar uma vida confortável e despreocupada. Cinco séculos idílicos sem tormentos com o futuro distante, com a única responsabilidade de aproveitar a vida. Consegue enxergar a maravilha que é isso...

Ele se deu conta de que não havia sido sensato. Afirmar que a felicidade da esposa e da criança faziam parte do plano e transformar essa felicidade em responsabilidade acrescentava mais uma camada de proteção à vida dela. Era a única forma de garantir que Zhuang Yan continuasse com a mente equilibrada diante do mundo cruel. Luo Ji nunca foi capaz de resistir àqueles olhos de eterna inocência, então não se atreveu a olhar para Zhuang Yan quando ela o questionou. Só que desta vez, graças ao fator Tyler, ele deixara a verdade escapar.

— Quando você diz isso, está sendo uma Barreira? — perguntou ela.

— Sim, claro que estou — respondeu ele, tentando consertar a situação.

Só que os olhos dela disseram: *Você realmente parecia acreditar nisso!*

Conselho de Defesa Planetária da ONU, Sessão nº 89 do Projeto Barreiras

No começo da sessão, o presidente rotativo insistiu para que Luo Ji fosse obrigado a comparecer à sessão seguinte, argumentando que essa recusa não fazia parte do plano da Barreira porque a autoridade de supervisão do CDP se sobrepunha aos planos estratégicos das Barreiras. A proposta foi aceita por unanimidade pelos embaixadores dos membros permanentes e, após o surgimento do primeiro Destruidor de Barreiras e o suicídio de Tyler, as outras duas Barreiras presentes na sessão compreenderam as consequências implícitas nas palavras do presidente.

Hines foi o primeiro a falar. Seu plano fundamentado em neurociência ainda estava em estágio incipiente, mas ele descreveu o equipamento que imaginava como base para pesquisas posteriores e o batizou de Aparelho de Imagem por Decomposição. Inspirado no conceito de tomografia computadorizada e ressonância magnética nuclear, o equipamento faria imagens de todos os cortes transversais do cérebro de uma vez só, o que exigiria uma precisão de corte transversal na escala da estrutura interna de neurônios e células cerebrais. Isso elevaria a quantidade de tomografias simultâneas para a faixa dos milhões, que deveriam ser sintetizadas eletronicamente para formar um modelo digital do cérebro. Outros requisitos técnicos eram ainda maiores: as imagens deveriam ser feitas ao ritmo de vinte e quatro quadros por segundo, de modo a produzir um modelo sintético dinâmico capaz de captar todas as atividades cerebrais em uma resolução do nível dos neurônios, permitindo uma observação detalhada das atividades de pensamento no cérebro ou até a reconstituição de toda a atividade neural durante o processo de pensamento.

Já Rey Diaz, que falou em seguida, descreveu os avanços em seu plano. Após cinco anos de pesquisas, o modelo estelar digital para armas nucleares de potência superalta fora concluído e estava em processo de depuração.

Depois, o painel de consultores científicos do CDP apresentou um relatório sobre o estudo de factibilidade dos planos das duas Barreiras e concluiu que, no caso de Hines, embora não houvesse qualquer obstáculo teórico para o Aparelho de Imagem por Decomposição, as dificuldades técnicas eram muito superiores às condições atuais. Os dispositivos modernos de tomografia computadorizada eram para a Imagem por Decomposição o que a fotografia em preto e branco era para câmeras modernas de alta definição. O processamento de dados era o maior desafio técnico para o dispositivo de ID, porque a leitura e a modelização de um objeto do tamanho de um cérebro humano com resolução ao nível dos neurônios demandavam um poder de processamento além da capacidade dos computadores modernos.

A bomba estelar de Rey Diaz enfrentava o mesmo problema: o poder de computação atual era insuficiente. Após analisar os cálculos necessários para a parte finalizada do modelo, o grupo de especialistas do painel concluiu que os computadores mais potentes da atualidade levariam vinte anos para simular um centésimo de segundo do processo de fusão. Como o modelo precisaria ser executado repetidamente durante a pesquisa, era impossível sua aplicação prática.

— Hoje, a tecnologia de computação baseada em circuitos integrados tradicionais e em arquitetura de Von Neumann está chegando ao limite do desenvolvimento técnico — observou o cientista-chefe de computação do painel. — A lei de Moore vai acabar. Claro que ainda podemos espremer as últimas gotas de sumo desses limões tecnológicos e eletrônicos tradicionais. Acreditamos que, mesmo levando em conta a desaceleração atual do progresso em supercomputadores, ainda é possível alcançar o poder de computação necessário para os dois planos. Só precisamos de tempo. No melhor dos cenários, de vinte a trinta anos. Se atingidas, essas metas vão constituir o ápice da tecnologia de computação da humanidade, e será difícil fazer qualquer progresso posterior. Como a física de base está travada pelos sófons, é muito improvável que consigamos concretizar o sonho de produzir as novas gerações de computadores quânticos.

— Atingimos o muro que os sófons ergueram em nossa estrada científica — ponderou o presidente.

— Então quer dizer que não podemos fazer mais nada pelos próximos vinte anos — concluiu Hines.

— Vinte anos é a previsão mais otimista. Você é cientista e deve saber como funcionam as pesquisas de última geração.

— Bem, só nos resta hibernar e esperar a chegada de computadores mais potentes — comentou Rey Diaz.

— Eu também decidi hibernar — informou Hines.

— Nesse caso, pedirei que vocês dois mandem meus cumprimentos ao meu sucessor daqui a vinte anos — disse o presidente, sorrindo.

O clima da sessão ficou mais ameno. Após a decisão das duas Barreiras de hibernar, os participantes da sessão deram um suspiro aliviado. O surgimento do primeiro Destruidor de Barreiras e o suicídio de sua respectiva Barreira haviam abalado bastante toda a estrutura do projeto. O suicídio de Tyler, em particular, tinha sido uma insensatez. Se o americano ainda estivesse vivo, as pessoas continuariam sem saber se o plano de nuvem de mosquitos tinha sido mesmo a estratégia adotada. Sua morte representou a confirmação definitiva da existência desse plano terrível que atentava contra a humanidade. Tyler havia escapado do círculo vicioso ao custo da própria vida, o que provocou por parte da comunidade internacional um volume cada vez maior de críticas ao Projeto Barreiras. A opinião pública cobrava mais restrições ao poder das Barreiras, mas restrições demais acabariam dificultando o trabalho de dissimulação estratégica das Barreiras, anulando a própria natureza do projeto e o inutilizando completamente. A estrutura de liderança do Projeto Barreiras era algo sem precedentes na história da sociedade humana, e as pessoas precisavam de tempo para se acostumar à ideia. Era evidente que a hibernação de duas Barreiras proporcionaria um período seguro de adaptação.

Alguns dias depois, em uma estrutura subterrânea ultrassecreta, Rey Diaz e Hines entraram em hibernação.

Luo Ji teve um sonho preocupante, em que estava caminhando pelos corredores do Louvre. Nunca tinha sonhado com aquilo antes, porque os últimos cinco anos foram tão felizes que não havia nenhum motivo para sonhar com alegrias do passado. No sonho, ele estava acompanhado apenas da solidão, que havia desaparecido nos últimos cinco anos. Cada passo reverberava pelos corredores do palácio, e cada reverberação parecia tirar algo de dentro dele, até que, por fim, ele não se atrevia a dar mais um passo sequer. Luo Ji percebeu que estava diante da *Mona Lisa*, que não sorria mais, apenas o observava com um olhar cheio de compaixão. De repente, o som dos chafarizes do lado de fora se infiltrou no museu, ficando cada vez mais alto, e só então ele acordou e percebeu que o som vinha do mundo real. Estava chovendo.

Ele tentou pegar a mão de sua amada, mas descobriu que o sonho havia se tornado realidade.

Zhuang Yan tinha sumido.

Luo Ji saiu da cama e entrou no quarto da filha, iluminado pela luz fraca de um abajur, mas Xia Xia não estava lá. No pequeno berço, perfeitamente arrumado, repousava um dos quadros de Zhuang Yan, um que os dois adoravam. De longe, parecia uma folha de papel em branco, quase totalmente vazia, mas de perto dava para ver juncos delicados no canto inferior esquerdo e, no superior direito, sinais fugidios de um pássaro. No centro vazio, havia duas pessoas minúsculas. Uma linha de texto elegante fora acrescentada ao quadro:

Meu amor, estamos à sua espera no fim dos tempos.

Mais cedo ou mais tarde, isso estava fadado a acontecer. Uma vida de sonhos podia mesmo durar para sempre? *Como estava fadado a acontecer, não se preocupe. Você estava mentalmente preparado para isso*, pensou Luo Ji, mas foi tomado por uma onda de tontura. Quando apanhou o quadro e foi para a sala de estar, suas pernas fraquejaram, e ele se sentiu como se estivesse flutuando.

A sala estava vazia, mas as brasas na lareira emitiam um brilho vermelho indistinto que fazia tudo parecer gelo derretido. As gotas continuavam tamborilando do lado de fora. Era o mesmo barulho de chuva de quando ela havia saído de seus sonhos e aparecido, cinco anos antes. Agora ela havia voltado para aquele mundo, levando junto a filha deles.

Luo Ji pegou o telefone para ligar para Kent, mas ouviu o som de passos leves lá fora. Sem dúvida passos de uma mulher, mas não de Zhuang Yan. Ele largou o telefone, saiu da casa e reconheceu imediatamente a silhueta delicada parada no pórtico sob a chuva.

— Olá, dr. Luo — disse a secretária-geral Say.

— Oi… Cadê minha esposa e minha filha?

— Estão à sua espera no fim dos tempos — respondeu ela, repetindo as palavras no quadro.

— Por quê?

— É uma resolução do CDP, para que você se concentre no trabalho e cumpra suas responsabilidades como Barreira. Sua esposa e sua filha não sofrerão nada. Crianças até respondem melhor à hibernação do que adultos.

— Você sequestrou elas! Isso é um crime!

— Não sequestramos ninguém.

O coração de Luo Ji vacilou diante da insinuação por trás das palavras de Say, e ele preferiu varrê-las de seu pensamento a encarar a realidade.

— Eu disse que a presença delas era parte do plano!

— Lamento mas, após uma investigação exaustiva, o CDP decidiu que não era parte do plano, então foram adotadas medidas para fazer você se focar no trabalho.

— Mesmo se não for sequestro, vocês tiraram minha filha de mim sem minha permissão, o que vai contra a lei.

Quando se deu conta de quem estava incluindo em "vocês", seu coração vacilou outra vez, e ele se recostou debilmente na pilastra atrás de si.

— É verdade, mas está dentro dos limites do aceitável. Não esqueça, dr. Luo, que esta casa e os recursos que você utilizou não estão sujeitos a legislações atuais. Por isso, as ações da ONU no momento da presente crise podem ser justificadas por lei.

— Você continua trabalhando para a ONU?

— Continuo.

— Por acaso foi reeleita?

— Fui.

Ele queria mudar de assunto para evitar a dura realidade, mas não conseguiu. *O que vou fazer sem elas? O que vou fazer sem elas?*, perguntava seu coração sem parar. Por fim, a pergunta escapou de seus lábios, enquanto ele escorregava pela pilastra até o chão. Luo Ji se sentia como se tudo estivesse desabando à sua volta, transformando-se em magma de cima a baixo, só que desta vez o magma estava ardendo e se acumulando dentro do seu coração.

— Elas estão vivas, dr. Luo, à sua espera no futuro, sãs e salvas. Você sempre foi um homem inteligente e, agora, precisa se tornar ainda mais esclarecido. Se não for por toda a humanidade, que seja pela sua família.

Say olhou para baixo, para onde Luo Ji estava sentado contra a pilastra, à beira do colapso. De repente, uma rajada de vento lançou chuva no pórtico. O frio revigorante e as palavras de Say aplacaram um pouco das chamas que queimavam no coração de Luo Ji.

— Esse era o seu plano desde o início, não? — perguntou ele.

— Sim, mas a medida só foi adotada por falta de opção.

— Então ela era... Quando ela chegou, era mesmo uma mulher que pintava com estilo tradicional?

— Era.

— Da Academia Central de Belas-Artes?

— Sim.

— Então ela era...

— Tudo o que você viu nela era real. Tudo que você sabia dela era verdade. Tudo que fazia com que ela fosse *ela*: a vida anterior, a família, a personalidade, o modo de pensar.

— Quer dizer que ela era mesmo aquele tipo de mulher?

— Sim. Você acha mesmo que ela teria conseguido fingir por cinco anos? Aquela era a natureza de Zhuang Yan. Ela era inocente e gentil, como um anjo. Ela não fingiu nada, nem o amor que sentia por você, que era muito verdadeiro.

— Então como ela foi capaz de uma dissimulação tão cruel? Como não deixar nada escapar durante cinco anos?

— Como você sabe se ela nunca deixou nada escapar? A alma de Zhuang Yan estava envolta em melancolia desde a primeira vez que vocês se viram naquela noite chuvosa, há cinco anos. Ela não disfarçou. Aquela melancolia a acompanhou durante cinco anos como uma música de fundo constante, que nunca parou de soar nem por um segundo. Talvez por isso você não tenha percebido.

Ele enfim entendeu. Quando viu Zhuang Yan pela primeira vez, o que o havia sensibilizado? O que lhe deu a sensação de que o mundo inteiro a machucava?

O que fazia com que desejasse protegê-la com a própria vida? Aquela tristeza delicada oculta por trás dos olhos claros e inocentes, uma tristeza que, como a luz da lareira, brilhava com suavidade na beleza de Zhuang Yan. Era de fato uma música de fundo imperceptível que permeara discretamente o inconsciente de Luo Ji e o arrastara, passo após passo, até o abismo do amor.

— Eu não vou para onde elas estão, não é? — quis saber ele.

— Não. Como eu disse, é uma resolução do CDP.

— Então vou encontrá-las no fim dos tempos.

— Você tem essa opção.

Luo Ji imaginara que Say recusaria. No entanto, assim como na ocasião em que ele recusara a posição de Barreira, não houve praticamente nenhuma pausa entre a afirmação dele e a resposta dela. Luo Ji sabia que não era tão fácil assim.

— Haverá algum problema? — indagou.

— Não. Desta vez, não. Veja bem, desde o lançamento do Projeto Barreiras, sempre houve desavenças em meio à comunidade internacional. Movida por interesses próprios, a maioria dos países apoiou algumas das Barreiras e fez oposição a outras, então sempre haveria algum lado disposto a se livrar de vocês. Agora que o primeiro Destruidor de Barreiras se revelou e Tyler fracassou, as lideranças que se opõem ao projeto ficaram mais influentes e colocaram as favoráveis em um impasse. Se nessas circunstâncias você propuser ir diretamente para o fim dos tempos, seria uma concessão aceitável para ambos os lados. Só que você está mesmo disposto a fazer isso enquanto a humanidade luta pela sobrevivência, dr. Luo?

— Vocês, políticos, bradam sobre a humanidade por qualquer motivo. Eu não consigo ver a humanidade, só vejo indivíduos. Eu sou apenas um indivíduo, uma pessoa comum, e não posso carregar nos ombros a responsabilidade de salvar toda a humanidade. Só quero salvar a minha vida.

— Muito bem. Mas não esqueça que Zhuang Yan e Xia Xia são outros dois indivíduos. Você não tem responsabilidade em relação a elas? Mesmo que esteja magoado com Zhuang Yan, estou vendo que você ainda ama sua esposa. E também sua filha. Desde o instante em que o Hubble II confirmou a invasão trissolariana, uma coisa passou a ser certa: a humanidade vai lutar até o fim. Quando sua amada e sua filha acordarem daqui a quatro séculos, estarão cercadas pelo fim dos tempos e pelas chamas da guerra. A diferença é que, a essa altura, você já terá perdido sua condição de Barreira e não terá poder algum para proteger as duas, que se limitarão a acompanhá-lo em uma existência infernal, enquanto esperam a aniquilação final do mundo. É isso o que você quer? É essa a vida que pretende dar à sua esposa e à sua filha?

Luo Ji não respondeu.

— Se você não quiser pensar em mais nada, então só imagine aquela Batalha do Fim dos Tempos daqui a quatro séculos e a expressão nos olhos da sua esposa e da sua filha quando virem você! Que tipo de pessoa elas vão ver? Um homem que abandonou a mulher amada e toda a humanidade? Um homem que não quis salvar todas as crianças do mundo? Um homem que nem sequer quis salvar a própria filha? Você, como ser humano, é capaz de resistir ao olhar delas?

Luo Ji abaixou a cabeça em silêncio. O som da chuva caindo na grama e no lago parecia uma infinidade de súplicas na noite, viajando através do tempo e do espaço.

— Você acredita mesmo que eu sou capaz de mudar isso tudo? — perguntou Luo Ji, levantando a cabeça.

— Por que não tentar? De todas as Barreiras, você talvez seja a maior esperança de sucesso da humanidade. Eu vim aqui hoje para dizer isso.

— Pode me explicar por que pensa assim?

— Porque, de toda a humanidade, você é a única pessoa que Trissolaris quer ver morta.

Apoiado na pilastra, Luo Ji olhou para Say, mas não enxergou nada. Estava tentando se lembrar.

— Aquele acidente foi um atentado — prosseguiu Say. — Só que errou o alvo e acertou a mulher que estava com você.

— Não, não. Aquilo foi mesmo um acidente. O carro mudou de direção porque outros dois carros bateram.

— Eles tinham levado bastante tempo planejando a ação.

— Mas eu não passava de uma pessoa comum na época, sem nenhuma proteção especial. Teria sido simples me matar. Por que se dariam tanto trabalho?

— Para fazer o assassinato parecer um acidente e não chamar atenção. Eles quase conseguiram. Teria sido convincente porque, naquele dia, aconteceram cinquenta e um acidentes de trânsito na cidade, e cinco pessoas morreram. Um espião infiltrado na OTT enviou informações que confirmam que a organização havia arquitetado o atentado contra você. E o que é mais assustador: a ordem veio diretamente de Trissolaris, transmitida para Evans pelos sófons. Até hoje, foi o único assassinato encomendado pelos trissolarianos.

— Eu? Por que Trissolaris quer me matar?

Mais uma vez, Luo Ji sentia que estava fora do próprio corpo.

— Não sei. Ninguém sabe. Evans talvez soubesse, mas ele morreu. Sem dúvida, partiu da mente dele a ideia de que o assassinato não chamasse atenção, o que só reforça sua importância.

— Importância? — repetiu Luo Ji, balançando a cabeça e abrindo um sorriso sarcástico. — Olhe para mim. Por acaso pareço alguém com superpoderes?

— Você não tem superpoderes, então não se deixe levar por essa linha de pensamentos. Só serviria para distraí-lo — enfatizou Say, com sinceridade. — Você não tinha nenhum poder especial em seu projeto de pesquisa anterior. Nada de habilidades sobrenaturais ou capacidades técnicas extraordinárias que respeitassem as leis da natureza. Pelo menos, nada que tenhamos conseguido descobrir. A ideia de Evans para que o assassinato não chamasse atenção também confirma essa hipótese, na medida em que comprova que sua habilidade pode ser adquirida por outras pessoas.

— Por que vocês não me disseram?

— Estávamos com medo de influenciar seja lá o que você tem. Incógnitas demais. Achamos que seria melhor deixar o curso seguir livremente.

— Uma vez eu pensei em trabalhar com sociologia cósmica, porque...

Ele interrompeu o que dizia porque, naquele instante, uma voz baixa nas profundezas de sua consciência disse: *Você é uma Barreira!* Foi a primeira vez que ouvia aquela voz. Ele ouviu também outro som inexistente: o zumbido dos sófons pairando à sua volta. Teve até a impressão de vislumbrar alguns pontos borrados de luz, como vaga-lumes. Então, pela primeira vez desde sua nomeação, Luo Ji agiu como uma Barreira e engoliu as palavras, limitando-se a perguntar:

— Isso é relevante?

Say balançou a cabeça.

— Provavelmente não. Até onde sabemos, isso não passa de um tema de pesquisa que nunca chegou a avançar, nem produziu qualquer resultado. Além do mais, mesmo se você tivesse feito a pesquisa, não imaginamos que fosse chegar a alguma conclusão mais valiosa do que outro pesquisador.

— E por quê?

— Dr. Luo, estamos tendo uma conversa franca. Na minha opinião, você é um acadêmico medíocre. A motivação de seus projetos não é a pesquisa nem a noção de dever e missão, mas apenas ganhar a vida.

— Não é assim que as coisas funcionam hoje em dia?

— É claro que não existe nada de errado com essa motivação, mas você apresenta defeitos incompatíveis com um acadêmico sério e dedicado. Sua pesquisa é utilitária e suas técnicas são oportunistas. Você persegue o sensacionalismo e já desviou verbas. Em termos de personalidade, você é cínico e irresponsável, e encara a vocação da pesquisa acadêmica com escárnio... Estamos bem cientes de que você não liga para o destino da raça humana.

— E por isso vocês recorreram a esses meios desprezíveis para me coagir. Você sempre me desprezou, não é?

— Em circunstâncias normais, um homem como você jamais seria encarregado de tamanha responsabilidade, mas um único detalhe compensou:

Trissolaris tem medo de você. Seja seu próprio Destruidor de Barreiras. Descubra por quê.

Quando Say terminou, saiu do pórtico, entrou no carro que a esperava e desapareceu nas brumas da chuva.

Parado contra a pilastra, Luo Ji mergulhou em pensamentos e perdeu a noção do tempo. Aos poucos, a chuva parou e o vento aumentou, varrendo as nuvens do céu noturno, revelando os picos nevados e deixando que a lua brilhante banhasse o mundo com sua luz prateada.

Antes de voltar para dentro da casa, Luo Ji deu uma última olhada no Jardim do Éden prateado, e seu coração mandou uma mensagem para Zhuang Yan e Xia Xia: *Meus amores, me esperem no fim dos tempos.*

Sob a gigantesca sombra projetada pelo avião espacial *Fronteira Elevada*, Zhang Beihai contemplava o corpo imenso da aeronave. Sem querer, se lembrou do porta-aviões *Tang*, desmontado há muito tempo, e se perguntou se a fuselagem do *Fronteira Elevada* teria algumas chapas de aço da embarcação desativada. Após mais de trinta voos, o calor incandescente deixara marcas de queimadura na estrutura do avião espacial, que passava a mesma impressão de idade do *Tang* durante a construção. Porém, os dois foguetes cilíndricos de propulsão debaixo das asas eram novos, o que lembrava construções arquitetônicas antigas da Europa que haviam passado por restaurações: os reparos recentes contrastavam com a coloração da construção original, indicando aos visitantes que aquelas partes eram acréscimos modernos. No entanto, se os foguetes fossem retirados, o *Fronteira Elevada* pareceria um antigo avião de transporte.

O avião espacial era algo muito novo, um dos poucos avanços em tecnologia aeroespacial dos últimos cinco anos e, muito provavelmente, a última geração de espaçonaves movidas por propulsão química. Proposto no século anterior como um sucessor dos ônibus espaciais, o modelo era capaz de decolar de uma pista de voo como um avião convencional e subir até a camada mais alta da atmosfera, quando os foguetes eram ativados para levar a aeronave ao espaço. O *Fronteira Elevada* era o quarto avião espacial em atividade, e havia muitos outros em construção. Em um futuro próximo, eles seriam usados no processo de construção do elevador espacial.

— Antigamente eu imaginava que nós não viveríamos a ponto de ter a chance de ir para o espaço — disse Zhang Beihai para Chang Weisi, que havia vindo se despedir.

Zhang Beihai e outros vinte oficiais da força espacial, todos integrantes dos três segmentos de pesquisa de tecnologia (baixa, média e alta), levariam o *Fronteira Elevada* até a Estação Espacial Internacional.

— Existem oficiais da Marinha que nunca foram ao mar? — perguntou Chang Weisi, sorrindo.

— Claro que sim. Muitos. Algumas pessoas da Marinha preferem ficar em terra, mas eu não sou desse tipo.

— Beihai, considere o seguinte: os astronautas na ativa ainda são oficiais da Força Aérea, então vocês são os primeiros representantes da força espacial a ir para o espaço.

— É uma pena que não tenhamos nenhuma missão específica.

— A missão é adquirir experiência. Um estrategista espacial precisa ter consciência sobre o espaço. Essa não era uma possibilidade viável antes do avião espacial, porque o custo de enviar uma única pessoa para o espaço era da ordem de dezenas de milhões, mas agora é muito mais barato. Vamos tentar enviar mais estrategistas para o espaço em breve, até porque somos a força espacial. Por enquanto, estamos mais para uma faculdade de enrolação, e isso não leva a nada.

O embarque foi anunciado, e os oficiais começaram a subir a escada na pista até o avião. Embora estivessem fardados, não usavam trajes espaciais, de modo que a cena parecia o embarque de um voo convencional. Era um sinal do progresso, uma demonstração de que viagens ao espaço eram um pouco mais corriqueiras do que antes. Pelas fardas, Zhang Beihai percebeu que pessoas de outros departamentos também estavam embarcando no avião.

— Ah, Beihai, mais um detalhe importante — disse Chang Weisi, quando Beihai estava prestes a pegar sua bagagem de mão. — A Comissão Militar Central já analisou o relatório que apresentamos sobre o envio de quadros políticos ao futuro na condição de reforços, e o alto-comando acredita que as condições ainda são prematuras.

Zhang Beihai apertou os olhos, como se estivesse ofuscado por um clarão, embora os dois ainda estivessem na sombra projetada pelo avião espacial.

— Comandante, penso que deveríamos considerar todo o período de quatro séculos em nosso planejamento e distinguir muito bem o que é urgente e o que é importante... Mas tenha certeza de que não vou falar isso em nenhuma circunstância oficial. Sei muito bem que nossos superiores estão levando em conta o quadro geral.

— O alto escalão reconhece e considera louvável seu raciocínio com vistas ao longo prazo. O documento destaca que o plano de enviar reforços ao futuro não foi rejeitado. Continuará havendo pesquisa e planejamento, mas as condições atuais ainda são prematuras. Acredito, e é apenas minha opinião, que precisamos aumentar nossas fileiras com mais quadros políticos capacitados para reduzir as pressões atuais no trabalho antes de considerarmos a operação.

— Comandante, sem dúvida o senhor compreende o que “capacitado” significa no contexto do Departamento de Política da Força Espacial e quais são os requisitos básicos. Pessoas capacitadas estão ficando cada vez mais raras.

— Só que precisamos olhar para a frente. Se houver avanços nas duas tecnologias essenciais da fase um, o elevador espacial e a fusão controlada, a situação vai melhorar... Temos esperança de ver esse cenário antes de morrermos... Muito bem, é tudo. Já pode ir.

Zhang Beihai prestou continência e subiu a escada. A primeira impressão que teve ao entrar na cabine foi a de que o interior não era muito diferente de um avião comercial, com exceção dos assentos, mais largos, projetados para acomodar trajes espaciais. Durante os primeiros voos no avião espacial, todos os passageiros precisavam usar trajes espaciais por precaução, mas isso não era mais necessário.

Seu assento era de janela, e o assento ao lado também estava ocupado, aparentemente por um civil, a julgar pelas roupas. Zhang Beihai cumprimentou o outro com um gesto de cabeça e então passou a afivelar o complicado cinto de segurança.

Não houve contagem regressiva. As turbinas foram ligadas e o *Fronteira Elevada* começou a taxiar. Devido ao peso, a aeronave percorreu um trecho maior da pista do que um avião comum, antes de decolar vagarosamente e embarcar em sua viagem ao espaço.

— Este é o trigésimo oitavo voo do avião espacial *Fronteira Elevada*. A fase de aviação foi iniciada, com duração aproximada de trinta minutos. Por favor, mantenham o cinto de segurança afivelado — orientou uma voz nos alto-falantes.

Conforme Zhang Beihai via o solo se afastar pela janela, seus pensamentos se voltaram para o passado. Durante o processo preparatório para comandar porta-aviões, Beihai havia concluído o curso de piloto naval e passado na prova de nível três para pilotos de caça. Em seu primeiro voo solo, vira a Terra recuar e descobrira, de repente, que gostava ainda mais do céu do que do mar. Agora, desejava o espaço acima do céu.

Era um homem destinado a voar alto e longe.

— Não é muito diferente da aviação civil, não acha?

Zhang Beihai se virou para o passageiro ao lado e enfim reconheceu aquele rosto.

— Você deve ser o dr. Ding Yi. É um prazer conhecê-lo.

— Mas vai ficar agitado daqui a pouquinho — prosseguiu o homem, ignorando o cumprimento de Zhang Beihai. — Na primeira vez, não tirei os óculos depois da fase de aviação, e eles ficaram pesados como um tijolo e machucaram meu nariz. Na segunda vez, cheguei a tirar, mas eles saíram voando quando a gravidade sumiu. O funcionário teve dificuldade para recuperá-los no filtro de ar dos fundos da cabine.

— Achei que você tivesse subido no ônibus espacial antes. Pela TV, a viagem não pareceu muito agradável — comentou Zhang Beihai, abrindo um sorriso.

— Ah, estou falando apenas do avião. Se contar também o ônibus espacial, esta é a minha quarta viagem ao espaço. No ônibus, eles pegaram meus óculos antes da decolagem.

— Por que está indo para a estação agora? Você acabou de ser designado para liderar um projeto de fusão controlada. O terceiro ramo, não?

O projeto de fusão controlada tinha sido estruturado em quatro ramos, cada um dedicado a pesquisar uma linha diferente. Preso pelo cinto de segurança, Ding Yi deixou a mão flutuar e apontar para Zhang Beihai.

— Por acaso quem estuda fusão controlada não pode ir para o espaço? Falando assim, você está soando como aqueles dinossauros. O objetivo final da nossa pesquisa é desenvolver motores para naves espaciais, e hoje o verdadeiro poder da indústria aeroespacial está em grande parte nas mãos dos indivíduos que produziam foguetes de propulsão química. Eles dizem agora que deveríamos apenas nos dedicar à fusão controlada em solo e que, basicamente, não temos nada a acrescentar no plano geral da frota espacial.

— Dr. Ding, penso exatamente como você. — Zhang Beihai afrouxou seu cinto de segurança e se inclinou na direção do outro. — Para uma frota espacial, a viagem ao espaço é um conceito completamente diferente dos foguetes químicos. Até o elevador espacial é diferente das técnicas aeroespaciais atuais. Apesar disso, no momento, a indústria aeroespacial do passado ainda mantém muito poder. As pessoas são conservadoras e ideologicamente engessadas. Se essa situação persistir, teremos muitos problemas.

— Não há nada a fazer. Pelo menos eles conseguiram desenvolver isto aqui ao longo de cinco anos. — Ele fez um gesto com a mão abarcando o entorno. — É algo que lhes dá influência para expulsar quaisquer concorrentes.

O alto-falante da cabine soou.

— Um minuto de sua atenção, por favor. Estamos nos aproximando da altitude de vinte mil metros. Devido à atmosfera rarefeita que atravessaremos, talvez ocorram quedas de altitude acentuadas seguidas de uma sensação momentânea de falta de peso. Por favor, não se assustem. Mais uma vez, pedimos que mantenham o cinto de segurança afivelado.

— Só que desta vez nossa viagem à estação não está relacionada com o projeto de fusão controlada — prosseguiu Ding Yi. — Estamos indo para recolher os coletores de raios cósmicos, que custam caro.

— O projeto de pesquisa em física de alta energia no espaço foi interrompido? — perguntou Zhang Beihai, voltando a apertar o cinto de segurança.

— Foi. O conhecimento de que não adianta desperdiçar energia no futuro é uma forma de sucesso.

— Os sófons venceram.

— Isso mesmo. Então só restam algumas reservas de teoria para a humanidade: física clássica, mecânica quântica e uma teoria das cordas ainda em estágio embrionário. Só o destino vai dizer quais são os limites da aplicação dessas teorias.

O *Fronteira Elevada* continuou subindo, e suas turbinas rugiam com o esforço, como se estivessem lutando para escalar uma montanha alta. Ainda assim, não houve nenhuma queda súbita de altitude. O avião espacial estava se aproximando dos trinta mil metros, o limite da aviação. Do lado de fora, Zhang Beihai viu o azul do céu escurecer, embora o sol estivesse ficando ainda mais deslumbrante.

— Nossa altitude atual é de trinta e um mil metros. A fase de aviação terminou e a fase de voo espacial está prestes a começar. Por favor, ajustem seus cintos de segurança de acordo com a ilustração exibida na tela para minimizar o desconforto da hipergravidade.

Zhang Beihai sentiu o avião subir suavemente, como se tivesse se livrado de um fardo.

— Turbinas de aviação desacopladas. Contagem para ignição do motor aeroespacial: dez, nove, oito...

— Para eles, esta é a decolagem de verdade. Aproveite o momento — disse Ding Yi, fechando os olhos.

Quando a contagem chegou a zero, a tripulação ouviu um rugido imenso, como se o céu inteiro do lado de fora gritasse, e então a hipergravidade surgiu como um punho gigantesco se fechando aos poucos. Com esforço, Zhang Beihai virou a cabeça para olhar pela janela. Não conseguia ver as chamas lançadas pelo motor, mas uma grande faixa do ar rarefeito do céu estava tingida de vermelho, como se o *Fronteira Elevada* flutuasse no pôr do sol.

Cinco minutos depois, os propulsores se desacoplaram e, ao fim de mais cinco minutos de aceleração, o motor principal foi desligado. O *Fronteira Elevada* tinha entrado em órbita.

De repente, a mão gigante da hipergravidade se abriu, e o corpo de Zhang Beihai emergiu das profundezas do assento. Embora seu cinto de segurança o impedisse de sair flutuando, seus sentidos sugeriam que ele e o *Fronteira Elevada* não eram mais duas partes de um mesmo todo: a gravidade que antes os unira havia desaparecido, e ele e o avião voavam em trajetos paralelos pelo espaço. Pela janela, Zhang Beihai avistou estrelas mais brilhantes do que todas que havia visto até então. Mais tarde, quando o avião espacial ajustou a altitude, o sol entrou pelas janelas e milhares de pontos de luz dançaram em seus raios: partículas de poeira sem peso que haviam subido ao ar. À medida que o avião girou devagar,

Zhang Beihai enxergou a Terra. Daquela órbita baixa, ele não via toda a esfera, apenas o arco do horizonte, mas era possível distinguir com clareza o contorno dos continentes.

De repente o mar de estrelas, aquela visão tão aguardada, enfim apareceu, e ele pensou: *Pai, dei o primeiro passo.*

Durante cinco anos, o general Fitzroy se sentira como uma barreira no sentido literal da palavra, encarando a tela grande com a imagem das estrelas entre a Terra e Trissolaris. À primeira vista, a tela parecia completamente escura, mas uma observação mais atenta revelava pontos luminosos de estrelas. O general estava tão familiarizado com aquelas estrelas que, quando tentou rabiscar a posição delas em um pedaço de papel durante uma tediosa reunião no dia anterior e depois o comparou com a tela, constatou que tinha acertado praticamente tudo. As três estrelas de Trissolaris, repousando discretamente no centro, pareciam uma única estrela na visualização-padrão. Porém, sempre que ele ampliava a imagem, dava para ver que a posição delas havia mudado. Aquela caótica dança cósmica era tão fascinante que ele esquecia o que estava procurando. O pincel que fora observado cinco anos antes havia se dispersado aos poucos, e não aparecera outro. A Frota Trissolariana só deixava um rastro visível quando passava por nuvens de poeira interestelar. Ao observar a absorção da luminosidade estelar de fundo, os astrônomos da Terra haviam confirmado que a viagem de quatro séculos da frota pelo espaço passaria por cinco dessas nuvens, que as pessoas batizaram de "campos de neve", porque lembravam as marcas deixadas por alguém que caminhasse na neve.

Se a Frota Trissolariana tivesse mantido uma aceleração constante ao longo dos últimos cinco anos, ela passaria pelo segundo campo de neve naquele dia.

Fitzroy chegou cedo ao Centro de Controle do telescópio espacial Hubble II. Ringier deu risada ao vê-lo.

— General, por que você me lembra uma criança ávida para ganhar outro presente depois do Natal?

— Você não comentou que eles cruzariam o segundo campo de neve hoje?

— Isso mesmo, só que a Frota Trissolariana percorreu apenas 0,22 ano-luz, então ainda está a quatro anos-luz de distância. A luz refletida dessa passagem pelo campo de neve só vai chegar à Terra daqui a quatro anos.

— Ah, é verdade. Esqueci esse detalhe — falou Fitzroy, balançando a cabeça, constrangido. — Eu realmente queria ver a frota de novo. Desta vez, vamos poder medir a velocidade e a aceleração no momento da passagem, o que é muito importante.

— Sinto muito. Estamos fora do cone de luz.

— O que é isso?

— É o nome que os físicos dão para o cone que a luz forma ao emanar ao longo do eixo do tempo. Para quem estiver fora, é impossível compreender os eventos que acontecem dentro desse cone. Pense da seguinte maneira: neste momento, informações sobre inumeráveis fenômenos importantes no universo estão viajando à velocidade da luz em nossa direção. Algumas dessas informações estão viajando há centenas de milhões de anos, mas ainda estamos fora do cone de luz desses fenômenos.

— O destino reside dentro do cone de luz.

Ringier refletiu sobre as palavras de Fitzroy e respondeu com um gesto afirmativo de cabeça.

— General, essa é uma analogia excelente! Mas os sófons fora do cone de luz conseguem ver os fenômenos que estão dentro.

— Então os sófons mudaram o destino — disse Fitzroy, comovido, e depois se virou para um terminal de processamento de imagens.

Cinco anos antes, o jovem engenheiro Harris havia começado a chorar diante da imagem do pincel. Depois, tinha mergulhado em uma depressão tão grave que se tornou inútil no trabalho e foi dispensado. Ninguém sabia que fim ele levara.

Felizmente, não havia muitas pessoas como ele.

A temperatura estava caindo rapidamente nos últimos dias, e havia começado a nevar. O verde dos arredores desaparecia gradativamente, e na superfície do lago surgia uma camada fina de gelo. A natureza perdia as cores vivas, como uma fotografia colorida que ficasse preta e branca. O clima quente sempre durava pouco na região, mas para Luo Ji o Jardim do Éden parecia ter perdido o encanto desde que sua esposa e sua filha haviam partido.

O inverno era uma estação propícia ao pensamento.

Quando Luo Ji parou para meditar, ficou surpreso ao perceber que seus pensamentos já estavam em curso. Ele se lembrou que, na época da escola, um professor lhe dera um conselho para fazer as provas de literatura, redação e gramática: antes, leia a última pergunta discursiva e, depois, comece a prova pela primeira pergunta, de modo que, enquanto você responde às questões, seu inconsciente trabalhe na pergunta discursiva, como um computador rodando um programa em segundo plano. Luo Ji se deu conta de que, assim que se tornou uma Barreira, seu cérebro passara a meditar e nunca havia parado de rodar o assunto em segundo plano. O processo inteiro foi inconsciente, e ele nunca percebera.

Luo Ji logo refez os passos que seus pensamentos já haviam dado.

Ele tinha certeza de que toda a sua situação atual era consequência do encontro casual com Ye Wenjie nove anos antes. Nunca havia mencionado aquele encontro para ninguém, com medo de criar problemas desnecessários. No entanto, após a morte de Ye Wenjie, a conversa era um segredo partilhado apenas por ele e Trissolaris. Naquela época, apenas dois sófons haviam chegado à Terra, mas Luo Ji tinha certeza de que, naquele fim de tarde, eles estavam lá no túmulo de Yang Dong, escutando cada palavra da conversa que teve com Ye Wenjie. E, como a flutuação em sua formação quântica cruzou quatro anos-luz de espaço instantaneamente, Trissolaris também havia escutado.

Mas o que Ye Wenjie dissera?

A secretária-geral Say se enganara em um detalhe. O estudo sobre sociologia cósmica que Luo Ji nunca tirara do papel provavelmente *era* o principal motivo para Trissolaris querer matá-lo. Claro, Say não sabia que o projeto tinha sido sugestão de Ye Wenjie e, embora Luo Ji só tivesse achado que seria uma excelente oportunidade de fazer com que a atividade acadêmica fosse divertida, ele estava mesmo atrás de uma oportunidade como aquela. Antes da Crise Trissolariana, o estudo de civilizações alienígenas era realmente um projeto que causava sensação e atrairia os holofotes da mídia sem dificuldade.

O projeto propriamente dito era irrelevante e fora abandonado. O que importava era a instrução dada por Ye Wenjie, então foi nisso que Luo Ji focou. Ele repassou mentalmente as palavras dela diversas vezes:

Digamos que exista uma quantidade imensa de civilizações distribuídas pelo universo, um número semelhante à quantidade de estrelas que podemos detectar. Muitas e muitas.

A estrutura matemática da sociologia cósmica é muito mais clara que a da sociologia humana.

O caos e a aleatoriedade que fazem parte da composição complexa de cada sociedade civilizada do universo são filtrados pela imensa distância, então essas civilizações funcionariam como pontos de referência que podem ser manipulados matematicamente com relativa facilidade.

Primeiro: a principal necessidade de uma civilização é a sobrevivência. Segundo: a civilização cresce e se expande continuamente, mas a matéria total do universo permanece constante.

Mais um detalhe, para elaborar uma imagem elementar da sociologia cósmica a partir desses dois axiomas, você precisa considerar outros dois conceitos importantes: desconfiança em cadeia e explosão tecnológica.

Receio que não será possível... Nesse caso, apenas esqueça tudo o que falei. Seja como for, cumpri minha obrigação.

Ele havia retomado essas palavras várias vezes, analisando cada frase por todos os ângulos, revirando cada letra. As palavras formavam um rosário, que

Luo Ji manuseava como um monge devoto. Ele desmontava o rosário, espalhava e voltava a prender as contas em ordens diferentes, até desgastar a superfície de cada uma delas. Porém, apesar de todos os esforços, não conseguia extrair o segredo daquelas palavras, o segredo que fazia com que ele fosse a única pessoa que Trissolaris queria destruir.

Durante seus longos períodos de reflexão, Luo Ji caminhava sem rumo. Andava pela margem congelada do lago, em meio a um vento cada vez mais frio, e com frequência dava uma volta completa ao redor da água sem nem perceber. Em duas ocasiões, chegou a ir até o sopé da montanha, onde a porção de rocha exposta que parecia um pedaço da lua estava coberta de neve. Dali ao pico nevado à sua frente era um uniforme manto nevado, e só então sua mente abandonou a linha de raciocínio, quando os olhos de Zhuang Yan apareceram diante dos dele na infinita imensidão branca daquela pintura natural. No entanto, Luo Ji agora era capaz de controlar as emoções e continuar a agir como uma máquina de pensamento.

Um mês se passou sem que ele percebesse, e o auge do inverno chegou. Ainda assim, Luo Ji continuava executando seu demorado processo de reflexão fora de casa, aguçando a mente no frio. A essa altura, a maioria das contas do rosário já estava completamente gasta, com exceção de vinte e um, que pareciam ficar cada vez mais novas a cada polimento e tinham começado a emitir um brilho suave:

A principal necessidade de uma civilização é a sobrevivência.

A civilização cresce e se expande continuamente, mas a matéria total do universo permanece constante.

Ele se prendeu a essas duas frases, os axiomas que Ye Wenjie havia proposto para a sociologia cósmica. Embora não conhecesse o grande segredo por trás dessas palavras, sua longa meditação lhe dizia que a resposta estava ali. Contudo, era uma pista simples demais. Que benefício ele e a raça humana poderiam tirar de duas regras evidentes?

Não dispense a simplicidade. Simples significa sólido. Todo o castelo da matemática foi erigido sobre as fundações desse tipo de axioma simples e irredutível, mas rigorosamente lógico.

Com isso em mente, Luo Ji olhou à sua volta. Embora tudo ao redor estivesse encolhido contra o gélido frio do inverno, a maioria do mundo ainda vibrava com vida. Era um mundo vivo fervilhando com uma profusão complexa de oceanos, terras e céus vastos como um mar enevoado, mas tudo funcionava com base em uma regra ainda mais simples do que os axiomas da civilização cósmica: a sobrevivência do mais apto.

Luo Ji compreendeu o problema: enquanto Darwin havia formulado um axioma a partir do mundo diverso dos seres vivos, Luo Ji precisava usar os que já conhecia para desvendar um retrato da civilização cósmica. Era o caminho contrário do que Darwin percorrera, e também mais difícil.

Então ele passou a dormir durante o dia e pensar à noite. Sempre que se apavorava com os perigosos meandros mentais tomados por sua mente, ele se acalmava com as estrelas no firmamento. Como Ye Wenjie dissera, a distância ocultava a estrutura complexa de cada estrela, transformando-as em meros pontos no espaço, com uma clara configuração matemática. Era um paraíso para o pensador, o paraíso de Luo Ji. Para ele, ao menos, parecia que o mundo à sua frente era muito mais claro e limitado do que o de Darwin.

Porém, esse mundo simples trazia um enigma intrigante: a galáxia inteira era um imenso deserto vazio, mas uma civilização extremamente inteligente havia aparecido na estrela mais próxima da Terra. Esse mistério era um canal de entrada para os pensamentos dele.

Aos poucos, os dois conceitos que Ye Wenjie não explicara subiram ao primeiro plano: desconfiança em cadeia e explosão tecnológica.

Naquela noite, estava fazendo mais frio do que o normal. De onde Luo Ji estava, à margem do lago, as estrelas pareciam uma grade prateada ainda mais pura em contraste com o céu negro, exibindo com solenidade sua clara configuração matemática. De repente, Luo Ji se viu em um estado completamente novo. Como se o universo inteiro tivesse paralisado, como se todo movimento tivesse cessado e tudo — estrelas e átomos — tivesse entrado em repouso. As estrelas não passavam de incontáveis pontos frios e imensuráveis refletindo a luz fria de um mundo exterior... Tudo estava repousando, esperando o despertar final de sua mente.

O longínquo latido de um cachorro o trouxe de volta à realidade. Provavelmente se tratava de um cão policial das forças de segurança. Luo Ji mal conseguia conter o entusiasmo. Ainda que não tivesse chegado a vislumbrar o grande mistério, havia acabado de sentir nitidamente sua presença.

Ele se concentrou e tentou entrar de novo naquele estado, mas não conseguiu. Embora as estrelas continuassem iguais, o mundo ao redor estava interferindo em seus pensamentos. A escuridão cobria tudo, mas ele distinguia o pico nevado ao longe, a floresta e os campos ao lado do lago e a casa às suas costas. Pela porta entreaberta da casa, avistava o brilho sombrio do fogo... Diante da clareza simples das estrelas, todo o entorno representava a complexidade e o caos que a matemática jamais seria capaz de assimilar, então ele tentou excluir o ambiente de sua percepção.

Luo Ji avançou para o lago congelado — a princípio, com cuidado, mas, ao constatar que a superfície de gelo parecia firme, passou a caminhar e deslizar mais depressa, até chegar a um ponto onde não conseguia mais enxergar a margem no meio da noite que o envolvia. Estava cercado pelo gelo liso por todos os lados, o que contribuiu para que se distanciasse um pouco da complexidade e do caos terrenos. Ao imaginar que o plano gelado se estendia sem fim em todas as direções, ele obteve um mundo achatado e simples: uma fria plataforma mental plana. Suas inquietações desapareceram, e logo sua percepção voltou a entrar naquele estado de repouso, onde as estrelas o aguardavam...

Foi quando, com um estalo, o gelo sob seus pés se quebrou e seu corpo mergulhou na água. No exato instante em que a água gélida cobriu sua cabeça, Luo Ji viu a imobilidade das estrelas se desintegrar. O campo estrelado formou um redemoinho e se dispersou em um caos turbulento de ondas prateadas. O frio intenso, como um relâmpago de cristal, fulminou a névoa de sua consciência e iluminou tudo. Luo Ji continuou afundando. As estrelas turbulentas no céu se transformaram em círculos embaçados no buraco do gelo acima de sua cabeça, restando apenas o frio e o completo breu à sua volta, como se, em vez de afundar em um lago gelado, ele tivesse se jogado para a escuridão do espaço.

Naquela escuridão fria, solitária e inanimada, ele enxergou a verdade do universo.

Luo Ji voltou a emergir às pressas. Sua cabeça despontou de repente na superfície e ele cuspiu um bocado de água. Tentou se puxar para cima do gelo pela beirada do buraco, mas o gelo voltava a quebrar sempre que ele conseguia apoiar metade do corpo. Ele se puxava e caía, forjando uma trilha pelo gelo, mas o progresso era lento e o frio começou a consumir suas energias. Luo Ji não sabia se a equipe de segurança perceberia que havia algo estranho no lago antes que ele morresse afogado ou congelado. Tirou o casaco encharcado para facilitar os movimentos e refletiu que, se abrisse o casaco em cima do gelo, talvez conseguisse distribuir a pressão o suficiente para que pudesse subir. Ele fez essa tentativa e, com o último resquício de energia, usou todas as forças para subir no casaco na beira do gelo. Dessa vez, o gelo não cedeu, e finalmente seu corpo inteiro saiu da água. Luo Ji se arrastou com cuidado para longe do buraco e só se atreveu a ficar de pé depois de avançar por uma boa distância. Então viu lanternas se agitando na margem e escutou pessoas gritando.

Ele se levantou no gelo, batendo queixo com o frio, um frio que parecia vir não da água do lago ou do vento gelado, mas de uma transmissão direta do espaço sideral. Ficou de cabeça baixa, ciente de que, a partir daquele momento, as estrelas não eram mais as mesmas. Ele não tinha coragem de olhar para cima. Assim como Rey Diaz temia o Sol, Luo Ji havia adquirido uma grave fobia das estrelas. Cabisbaixo e tremendo, ele disse para si:

— Barreira Luo Ji, eu sou seu Destruidor.

— Seu cabelo ficou branco com o passar dos anos — disse Luo Ji para Kent.

— Pelo menos não vai ficar mais branco do que isso — respondeu Kent, rindo.

Na presença de Luo Ji, ele sempre havia apresentado uma expressão de cortesia e formalidade. Aquela era a primeira vez que Luo Ji via um sorriso tão sincero por parte de Kent. Em seus olhos, Luo Ji viu as palavras que não foram ditas: *Você enfim começou a trabalhar.*

— Preciso de um lugar mais seguro — pediu Luo Ji.

— Sem problemas, dr. Luo. Algum pedido específico?

— Nada além de segurança. A segurança deve ser absoluta.

— Doutor, nenhum lugar é absolutamente seguro, mas podemos chegar bem perto. Devo apenas alertar que esses lugares sempre ficam no subterrâneo. E, quanto ao conforto...

— Ignore o conforto. De qualquer maneira, seria melhor se fosse na China.

— Sem problema. Vou providenciar agora mesmo.

Quando Kent estava prestes a sair, Luo Ji segurou seu braço e apontou para a janela. Lá fora, o Jardim do Éden estava completamente coberto de neve.

— Pode me dizer o nome deste lugar? — perguntou. — Vou sentir saudade.

Luo Ji viajou durante mais de dez horas sob rigoroso esquema de segurança até chegar ao seu destino. Ao sair do carro, percebeu imediatamente onde estava: tinha sido ali, naquele local amplo e de pé-direito baixo que parecia um estacionamento subterrâneo, que ele embarcara em sua fantástica vida nova cinco anos antes. Agora, ao fim de cinco anos de sonhos e pesadelos, ele voltava ao ponto de partida.

Luo Ji foi recebido por um homem chamado Zhang Xiang, o mesmo rapaz que, ao lado de Shi Qiang, fizera sua escolta cinco anos antes, e que agora era o responsável pela segurança. Ele havia envelhecido consideravelmente nesse tempo e estava parecendo um homem de meia-idade.

O elevador ainda era operado por um soldado armado — não o mesmo de antes, claro, mas Luo Ji sentiu certa dose de conforto no coração. O elevador antiquado fora substituído por um completamente automático e não precisava de ascensorista, então o soldado se limitou a apertar o botão -10 e o elevador começou a descer.

A estrutura subterrânea nitidamente havia passado por reformas recentes: os tubos de ventilação dos corredores tinham sido embutidos, as paredes estavam cobertas de azulejos à prova de infiltração, e todos os traços de propaganda da Defesa Aérea Civil haviam desaparecido. As acomodações de Luo Ji ocupavam todo o décimo andar subterrâneo. Em matéria de conforto, o lugar não chegava aos pés da mansão do lago, mas estava bem equipado com computadores e dispositivos de comunicação. Também contava com uma sala de reuniões e um sistema de videoconferência à distância, que dava a tudo um ar de centro de comando.

O administrador fez questão de mostrar para Luo Ji um conjunto de interruptores na parede, cada um decorado com uma imagem pequena de sol. Ele informou que eram "lâmpadas solares" e que precisavam ficar ativadas durante pelo menos cinco horas por dia. Haviam sido concebidas como um sistema de segurança laboral para quem trabalhava em minas: simulavam a luz do sol, inclusive os raios ultravioleta, como suplemento de iluminação para quem passava muito tempo no subterrâneo.

No dia seguinte, conforme Luo Ji havia solicitado, o astrônomo Albert Ringier se apresentou no décimo andar subsolo. Ao ver o visitante, Luo Ji indagou:

— Você foi o primeiro a observar a trajetória da Frota Trissolariana?

Ringier não pareceu muito feliz com a pergunta.

— Já dei inúmeras declarações aos repórteres, mas eles insistem em colocar essa honra na minha conta. O crédito deveria ser dado ao general Fitzroy. Foi ele que exigiu que o Hubble II observasse Trissolaris durante a fase de testes. Caso contrário, nós talvez tivéssemos perdido essa oportunidade, já que o rastro deixado na poeira interestelar teria se dissipado.

— O que eu gostaria de tratar com você não tem relação com isso. No passado, cheguei a estudar um pouco de astronomia, mas não me aprofundei muito e não estou mais por dentro da área. Minha primeira pergunta é: se no universo houver outro observador além de Trissolaris, a posição da Terra foi revelada para ele?

— Não.

— Tem certeza?

— Absoluta.

— Mas a Terra tem se comunicado com Trissolaris.

— Essa comunicação em baixa frequência só revelaria a direção geral da Terra e de Trissolaris na Via Láctea e a distância entre os dois planetas. Logo, se houver algum observador externo, a comunicação permitiria que ele soubesse da existência de dois mundos civilizados a 4,22 anos-luz de distância entre si no Braço de Órion da Via Láctea, mas ele ainda desconheceria a posição exata desses dois mundos. Na verdade, determinar as respectivas posições por esse tipo de relação só é possível para estrelas próximas entre si, como o Sol e as estrelas de Trissolaris. Porém, para um observador externo distante, mesmo se nos comunicássemos diretamente, não conseguiríamos determinar a posição um do outro.

— Por que não?

— Estabelecer a posição de uma estrela em relação a outro observador no universo está longe de ser tão fácil quanto as pessoas imaginam. Uma analogia: digamos que você está viajando de avião pelo deserto do Saara e um grão de areia no solo grita "Estou aqui!". Você escuta o grito, mas vai conseguir dentro do avião determinar a localização desse grão de areia? Existem quase duzentos bilhões de estrelas na Via Láctea. É praticamente um deserto de estrelas.

Luo Ji assentiu com a cabeça, aparentemente aliviado.

— Compreendo. Então é isso.

— O quê? — perguntou Ringier, confuso.

Em vez de responder, Luo Ji indagou:

— Com o nível atual da nossa tecnologia, é possível indicar a posição de uma estrela no universo?

— Sim, usando ondas eletromagnéticas direcionadas de frequência muito alta, uma frequência igual ou superior à da luz visível, e depois usando a energia da estrela para transmitir a informação. Simplificando, nós faríamos a estrela piscar, como se fosse um farol cósmico.

— Isso vai muito além da nossa capacidade tecnológica atual.

— Ah, claro. Sinto muito, não levei em conta a condição inicial. Com nossa capacidade tecnológica atual, seria relativamente difícil indicar a posição de uma estrela para os confins do universo. Ainda é possível, mas a interpretação dessa informação exige um nível tecnológico muito superior ao da humanidade e até, acredito eu, ao de Trissolaris.

— Explique esse método.

— A informação mais importante é a posição relativa das estrelas. Se você especifica uma região do espaço na Via Láctea que contenha uma quantidade suficiente de estrelas, talvez algumas dezenas, a distribuição relativa delas no espaço tridimensional seria totalmente única, como uma impressão digital.

— Estou começando a entender. Nós enviamos uma mensagem contendo a posição da estrela que queremos indicar em relação às estrelas que a cercam, e o observador que a receber compara a informação com seu mapa estelar para determinar a localização da estrela.

— Isso. Mas não é tão simples assim. O observador precisa ter um modelo tridimensional da galáxia inteira, com a posição relativa exata de cem bilhões de estrelas. Depois, ao receber nossa mensagem, ele teria que consultar esse banco de dados imenso até encontrar uma área do espaço que corresponda ao esquema de posições enviado por nós.

— Não, não é nada simples. É como registrar a posição relativa de cada grão de areia do deserto.

— É mais difícil ainda. Ao contrário do deserto, a Via Láctea está em movimento, e a posição relativa de suas estrelas muda constantemente. Quanto mais tempo levar para a informação sobre a posição ser recebida, maior será a probabilidade de erro causada por essas mudanças. Por isso, o banco de dados precisa ser capaz de prever as mudanças de posição de todos esses cem bilhões de estrelas. Na teoria, isso não representa um problema, mas colocar em prática... tirar do papel... céus...

— Seria difícil para nós enviarmos essa informação de localização?

— Não, porque só precisaríamos preparar um esquema de posições de uma quantidade limitada de estrelas. E, pensando bem, considerando a densidade estelar média no braço exterior da galáxia, deve ser suficiente um esquema de posições de no máximo trinta estrelas, o que é pouca informação.

— Ótimo. Agora tenho outra pergunta: fora do sistema solar, existem outras estrelas com planetas? Vocês já descobriram centenas, certo?

— Até o momento, foram mais de mil.

— E qual é a mais próxima do Sol?

— A 244J2E1, a dezesseis anos-luz do Sol.

— Pelo que me lembro, os números de série seguem uma lógica assim: os dígitos do prefixo representam a ordem da descoberta, as letras J, E e X representam tipos de planetas semelhantes a Júpiter, semelhantes à Terra e outros tipos, respectivamente, e os dígitos depois de cada letra significam a quantidade de planetas de cada tipo naquele sistema.

— Exatamente. A 244J2E1 é uma estrela com três planetas, dois semelhantes a Júpiter e um semelhante à Terra.

Luo Ji pensou por um instante e balançou a cabeça.

— Isso é perto demais. Existe alguma estrela um pouco mais longe, digamos... a uns cinquenta anos-luz?

— A 187J3X1, que fica a 49,5 anos-luz do Sol.

— Essa serve. Você poderia traçar um esquema de posições para essa estrela?

— Claro que posso.

— Quanto tempo levaria? Você precisaria de ajuda?

— Posso fazer aqui mesmo, se você tiver um computador com internet. Para um esquema de, digamos, trinta estrelas, posso terminar hoje à noite.

— Que horas são? Não é noite ainda?

— Acho que é manhã, dr. Luo.

Ringier foi para a sala de computadores ao lado, e Luo Ji chamou Kent e Zhang Xiang. Primeiro, explicou a Kent que queria que o CDP marcasse a sessão seguinte do Projeto Barreiras para a data mais próxima possível.

— Hoje em dia acontecem muitas sessões do CDP — disse Kent. — Você provavelmente só vai precisar esperar alguns dias depois de encaminhar a solicitação.

— Então tudo bem, mas gostaria que fosse o quanto antes. Além disso, tenho um pedido: quero participar por vídeo dessa sessão, sem ter que sair daqui. Não pretendo ir à ONU.

Kent parecia relutante.

— Dr. Luo, você não acha que seria um pouco inadequado? Em uma assembleia internacional dessa grandeza... É uma questão de respeito para com os participantes.

— Faz parte do plano. Todos aqueles pedidos excêntricos que fiz antes foram atendidos, mas este é inadequado?

— Sabe... — Kent hesitou.

— Eu sei que as Barreiras não têm mais o mesmo status do passado, mas insisto. — Luo Ji começou a falar em um tom mais suave, como se soubesse que os sófons pairando ao redor ainda estivessem ouvindo. — Existem duas possibilidades no presente. A primeira é que tudo continue igual, de modo que eu não teria nenhum problema em ir até a ONU. Só que a segunda é: talvez eu esteja em uma situação de enorme perigo, de modo que não posso correr esse risco.

Ele então se virou para Zhang Xiang.

— E é por isso que chamei você aqui. Como nós talvez sejamos alvo de um ataque concentrado do inimigo, é preciso reforçar a segurança.

— Não se preocupe, dr. Luo. Estamos a duzentos metros abaixo da terra. A área acima deste local está bloqueada, ativamos um sistema antimíssil e instalamos um sistema de monitoramento subterrâneo de última geração para detectar escavações de túneis em qualquer direção. Garanto que nossa segurança é insuperável.

Quando os dois homens se retiraram, Luo Ji caminhou até o corredor, e seus pensamentos flutuaram de maneira involuntária até o Jardim do Éden (embora ele já soubesse o nome do lugar, continuava usando a denominação antiga), o lago e o pico nevado. Sabia que, muito provavelmente, passaria o resto da vida debaixo da terra.

Ele olhou para as lâmpadas solares no teto do corredor. A luz emitida por elas não tinha nada a ver com o Sol.

Dois meteoros se deslocaram devagar pelo campo estrelado. O solo estava completamente escuro, e o horizonte distante parecia se mesclar com o céu noturno. Sussurros irromperam na escuridão, embora as pessoas que tivessem sussurrado continuassem ocultas, como se as próprias vozes fossem criaturas invisíveis flutuando nas trevas.

Com um estalo, uma pequena chama apareceu na escuridão, e a luz fraca revelou três rostos: Qin Shi Huang, Aristóteles e Von Neumann. A chama vinha de um isqueiro na mão de Aristóteles. Quando alguém ofereceu tochas, Aristóteles acendeu uma e o fogo foi distribuído para as outras até formar uma claridade trêmula no deserto e iluminar um grupo de pessoas oriundas de todas as eras. Os sussurros continuaram.

Qin Shi Huang pulou em cima de uma pedra e brandiu a espada, e a multidão se calou.

— O Senhor enviou uma nova ordem: destruir a Barreira Luo Ji — avisou ele.

— Nós também recebemos essa ordem. É a segunda vez que o Senhor encomenda o assassinato de Luo Ji — disse Mo Zi.

— Mas agora vai ser difícil cumprir a ordem — objetou alguém.

— Difícil? Vai ser impossível!

— Se Evans não tivesse acrescentado aquela condição à ordem inicial, Luo Ji provavelmente já estaria morto há cinco anos.

— Talvez Evans tivesse razão. Afinal, não sabemos os motivos que o levaram a exigir aquela precaução. Além disso, Luo Ji teve sorte de sobreviver ao segundo atentado, na praça da ONU.

Qin Shi Huang encerrou a discussão com um movimento da espada.

— Vamos conversar sobre o que fazer?

— Não podemos fazer nada. Quem é que conseguiria se aproximar de um bunker duzentos metros abaixo da terra? Se chegar perto já é complicado, imagina entrar... A segurança é pesada demais.

— Podemos considerar o uso de armas nucleares?

— O lugar é um bunker antibombas nucleares da época da Guerra Fria!

— A única opção viável é mandarmos alguém se infiltrar na equipe de segurança.

— Isso é possível? Depois de anos, alguma infiltração teve sucesso?

— Infiltrem a privada!

Algumas pessoas riram do gracejo.

— Parem de bobagem. O Senhor deveria nos contar a verdade. Assim, talvez conseguíssemos pensar em uma opção melhor.

— Eu também fiz essa solicitação — observou Qin Shi Huang a quem havia falado —, mas o Senhor disse que a verdade era o segredo mais importante do universo e não podia ser revelada. O Senhor falou para Evans imaginando que a humanidade já soubesse, mas depois descobriu que nós não sabíamos.

— Então peça para o Senhor transferir tecnologia!

Muitas outras vozes fizeram eco.

— Também fiz esse pedido. Para minha surpresa, estranhamente, o Senhor não recusou de imediato — explicou Qin Shi Huang.

Uma comoção tomou conta do grupo reunido, mas as palavras seguintes de Qin Shi Huang foram um balde de água fria no entusiasmo:

— Porém, quando o Senhor descobriu a localização do alvo, o pedido foi sumariamente rejeitado. O Senhor explicou que, em virtude da localização do alvo, qualquer tecnologia que Ele transferisse não seria útil.

— Luo Ji é mesmo tão importante assim? — perguntou Von Neumann, incapaz de disfarçar o tom de inveja na voz. Como primeiro Destruidor de Barreiras a ter sucesso na OTT, ele alcançara uma ascensão rápida na organização.

— O Senhor tem medo dele.

— Eu passei muito tempo refletindo sobre essa questão. Acredito que o medo que o Senhor tem de Luo Ji se deva a um único motivo: Luo Ji é o porta-voz de algum poder.

Qin Shi Huang encerrou as discussões sobre o assunto.

— Não comecem. Em vez de perdermos tempo com hipóteses, vamos pensar em um jeito de cumprir a ordem do Senhor.

— Não é possível.

— Realmente não é possível. Trata-se de uma missão que não pode ser realizada.

Qin Shi Huang bateu a espada na pedra sob seus pés.

— Esta missão é crucial. O Senhor talvez esteja sendo ameaçado de verdade. Além disso, se cumprirmos a ordem, o Senhor verá nossa organização com outros olhos! Aqui não está reunida a elite de cada canto do planeta? Então como é possível não pensarmos em nada? Voltem, reflitam e depois me mandem seus planos por outros canais. Precisamos encontrar uma solução!

As tochas se extinguiram uma após a outra, e a escuridão tomou conta de tudo. Mas os sussurros continuaram.

A Sessão do Projeto Barreiras do CDP só aconteceu duas semanas depois. Após o suicídio de Tyler e a hibernação das outras duas Barreiras, a prioridade do CDP, o foco de sua atenção, passara a ser o programa de defesa principal.

Luo Ji e Kent esperaram o começo da sessão na sala de videoconferência. A conexão estava ativa, e a tela grande exibia o auditório do CDP, onde a mesa circular conhecida dos tempos do Conselho de Segurança continuava vazia. Luo Ji havia chegado com antecedência, como se quisesse pedir desculpas por não comparecer pessoalmente.

Enquanto esperavam, Luo Ji ficou conversando com Kent e perguntou como ele estava se ambientando. Kent respondeu que, na juventude, havia morado na China durante três anos, então estava bastante acostumado e se readaptando bem. Além disso, ele não precisava passar o dia inteiro no subterrâneo como Luo Ji, e o chinês enferrujado havia recuperado a fluência.

— Você parece resfriado — disse Luo Ji.

— É só a gripe diária — respondeu Kent.

— Gripe aviária? — questionou Luo Ji, preocupado.

— Não. Gripe diária mesmo. É assim que a mídia está chamando. Ela começou a se espalhar em uma cidade nas proximidades há uma semana. É contagiosa, mas os sintomas são brandos. Não provoca febre, só coriza, e em alguns casos inflamação da garganta. Não precisa de remédio e passa depois de uns três dias de repouso.

— Gripes costumam ser mais fortes que isso.

— Essa não. Muitos soldados e funcionários daqui já pegaram. Você não percebeu que a zeladora foi substituída? Ela também pegou a gripe diária, mas ficou com medo de passar para você. Agora, como sou seu contato, não posso ser substituído por enquanto.

Na tela, os embaixadores haviam começado a entrar no auditório. Eles se sentaram e estavam conversando em voz baixa, como se não tivessem percebido a presença de Luo Ji. O então presidente rotativo do CDP abriu a sessão:

— Barreira Luo Ji, a Resolução Barreiras foi alterada na sessão especial da Assembleia Geral da ONU que acabou de ser encerrada. O senhor acompanhou?

— Sim — respondeu ele.

— Então deve ter observado que a Resolução aumenta o rigor aplicado à avaliação, assim como as restrições referentes à alocação de recursos para as Barreiras. Espero que o plano que o senhor apresentará nesta sessão atenda às condições da Resolução.

— Sr. presidente, as outras três Barreiras aplicaram uma quantidade enorme de recursos na execução de seus planos estratégicos. Não é justo impor esse limite aos recursos para o meu plano — argumentou Luo Ji.

— Os privilégios de alocação de recursos dependem do plano. Como o senhor sabe, os planos das outras Barreiras não entraram em conflito com o programa de defesa principal. Em outras palavras, o trabalho de pesquisa e desenvolvimento conduzido pelas outras Barreiras teria sido realizado mesmo sem o Projeto Barreiras. Espero que seu plano estratégico também siga a mesma linha.

— Lamento dizer, mas meu plano não segue a mesma linha. Na verdade, ele não tem absolutamente nenhuma relação com o programa de defesa principal.

— Então também lamento. De acordo com a nova Resolução, os recursos disponíveis para seu plano serão bastante limitados.

— Mesmo com a Resolução antiga, eu também não poderia alocar muita coisa. De qualquer maneira, não será problema, sr. presidente. Meu plano estratégico não consome praticamente nenhum recurso.

— Como seus planos anteriores?

O comentário do presidente suscitou alguns sorrisinhos de escárnio entre os participantes.

— Menos ainda do que os anteriores. Como eu disse, meu plano não consome praticamente nenhum recurso.

— Então vamos dar uma olhada — falou o presidente, assentindo com a cabeça.

— Os detalhes do plano serão apresentados pelo dr. Albert Ringier, mas suponho que vocês todos tenham recebido o arquivo correspondente. Em suma: usando a capacidade de ampliação de ondas de rádio do Sol, vou enviar uma mensagem ao cosmo contendo três imagens simples, com informações adicionais que demonstrem que essas imagens foram enviadas por um ser inteligente e não são um fenômeno natural. As imagens constam no arquivo.

O som de papel se espalhou pelo auditório, à medida que os presentes procuravam as três imagens, que também foram exibidas na tela. Eram bem simples. Cada uma consistia de pontos pretos, dispostos de maneira aparentemente aleatória, mas todos perceberam que cada imagem continha um ponto distintamente maior e marcado com uma seta.

— O que é isto? — perguntou o embaixador dos Estados Unidos, examinando com cuidado as imagens, assim como os demais.

— Barreira Luo Ji, de acordo com os princípios básicos do Projeto Barreiras, o senhor não precisa responder a essa pergunta — informou o presidente.

— É um feitiço — disse ele.

O barulho de papel e os murmúrios no auditório cessaram de repente. Todos olharam na mesma direção, então Luo Ji descobriu de que lado estava a tela transmitindo sua imagem.

— O quê? — perguntou o presidente, apertando os olhos.

— Ele disse que é um feitiço — respondeu em voz alta alguém sentado em volta da mesa circular.

— Um feitiço contra quem?

— Contra os planetas da estrela 187J3X1. Mas pode também afetar diretamente a própria estrela, claro.

— Quais vão ser as consequências?

— No momento, não há como saber. Mas uma coisa é certa: o feitiço terá um efeito catastrófico.

— Hum, e existe alguma chance de esses planetas serem habitados?

— Consultei inúmeras vezes a comunidade científica sobre essa questão. Levando em conta os dados observacionais disponíveis até o momento, a resposta é não — respondeu Luo Ji, apertando os olhos como o presidente. Por dentro, ele rezou: *Tomara que eles estejam certos.*

— Depois do envio do feitiço, quanto tempo vai demorar até surtir efeito?

— Como a estrela está localizada a cerca de cinquenta anos-luz do Sol, o feitiço levará pelo menos cinquenta anos para atingir o alvo. Apesar disso, só poderemos observar seus efeitos daqui a cem anos, no melhor dos cenários. Pode ser que demore muito mais do que isso.

Após um momento de silêncio no auditório, o embaixador americano foi o primeiro a se manifestar, jogando as três folhas e a impressão dos pontos pretos em cima da mesa.

— Excelente. Finalmente temos um deus.

— Um deus escondido em um porão — acrescentou o embaixador do Reino Unido, provocando um rompante de risadas em alguns presentes.

— Está mais para feiticeiro — chiou o embaixador do Japão, país que antes nunca havia sido admitido como membro permanente no Conselho de Segurança, mas que fora aceito imediatamente com o estabelecimento do CDP.

— Dr. Luo, o senhor pelo menos conseguiu elaborar um plano tortuoso e confuso — disse Garanin, o embaixador russo que exercera o mandato de presidente rotativo algumas vezes durante os cinco anos de Luo Ji como Barreira.

O presidente atual bateu o martelo, acalmando os ânimos no auditório.

— Barreira Luo Ji, tenho uma pergunta: por que simplesmente não direcionar o feitiço para o mundo do inimigo?

— Isto não passa de uma amostra. A implementação efetiva terá que esperar a Batalha do Fim dos Tempos.

— E Trissolaris não pode ser usado como alvo de teste?

Luo Ji balançou a cabeça, com determinação.

— De maneira alguma. É perto demais. Perto o bastante para que os efeitos do feitiço talvez alcancem a Terra. Por isso rejeitei qualquer sistema planetário a menos de cinquenta anos-luz de distância.

— Uma última pergunta: ao longo dos próximos cento e poucos anos, o que o senhor pretende fazer?

— Vocês estarão livres de mim. Hibernação. Quero que me acordem quando forem detectados os efeitos do feitiço em 187J3X1.

Enquanto se preparava para hibernar, Luo Ji pegou a gripe diária. Como os sintomas iniciais não eram diferentes dos demais casos — coriza e leve inflamação de garganta —, nem ele nem mais ninguém deu muita atenção. Contudo, dois dias depois, sua condição se agravou e Luo Ji começou a apresentar febre. O médico achou que o quadro parecia anormal e enviou uma amostra de sangue para análise em um laboratório na cidade.

Luo Ji passou a noite em um torpor febril, perseguido sem trégua por sonhos agitados em que as estrelas rodopiavam e dançavam como grãos de areia na superfície de um tambor. Ele estava ciente até da interação gravitacional entre essas estrelas: não era o movimento de três corpos, mas o de duzentos bilhões de corpos, todas as estrelas da galáxia! E então as estrelas rodopiantes se agrupavam em um redemoinho imenso, e nessa espiral frenética o redemoinho se transformava em uma gigantesca serpente formada pelo brilho gélido prateado de cada estrela, que invadia seu cérebro com um rugido...

Por volta das quatro da madrugada, Zhang Xiang acordou com o toque do telefone. Era o chefe do Departamento de Segurança do Conselho de Defesa Planetária. Com severidade, ele exigiu saber imediatamente a condição de Luo Ji e deu ordem para que a base entrasse em situação de emergência. Uma junta de especialistas se encontrava a caminho.

Assim que o chefe do Departamento de Segurança desligou, o telefone voltou a tocar. Dessa vez era o médico de plantão no décimo subsolo, que declarou que a condição do paciente havia se deteriorado muito e que ele agora estava em estado crítico. Zhang Xiang tomou o elevador e desceu sem perder tempo. Ao vê-lo, o médico e a enfermeira informaram, em pânico, que Luo Ji começara a vomitar sangue no meio da noite e perdera a consciência. Zhang Xiang constatou que Luo Ji estava deitado na cama e apresentava rosto pálido, lábios roxos e praticamente nenhum sinal de vida.

A junta chegou logo, formada por especialistas do Centro para Controle de Doenças, por médicos do hospital geral do Exército da Libertação Popular e por uma equipe de pesquisadores da Academia de Ciências Médicas das Forças Armadas.

Enquanto a junta analisava a condição de Luo Ji, um especialista da ACMFA levou Zhang Xiang e Kent para fora do quarto e descreveu a situação.

— Essa gripe chamou nossa atenção há algum tempo, quando passamos a desconfiar que sua origem e suas características pareciam muito anormais. Agora está claro que se trata de uma arma genética, um míssil genético teleguiado.

— Um míssil teleguiado?

— Sim. É um vírus alterado geneticamente com alto potencial de contágio, mas que na maioria das pessoas provoca apenas sintomas brandos de gripe. Só que esse vírus tem uma capacidade de reconhecimento que permite identificar os traços genéticos de um indivíduo específico. Quando o alvo é contaminado, o vírus lança toxinas mortais na corrente sanguínea. Nem preciso revelar quem é o alvo.

Zhang Xiang e Kent trocaram um olhar, primeiro com incredulidade, depois em desespero. Zhang Xiang empalideceu e abaixou a cabeça.

— Assumo toda a responsabilidade.

— Meu caro Zhang, não se cobre tanto — consolou o pesquisador, um coronel veterano. — Não existe defesa contra esse tipo de coisa. Embora nós tivéssemos começado a desconfiar de que havia algo estranho nesse vírus, nunca cogitamos essa possibilidade. O conceito de armas genéticas surgiu pela primeira vez no século passado, mas ninguém acreditava que alguém chegaria a produzir uma. E, ainda que esta seja imperfeita, é realmente um instrumento de extermínio assustador, que só precisa ser dispersado nas proximidades do alvo. Ou melhor, nem é preciso saber onde o alvo se encontra: basta espalhar o vírus pelo mundo inteiro e, como ele não provoca quase nenhum efeito em outras pessoas, vai se espalhar logo e provavelmente atingirá o alvo com o tempo.

— Não. Assumo toda a responsabilidade — insistiu Zhang, cobrindo os olhos. — Se o capitão Shi estivesse aqui, isso nunca teria acontecido. — Ele abaixou a mão, e seus olhos marejados brilhavam. — Antes de hibernar ele me fez um último alerta, na linha do que o senhor falou de não haver defesa. Shi me disse: "Xiao Zhang, neste nosso trabalho, precisamos dormir com um olho sempre aberto. Não existe certeza de sucesso, e não podemos nos defender contra algumas coisas".

— Então o que fazemos agora? — perguntou Kent.

— O vírus progrediu muito. As funções hepáticas e cardiopulmonares do paciente entraram em colapso, e a medicina moderna não tem condições de combater a infecção. Ponham o paciente para hibernar o mais rápido possível.

Depois de muito tempo, Luo Ji recuperou um pouco da consciência que havia perdido e sentiu frio, um frio que parecia emanar de dentro do corpo e se espalhar para fora como luz e congelar o mundo inteiro. Ele viu uma vastidão branca como a neve onde a princípio não havia nada além de um branco infinito. E então um pontinho preto apareceu bem no centro, e aos poucos ele identificou uma silhueta familiar, Zhuang Yan, segurando a filha deles. Luo Ji caminhava com dificuldade por um deserto de neve tão vazio que havia perdido toda noção de dimensão. Ela estava envolta em um cachecol vermelho, o mesmo que usara sete anos antes, na noite de neve e vento em que se viram pela primeira vez. No colo da mãe, com o rosto vermelho por causa do frio, a criança sacudiu as pequeninas mãos e gritou algo que ele não conseguiu escutar. Luo Ji queria atravessar a neve para ir atrás delas, mas a jovem mãe e a criança desapareceram, como se tivessem se dissolvido na neve. E então ele também desapareceu, e o mundo branco se encolheu até se transformar em um fio de prata fino, que naquela escuridão infinita era tudo o que restava de sua consciência. Era um fio de tempo, um fino e imóvel fiapo que se estendia eternamente em duas direções. Presa por esse fio, a alma de Luo Ji deslizava devagar em uma velocidade constante rumo ao futuro desconhecido.

Dois dias depois, um fluxo de ondas de rádio de alta potência foi transmitido da Terra para o Sol, transpondo a zona convectiva e chegando ao espelho de energia da zona radiativa, onde seu reflexo, ampliado centenas de milhões de vezes, transportou o feitiço da Barreira Luo Ji pelo cosmo na velocidade da luz.

ANO 12, ERA DA CRISE

Distância da Frota Trissolariana até o sistema solar: 4,18 anos-luz

Outro pincel havia aparecido no espaço. A Frota Trissolariana atravessara o segundo campo de poeira interestelar e, como o Hubble II estava monitorando cuidadosamente a região, o rastro da frota foi captado no mesmo instante. Desta vez, não parecia nem um pouco um pincel. Na verdade, lembrava uma faixa de grama que havia acabado de brotar na escuridão abissal do espaço. Aqueles milhares de folhas de grama cresciam a um ritmo visível a olho nu e eram muito mais nítidos do que o rastro de nove anos antes, em decorrência dos nove anos de aceleração que haviam aumentado de maneira significativa a velocidade da frota e provocado um impacto muito mais drástico.

— General, preste atenção aqui. O que você vê? — perguntou Ringier para Fitzroy, apontando para a imagem ampliada na tela.

— Ainda parece haver cerca de mil.

— Não, olhe mais de perto.

Fitzroy observou atentamente por um bom tempo e, por fim, apontou para o meio do pincel.

— Parece que... uma, duas, três, quatro... dez cerdas são mais compridas que as outras. Elas se estenderam.

— Isso. Esses dez rastros são bastante fracos e só podem ser vistos em uma imagem ampliada.

Fitzroy lançou um olhar para Ringier, esboçando a mesma expressão feita quando a Frota Trissolariana fora descoberta uma década antes.

— Doutor, isso significa que essas dez belonaves estão acelerando?

— Todas estão acelerando, mas essas dez apresentam uma aceleração maior. Em relação à quantidade anterior, há dez rastros a mais, de modo que agora o número total é mil e dez. Só que esses dez rastros a mais não são belonaves. Uma análise da morfologia deles indica que são muito menores do que as belonaves atrás: cerca de dez mil vezes menores, mais ou menos do tamanho de um caminhão. Mas, por conta da alta velocidade, ainda produzem rastros detectáveis.

— Tão pequenos... Seriam sondas?

— Sim, devem ser sondas.

Esta foi mais uma das descobertas chocantes do Hubble II: a humanidade faria contato com entidades trissolarianas antes do previsto, ainda que fossem apenas dez sondas pequenas.

— Quando elas vão chegar ao sistema solar? — perguntou Fitzroy, nervoso.

— Não dá para dizer ao certo. Depende da aceleração, mas sem dúvida essas sondas vão chegar antes da frota. Partindo de um cálculo conservador, eu diria que chegariam meio século antes. A frota está em aceleração máxima, isso é evidente. Porém, por algum motivo que não compreendemos, eles querem chegar ao sistema solar o mais rápido possível, então lançaram sondas capazes de uma aceleração maior ainda.

— Se eles têm sófons, para que precisam de sondas? — indagou um engenheiro.

A questão fez todo mundo parar e refletir, mas Ringier logo quebrou o silêncio:

— Deixem para lá. Não temos como adivinhar isso.

— Não — objetou Fitzroy, levantando a mão. — Podemos adivinhar pelo menos uma parte... Estamos olhando para algo que aconteceu há quatro anos. É possível determinar a data exata em que as sondas foram lançadas?

— Por sorte, a frota lançou as sondas no campo de neve... quer dizer, na poeira... por isso, podemos determinar o momento a partir da nossa observação do rastro deixado pelas sondas e pela frota — explicou Ringier, revelando a data.

Fitzroy ficou sem palavras por um instante, e então acendeu um cigarro e se sentou para fumar. Depois de um tempo, falou:

— Doutor, vocês não são políticos. Assim como eu não fui capaz de enxergar aquelas dez cerdas mais longas, vocês não são capazes de perceber que essa data é crucial.

— O que ela tem de tão especial? — perguntou Ringier, hesitante.

— Nesse dia, há quatro anos, eu compareci à Sessão do Projeto Barreiras em que Luo Ji propôs usar o Sol para enviar um feitiço para o universo.

Os cientistas e engenheiros trocaram olhares.

— E foi mais ou menos na mesma época que Trissolaris enviou uma segunda ordem para a OTT, reforçando a exigência de eliminação de Luo Ji — prosseguiu Fitzroy.

— Ele... ele é mesmo tão importante assim?

— Vocês por acaso não achavam que ele era um mimado sentimental que depois virou um feiticeiro charlatão e pretensioso? Claro, nós também achávamos. Todo mundo achava, menos Trissolaris.

— Bom... o que *você* acha que ele é, general?

— Doutor, você acredita em Deus?

A pergunta inesperada deixou Ringier sem palavras por um instante.

— ... Deus? Essa palavra carrega uma variedade de significados hoje em dia... não sei a qual você...

— Eu acredito — interrompeu Fitzroy. — Não por ter prova, mas porque é uma opção relativamente segura: se existir um Deus de verdade, então acreditar é certo. Se não existir, então não temos nada a perder.

As palavras do general inspiraram algumas risadas.

— A segunda parte não é verdade — argumentou Ringier. — Temos algo a perder, ao menos no que diz respeito à ciência... Mas vamos admitir a existência de Deus. Ainda assim, o que Ele teria a ver com o que se descortina à nossa frente?

— Se Deus existir de verdade, talvez tenha um porta-voz no mundo mortal.

Todos encararam Fitzroy por uma eternidade até compreenderem o que suas palavras sugeriam.

— General, que conversa é essa? Deus não escolheria um porta-voz saído de uma nação ateia — contestou um astrônomo.

Fitzroy esmagou a guimba do cigarro e estendeu as mãos.

— Quando você descarta o impossível, o que restar, por mais improvável que seja, deve ser verdade. Vocês conseguem pensar em alguma explicação melhor?

— Se por "Deus" você se refere a uma força de justiça no universo que transcenda a tudo... — sugeriu Ringier.

Fitzroy levantou a mão para interrompê-lo, como se o poder divino da recente descoberta pudesse ser reduzido caso fosse expresso abertamente.

— Então, acreditem todos. Podem começar a acreditar a partir de agora — sentenciou ele, fazendo o sinal da cruz.

O teste do *Tianti III* estava sendo transmitido ao vivo pela TV. A construção de três elevadores espaciais tivera início cinco anos antes e, como o *Tianti I* e o *Tianti II* estavam operando desde o começo do ano, o teste do *Tianti III* não causou muita comoção. Todos os elevadores espaciais construídos tinham apenas um trilho principal, o que proporcionava uma capacidade de carga muito menor do que os modelos de quatro trilhos ainda em fase embrionária. Apesar disso, já era uma realidade completamente distinta da era dos foguetes químicos. Sem contar a construção, o custo para subir ao espaço de elevador era consideravelmente menor do que o de aeronaves civis, o que, por sua vez, resultara em um aumento na quantidade de corpos em movimento no céu noturno da Terra: eram as estruturas orbitais de grande escala da humanidade.

O *Tianti III* era o único elevador espacial com base no oceano. Ficava no Pacífico e estava localizado na linha do equador, em uma ilha artificial flutuante que podia navegar pelo mar movida por sua própria energia nuclear, de modo que a posição do elevador na linha do equador poderia ser ajustada conforme a necessidade. Como era uma versão da vida real da Ilha de Hélice descrita por Júlio Verne, a ilha flutuante fora batizada de "Ilha Verne". O mar nem aparecia na tomada da televisão, que exibia a imagem de uma base metálica — em formato de pirâmide e cercada por uma cidade de aço — e, ao pé do trilho, a cabine cilíndrica de transporte que estava pronta para ser lançada. Daquela tomada, o trilho-guia que subia para o espaço estava invisível, pois tinha sessenta centímetros de diâmetro, embora às vezes fosse possível enxergar um vislumbre de luz refletida pelo pôr do sol.

Zhang Yuanchao e seus dois velhos vizinhos, Yang Jinwen e Miao Fuquan, estavam assistindo ao teste na televisão. Os três já tinham passado dos setenta anos e, embora não fossem considerados senis por ninguém, haviam chegado definitivamente à velhice. Para eles, era cansativo lembrar o passado e imaginar o futuro. Como não podiam fazer nada em relação ao presente, a única alternativa era viver o resto de seus dias sem pensar em nada naquela era estranha.

Zhang Weiming, o filho de Zhang Yuanchao, entrou com o neto dele, Zhang Yan, e uma sacola de papel.

— Pai, busquei seu cartão de racionamento e seu primeiro talão de vale-grãos — falou ele, retirando os vales coloridos de dentro da sacola e entregando ao pai.

— Ah, igualzinho aos velhos tempos — comentou Yang Jinwen.

— Esses velhos tempos voltaram. Eles sempre voltam — murmurou Zhang Yuanchao, emocionado, ao pegar os vales.

— Isso é dinheiro? — quis saber Yan Yan, olhando para os pedaços de papel.

— Não é dinheiro, jovem. Mas, a partir de agora, se você quiser comprar grãos além da cota ou quiser comer em um restaurante, vai ter que usar isso junto com o dinheiro — explicou Zhang Yuanchao para o neto.

— Estes são um pouco diferentes dos velhos tempos — observou Zhang Weiming, pegando um cartão com chip. — Isto aqui é um cartão de racionamento.

— Quanto tem carregado nele?

— Eu tenho vinte e um quilos e meio, ou quarenta e três *jin*. Você e Xiaohong recebem trinta e sete *jin*, e Yan Yan recebe vinte e um *jin*.

— Mais ou menos a mesma coisa de antigamente — concluiu Yang Jinwen.

Zhang Weiming balançou a cabeça:

— Sr. Yang, o senhor viveu naquela época. Não se lembra? Agora pode parecer tudo bem, mas logo mais produtos vão sair da lista de necessidade básica, e as pessoas vão precisar de senha para comprar legumes, verduras e carne. E então essa quantidade miserável de grãos não vai ser suficiente para comer!

— Não é tão grave assim — disse Miao Fuquan, fazendo um gesto com a mão. — Já atravessamos situações como esta há algumas décadas. Não vamos passar fome. Parem com essa discussão, vamos ver TV.

— Ah, e deve ser apenas questão de tempo até a volta dos cupons para bens industriais* — acrescentou Zhang Yuanchao, colocando os vale-grãos e o cartão de racionamento na mesa e se virando para a televisão.

Na tela, a cabine cilíndrica se erguia da base e subia, com rápida aceleração, até desaparecer no céu do fim de tarde. Como da tomada de câmera o trilho-guia era invisível, parecia que a cabine estava subindo sozinha. Ela alcançaria uma velocidade máxima de quinhentos quilômetros por hora mas, mesmo a essa velocidade, levaria sessenta e oito horas para chegar ao terminal do elevador espacial em órbita geoestacionária. A imagem cortou para uma câmera instalada embaixo da cabine e apontada para o solo. Ali, o trilho de sessenta centímetros ocupava a maior parte da tela. Em sua superfície lisa, o movimento era quase imperceptível, exceto pela marcação de escala que mostrava a velocidade crescente no canto da câmera. Conforme se estendia, o trilho afinava, quase desaparecia e apontava para um ponto muito abaixo. A Ilha Verne, agora visível em sua totalidade, parecia uma bandeja gigantesca suspensa pela extremidade inferior do trilho.

Yang Jinwen teve uma ideia.

— Vou mostrar para vocês uma grande raridade — disse ele, levantando-se e, sem muita agilidade, saindo pela porta, talvez a caminho de casa.

Ele voltou pouco depois, com um fragmento fino de algo mais ou menos do tamanho de um maço de cigarros e o colocou na mesa. Zhang Yuanchao pegou e analisou o objeto: era cinzento, translúcido e muito leve, como uma unha.

— É disso que o *Tianti* é feito! — exclamou Yang Jinwen.

— Ótimo. Seu filho roubou material estratégico do poder público — alfinetou Miao Fuquan, apontando para o fragmento.

— Não passa de um pedaço de sucata descartada. Meu filho disse que, quando o *Tianti* estava em construção, foram lançados milhares de peças com esse material ao espaço, e lá as peças foram montadas para formar o trilho-guia, que depois foi baixado outra vez para a Terra... Em breve, viagens ao espaço vão se popularizar. Pedi para meu filho me arranjar trabalho nessa área.

— Você quer ir para o espaço? — indagou Zhang Yuanchao, surpreso.

* A China instituiu um sistema de racionamento para grãos e óleos de cozinha no começo da década de 1950 e expandiu o programa em 1961, para incluir bens que iam desde sapatos e tesouras a produtos eletrônicos e artigos domésticos. Com a transição da economia planejada para a economia de mercado nos anos 1980, o uso do sistema de racionamento decaiu até ser abolido no começo da década de 1990.

— Não tem nada de mais. Ouvi falar que nem tem hipergravidade durante a subida. É como fazer uma viagem longa de trem em vagão-leito — comparou Miao Fuquan, com indiferença.

Nos muitos anos em que não tivera condições de administrar suas minas, o negócio de família entrou em recessão. Miao Fuquan havia vendido a mansão quatro anos antes, e aquele apartamento se tornara sua única residência. De uma hora para outra, Yang Jinwen, cujo filho trabalhava no projeto do elevador espacial, passara a ser o mais rico dos três, e Miao Fuquan às vezes ficava com inveja.

— Eu não vou para o espaço — disse Yang Jinwen, olhando para os dois vizinhos. Ao constatar que Weiming tinha levado o menino para outro cômodo, acrescentou: — Mas meu corpo vai. Vocês dois não têm nenhum tabu com esse assunto, não é?

— Qual é o tabu? Bem, mas por que você quer mandar seu corpo lá para cima? — quis saber Zhang Yuanchao.

— No final do *Tianti* tem um lançador eletromagnético. Quando chegar a hora, meu caixão vai ser disparado à terceira velocidade cósmica e sairá voando pelo sistema solar. O nome disso é sepultamento cósmico. Depois que eu morrer, não quero ficar num planeta Terra ocupado por alienígenas. Acho que é uma forma de Escapismo.

— E se os alienígenas forem derrotados?

— Isso é praticamente impossível. Agora, mesmo que isso aconteça, não vai ser nenhuma grande perda. Afinal, eu vou poder viajar pelo universo!

Zhang Yuanchao balançou a cabeça:

— Vocês, intelectuais, têm cada ideia esquisita. Isso não adianta nada. A folha que cai volta à raiz. Eu desejo ser enterrado no solo da Terra.

— Você não tem medo de que os trissolarianos abram o seu túmulo?

Miao Fuquan não havia opinado sobre aquele tema, mas, ao ouvir a pergunta de Yang Jinwen, ficou inquieto de repente. Ele fez um gesto para que os dois vizinhos se aproximassem e falou em voz baixa, como se tivesse medo de que os sófons escutassem:

— Não comentem com ninguém, mas me ocorreu uma ideia. Tenho muitas minas vazias em Shanxi…

— Você quer ser enterrado lá?

— Não, não. São todas minas pequenas, a céu aberto. Não devem ser muito profundas. O importante é que, em alguns pontos, elas estão interligadas a minas estatais grandes. Então, se seguirmos os túneis abandonados, dá para descer a até quatrocentos metros abaixo da terra. Vocês acham que isso é fundo o bastante? E aí explodimos a parede de sustentação. Acredito que os trissolarianos não vão conseguir cavar até lá.

— Não tem lógica. Se os seres humanos conseguem cavar até lá, por que os trissolarianos não conseguiriam? Eles vão ver uma lápide e cavar sem parar.

Miao Fuquan olhou para Zhang Yuanchao e não conseguiu conter o riso.

— Lao Zhang, será que você ficou burro? — Ao ver que o vizinho continuava confuso, Miao Fuquan apontou para Yang Jinwen, que havia ficado entediado com a conversa e estava assistindo à televisão de novo. — Permita que um homem erudito explique.

Yang Jinwen deu uma risadinha.

— Lao Zhang, por que você iria querer uma lápide? Lápides são para as pessoas verem, ora. Até lá, não vai sobrar mais ninguém.

Durante todo o percurso de carro até a Terceira Base de Testes de Fusão Nuclear, Zhang Beihai cruzou uma paisagem cercada de neve por todos os lados. No entanto, ao se aproximar da base, a neve havia desaparecido por completo, a estrada estava enlameada, e o ar gelado se tornava quente e úmido, como um sopro de primavera. Nas encostas às margens da estrada, ele percebeu que flores de pessegueiros começavam a desabrochar fora de época, apesar do rigor daquele inverno. Zhang Beihai seguiu rodando, até o edifício branco no vale, uma estrutura que servia apenas de entrada para a maior parte da base, que era subterrânea. Só então reparou que alguém estava colhendo flores de pessegueiro no barranco. Ao prestar mais atenção, Zhang Beihai se deu conta de que era justamente a pessoa que viera encontrar, então parou o carro.

— Dr. Ding! — gritou. Quando Ding Yi se aproximou do carro, com um punhado de flores nas mãos, Zhang Beihai riu e perguntou: — Para quem são essas flores?

— Para mim mesmo, é claro. São flores que desabrocharam por causa do calor da fusão.

Ele quase sorria de alegria, influenciado pelas coloridíssimas flores. Era evidente que ainda estava tomado de empolgação pelo avanço que havia acabado de realizar.

— Sabe, é um grande desperdício deixar esse calor todo se dissipar.

Zhang Beihai saiu do carro, tirou os óculos escuros e observou aquela localizada primavera fora de época. Sua respiração não soltava vapor, e ele conseguia sentir o calor no solo mesmo através da sola dos sapatos.

— Não temos dinheiro nem tempo para construir uma usina. Mas não importa. A partir de agora, a Terra não vai precisar conservar energia.

Zhang Beihai apontou para as flores nas mãos de Ding Yi:

— Dr. Ding, eu tinha esperanças de que você tivesse se distraído. Sem você, esse avanço teria acontecido mais tarde.

— Se eu não estivesse aqui, ele teria acontecido até antes. A base tem mais de mil pesquisadores. Eu só apontei a direção certa. Há muito tempo acho que o *tokamak** é um beco sem saída. Seguindo o caminho certo, o avanço era uma certeza. Eu sou um teórico. Não entendo de experimentação. Meu palpite cego provavelmente só atrasou o progresso da pesquisa.

— Será que você não poderia adiar o anúncio dos resultados? Não estou brincando. Também estou transmitindo, informalmente, o desejo do Comando Espacial.

— Como é que poderíamos adiar? Os meios de comunicação têm acompanhado com interesse o progresso das três bases de testes de fusão.

Zhang Beihai assentiu com a cabeça e suspirou.

— Isso é péssimo.

— Eu conheço alguns dos motivos, mas pode me explicar por que pensa assim?

— Se for possível realizar fusão nuclear controlada, as pesquisas sobre naves espaciais vão começar imediatamente. Doutor, você sabe quais são as duas correntes de pesquisa atuais: naves com meio propulsor e naves por impulso por radiação sem meio. Duas corporações adversárias se formaram em torno dessas duas linhas de pesquisa: a corporação aeroespacial defende a pesquisa de naves com meio propulsor, enquanto a força espacial prefere naves por impulso por radiação. Os projetos vão consumir uma quantidade enorme de recursos e, se as duas linhas não evoluírem simultaneamente no mesmo ritmo, uma delas deverá se tornar prioridade.

— A equipe da fusão é a favor do impulso por radiação. Eu também sigo essa corrente. Na minha opinião, é o único plano que permite viagens cósmicas interestelares. Claro, admito que a Aeroespacial também tem certa lógica. Naves com meio propulsor na verdade são uma variação dos foguetes químicos que usam energia de fusão, então as perspectivas para essa linha de pesquisa são um pouco mais seguras.

— Só que não existe nada seguro na guerra espacial do futuro! Como você disse, naves com meio propulsor são só foguetes imensos, que precisam reservar dois terços da capacidade de carga para o meio de propulsão, consumido muito rapidamente. Esse tipo de nave exigiria bases planetárias para navegar pelo sistema

* Em um *tokamak*, o plasma e a corrente induzida nesse plasma são contidos em um toroide por um campo eletromagnético toroidal. Desenvolvido por cientistas soviéticos nos anos 1950, esses reatores produziam resultados melhores do que outros equipamentos de contenção de plasma.

solar. Se seguirmos essa linha, vamos repetir a tragédia da Guerra Sino-Japonesa, e o sistema solar vai ser o pano de fundo para uma nova Batalha de Weihaiwei.*

— Essa é uma analogia forte — disse Ding Yi, levantando o buquê para Zhang Beihai.

— É um fato. A primeira linha de defesa de qualquer Marinha deveria estar no porto do inimigo. É claro que não podemos fazer isso, mas nossa linha defensiva precisa ser afastada até a Nuvem de Oort, e deveríamos garantir que a frota tivesse capacidade de flanco suficiente nos recantos remotos do sistema solar. Essa é a base estratégica da força espacial.

— Internamente, a Aeroespacial não é uniforme — objetou Ding Yi. — É a velha guarda que sobrou da era dos foguetes químicos que está insistindo em naves por meios propulsores, mas quadros de outras disciplinas entraram no setor. Veja, por exemplo, a equipe no nosso sistema de fusão: a maioria está defendendo naves por radiação. Essas duas corporações têm peso equivalente, e bastariam três ou quatro pessoas em posições estratégicas para desequilibrar a disputa. A opinião desses figurões vai decidir o rumo a ser tomado. Agora, receio que todas essas três ou quatro peças-chave façam parte da velha guarda.

— Essa é a decisão mais crucial de toda a estratégia geral. Se for uma escolha errada, a frota espacial será construída sobre uma fundação equivocada, e talvez percamos um ou dois séculos. Aliás, uma vez tomada a decisão, acho que será impossível mudar de rumo.

— Mas você e eu não temos condições de consertar isso.

Depois de almoçar com Ding Yi, Zhang Beihai saiu da base de fusão. Ele não havia se afastado muito quando o chão úmido voltou a ficar coberto pela neve branca que brilhava ao sol. À medida que a temperatura do ar despencava, o coração dele também esfriava.

Ele precisava com urgência de uma nave espacial capaz de realizar viagens interestelares. Se os outros caminhos não levavam a lugar algum, só restava uma opção. Por mais perigosa que fosse, precisava ser realizada.

Assim que Zhang Beihai entrou na casa do colecionador de meteoritos, que ficava nas profundezas de um beco *hutong*, percebeu que a residência antiga e escura

* A Batalha de Weihaiwei foi a última grande batalha da Primeira Guerra Sino-Japonesa. Em fevereiro de 1895, os navios da Frota de Beiyang, a Marinha do norte da dinastia Qing, estavam ancorados no porto de Weihaiwei, na província de Shandong, sua sede, para se abrigar da Marinha Imperial Japonesa, que estava avançando. Quando as forças terrestres do Japão tomaram os fortes do litoral, a frota chinesa foi obrigada a se render.

parecia um minimuseu geológico. Cada uma das paredes estava coberta de caixas de vidro com lâmpadas especiais, que iluminavam diversas pedras nada interessantes. O proprietário, de cinquenta e poucos anos, de físico robusto e temperamento forte, estava sentado diante de uma bancada e examinava uma pedra pequena com uma lupa. Ele cumprimentou Zhang Beihai, que imediatamente entendeu que o outro era uma daquelas pessoas de sorte que habitavam um mundo perfeito e particular. Por maiores que fossem as transformações no mundo maior, aquele homem sempre podia mergulhar em seu próprio mundo e se contentar.

Naquela atmosfera arcaica típica de casas antigas, Zhang Beihai se lembrou de que estava lutando pela sobrevivência da raça humana ao lado de seus camaradas, enquanto a maioria das pessoas continuava se agarrando às suas vidas banais. Esse pensamento gerou comoção e lhe deu paz de espírito.

A conclusão do elevador espacial e o avanço na tecnologia de fusão controlada eram dois incentivos enormes para o mundo e diminuíram consideravelmente o sentimento derrotista. Porém, os líderes de visão realista sabiam que isso era só o começo: se a construção da frota espacial era uma analogia de frotas navais, a humanidade acabara de chegar ao litoral, com ferramentas nas mãos. Nem os estaleiros haviam sido erguidos ainda. Sem contar a construção da superestrutura das naves, a pesquisa de armamentos espaciais e ecossistemas recirculantes e a construção de portos espaciais representavam uma fronteira tecnológica sem precedentes para a humanidade. Só o estabelecimento das fundações poderia levar um século.

A sociedade humana enfrentava outro desafio além do abismo assustador: a construção de um sistema de defesa espacial consumiria uma quantidade enorme de recursos, o que provavelmente faria a qualidade de vida regredir um século. Em suma, o maior desafio para o espírito humano ainda estava por vir. Pensando nessa situação, a liderança militar havia decidido começar a executar o plano de usar quadros políticos da força espacial como reforços para o futuro. Por ter sido o primeiro a propor o plano, Zhang Beihai fora designado comandante do Contingente Especial de Reforços do Futuro. Quando aceitou a missão, ele propôs que todos os oficiais do contingente especial fossem submetidos a no mínimo um ano de treinamento e trabalho no espaço antes de hibernar, para que pudessem se preparar adequadamente para o trabalho na força espacial do futuro. "O alto-comando não vai querer comissários políticos sem experiência de espaço", argumentara ele para Chang Weisi. A solicitação foi aprovada rapidamente e, um mês depois, Zhang Beihai e seu primeiro contingente especial de trinta camaradas foram para o espaço.

— Você é soldado? — perguntou o colecionador ao servir o chá. Quando Zhang Beihai confirmou com a cabeça, ele continuou: — Os soldados de hoje em dia não se parecem muito com os de antigamente, mas você eu percebi de cara.

— Você também foi soldado — disse Zhang Beihai.

— Olho bom. Passei a maior parte da vida servindo no Escritório de Exploração e Mapeamento do Departamento Geral de Pessoal.

— Como foi que você começou a se interessar por meteoros? — quis saber Zhang Beihai, admirando a grande coleção.

— Há mais de uma década, fui com uma equipe de exploração até a Antártida para procurar meteoritos enterrados na neve e fiquei fascinado. Esses fragmentos vêm de fora da Terra, do espaço distante, então é natural que atraiam tanta atenção. Sempre que encontro um, é como se eu fosse para um mundo alienígena novo.

Zhang Beihai balançou a cabeça e sorriu.

— Isso é só uma impressão. A própria Terra é formada por um agregado de matéria interestelar, então, basicamente, ela é só um meteorito gigantesco. A pedra sob nossos pés é meteorito. Esta xícara na minha mão é meteorito. Além do mais, dizem que a água chegou à Terra por causa de cometas, então — ele ergueu a xícara — o conteúdo desta xícara também é meteorito. Não tem nada de muito especial no que você tem.

O colecionador apontou para ele e riu.

— Você é esperto. Já começou a negociar... Seja como for, confio nas minhas impressões.

O colecionador não resistiu a fazer um tour com Zhang Beihai e até abriu um cofre para mostrar seu tesouro mais precioso: um acondrito marciano do tamanho de uma unha. Ele mostrou para Zhang Beihai os pequenos buracos redondos na superfície do meteorito e disse que talvez fossem fósseis de micróbios.

— Cinco anos atrás, Robert Haag quis comprar esta peça por mil vezes o valor do peso em ouro, mas não aceitei.

— Quantos parecidos com este você conseguiu reunir? — indagou Zhang Beihai, fazendo um gesto para o cômodo.

— Só alguns. A maioria eu adquiri de empresas do setor privado ou trocando com outros colecionadores... Então, vamos lá. De que tipo você quer?

— Nada valioso demais. Precisa ser de alta densidade, não pode quebrar fácil ao sofrer impacto e tem que ser modelável.

— Entendi. Você quer fazer uma gravação.

Ele assentiu com a cabeça:

— Mais ou menos. Seria ótimo se eu pudesse usar um torno.

— Então tem que ser um meteorito ferroso — disse o colecionador, abrindo uma caixa de vidro e pegando uma pedra escura do tamanho de uma noz. — Este. A composição é principalmente ferro e níquel, com cobalto, fósforo, silício, enxofre e cobre. Você quer densidade? Este aqui tem oito gramas por centímetro cúbico. É fácil de modelar e é altamente metálico, então o torno não vai ser nenhum problema.

— Ótimo. Só que é um pouco pequeno demais.

O colecionador pegou outro pedaço do tamanho de uma maçã.

— Você tem algum maior ainda?

O colecionador olhou para ele.

— Isto aqui não é vendido por peso. Os grandes são bem caros.

— Certo, então tem três do tamanho deste aí?

O colecionador apanhou três meteoritos ferrosos mais ou menos do mesmo tamanho e começou a preparar o terreno para dar o preço:

— Meteoritos ferrosos não são muito comuns. Representam só cinco por cento de todos os meteoritos, e estes três são exemplares excelentes. Veja aqui: este é um octaedrito. Repare na textura xadrez da superfície. Isso se chama estrutura de Widmanstätten. Este é um ataxito rico em níquel e com camacita. Estas linhas paralelas são chamadas linhas de Neumann. Já este é uma taenita, um mineral sem ocorrência na Terra. Esse pedaço eu encontrei no deserto com um detector de metais, e foi como pescar uma agulha no meio do mar. O carro ficou preso na areia e o eixo da transmissão quebrou. Eu quase cheguei a morrer.

— Diga o preço.

— No mercado internacional, um exemplar deste tamanho e tipo custaria uns vinte dólares americanos por grama. Que tal sessenta mil yuans por unidade, cento e oitenta mil pelas três?*

Zhang Beihai pegou o celular.

— Diga o número da sua conta. Vou pagar agora mesmo.

O colecionador ficou quieto por algum tempo. Quando Zhang Beihai olhou para ele, o homem riu, ligeiramente constrangido.

— Na verdade, eu estava esperando que você fizesse uma contraproposta.

— Não. Eu aceito.

— Olhe. Agora que todo mundo pode viajar ao espaço, o preço de mercado caiu um pouco, embora não seja tão fácil obter meteoritos no espaço. Estes, bom, eles valem...

Zhang Beihai o interrompeu, decidido.

— Não. O preço já foi dado. Encare como um sinal de respeito por aqueles que vão receber esses meteoritos.

Após sair da casa do colecionador, Zhang Beihai levou os meteoritos a uma oficina de modelagem em um instituto de pesquisa da força espacial. O expediente tinha terminado, e a oficina, que dispunha de uma fresadora CNC de última geração,

* Cerca de dez mil dólares por unidade, trinta mil dólares ao todo.

estava vazia. Zhang Beihai primeiro usou a fresadora para cortar os três meteoritos em cilindros do mesmo diâmetro, aproximadamente a espessura de um grafite de lápis, e depois para cortá-los em segmentos pequenos do mesmo tamanho. Ele trabalhou com muito cuidado, tentando minimizar as perdas, e terminou com trinta e seis pequenas varetas de meteorito. Quando concluiu a tarefa, juntou com atenção as aparas, removeu da máquina a lâmina especial que havia escolhido para cortar as rochas e saiu da oficina.

O restante do trabalho ele realizou em um porão secreto. Dispôs trinta e seis cartuchos de pistola de 7,62 milímetros na mesa à sua frente e removeu cada projétil. Se fossem os modelos de latão de antigamente, Zhang Beihai teria tido muito mais trabalho, mas dois anos antes todas as Forças Armadas haviam adaptado as armas regulamentares para usar munição sem cápsula, em que o projétil era colado diretamente na carga de projeção, não sendo difícil de desmontar. Em seguida, ele usou um adesivo especial para fixar uma vareta de meteorito em cada carga. O adesivo, desenvolvido originalmente para fazer reparos na superfície de cápsulas espaciais, não se soltaria nas temperaturas extremamente altas e baixas do espaço. No fim do processo, Zhang Beihai contava com trinta e seis projéteis de meteoritos.

Zhang Beihai inseriu quatro balas em um carregador, colocou-o em uma pistola P224 e atirou em uma sacola no canto. O disparo ecoou ensurdecedor naquele porão confinado e provocou um cheiro forte de pólvora.

Ele se deteve nos quatro furos na sacola e percebeu que eram minúsculos, o que significava que o meteorito não havia se fragmentado durante o disparo. Abriu a sacola e tirou uma peça grande de carne crua. Com uma faca e muito cuidado, extraiu os meteoritos de dentro. Depois de atravessarem a sacola, as quatro varetas haviam sido completamente destruídas, deixando um pequeno punhado de fragmentos que ele espalhou na palma da mão. Não havia praticamente nenhum sinal de que eles não eram naturais. Zhang Beihai considerou o resultado satisfatório.

A sacola com a carne era composta do mesmo material usado em trajes espaciais. Para que a simulação fosse ainda mais realista, a sacola tinha sido feita em camadas de espumas de isolamento, tubos de plástico e outros materiais.

Ele guardou com cuidado os outros trinta e dois projéteis de meteorito e saiu do porão para se preparar para a visita ao espaço.

Zhang Beihai pairava no espaço a cinco quilômetros de uma das saídas da Estação Rio Amarelo, uma estação espacial em formato de roda que ficava a trezentos quilômetros do terminal do elevador especial e servia de contrapeso. Era a maior estrutura já construída pela humanidade no espaço e podia abrigar mais de mil residentes por tempo prolongado.

O espaço a até quinhentos quilômetros do elevador espacial continha outras instalações, todas muito menores que a Estação Rio Amarelo e mais espalhadas, como tendas nômades na pradaria na época de conquista do Oeste nos Estados Unidos. Aquilo era o prelúdio da entrada em grande escala da humanidade no espaço. Os estaleiros, cuja construção tinha acabado de começar, eram os maiores já feitos e viriam a se estender por uma área dez vezes maior que a Estação Rio Amarelo. Contudo, por enquanto, só fora instalada uma estrutura de andaimes, que parecia o esqueleto de um leviatã. Zhang Beihai havia acabado de sair da Base 1, que ficava a oitenta quilômetros de distância, tinha apenas um quinto do tamanho da Estação Rio Amarelo e servia de base para a força espacial em órbita geoestacionária. Fazia três meses que morava e trabalhava lá com os outros integrantes do primeiro Contingente Especial de Reforços do Futuro, e desde então só havia voltado à Terra uma vez.

Na Base 1, ele vivia à espera de uma oportunidade, que enfim se apresentou: o alto escalão da corporação aeroespacial estava fazendo uma reunião de trabalho na Estação Rio Amarelo, e todos os três alvos que ele precisava eliminar estariam presentes. Depois que a Estação Rio Amarelo começou a operar, a Aeroespacial passou a fazer diversas reuniões no local, como se quisesse compensar o fato lamentável de que, em sua maioria, os integrantes do setor aeroespacial nunca tiveram a chance de ir ao espaço.

Antes de sair da Base 1, Zhang Beihai havia deixado a unidade de posicionamento de seu traje espacial na própria cabine, para que o sistema de vigilância não percebesse sua partida da base nem registrasse sua movimentação. Usando os propulsores do traje, ele voou oitenta quilômetros pelo espaço até o local escolhido. E, então, aguardou.

A reunião já tinha acabado, mas ele estava esperando os participantes saírem para a foto oficial.

A foto oficial no espaço era uma tradição para todos os participantes e costumava ser tirada de costas para o Sol, porque só assim era possível captar uma imagem boa da estação inteira. Como todos do grupo precisavam deixar o visor do capacete transparente para que o rosto aparecesse na foto, teriam que fechar os olhos se ficassem de frente para os raios intensos do Sol, sem falar que por dentro do capacete o calor seria intolerável. Por isso, para uma imagem nítida de costas para o Sol, o melhor momento para a foto oficial era quando o Sol estava prestes a nascer ou se pôr no horizonte da Terra. Em órbita geossíncrona, o Sol nascia e se punha uma vez a cada vinte e quatro horas, mas o período de noite era muito curto. Zhang Beihai estava esperando o pôr do sol.

Ele sabia que o sistema de vigilância da Estação Rio Amarelo era capaz de detectar sua presença, mas isso não chamaria a atenção de ninguém. Como aquela região era o ponto de origem do desenvolvimento espacial, estava repleta de materiais de construção descartados ou novos e de uma quantidade ainda maior de lixo. Grande parte daqueles objetos flutuantes tinha aproximadamente o mesmo tamanho de uma pessoa. Além do mais, o elevador espacial e as dependências ao redor funcionavam como cidades-satélites abastecidas exclusivamente por uma metrópole, de modo que o tráfego entre elas era bastante intenso. Conforme as pessoas se acostumaram ao ambiente do espaço, passaram a adquirir o hábito de voar sozinhas. Trajes espaciais com propulsores capazes de alcançar uma velocidade de até quinhentos quilômetros por hora faziam as vezes de bicicleta, sendo o meio de transporte mais fácil na área de algumas centenas de quilômetros em torno do elevador espacial. Àquela altura, as pessoas voavam entre o elevador e as estações nas cercanias o tempo todo.

No entanto, naquele momento, Zhang Beihai sabia que o espaço estaria vazio. Tirando a Terra (que, vista de uma órbita geossíncrona, aparecia como uma esfera completa) e o Sol, prestes a mergulhar na beira do planeta, em todas as direções só havia um abismo escuro, e as incontáveis estrelas eram grãos brilhantes de poeira que nada faziam para preencher o vazio do universo. Ele sabia que o sistema de manutenção de vida de seu traje só duraria doze horas e que, antes do término desse tempo, precisaria voar oitenta quilômetros de volta até a Base 1, que agora não passava de um ponto distante e sem forma no abismo do espaço. A própria base, se fosse desligada do cordão umbilical do elevador, também não sobreviveria por muito tempo. Mas ali, flutuando no grande nada, Zhang Beihai sentia que seu contato com o mundo azul abaixo havia sido interrompido. Ele era uma presença independente no universo, sem laços com qualquer mundo, pairando no cosmo, sem um chão sob os pés, cercado pelo espaço vazio por todos os lados, sem origem, sem destino, assim como a Terra, o Sol e a Via Láctea. Ele simplesmente existia, e essa sensação era agradável.

Ele até tinha a impressão de que o espírito de seu finado pai talvez compartilhasse a mesma sensação.

O Sol encostou na beirada da Terra.

Zhang Beihai levantou uma das mãos. A luva de seu traje tinha uma luneta telescópica, que ele usou para observar uma das dez saídas da Estação Rio Amarelo, a dez quilômetros de distância. Na grande e curva parede metálica externa, a porta redonda da eclusa de ar continuava fechada.

Ele virou o rosto para o Sol, que já havia mergulhado pela metade e parecia um anel reluzente acima da Terra.

Olhando mais uma vez para a estação pela luneta, viu que a lâmpada vermelha ao lado da saída ficara verde, indicando que o ar dentro da antecâmara havia sido retirado. Logo em seguida, a porta se abriu e um grupo de silhuetas com trajes espaciais saiu em fila, cerca de trinta pessoas. Conforme o grupo voava, a sombra projetada na parede externa da Estação Rio Amarela se expandia.

Eles tiveram que voar por uma distância considerável até a estação inteira caber no enquadramento, mas logo diminuíram a velocidade e começaram a seguir as orientações do fotógrafo para se organizar na pose sem gravidade. Dois terços do Sol já estavam abaixo do horizonte. O que restava parecia um objeto luminoso embutido na Terra sobre um espelho de oceano liso que era azul e laranja avermelhado, coberto por nuvens ensolaradas que lembravam penas rosadas.

À medida que a intensidade da luz diminuía, as pessoas na foto oficial distante começaram a deixar o visor transparente, revelando o rosto dentro do capacete. Zhang Beihai aumentou a distância focal da luneta e logo encontrou seus alvos. Tal como havia imaginado, devido ao posto ocupado, seus alvos estavam no centro da primeira fileira.

Ele soltou e deixou a luneta flutuar à sua frente. Com a mão esquerda, girou o anel retentor de metal da luva direita para soltá-la. A mão direita passou a estar coberta apenas por uma luva de tecido, e imediatamente ele sentiu a temperatura de cem graus negativos do espaço. Então, para evitar um congelamento rápido, virou o corpo de modo a permitir que a luz fraca do Sol atingisse a mão, que enfiou em um bolso interno do traje para retirar uma pistola e dois carregadores. Depois, com a mão esquerda, pegou a luneta flutuante e a prendeu na pistola. Era uma luneta de fuzil que ele havia modificado com um conector magnético para que pudesse ser usada em uma pistola.

Em sua maioria, as armas de fogo da Terra eram capazes de disparar no espaço. O vácuo não era um problema, porque a carga de projeção do cartucho continha seu próprio oxidante, mas era preciso considerar a temperatura do espaço. Como os dois extremos eram muito diferentes das temperaturas atmosféricas e podiam afetar a arma e a munição, Zhang Beihai tinha medo de expor a pistola e os carregadores por tempo demais. Para abreviar esse intervalo, havia passado os últimos três meses treinando incessantemente o processo de sacar a arma, instalar a luneta e trocar os carregadores.

Ele começou a apontar e encontrou o primeiro alvo com a mira da luneta.

Na atmosfera terrestre, nem o fuzil mais sofisticado seria capaz de atingir um alvo a cinco quilômetros de distância, mas uma pistola comum conseguiria no espaço. As balas se deslocavam em um vácuo de gravidade zero, livres de qualquer interferência exterior. Logo, se a mira fosse boa, elas percorreriam uma trajetória extremamente estável até o alvo. Além disso, como não havia resistência do ar, as balas não desacelerariam durante o voo e atingiriam o alvo com a mesma velocidade com que haviam saído do cano, resultando em um impacto letal mesmo à distância.

Zhang Beihai apertou o gatilho. A pistola disparou em silêncio, mas ele viu o clarão do cano e sentiu o coice. Disparou dez vezes na direção do primeiro alvo, trocou às pressas o carregador e disparou mais dez vezes no segundo. Após trocar o carregador de novo, disparou as últimas dez balas no terceiro alvo. Trinta clarões. Se alguém na direção da Estação Rio Amarelo estivesse prestando atenção, teria visto vaga-lumes em meio à cortina escura do espaço.

Agora trinta meteoritos voavam em direção aos alvos. Como a pistola Modelo 2010 disparava projéteis a quinhentos metros por segundo, eles levariam cerca de dez segundos para percorrer toda a distância. Nesse intervalo Zhang Beihai só podia rezar para que os alvos não mudassem de posição. Esse receio era fundamentado, porque as duas fileiras de trás ainda não haviam terminado de se organizar para a foto oficial e, mesmo quando todos estivessem no lugar, o fotógrafo ainda precisaria esperar até a nuvem dos propulsores se dissipar, então os líderes na primeira fila teriam que esperar. Além disso, como todos estavam flutuando sem peso no espaço, era bem possível que os alvos se deslocassem, fazendo as balas errarem e talvez até atingirem inocentes.

Inocentes? Os três indivíduos que ele estava prestes a matar também eram inocentes. Nos anos que antecederam a Crise Trissolariana, eles haviam feito o que agora pareciam investimentos bastante modestos e caminhado cuidadosamente pela camada fina de gelo que era a alvorada da era espacial. Essa experiência engessara o pensamento deles. Os três precisavam ser destruídos em nome do futuro das naves espaciais capazes de voo interestelar. A morte deles poderia ser encarada como uma última contribuição para a iniciativa da humanidade no espaço.

Na realidade, Zhang Beihai havia disparado de propósito algumas balas fora dos alvos, com a esperança de também atingir outros do grupo. Na melhor das hipóteses, essas pessoas ficariam apenas feridas, mas não tinha importância uma ou duas baixas, porque ajudaria a diminuir o risco de qualquer suspeita.

Ele ergueu a arma descarregada e olhou com frieza pela luneta. Estava preparado para o fracasso. Nesse caso, começaria sem pressa a procurar uma segunda oportunidade.

O tempo passou devagar, um segundo de cada vez, e enfim Zhang Beihai viu sinais de que um alvo fora atingido. Ele não viu o furo no traje espacial, mas um gás branco vazou. Logo em seguida, um jato ainda maior de vapor branco jorrou entre as duas fileiras da frente, talvez porque a bala tivesse saído pelas costas do alvo e penetrado o tanque do propulsor. Beihai tinha confiança na potência das balas: quando os meteoritos atingissem os alvos praticamente sem perda de velocidade, seria como se eles tivessem sido atingidos à queima-roupa. O visor de um dos alvos rachou de repente e ficou opaco, mas ainda era possível ver o sangue que esguichou dentro do capacete, antes de se misturar com os gases e jorrar para fora pelo buraco do tiro, onde se congelou rapidamente e se transformou em cristais parecidos com flocos de neve. Em sua observação, ele logo confirmou que cinco pessoas, incluindo os três alvos, haviam sido atingidas, e cada alvo fora atingido pelo menos cinco vezes.

Zhang Beihai viu que, por trás do visor, todas as pessoas no grupo gritavam aterrorizadas, e por leitura labial ele percebeu que algumas das palavras eram as esperadas:

— Chuva de meteoros!

O grupo inteiro ativou os propulsores na potência máxima e voou às pressas para trás, deixando rastros de vapor branco, até entrarem pela porta redonda e voltarem para dentro da Estação Rio Amarelo. Zhang Beihai observou que os cinco que tinham sido atingidos foram carregados pelas outras pessoas.

Ele ativou seu próprio propulsor e acelerou rumo à Base 1. Seu coração estava frio e calmo, como o espaço vazio à sua volta. Sabia que a morte das três peças-chave da corporação aeroespacial não era garantia de que o impulso por radiação sem meio se tornaria a prioridade da pesquisa em espaçonaves, mas havia feito o que estava a seu alcance. Fosse lá o que acontecesse em seguida, agora podia relaxar pelo menos em relação ao olhar vigilante de seu pai no além.

Praticamente ao mesmo tempo em que Zhang Beihai voltava para a Base 1, na internet terrestre um grupo se reunia às pressas no deserto virtual do mundo de *Três Corpos* para conversar sobre o que havia acabado de acontecer.

— Desta vez, os sófons transmitiram informações muito detalhadas. Só por isso podemos acreditar que ele fez isso mesmo — revelou Qin Shi Huang, inquieto, agitando a espada. — Vejam o que ele fez e vejam nossos três atentados contra Luo Ji. — Ele suspirou. — Às vezes nós somos afoitos demais. Não temos essa competência impassível.

— E vamos ficar de braços cruzados enquanto ele faz o que quer? — perguntou Einstein.

— De acordo com as intenções do Senhor, só podemos ficar de braços cruzados. O homem é um triunfalista teimoso feito mula, e o Senhor não quer que a gente mexa com esse tipo de ser humano. Precisamos focar nossa atenção no Escapismo. O Senhor acredita que o derrotismo seja mais perigoso do que o triunfalismo — argumentou Newton.

— Se queremos trabalhar com dedicação e seriedade a serviço do Senhor, não podemos acreditar cegamente na estratégia Dele. Afinal, Ele raciocina como uma criança — disse Mo Zi.

Qin Shi Huang bateu com a espada no chão.

— Seja como for, a não intervenção é o caminho adequado para esta questão. Deixem que eles orientem o desenvolvimento na direção de naves espaciais por impulso por radiação. Como a física está travada pelos sófons, isso será um ápice tecnológico praticamente insuperável, além de um abismo infinito onde a humanidade despejará todo o tempo e todo o esforço, mas acabará sem nada.

— Bom, estamos de acordo nessa questão, mas acredito que não podemos ignorar esse homem. Ele é perigoso — disse Von Neumann.

— Exatamente! — concordou Aristóteles, assentindo com a cabeça várias vezes. — Nós achávamos que ele fosse um soldado de corpo e alma, mas esse comportamento por acaso é compatível com um soldado que segue um código rigoroso de disciplina e regras?

— Ele é mesmo um sujeito perigoso. Sua fé é sólida, ele tem visão, age com determinação fria e é totalmente implacável. Costuma ser metódico e sério, mas pode extrapolar os limites e adotar medidas excepcionais, quando necessário — suspirou Confúcio. — Como Qin Shi Huang falou, é esse tipo de gente que nos faz falta.

— Não vai ser difícil resolver a questão. Basta uma denúncia dos assassinatos que ele cometeu — sugeriu Newton.

— Não é tão simples assim! — rebateu Qin Shi Huang, apontando o dedo para Newton. — É tudo culpa sua. Você vem usando as informações recebidas pelos sófons para semear a discórdia na força espacial e na ONU, então como foi que isso aconteceu? A denúncia poderia ser encarada como uma honra, ou até um símbolo de lealdade!

— Sem falar que não temos nenhuma prova concreta — acrescentou Mo Zi. — O plano dele foi cuidadoso. As balas foram destruídas ao atingir os alvos, então qualquer autópsia recuperaria apenas meteoritos autênticos no corpo das vítimas. Todo mundo vai achar que eles morreram em uma chuva de meteoros. A verdade é tão surreal que ninguém acreditaria.

— Que bom que ele vai para o futuro como reforço. Pelo menos não vai causar mais problemas para nós por algum tempo.

Einstein deu um longo suspiro.

— Todo mundo se foi. Alguns de nós também deveriam ir para o futuro.

Embora dissessem que voltariam a se encontrar, no fundo todos sabiam que aquele seria um último adeus.

Quando o Contingente Especial de Reforços do Futuro embarcou para o centro de hibernação, Chang Weisi e alguns outros generais da força espacial foram ao aeroporto para se despedir. Ele entregou uma carta a Zhang Beihai.

— Esta carta é para meu sucessor no futuro. Aqui, explico suas circunstâncias e recomendo firmemente o seu nome para o futuro Comando Espacial. Você vai acordar no mínimo daqui a cinquenta anos, talvez mais tarde, e é possível que enfrente um ambiente mais desafiador. Antes de tudo, você terá que se adaptar ao futuro, preservando o espírito dos soldados de nosso tempo. Você precisará levar em conta nossos métodos de trabalho atuais e saber quais são obsoletos e quais devem ser perpetuados. Essa talvez seja sua maior vantagem no futuro.

— Comandante — disse Zhang Beihai —, pela primeira vez eu lamento um pouco por ser ateu. Caso contrário, nós poderíamos alimentar a esperança de um reencontro em algum outro tempo e lugar.

Chang Weisi ficou um pouco impressionado com aquela demonstração de sentimento. Como Zhang Beihai era sempre tão sério, as palavras tocaram o coração de todos ao redor. Porém, como soldados, eles souberam ocultar a comoção.

— Estou grato pela oportunidade de ter conhecido todos vocês nesta vida. Lembrem-se de cumprimentar nossos camaradas do futuro em nosso nome — pediu Chang Weisi.

Após prestar continência uma última vez, o contingente especial embarcou no avião.

Chang Weisi não tirou os olhos das costas de Zhang Beihai. Um soldado firme partia, e talvez nunca mais voltasse a surgir outro como ele. De onde vinha aquela fé implacável? Essa pergunta sempre estivera oculta nas profundezas da mente de Chang Weisi e, às vezes, até despertava um pouco de inveja. Um soldado com fé na vitória era um homem de sorte. Na Batalha do Fim dos Tempos, esses sortudos seriam raros. Conforme via a silhueta alta de Zhang Beihai desaparecer avião adentro, Chang Weisi teve que admitir que, até o final, nunca conseguira compreender o outro de fato.

O avião decolou e desapareceu em meio a nuvens pálidas, levando aqueles que talvez tivessem a chance de ver o fim da humanidade. Era um dia desolador de inverno. O sol que brilhava sem força atrás de um manto de nuvens cinzentas e o vento frio que soprava pelo aeroporto vazio davam ao ar o aspecto de cristal solidificado, causando a sensação de que a primavera talvez nunca chegasse. Chang Weisi apertou sua casaca militar. Estava fazendo cinquenta e quatro anos naquele dia, e no vento sombrio de inverno ele vislumbrou seu próprio fim e o fim da raça humana.

ANO 20, ERA DA CRISE

Distância da Frota Trissolariana até o sistema solar: 4,15 anos-luz

Rey Diaz e Hines foram despertados da hibernação ao mesmo tempo e informados de que a tecnologia que eles aguardavam já existia.

— Já? — exclamaram os dois, ao descobrirem que só haviam se passado oito anos.

A explicação era lógica: devido a um volume de investimento sem precedentes, a tecnologia tinha evoluído a um ritmo impressionante nos últimos anos. No entanto, nem tudo era motivo para otimismo. A humanidade só estava correndo na reta final até a barreira dos sófons, então o progresso era estritamente tecnológico. A física avançada continuava estagnada como uma poça de água parada, e o reservatório de teorias estava se esvaziando. O progresso tecnológico começaria a se desacelerar até parar de vez. Apesar disso, pelo menos por enquanto, ninguém sabia quando seria o fim da tecnologia.

Com os pés ainda doloridos por causa da hibernação, Hines caminhava pela estrutura que lembrava um estádio, cujo interior estava imerso em névoa branca, mas parecia árido. Ele não conseguia identificar o que era aquilo. Um luar suave iluminava a névoa, que era relativamente esparsa até a altura da cabeça, mas ficava mais densa no alto e ocultava o teto. Através da névoa, ele avistou uma silhueta pequena e imediatamente reconheceu a esposa. Correu em direção a ela pela névoa, como se estivesse perseguindo um fantasma, até que os dois se encontraram e trocaram um longo abraço.

— Sinto muito, amor. Envelheci oito anos — disse Keiko Yamasuki.

— Mesmo assim, você continua um ano mais nova do que eu — respondeu Hines, olhando para ela.

Aparentemente, o tempo não tinha deixado nenhuma marca no corpo da esposa, mas ela parecia pálida e fraca sob o luar difuso da névoa. Em meio à névoa e ao luar, Hines pensou naquela noite em que eles conversaram no bambuzal do jardim no Japão.

— Nós não tínhamos combinado que você hibernaria dois anos depois de mim? Por que você esperou esse tempo todo?

— Eu queria adiantar os preparativos para nosso trabalho pós-hibernação, mas havia muito a fazer, então acabei ficando ocupada — disse ela, afastando uma mecha de cabelo da testa.

— Foi difícil?

— Muito difícil. Pouco depois de você hibernar, seis projetos de pesquisa em uma nova geração de supercomputadores foram iniciados. Três empregavam arquitetura tradicional, um usava arquitetura não Von Neumann e os outros dois eram projetos de computador quântico e de computador biomolecular, respectivamente. Dois anos depois, os cientistas que lideravam cada um dos seis projetos me disseram que a capacidade computacional que nós queríamos era impossível. O projeto de computador quântico foi o primeiro a ser interrompido, por ausência de suporte suficiente no campo teórico atual da física: a pesquisa havia chegado à barreira dos sófons. O segundo a ser descontinuado foi o projeto biomolecular. Disseram que não passava de fantasia. O último a ser encerrado foi o do computador não Von Neumann. Na verdade, sua arquitetura era uma simulação do cérebro humano, mas os especialistas explicaram que era um ovo amorfo que nunca se transformaria em frango. Só os três projetos de arquitetura tradicional continuam ativos, mas demorou muito até haver algum progresso.

— Então é isso... eu deveria ter continuado ao seu lado durante esse tempo todo.

— Não mudaria nada. Você só teria perdido oito anos. Apenas recentemente, em um período de completa desesperança, pensamos na ideia maluca de simular o cérebro de um jeito quase bárbaro.

— Como?

— Aplicando as simulações em software que tínhamos no hardware: usar um microprocessador para simular um neurônio, deixar todos os microprocessadores interagirem e permitir mudanças dinâmicas no modelo de conexões.

Hines refletiu durante alguns segundos e finalmente se deu conta do que ela estava dizendo.

— Vocês queriam fabricar cem bilhões de microprocessadores?

Ela confirmou com a cabeça.

— Isso... é praticamente a quantidade total de microprocessadores fabricados em toda a história da humanidade!

— Eu não fiz as contas, mas provavelmente é até mais.

— Mesmo se vocês conseguissem todos esses chips, quanto tempo levaria até a conexão de todos?

Keiko Yamasuki deu um sorriso cansado.

— Eu sabia que não era viável. Não passou de uma ideia desesperada. Mas nós pensamos mesmo em fazer isso na época, e em produzir a maior quantidade possível. — Ela indicou à sua volta. — Esta aqui é uma das trinta unidades de montagem de cérebro virtual que tínhamos planejado. Só que esta é a única que foi construída.

— Eu realmente deveria ter continuado ao seu lado — repetiu Hines, com um tom mais emotivo.

— Felizmente, ainda assim conseguimos o computador que queríamos, com capacidade dez mil vezes superior à de quando você começou a hibernar.

— Arquitetura tradicional?

— Arquitetura tradicional. Mais umas gotas espremidas do limão da lei de Moore. A comunidade de informática ficou impressionada... mas dessa vez, meu amor, realmente chegamos ao limite.

Um computador único. Se a humanidade falhasse, jamais haveria outro igual, pensou Hines.

— Esse computador facilitou muito a pesquisa em torno do Aparelho de Imagem por Decomposição — prosseguiu Keiko, que de repente perguntou: — Amor, você faz alguma ideia de qual é o aspecto de cem bilhões? — Hines balançou a cabeça, e ela sorriu e abriu os braços. — Veja. Isto são cem bilhões.

— O quê?

Confuso, Hines ficou olhando para a névoa branca à sua volta.

— Estamos no meio do display holográfico do supercomputador — informou ela, manipulando um dispositivo pendurado no pescoço. Hines percebeu que havia uma roda no aparelho e imaginou que aquilo devia ser uma espécie de mouse.

Conforme ela ajustava o dispositivo, ele sentiu uma mudança na névoa ao redor, que ficou mais densa e formou o que nitidamente era a ampliação de determinada região. Ele percebeu que a névoa era composta de inúmeras partículas luminosas, e que essas partículas emitiam a luminosidade que lembrava o luar, em vez de refletir luz de alguma fonte externa. À medida que a ampliação continuava, as partículas se transformaram em estrelas brilhantes. Porém, em vez de ver o céu estrelado acima da Terra, Hines se sentiu como no coração da Via Láctea, onde havia grande densidade de estrelas e quase não sobrava espaço para a escuridão.

— Cada estrela é um neurônio — explicou Keiko.

O corpo do casal estava folheado a prata pelo oceano formado por cem bilhões de estrelas. O holograma continuou aumentando, e Hines viu inúmeros tentáculos finos que se projetavam em todas as direções a partir de cada estrela e formavam conexões intrincadas, preenchendo todo o universo e deixando-o dentro de uma estrutura de rede infinitamente grande.

A imagem se ampliou ainda mais, e cada estrela começou a exibir uma estrutura que ele já havia visto em microscópios eletrônicos: células cerebrais e sinapses. Ela apertou o mouse e, no mesmo instante, a imagem voltou ao estado de névoa branca.

— Essa é uma exibição completa da estrutura do cérebro que capturamos com o Aparelho de Imagem por Decomposição lendo três milhões de cortes transversais ao mesmo tempo. É claro que o que estamos vendo agora é a imagem processada. Para podermos observar, a distância entre os neurônios foi ampliada em quatro ou cinco ordens de magnitude, de modo a fazer parecer um cérebro vaporizado. Apesar disso, a topologia das conexões entre os neurônios foi preservada. Agora vamos dar uma olhada na visão dinâmica...

A névoa exibiu algumas perturbações, pontos cintilantes na bruma que pareciam uma pitada de pólvora dispersada em cima de uma chama. Keiko Yamasuki ampliou a imagem até parecer um céu estrelado, e Hines viu os movimentos de uma maré estelar em um universo-cérebro, perturbações no mar de estrelas acontecendo de modos diferentes em lugares diferentes: algumas pareciam correntes, outras, vértices, e outras ainda, ondas, tudo instantaneamente mutável e originando vislumbres fascinantes de auto-organização em meio ao caos dominante. De repente, a imagem mudou de novo até parecer uma rede, e ele viu incontáveis sinais nervosos transmitindo mensagens constantes pelas sinapses, como pérolas reluzindo na corrente de uma rede complexa de canos...

— De quem é este cérebro? — indagou ele, maravilhado.

— É o meu — respondeu ela, olhando para Hines com uma expressão amorosa. — Quando tirei este retrato mental, estava pensando em você.

Atenção, por favor: quando a luz ficar verde, o sexto conjunto de enunciados de teste aparecerá. Quando o enunciado for verdadeiro, aperte o botão direito. Quando o enunciado for falso, aperte o botão esquerdo.

Enunciado 1: Carvão é preto.
Enunciado 2: 1 + 1 = 2.
Enunciado 3: A temperatura durante o inverno é menor do que durante o verão.
Enunciado 4: Homens geralmente são mais baixos que mulheres.
Enunciado 5: Uma linha reta é a distância mais curta entre dois pontos.
Enunciado 6: A Lua é mais luminosa que o Sol.

Os enunciados foram exibidos em sequência na pequena tela diante do sujeito-teste. Cada enunciado apareceu durante quatro segundos, e o sujeito apertou o botão esquerdo ou o direito, de acordo com sua opinião. A cabeça dele estava coberta por uma carapaça de metal, que permitia que o Aparelho de Imagem por Decomposição capturasse um retrato holográfico de seu cérebro, que o computador então processaria para criar um modelo de rede neural dinâmica para análise.

Nesse estágio inicial do projeto de pesquisa de Hines, o sujeito realizava apenas raciocínios críticos simples, e os enunciados de teste tinham respostas breves e claras. Durante esses pensamentos simples, era relativamente fácil identificar a operação da rede neural do cérebro, proporcionando um ponto de partida para um estudo mais aprofundado sobre a natureza do pensamento.

As equipes de pesquisadores lideradas por Hines e Keiko Yamasuki haviam feito algum progresso. Descobriram que o raciocínio crítico não acontecia em nenhum local específico da rede neural do cérebro, mas utilizava um modo especial de transmissão por impulsos nervosos, e que, com a ajuda do potente computador, era possível recriar e localizar esse modelo no meio da vasta rede de neurônios com um método muito semelhante ao posicionamento de estrelas que o astrônomo Ringier havia apresentado a Luo Ji. Ao contrário do esforço de localizar um esquema de posições determinado em um conjunto de estrelas, no universo do cérebro o esquema era dinâmico e só podia ser identificado por suas características matemáticas. Era um pouco como procurar um redemoinho pequeno em um oceano imenso, e por isso o poder computacional necessário era muito maior do que para localizar estrelas e só podia ser alcançado com aquela máquina nova.

Hines e sua esposa caminhavam pelo mapa nebuloso do cérebro no display holográfico. Sempre que um ponto de raciocínio crítico era identificado no cérebro do sujeito, o computador indicava a posição na imagem com uma luz vermelha. Na verdade, isso era só uma forma de proporcionar um banquete intuitivo para os olhos e não era rigorosamente necessário para o estudo. O importante era a análise da estrutura interna da transmissão por impulsos nervosos naquele ponto de pensamento, pois ali residiam os mistérios da essência da mente.

Nesse momento, o diretor médico da equipe de pesquisadores entrou e avisou que o Sujeito 104 estava com problemas.

Quando o Aparelho de Imagem por Decomposição foi desenvolvido, a leitura de uma quantidade tão grande de cortes transversais gerava uma poderosa dose de radiação fatal para qualquer ser vivo em análise, mas uma série de aprimoramentos reduzira a radiação até níveis seguros, de modo que uma grande quantidade de testes demonstrara que, desde que as gravações obedecessem a um limite de tempo, o Aparelho de Imagem por Decomposição não danificaria o cérebro.

— Ele parece ter contraído hidrofobia — disse o diretor médico, enquanto os três seguiam às pressas até o centro médico.

Hines e Keiko Yamasuki pararam de repente, surpresos. Hines olhou para o diretor médico.

— Hidrofobia? Ele contraiu raiva de alguma forma?

O diretor médico levantou a mão e tentou colocar ordem nos pensamentos.

— Ah, sinto muito. Eu me expressei mal. Ele não está apresentando nenhum problema físico, e o cérebro e os outros órgãos não sofreram dano algum. Só que ele está com medo de água, como alguém com raiva, e se recusa a beber e não aceita nem comida úmida. É um efeito completamente psicológico. Ele acredita que a água é tóxica.

— Delírio de perseguição? — perguntou Keiko Yamasuki.

O diretor médico fez um gesto com a mão.

— Não, não. Ele não acha que a água foi envenenada por alguém, só que é tóxica.

Hines e sua esposa pararam de novo, e o diretor médico balançou a cabeça, frustrado.

— Agora, em todos os outros aspectos psicológicos, ele está completamente normal... Não sei explicar. Vocês precisam ver com os próprios olhos.

O Sujeito 104 era estudante universitário e havia se oferecido para ganhar uns trocados. Antes de entrar no quarto do paciente, o diretor avisou a Hines e Keiko:

— Ele não bebe nada há dois dias. Se continuar assim, vai ficar gravemente desidratado e teremos que fazer a hidratação à força. — Da porta, ele apontou para um forno de micro-ondas e disse: — Estão vendo ali? Ele só aceita comer pão e outros alimentos que tenham sido assados até perderem toda a água.

Hines e a esposa entraram no quarto do paciente, que olhou para eles com uma expressão de medo. Exceto pelos lábios rachados e pelo cabelo despenteado, o Sujeito 104 parecia perfeitamente normal.

— Dr. Hines — começou ele, com voz rouca, puxando a manga de Hines —, eles querem me matar. Não sei por quê. — Depois, apontou para um copo d'água em cima da mesinha de cabeceira. — Querem que eu beba água.

Hines olhou para o copo de água potável e teve certeza de que o paciente não tinha raiva, porque hidrofobia de verdade causaria espasmos de terror só de ver o líquido. O som de água corrente seria enlouquecedor, e talvez ocorresse até uma reação intensa de medo com a simples menção à água.

— Pelos olhos e pelo modo de falar, ele devia estar em um estado psicológico normal — Keiko Yamasuki disse a Hines em japonês. Ela era formada em psicologia.

— Você realmente acredita que a água seja tóxica? — indagou Hines.

— Existe alguma possibilidade de dúvida? Sim, é tóxica, assim como o Sol tem luz e o ar tem oxigênio. Você não pode negar esse fato básico, não é?

— Meu jovem — disse Hines, apoiando a mão no ombro dele —, a vida se originou na água e não pode existir sem ela. Seu próprio corpo é composto setenta por cento de água!

Os olhos do Sujeito 104 assumiram uma expressão mais grave, e ele afundou na cama, segurando a cabeça.

— Pois é. Isso me atormenta. É a coisa mais incrível do universo.

— Eu gostaria de ver a ficha do Sujeito 104 no experimento — disse Hines para o diretor médico, depois que os três saíram do quarto.

Quando chegaram à sala do diretor, Keiko disse:

— Veja os enunciados antes.

Os enunciados de teste apareceram na tela, um de cada vez:

Enunciado 1: Gatos têm três patas ao todo.

Enunciado 2: Pedras não são seres vivos.

Enunciado 3: O Sol tem forma de triângulo.

Enunciado 4: Ferro pesa mais do que o mesmo volume de algodão.

Enunciado 5: Água é tóxica.

— Pare aí — pediu Hines, apontando para o Enunciado 5.

— A resposta dele foi "falso" — disse o diretor.

— Veja todos os parâmetros e todas as operações após o Enunciado 5.

A ficha indicava que, após a resposta do Enunciado 5, o Aparelho de Imagem por Decomposição aumentou a potência de leitura do ponto de raciocínio crítico da rede neural do cérebro do sujeito. Para aumentar a precisão de leitura nessa área, a intensidade da radiação e do campo magnético foi ampliada nessa pequena região. Hines e Keiko Yamasuki examinaram com cuidado a longa lista de parâmetros registrados na tela.

— Essa leitura intensificada foi feita em outros sujeitos e com outros enunciados? — questionou Hines.

— Como o efeito da leitura intensificada não era dos melhores, cancelamos após quatro tentativas, com medo de causar excesso de radiação localizada. Os três anteriores... — ele consultou o computador — eram todos enunciados verdadeiros benignos.

— Precisamos usar os mesmos parâmetros de leitura e repetir o experimento com o Enunciado 5 — observou Keiko Yamasuki.

— Mas... quem vai ser o sujeito? — perguntou o diretor.

— Eu — respondeu Hines.

Água é tóxica.

O Enunciado 5 apareceu em letras pretas em um fundo branco. Hines apertou o botão esquerdo de "Falso", mas não sentiu nada além de um ligeiro calor na nuca, provocado pela leitura intensificada.

Ele saiu do laboratório do Aparelho de Imagem por Decomposição e se sentou a uma mesa, para ser observado por um grupo de especialistas, incluindo Keiko Yamasuki. Na mesa havia um copo de água potável, que ele pegou e levou devagar até os lábios para tomar um gole. Hines agia com naturalidade e apresentava uma expressão de calma e paz. Todos começaram a suspirar de alívio, até que perceberam que a garganta dele não se mexeu para engolir a água. Os músculos do rosto de Hines ficaram rígidos e se retorceram ligeiramente para cima, e os olhos dele foram tomados pelo mesmo medo demonstrado pelo Sujeito 104, como se seu espírito estivesse lutando contra alguma força poderosa e indefinida. Ele finalmente cuspiu toda a água da boca e se ajoelhou para vomitar, mas não saiu nada. O rosto ficou roxo. Keiko abraçou Hines e bateu em suas costas com a mão aberta.

Quando se recuperou, Hines levantou a mão.

— Alguém me dê um pouco de papel-toalha — disse ele.

Ao receber duas folhas, limpou com zelo as gotas de água que haviam caído em seus sapatos.

— Você acredita mesmo que a água é tóxica, meu amor? — perguntou Keiko, com olhos marejados.

Antes do experimento, ela havia insistido várias vezes para o marido substituir o enunciado por um falso que fosse completamente inofensivo, mas ele se recusara.

Hines confirmou com a cabeça.

— Acredito. — Ele olhou para o grupo de especialistas, com uma expressão de impotência e confusão. — Acredito. De verdade.

— Vou repetir suas palavras — falou ela, dando-lhe um tapinha no ombro. — A vida se originou na água e não pode existir sem ela. Seu próprio corpo é composto setenta por cento de água!

Hines abaixou a cabeça e olhou para as manchas de umidade no chão. Em seguida, balançou a cabeça.

— Pois é, querida. Isso me atormenta. É a coisa mais incrível do universo.

Três anos após o avanço da fusão nuclear controlada, corpos celestes novos e estranhos despontaram no céu noturno da Terra, e era possível ver até cinco ao mesmo tempo em um hemisfério. Os corpos apresentavam mudanças drásticas de luminosidade, chegando a brilhar mais do que Vênus, e com frequência piscavam rapidamente. Às vezes, um explodia de repente com um incremento acelerado no brilho e, em seguida, se apagava durante dois ou três segundos. Eram reatores de fusão passando por testes em órbitas geossíncronas.

As pesquisas em propulsão radiativa sem meio haviam vencido a disputa para servir de modelo para as naves espaciais do futuro. Esse tipo de propulsão demandava reatores de alta potência que só podiam ser testados no espaço, o que resultou em reatores luminosos a trinta mil quilômetros de distância no espaço, conhecidos como estrelas nucleares. Cada vez que uma estrela nuclear se acendia, era indicação de uma derrota desastrosa. Contudo, ao contrário do que as pessoas imaginavam, o brilho intenso das estrelas nucleares não era causado por explosões no reator, e sim pela exposição do núcleo, em virtude do derretimento do casco externo do reator pelo calor produzido pela fusão. O núcleo era semelhante a um pequeno sol e, como conseguia derreter os materiais mais resistentes a calor da Terra como se fossem de cera, precisava ser contido por um campo eletromagnético. Essas proteções falhavam com frequência.

Na varanda do último andar do Comando Espacial, Chang Weisi e Hines haviam acabado de ver uma dessas ocorrências. A luminosidade suave projetou sombras na parede antes de desaparecer. Hines era a segunda Barreira que Chang Weisi conhecia pessoalmente, depois de Tyler.

— É a terceira vez este mês — comentou Chang Weisi.

Hines olhou para o céu noturno.

— A potência desses reatores representa apenas um por cento da necessidade das naves espaciais do futuro, e eles não são estáveis. Além disso, mesmo *se* os reatores necessários forem desenvolvidos, a tecnologia dos propulsores será ainda mais difícil de ser concretizada. Sem dúvida vamos encontrar algum bloqueio dos sófons no trajeto.

— É verdade. Os sófons estão bloqueando todos os caminhos — concordou Chang Weisi, com o olhar perdido na distância. O mar de luzes da cidade parecia ainda mais brilhante depois que a luz no céu se apagou.

— Um vislumbre de fé desaparece assim que surge, e um dia toda a esperança será varrida para sempre. Como você disse: os sófons bloqueiam todos os caminhos.

— Dr. Hines, o senhor não veio para falar de derrotismo comigo, não é? — indagou Chang Weisi, sorrindo.

— Na verdade, vim falar exatamente sobre isso. A reascensão do derrotismo está diferente desta vez. É inspirada pela redução drástica das condições de vida da população e provoca um impacto ainda maior entre os militares.

Chang Weisi desviou o olhar, mas não disse nada.

— Compreendo suas dificuldades, general, e gostaria de ajudar — prosseguiu Hines.

Com uma expressão impassível estampada no rosto, Chang Weisi olhou para Hines em silêncio durante alguns segundos. Depois, sem responder à oferta, disse:

— A evolução do cérebro humano leva de vinte mil a duzentos mil anos para produzir mudanças perceptíveis, mas a civilização humana tem uma história de apenas cinco mil anos. Por isso, hoje o que nós usamos é o cérebro do homem primitivo... Doutor, eu realmente admiro suas ideias extraordinárias, e talvez a resposta verdadeira esteja aí.

— Obrigado. Basicamente, somos todos Flintstones.

— Mas é mesmo possível usar a tecnologia para incrementar a capacidade mental?

Hines ficou empolgado.

— General, você não é tão primitivo, pelo menos não em comparação com outras pessoas! Percebi que você usou "capacidade mental", em vez de "inteligência". O primeiro termo é muito mais abrangente do que o segundo. Para vencer o derrotismo, por exemplo, não podemos contar apenas com a inteligência. Considerando o bloqueio dos sófons, quanto maior for a inteligência de alguém, mais difícil vai ser estabelecer a fé na vitória.

— Então me responda. É possível?

Hines balançou a cabeça.

— O que você sabia da pesquisa que Keiko Yamasuki e eu realizávamos antes da Crise Trissolariana?

— Não muito. Se não me engano, era algo sobre a essência do pensamento operar não em nível molecular, mas em nível quântico. Será que isso sugere...

— Sugere que os sófons estão me esperando. Assim como nós estamos esperando por eles — interrompeu Hines, apontando para o céu. — Só que no momento nossa pesquisa ainda está bem distante da meta. Apesar disso, encontramos um subproduto inesperado.

Chang Weisi sorriu e assentiu com a cabeça, exibindo um interesse cauteloso.

— Não vou entrar em detalhes, mas gostaria de resumir dizendo que descobrimos o mecanismo da mente para formar opiniões na rede neural do cérebro, assim como a capacidade de exercer um impacto decisivo nessas opiniões. Se compararmos o processo pelo qual a mente humana assume opiniões com o processo de um computador, temos a entrada de dados externos, os cálculos e, depois, o resultado final. Conseguimos omitir do processo a etapa de cálculo e produzir diretamente um resultado. Quando certa informação entra no cérebro, influencia determinada parte da rede neural, e podemos fazer o cérebro formar uma opinião, ou seja, acreditar que a informação é genuína, sem nem pensar.

— Algo assim já foi feito? — indagou Chang Weisi, em voz baixa.

— Já. Começou como uma descoberta acidental, que analisamos em profundidade, e agora conseguimos. Batizamos o processo de "selo mental".

— E se a opinião... ou, digamos, a fé contrariar a realidade?

— Então a fé acabará sendo revertida. Só que o processo será bastante doloroso, porque a opinião produzida pelo selo mental é obstinadíssima. Eu cheguei a ter certeza de que a água era tóxica, e só depois de dois meses de psicoterapia consegui beber um copo sem resistência. O processo foi... enfim, algo que não gosto de relembrar. De qualquer maneira, devo observar que a toxicidade da água é um enunciado falso extremamente óbvio. Outras crenças podem não ser. Como a existência de Deus, ou a vitória da humanidade na guerra. Esses enunciados não têm uma resposta bem definida e, durante o processo natural de estabelecimento dessas crenças, a mente se inclina ligeiramente em determinada direção por influência de inúmeros fatores. Se a crença for estabelecida pelo selo mental, será completamente sólida e inquebrantável.

— Essa é uma conquista excepcional. — Chang Weisi ficou sério. — Quer dizer, para a neurociência. Agora, receio que no mundo real o senhor criou algo realmente problemático, dr. Hines. De verdade. A invenção mais problemática de todos os tempos.

— Vocês não gostariam de usar a descoberta do selo mental para criar uma força espacial dotada de fé inabalável na vitória? Nas Forças Armadas, vocês têm comissários políticos e nós temos sacerdotes. O selo mental é apenas um recurso tecnológico que realiza o trabalho dos comissários de maneira mais eficiente.

— O trabalho político e ideológico estabelece a fé através do pensamento racional e científico.

— É algo possível? Estabelecer a fé na vitória nesta guerra com base em pensamento racional e científico?

— Se não for, doutor, seria preferível ter uma força espacial sem fé na vitória, mas ainda capaz de pensar de maneira independente.

— Com exceção dessa única crença, a mente seria totalmente autônoma, claro. Faríamos apenas uma ínfima intervenção mental, usando a tecnologia para pular a etapa do raciocínio e implantar uma conclusão, só uma, na mente.

— Mas uma basta. A tecnologia agora é capaz de modificar pensamentos do mesmo jeito que modificamos um programa de computador. Após as modificações, as pessoas continuam sendo pessoas, ou se tornam autômatos?

— Você deve ter lido *Laranja mecânica*.

— É um livro profundo.

— General, sua postura se encaixa com o que eu esperava — disse Hines, suspirando. — Prosseguirei meus esforços nessa área, os esforços que uma Barreira precisa realizar.

Na sessão seguinte do Projeto Barreiras do CDP, a apresentação do selo mental por Hines despertou uma comoção rara na assembleia. A avaliação concisa do embaixador dos Estados Unidos expressava a opinião da maioria dos presentes:

— Apesar do talento extraordinário, o dr. Hines e a dra. Keiko acabaram abrindo uma grande porta para a escuridão da humanidade.

O embaixador francês se levantou da cadeira, inflamado:

— O que é mais trágico para a humanidade: a perda da capacidade de pensamento livre ou a derrota na guerra?

— É claro que a segunda opção é mais trágica! — rebateu Hines, levantando-se. — Porque, com a primeira condição, a humanidade pelo menos terá uma oportunidade de recuperar a independência de pensamento!

— Se esse procedimento for mesmo adotado, tenho lá minhas dúvidas... — comentou o embaixador russo, levantando as mãos para o teto. — Vejam só essas Barreiras. Tyler queria tirar a vida das pessoas, e você quer tirar a mente delas. O que está tentando fazer?

Essas palavras provocaram agitação.

— Hoje estamos apenas apreciando a possibilidade de votação — disse o embaixador do Reino Unido —, mas acredito que todos os governos nacionais serão unânimes quanto ao veto a uma proposta dessas. Seja lá o que acontecer, nada é mais maligno do que o controle mental.

— Por que todo mundo fica tão abalado com a sugestão de controle mental? — perguntou Hines. — Desde as propagandas até a cultura de Hollywood, o controle mental é onipresente na sociedade moderna. Para usar um provérbio chinês, vocês estão criticando alguém que recua cem passos quando vocês mesmos recuam cinquenta.

— Dr. Hines, você não recuou apenas cem passos — objetou o embaixador americano. — Você foi até a fronteira da escuridão e está ameaçando os pilares da sociedade moderna.

Nova comoção agitou a assembleia, e Hines viu que era o momento de assumir as rédeas da situação.

— Aprendam com o garotinho! — exclamou ele, aumentando o tom.

Não demorou para que o burburinho silenciasse após essa declaração.

— Que garotinho? — indagou alguém.

— Acho que todos conhecem a história: uma árvore caiu e prendeu a perna de um garotinho, que estava sozinho na floresta. Como a perna sangrava sem parar, ele acabaria morrendo, até que tomou uma decisão que constrangeria qualquer um dos senhores: ele apanhou um serrote e cortou a perna que estava presa. Em seguida encontrou um carro e foi até um hospital, conseguindo salvar a própria vida.

Hines constatou que, pelo menos, ninguém na sala tentara interromper a história. Satisfeito, prosseguiu:

— A humanidade está diante de um problema de vida ou morte. A vida ou a morte de nossa espécie e da civilização como um todo. Nessas circunstâncias, como é possível que a gente não abra mão de algumas coisas?

Duas batidas leves de martelo ecoaram pela sala, embora não houvesse muito barulho na assembleia. Só então os presentes se deram conta de que o presidente rotativo, naquela oportunidade, um alemão, vinha mantendo um silêncio atípico durante a sessão.

— Antes de mais nada — começou o presidente, com voz suave —, espero que todos possam fazer uma boa análise na situação atual. O investimento para construir um sistema de defesa espacial não para de aumentar, e a economia mundial está passando por uma grave recessão durante esse período transitório. A previsão de que o padrão de vida retrocederá um século talvez se concretize em um futuro não muito distante. Enquanto isso, os estudos científicos relacionados à defesa espacial estão alcançando a barreira de bloqueio dos sófons, e o progresso tecnológico está perdendo embalo. Tudo isso acabará produzindo uma nova onda de derrotismo na comunidade internacional, talvez levando desta vez ao completo colapso do programa de defesa do sistema solar.

As palavras do presidente serviram para acalmar completamente os ânimos. Após quase meio minuto de silêncio, ele continuou.

— Assim como vocês, senti medo e repúdio ao ficar sabendo da existência do selo mental, como me sentiria diante de uma cobra venenosa. Só que a postura mais racional que podemos adotar no momento é conservar a calma e analisar com seriedade as possibilidades. Quando o diabo realmente aparecer, a melhor opção é manter o sangue-frio e a racionalidade. Nesta sessão, estamos apenas apreciando a possibilidade de votação de uma proposta.

Hines viu um fio de esperança.

— Sr. presidente, senhores embaixadores, como minha proposta inicial não passaria à votação por essa assembleia, talvez seja melhor todos nós darmos um passo para trás.

— Por mais passos que sejam dados, o controle mental é absolutamente inaceitável — rebateu o embaixador francês, mas em um tom ligeiramente mais ameno do que antes.

— E se não fosse controle mental? Talvez algum ponto entre o controle e a liberdade?

— O selo mental equivale ao controle mental — argumentou o embaixador japonês.

— Não necessariamente. Para o controle mental, é preciso que haja um controlador e um controlado. Se alguém aplica um selo por livre e espontânea vontade na própria mente, eu pergunto: onde está o controle?

A assembleia ficou em silêncio outra vez. Sentindo que o sucesso estava próximo, Hines prosseguiu:

— Proponho que o selo mental seja aberto como uma instituição pública. Teria apenas um enunciado: a crença na vitória na guerra. Qualquer interessado em obter essa fé por meio do selo poderia, de modo totalmente voluntário, utilizar a instituição. É claro que isso tudo seria realizado sob uma supervisão rigorosa.

A assembleia iniciou um debate e acrescentou à proposta original de Hines uma quantidade razoável de restrições ao uso do selo mental. A mais crucial era a que limitava o acesso do selo às forças espaciais, porque era relativamente fácil as pessoas aceitarem a ideia de pensamento uniforme nas Forças Armadas. A sessão continuou por quase oito horas, a maior de todas até então, e só chegou ao fim com a formulação de um texto que seria votado na sessão seguinte, e que os embaixadores dos membros permanentes encaminhariam para seus respectivos governos.

— Nós não deveríamos pensar em um nome para essa instituição? — perguntou o embaixador americano.

— Que tal batizarmos de Centro de Reforço de Fé? — sugeriu o embaixador do Reino Unido. O humor britânico do estranho nome provocou risadas.

— Tire "Reforço" e chame de Centro de Fé — rebateu Hines, sério.

No portão do Centro de Fé havia uma réplica em miniatura da Estátua da Liberdade. Ninguém conhecia o propósito da cópia — talvez fosse uma tentativa de usar a ideia de "liberdade" para diluir a sensação de "controle" —, mas o elemento mais notável da estátua era o poema adaptado no pedestal:

Vinde todas as almas em desesperança,
As turbas temerosas que desejam vencer,
O refugo entorpecido de mar e ribança.
Os deprimidos todos, prestes a ceder
E minha luz de fé dourada dará confiança.

A fé dourada do poema estava gravada em relevo em diversos idiomas, em um grande pedaço de granito preto batizado de Monumento da Fé, que ficava ao lado da estátua:

Na guerra de resistência contra a invasão de Trissolaris, a humanidade sairá vitoriosa. O inimigo que invadir o sistema solar será destruído. A Terra persistirá no cosmo por dez mil gerações.

O Centro de Fé estava aberto havia três dias, e durante esse período Hines e Keiko aguardavam no saguão majestoso. O edifício relativamente pequeno construído ao lado da Praça das Nações Unidas tinha se tornado a mais nova atração turística, e as pessoas se aproximavam o tempo todo para tirar fotos da réplica da Estátua da Liberdade e do Monumento da Fé, mas ninguém ultrapassava esse ponto. Todos pareciam manter uma distância cautelosa da entrada.

— Você não fica com a impressão de que estamos mantendo uma lojinha de bairro? — perguntou ela.

— Minha querida, um dia isto aqui será um lugar sagrado — disse Hines, em tom solene.

Na tarde do terceiro dia, alguém enfim entrou no Centro de Fé. O homem careca e melancólico de meia-idade caminhava a passos trôpegos e, quando se aproximou, Hines e Keiko sentiram cheiro de álcool.

— Vim arrumar fé — falou ele, enrolando a língua.

— O Centro de Fé está aberto apenas para membros das forças espaciais de todos os países. Por favor, apresente sua identificação — pediu Keiko Yamasuki, cumprimentando o visitante com uma mesura.

Hines achou que sua esposa parecia uma garçonete educada do Tokyo Plaza Hotel. O homem tirou a identificação do bolso.

— Eu sou membro da força espacial. Contingente civil. Pode ser?

Após conferir a identificação, Hines confirmou com a cabeça.

— Sr. Wilson, deseja fazer agora?

— Seria ótimo — respondeu ele, assentindo com a cabeça. — O... o negócio que vocês chamam de enunciado de crença. Até escrevi. Quero acreditar nisto aqui.

O homem tirou do bolso da camisa um pedaço de papel cuidadosamente dobrado. Keiko Yamasuki quis explicar que, de acordo com a resolução do CDP, o selo mental só tinha permissão para operar em um enunciado, o que estava escrito no monumento da entrada. Deveria ser exatamente o que estava escrito, sendo proibida qualquer alteração. No entanto, Hines conteve a esposa com delicadeza, porque antes queria dar uma olhada no enunciado que o homem havia preparado. Ele desdobrou o papel e leu o que estava escrito.

Katherine me ama. Ela nunca teve nem nunca terá um caso!

Keiko Yamasuki reprimiu uma risada. Já Hines amassou o papel com raiva e jogou no rosto do homem bêbado.

— Dê o fora daqui!

Depois que Wilson saiu, outro homem passou pelo Monumento da Fé, a fronteira que mantinha os turistas comuns à distância. O homem que caminhava atrás do monumento logo atraiu a atenção de Hines, que chamou Keiko Yamasuki.

— Olhe para ele. Deve ser um soldado! — exclamou.

— Ele parece um homem esgotado, mental e fisicamente — observou ela.

— Mas é um soldado. Sei do que estou falando.

Hines estava prestes a sair para conversar com o estranho quando viu o homem andar na direção da escadaria. O sujeito parecia regular de idade com Wilson e, embora tivesse belos traços asiáticos, confirmava a observação feita por Keiko Yamasuki: parecia um pouco melancólico, mas de um jeito diferente do coitado anterior. Sua melancolia parecia mais branda, mas também mais profunda, como uma companheira de longa data.

— Meu nome é Wu Yue. Eu gostaria de obter crença — declarou o visitante.

Hines reparou que ele usou o termo "crença", em vez de "fé". Keiko Yamasuki fez uma mesura e repetiu a frase de antes:

— O Centro de Fé está aberto apenas para membros das forças espaciais de todos os países. Por favor, apresente sua identificação.

Wu Yue não se mexeu.

— Há dezesseis anos — disse ele —, servi durante um mês na força espacial e depois pedi baixa.

— Você serviu durante um mês? Bom, se não se importar, poderia me dizer qual foi o motivo de sua saída? — perguntou Hines.

— Sou um derrotista. Meus superiores acreditavam que eu já não estava apto para trabalhar na força espacial, e eu era da mesma opinião.

— O derrotismo é uma mentalidade comum. Você sem dúvida era um derrotista honesto e declarou suas opiniões abertamente. Seus colegas na força talvez tivessem um complexo derrotista ainda mais forte, mas souberam manter isso em segredo — consolou Keiko Yamasuki.

— Talvez. Mas passei todos esses anos perdido.

— Por ter saído da força?

Wu Yue balançou a cabeça.

— Não. Eu nasci em uma família de acadêmicos e, com a educação que recebi, aprendi a tratar a humanidade como uma unidade, mesmo depois que me tornei soldado. Sempre acreditei que a maior honra para um soldado seria lutar por toda a raça humana. A oportunidade chegou, mas é uma guerra que estamos fadados a perder.

Hines estava prestes a dizer algo, mas foi interrompido por Keiko Yamasuki:

— Gostaria de fazer uma pergunta. Quantos anos você tem?

— Cinquenta e um.

— Mesmo se pudesse regressar à força espacial após obter fé na vitória, não acha que, na sua idade, estaria um pouco tarde para voltar a servir?

Hines percebeu que sua esposa não tinha coragem de rejeitar aquele homem de maneira direta. Sem dúvida, aquela profunda melancolia era muito atraente para os olhos de uma mulher. Porém, Hines não se incomodou, porque o sujeito estava tão consumido pelo desespero que mais nada importava.

Wu Yue balançou a cabeça.

— Você não entendeu. Não quero obter fé na vitória. Só estou tentando encontrar paz para a minha alma.

Hines quis falar, mas Keiko Yamasuki o interrompeu outra vez.

Wu Yue prosseguiu.

— Conheci minha atual esposa quando estava cursando a Academia Naval em Annapolis. Ela é uma cristã fervorosa e encara o futuro com uma tranquilidade que me causa inveja. Ela disse que Deus tem e sempre teve um plano para tudo, desde o passado até o futuro. Como filhos do Senhor, nós não precisamos compreender os desígnios Dele, temos apenas que acreditar com firmeza que o plano divino é o mais sensato do universo. Então, viveremos em paz na vontade do Senhor.

— Você está dizendo que veio obter crença em Deus?

Wu Yue confirmou com a cabeça.

— Escrevi meu enunciado de crença. Por favor, dê uma olhada — pediu ele, levando a mão ao bolso da camisa.

Mais uma vez, Keiko Yamasuki impediu que Hines falasse.

— Se o seu caso é esse, basta acreditar — disse ela para Wu Yue. — Não existe necessidade de recorrer a um meio tecnológico tão extremo.

O ex-capitão da força espacial esboçou um resquício de sorriso irônico.

— Eu fui criado com uma educação materialista. Sou um ateu ferrenho. Você acha que seria fácil obter essa crença?

— De jeito nenhum! — respondeu Hines, saindo de trás de Keiko Yamasuki. Ele tinha decidido esclarecer a situação o quanto antes. — Você precisa entender que, de acordo com a resolução da ONU, o selo mental só pode operar a partir de um enunciado. — Enquanto falava, pegou um belo e trabalhado porta-cartões vermelho e abriu para mostrar a Wu Yue. Dentro, em letras douradas sobre um fundo de veludo preto, estava o voto de vitória do Monumento da Fé. — Isto é um livro de fé. — Ele pegou outros porta-cartões de diversas cores. — Estes são livros de fé em outros idiomas. Sr. Wu, gostaria de explicar que o uso do selo mental está sujeito a uma supervisão rigorosíssima. Para garantir uma operação segura e confiável, o enunciado não é exibido em uma tela, e sim entregue ao voluntário neste primitivo livro de fé para ser lido. Como reflexo do princípio de voluntarismo, o procedimento específico é concluído pelo voluntário, que abre este livro de fé e aperta o botão "Iniciar" do dispositivo de selo mental. Antes da conclusão efetiva do procedimento, o sistema oferecerá três oportunidades para confirmação da escolha. A cada procedimento, o livro de fé é verificado previamente por um painel de dez comissários especiais estabelecido pela Comissão de Direitos Humanos da ONU e pelos Estados-membros permanentes do CDP. Durante a operação do dispositivo de selo mental, esse painel de dez pessoas acompanhará presencialmente e com máxima atenção todo o processo. Por isso, não podemos atender seu pedido. Esqueça seu enunciado sobre crença religiosa. É um crime alterar uma só palavra do livro de fé.

— Entendo. Sinto muito por ter incomodado — se desculpou Wu Yue, consentindo com um gesto da cabeça.

Aparentemente, tinha previsto aquele resultado. Virou-se para ir embora e, de costas, parecia solitário e velho.

— O resto da vida dele vai ser difícil — comentou Keiko Yamasuki em voz baixa, cheia de ternura.

— Sr. Wu! — gritou Hines, e Wu Yue parou logo depois de passar pela porta. Hines correu até o ponto onde a luz do pôr do sol se refletia como fogo no Monumento da Fé e na fachada de vidro distante do prédio da ONU. — Você talvez não acredite, mas eu quase fiz o contrário.

Wu Yue parecia confuso. Hines olhou para trás e, ao ver que não fora seguido por Keiko, tirou um pedaço de papel do bolso e abriu para Wu Yue.

— Este é o selo mental que eu queria aplicar em mim mesmo. Não tinha certeza, claro, e acabei não levando adiante.

As letras em negrito no texto diziam:

Deus está morto.

— Por quê? — perguntou Wu Yue, levantando a cabeça.

— Não é óbvio? Deus não está morto? Que se dane o plano do Senhor. Que se dane o controle sutil Dele!

Wu Yue olhou para Hines por um instante, sem falar nada, e então se virou e desceu os degraus. Quando ele entrou na sombra projetada pelo Monumento da Fé, Hines gritou:

— Sr. Wu, eu gostaria de poder disfarçar meu desprezo por você, mas não consigo.

No dia seguinte, as pessoas que Hines e Keiko esperavam enfim começaram a chegar. Naquela manhã ensolarada, quatro postulantes entraram: três homens europeus e uma mulher de traços asiáticos. Eram jovens, caminhavam com passos decididos, tinham postura ereta e pareciam confiantes e maduros. Ainda assim, Hines e Keiko viram em seus olhos algo familiar, a mesma confusão melancólica que havia nos olhos de Wu Yue.

Eles puseram os documentos com cuidado na mesa da recepção.

— Somos oficiais da força espacial — informou o líder do grupo — e viemos obter fé na vitória.

O processo do selo mental foi bem rápido. Os dez membros do painel de fiscalização assinaram a certidão, depois que os livros de fé passaram pela cuidadosa análise de cada um. Em seguida, sob a supervisão do painel, o primeiro voluntário recebeu o livro de fé e se sentou diante do leitor do selo mental. Havia uma plataforma à sua frente, onde ele apoiou o livro, e um botão vermelho no canto inferior direito. Assim que o voluntário abriu o livro de fé, uma voz perguntou:

— Você tem certeza de que deseja obter fé neste enunciado? Em caso afirmativo, por favor, aperte o botão. Em caso negativo, por favor, se retire da área de leitura.

A pergunta foi repetida três vezes e, em cada oportunidade, o botão vermelho se acendia. Um aparato de posicionamento se moveu devagar para prender a cabeça do voluntário e, então, a voz disse:

— O procedimento de selo mental está pronto para inicializar. Por favor, leia o enunciado em silêncio e aperte o botão.

Quando o voluntário apertou, o botão ficou verde e, depois de cerca de meio minuto, se apagou.

— O procedimento de selo mental foi concluído — disse a voz. O aparato de posicionamento se afastou, e o voluntário se levantou e saiu.

Quando os três homens e a mulher voltaram ao saguão depois de terminarem o procedimento, Keiko Yamasuki examinou o grupo com cuidado, confirmando quase imediatamente que o ânimo renovado dos quatro oficiais não era apenas impressão. A melancolia e a confusão haviam desaparecido daqueles olhos, que estavam serenos como o reflexo de um espelho d'água.

— Como vocês se sentem? — perguntou ela, sorrindo.

— Muito bem — respondeu um oficial jovem, retribuindo o sorriso. — Como devia ser.

Quando o grupo se preparou para ir embora, a oficial com traços asiáticos se virou e acrescentou:

— Doutora, eu realmente me sinto ótima. Obrigada.

Naquele momento, o futuro era uma certeza e estava traçado, pelo menos na mente daqueles quatro jovens oficiais.

A partir daquele dia, membros da força espacial chegaram sem cessar para obter fé — de início vinham principalmente sozinhos, mas com o tempo passaram a aparecer grupos maiores. Os primeiros que receberam o selo mental usavam trajes civis, mas aos poucos a maioria dos interessados passou a vir de farda. Se chegassem mais de cinco postulantes ao mesmo tempo, o painel supervisor realizava uma reunião de avaliação para determinar se alguém havia sido coagido.

Uma semana depois, mais de cem membros da força espacial obtiveram fé na vitória através do selo mental. Apresentavam-se desde graduados até oficiais superiores, o máximo na hierarquia permitido pelas forças espaciais nacionais para o uso do selo.

Naquela noite, sob o luar, diante do Monumento da Fé, Hines disse para Keiko Yamasuki:

— Querida, precisamos ir embora.

— Para o futuro?

— Sim. Nós não somos melhores do que os outros cientistas que estudam a mente e já demos nossa contribuição, fazendo avançar a roda da história. Agora temos que ir para o futuro e esperá-la.

— Até onde?

— Longe, Keiko. Muito longe. Até o dia em que as sondas trissolarianas chegarem ao sistema solar.

— Antes, vamos passar um tempo na nossa casa no Japão. Afinal, esta era será sepultada para sempre.

— Claro, querida. Também sinto saudade.

Seis meses depois, à medida que Keiko Yamasuki mergulhava no frio cada vez mais intenso e estava prestes a entrar em hibernação, o frio paralisou e eliminou os ruídos caóticos em sua mente. Assim, o fio de seus pensamentos concentrados surgiu em grande clareza na escuridão solitária, como havia acontecido com Luo Ji quando ele caiu no lago gelado, dez anos antes. De repente, os pensamentos confusos de Keiko se tornaram estranhamente límpidos, como o céu frio no meio do inverno.

Ela tentou gritar para que interrompessem a hibernação, mas era tarde demais. As temperaturas ultrabaixas haviam se infiltrado em seu corpo, e ela perdera a capacidade de emitir sons.

Os técnicos e médicos perceberam que, assim que ela começou a entrar em hibernação, seus olhos se entreabriram de repente, revelando uma expressão cheia de horror e desespero. Se o frio não tivesse paralisado suas pálpebras, os olhos teriam ficado arregalados. No entanto, como aquilo era um reflexo normal que já havia sido observado em outras pessoas durante o processo de hibernação, ninguém prestou atenção.

A Sessão do Projeto Barreiras do CDP na ONU deliberou sobre o teste da bomba estelar de hidrogênio.

O gigantesco avanço em tecnologia de computação enfim produziu computadores capazes de processar o modelo teórico estelar de explosão nuclear desenvolvido na última década, e a produção de bombas estelares de hidrogênio de alta potência teve início imediato. A potência estimada da primeira bomba era equivalente a trezentos e cinquenta megatons de TNT, ou sete vezes mais do que a maior bomba de hidrogênio fabricada até então pela humanidade, de modo que era impossível testá-la na atmosfera. Como detoná-la em um poço subterrâneo em profundidades usadas com outras bombas lançaria pedaços de rocha ao ar, para testar a superbomba na Terra seria preciso cavar um poço ultraprofundo. Contudo, mesmo a detonação em um poço ultraprofundo produziria ondas de choque que se propagariam pelo mundo todo, talvez produzindo algum efeito imprevisto em uma ampla gama de estruturas geológicas e desencadeando desastres como terremotos e tsunamis. Logo, a bomba estelar de hidrogênio só podia ser testada no espaço. Só que havia um problema: era impossível detoná-la em uma órbita alta, porque, a essa distância, o pulso eletromagnético gerado pela bomba teria um efeito catastrófico nos sistemas de energia e telecomunicação da Terra. Por isso, o local ideal para o teste era o outro lado da Lua. No entanto, Rey Diaz tinha outra opinião.

— Decidi conduzir os testes em Mercúrio — afirmou ele.

A proposta pegou de surpresa os embaixadores presentes, que lançaram perguntas sobre o sentido do plano.

— De acordo com os princípios básicos do Projeto Barreiras, eu não preciso explicar — respondeu Rey Diaz, com frieza. — Os testes devem ser conduzidos abaixo do solo. Precisamos cavar poços ultraprofundos em Mercúrio.

— Podemos levar em consideração testes na superfície de Mercúrio, mas testes subterrâneos são caros demais — objetou o embaixador russo. — Cavar poços profundos lá custaria cem vezes mais do que executar um projeto de engenharia semelhante aqui na Terra. Sem contar que os efeitos de uma bomba nuclear no ambiente de Mercúrio não traria nenhum conhecimento útil para a humanidade.

— Não é possível fazer um único teste na superfície de Mercúrio! — se exaltou o embaixador americano. — Até o momento, Rey Diaz foi a Barreira que mais consumiu recursos. Chegou a hora de pôr um fim nessa regalia!

Essa posição encontrou apoio nos embaixadores do Reino Unido, da França e da Alemanha.

— Mesmo se eu tivesse usado menos recursos do que o dr. Luo, vocês ainda estariam ansiosos para vetar meu plano — rebateu Rey Diaz, rindo. Em seguida se virou para o presidente rotativo. — Quero lembrar ao presidente e a cada embaixador que, entre todas as estratégias propostas pelas Barreiras, meu plano é o mais coerente com o programa de defesa principal, podendo inclusive ser considerado parte desse programa. O consumo de recursos pode parecer grande em valores absolutos, mas uma parcela considerável coincide com o programa principal. Portanto...

O embaixador britânico interrompeu o venezuelano.

— O senhor ainda precisa explicar por que temos que realizar testes subterrâneos em Mercúrio. A menos que queira fazer isso apenas para queimar dinheiro. Não conseguimos ver nenhuma razão plausível para esse pedido.

— Sr. presidente, embaixadores — começou Rey Diaz, com calma —, os senhores talvez tenham percebido que o CDP não demonstra mais o mínimo respeito pelas Barreiras ou pelos princípios do projeto. Se tivermos que explicar cada detalhe de nossos planos, para que serve o Projeto Barreiras?

Ele dirigiu o olhar fulminante para cada um dos embaixadores, obrigando-os a desviar o rosto.

— Ainda assim — prosseguiu Rey Diaz —, estou disposto a oferecer uma explicação para a questão apresentada. O objetivo dos testes subterrâneos em Mercúrio é abrir uma grande caverna naquele planeta para, no futuro, servir de base. Essa me parece a forma mais econômica de realizar um projeto de engenharia dessa dimensão.

Suas palavras suscitaram murmúrios, e um embaixador questionou:

— Barreira Rey Diaz, o senhor está dizendo que pretende usar Mercúrio como base de lançamento para as bombas estelares de hidrogênio?

— Sim — respondeu Rey Diaz, sem hesitar. — A teoria estratégica atual do programa de defesa principal enfatiza os planetas exteriores, deixando sem a devida atenção os planetas interiores, considerados defensivamente insignificantes. A base que pretendo instalar em Mercúrio busca corrigir essa vulnerabilidade no programa de defesa principal.

— Ele tem medo do Sol, mas quer ir ao planeta que fica mais perto. Não é um pouco estranho? — alfinetou o embaixador dos Estados Unidos.

Alguns representantes deram uma risadinha, o que levou o presidente a reagir e fazer uma advertência.

— Não tem importância, sr. presidente. Estou acostumado a essa falta de respeito. Estava acostumado antes mesmo de me tornar uma Barreira — disse Rey Diaz, fazendo um gesto com a mão. — Só que todos os presentes deveriam ao menos respeitar os fatos. Quando os planetas exteriores e a Terra tiverem caído, a base em Mercúrio será o último bastião da humanidade. Com o Sol na retaguarda e sob a cobertura da radiação, será a posição mais robusta.

— Barreira Rey Diaz, isso significa que todo o propósito do seu plano consiste em um gesto final de resistência, quando a humanidade já estiver condenada? É uma proposta muito coerente com o seu caráter — insinuou o embaixador francês.

— Cavalheiros, não podemos deixar de cogitar uma resistência final, nem simplesmente ignorar esse cenário — argumentou Rey Diaz, com gravidade.

— Muito bem, Barreira Rey Diaz. O senhor poderia informar, nos desdobramentos de seu plano, quantas bombas estelares de hidrogênio serão necessárias ao todo? — indagou o presidente.

— Quanto mais bombas, melhor. Produzam o máximo que a Terra tiver capacidade de fazer. A quantidade específica depende da potência que as bombas de hidrogênio conseguirão alcançar no futuro. De qualquer maneira, conforme dados atuais, a primeira etapa do plano precisa de no mínimo um milhão.

O auditório foi tomado por gargalhadas, ao fim das palavras de Rey Diaz.

— Como era de se esperar, a Barreira Rey Diaz não se contenta apenas com um sol pequeno e quer produzir uma galáxia pequena! — falou em alto e bom som o embaixador americano, antes de se inclinar em direção a Rey Diaz. — O senhor acha mesmo que o prótio, o deutério e o trítio do oceano estão à sua disposição? Será que por causa de uma fixação perversa por bomba como a sua, a Terra deveria se transformar em uma fábrica de bombas?

A essa altura, Rey Diaz era a única pessoa no salão com expressão ainda serena. Ele aguardou em silêncio até os ânimos se acalmarem e depois sentenciou, proferindo cada palavra devagar:

— Esta é a guerra derradeira da raça humana, então a quantidade que solicito está longe de ser grande. Enfim, eu já havia imaginado o resultado da sessão de hoje. Apesar disso, gostaria de deixar claro que trabalharei muito e construirei bombas, a maior quantidade possível. Trabalharei sem descanso, sem trégua.

Em resposta, os embaixadores dos Estados Unidos, do Reino Unido e da França apresentaram a proposta conjunta P269, para interromper o plano estratégico da Barreira Rey Diaz.

Só se viam duas cores na superfície de Mercúrio: preto e dourado. O preto era o solo do planeta e, em virtude de sua baixa refletância, mesmo sob intensa iluminação solar, permanecia uma vastidão de negro. O dourado era o Sol, que ocupava uma parte considerável do céu. Nessa roda vasta era possível enxergar com nitidez a agitação dos mares de fogo e das manchas solares pairando como nuvens negras e, nas extremidades, a dança graciosa das proeminências solares.

Pois bem, nesse pedaço de rocha dura suspenso acima do mar de fogo do Sol, a humanidade estava plantando outro pequeno sol.

Após a conclusão do elevador espacial, os seres humanos haviam começado a exploração em larga escala dos outros planetas do sistema solar. Naves tripuladas pousaram em Marte e nas luas de Júpiter sem causar grande comoção, porque todos sabiam que o propósito dessas expedições era muito mais claro e prático do que no passado: o objetivo era puramente estabelecer bases para a defesa do sistema solar. Essas viagens, feitas sobretudo por foguetes e naves por propulsão química, representavam apenas passos ínfimos rumo a essa meta. As primeiras explorações se concentraram em especial nos planetas exteriores mas, à medida que o estudo de estratégia espacial se aprofundava, cada vez mais era questionada a negligência aos planetas interiores, por conta de seu valor estratégico. Nesse cenário, a exploração de Vênus e Mercúrio foi impulsionada, o que levou o CDP a aprovar por pequena margem o plano de Rey Diaz de testar a bomba estelar de hidrogênio em Mercúrio.

A escavação do poço no solo rochoso de Mercúrio foi o primeiro projeto de engenharia de larga escala empreendido pela humanidade em outro planeta do sistema solar. Como a construção só podia prosseguir durante as noites de Mercúrio, em períodos de oitenta e oito dias terrestres, o projeto demoraria três anos para ser concluído. No entanto, no final só alcançou um terço da profundidade estimada, devido à descoberta de uma camada inferior extraordinariamente dura, misto de metal e rocha. A escavação dessa camada seria muito mais lenta e dispendiosa, o que culminou na decisão de encerrar o projeto. Se os testes fossem realizados na profundidade alcançada, a rocha em volta do poço sem dúvida seria expelida pela explosão e formaria uma cratera, basicamente uma versão atenuada de testes atmosféricos. Além disso, em virtude da interferência da crosta, seria muito mais difícil observar o resultado do que em um teste totalmente atmosférico. Apesar disso, Rey Diaz acreditava que, se fosse instalada uma cobertura na cratera, ela ainda poderia servir de base, e insistiu em detonar a bomba na profundidade alcançada.

O teste foi realizado ao amanhecer. O nascer do sol em Mercúrio era um processo que levava mais de dez horas, e uma luminosidade suave havia acabado de despontar no horizonte. Quando a contagem regressiva da detonação chegou ao fim, ondas originadas no ponto zero se expandiram para fora, e o solo de Mercúrio pareceu, por um instante, macio como cetim. No ponto da explosão, uma montanha se ergueu devagar, como as costas de um gigante que acordava. Quando o cume chegou a cerca de três mil metros, a montanha inteira explodiu, lançando bilhões de toneladas de lama e rocha para o alto, em uma demonstração imensa de fúria do solo contra o céu. Com a onda rochosa, surgiu a luz radiante da bola de fogo nuclear subterrânea, que iluminou os detritos que voavam no ar, criando um espetáculo fantástico de fogos de artifício no céu escuro de Mercúrio. A bola de fogo durou cinco minutos, um brilho nuclear em meio a pedaços de rocha que caíam no solo.

Dez horas após o fim da explosão, observadores perceberam que havia se formado um anel em volta de Mercúrio. Uma quantidade considerável de rochas tinha alcançado velocidade cósmica com a explosão violenta, transformando-se em inúmeros satélites de tamanhos variados, que se distribuíram de maneira uniforme em torno do planeta. Mercúrio passou a ser o primeiro planeta rochoso com anéis. O anel era fino e, cintilando sob a luz intensa do Sol, parecia quase como um risco de caneta marca-texto.

Outra porção de rochas alcançou velocidade de escape e abandonou Mercúrio de vez, tornando-se satélites independentes do Sol e formando um cinturão de asteroides extremamente esparso na órbita de Mercúrio.

Rey Diaz morava no subterrâneo não por motivos de segurança, mas por conta de sua heliofobia. O ambiente claustrofóbico, muito distante da luz do Sol, o deixava um pouco mais à vontade. Ele acompanhou a transmissão ao vivo do teste em Mercúrio no porão onde morava. Na verdade, não era tecnicamente ao vivo, pois as imagens levavam cerca de sete minutos para chegar à Terra. Após a explosão no planeta, enquanto as rochas ainda estavam caindo na escuridão pós-bola de fogo, ele recebeu um telefonema do presidente rotativo do CDP, informando que o poder imenso das bombas estelares de hidrogênio havia causado forte impressão nos líderes do CDP e que os Estados-membros permanentes haviam solicitado uma nova sessão do Projeto Barreiras o quanto antes, para tratar da fabricação e da distribuição das bombas. O presidente disse que, embora fosse impossível alcançar a quantidade de bombas desejada por Rey Diaz, as grandes potências estavam interessadas em produzir a arma.

Mais de dez horas depois da conclusão do teste em Mercúrio, enquanto Rey Diaz via o novo anel do planeta brilhando na televisão, a voz de um guarda soou no interfone para informar que o psiquiatra havia chegado para fazer a consulta.

— Nunca chamei nenhum psiquiatra. Mande o sujeito embora!

Ele se sentiu ultrajado, como se tivesse sofrido uma ofensa brutal.

— Não seja assim, sr. Rey Diaz — disse outra voz, mais calma. Sem dúvida, era o visitante. — Posso ajudar o senhor a ver o Sol...

— Vá embora — gritou o venezuelano, mas mudou de ideia quase no mesmo segundo. — Não, espere um pouco. Prenda esse idiota e descubra de onde veio.

— ... porque sei a causa do seu problema — continuou a voz, ainda calma. — Sr. Rey Diaz, por favor, acredite em mim. Nós dois somos as únicas pessoas do mundo que sabemos.

Ao ouvir isso, Rey Diaz ficou alarmado de repente.

— Deixe o sujeito entrar — avisou para o guarda.

Rey Diaz olhou para o teto por alguns segundos, confuso, e depois se levantou devagar, pegou uma gravata no sofá bagunçado e voltou a largá-la. Então foi até o espelho, ajeitou o colarinho da camisa e arrumou o cabelo com as mãos, como se estivesse se preparando para uma solenidade.

Ele sabia que era, de fato, uma solenidade.

O visitante entrou sem se apresentar e franziu ligeiramente o cenho ao sentir o cheiro forte de charuto e álcool no cômodo. Era um homem bonito, jovem, e ficou parado, tranquilo, enquanto Rey Diaz o encarava.

— Por que eu tenho a sensação de que já vi você antes? — perguntou o venezuelano, olhando para o visitante.

— Isso não é estranho, sr. Rey Diaz. Todo mundo diz que eu pareço o Super-Homem dos filmes antigos.

— Você realmente acha que é o Super-Homem? — indagou Rey Diaz. Ele se sentou no sofá, pegou um charuto, arrancou a ponta com os dentes e acendeu.

— Essa pergunta mostra que o senhor já sabe que tipo de homem eu sou. Não sou o Super-Homem, sr. Rey Diaz. Nem eu nem o senhor.

O homem deu um passo à frente enquanto falava. Rey Diaz soltou uma baforada e se viu face a face com aquele sujeito, que o observava através da nuvem de fumaça. Rey Diaz então se levantou.

— Barreira Manuel Rey Diaz, eu sou seu Destruidor — declarou o visitante.

Com apreensão, Rey Diaz assentiu com a cabeça.

— Posso me sentar? — perguntou o Destruidor de Barreiras.

— Não — respondeu Rey Diaz, soprando fumaça lentamente no rosto do homem.

— Não fique deprimido — consolou o Destruidor, com um sorriso compassivo.

— Não estou — rebateu Rey Diaz, com um tom frio e duro como pedra.

O Destruidor de Barreiras foi até a parede e apertou um interruptor. Em algum lugar, começou a soar o murmúrio de ventiladores.

— Não mexa em nada aqui — alertou Rey Diaz.

— O senhor precisa de um pouco de ar fresco. Mais do que isso, precisa de sol. Eu conheço muito bem este cômodo, Barreira Rey Diaz. Nas imagens enviadas pelos sófons, vi muitas vezes o senhor andar de um lado para outro, como uma fera enjaulada. Nenhuma pessoa no mundo observou o senhor por tanto tempo quanto eu. E pode acreditar: naqueles dias a minha vida também não era fácil.

O Destruidor encarou Rey Diaz, que exibia uma expressão vazia, como uma escultura de gelo, antes de prosseguir.

— Em comparação com Frederick Tyler, o senhor é um estrategista brilhante. Uma Barreira competente. Por favor, saiba que não é um elogio vazio. Devo admitir que, por bastante tempo, durante quase uma década, o senhor me enganou. Sua fissura pela superbomba, uma arma tão ineficiente em batalhas espaciais, conseguiu ocultar a direção de sua estratégia, o que me manteve por muito tempo perdido no labirinto criado pelo senhor. Confesso que quase me desesperei a certa altura.

O Destruidor de Barreiras olhou para o teto, abalado pela lembrança daqueles momentos de dificuldade.

— Mais tarde — continuou —, pensei em procurar informações sobre o senhor antes de sua nomeação como Barreira, mas não foi fácil, porque os sófons não puderam ajudar. Naquela época, apenas uma quantidade limitada de sófons havia chegado à Terra, e o senhor era chefe de Estado de uma nação sul-americana, então não despertava o interesse de Trissolaris. Por isso, tive que recorrer a métodos convencionais de investigação. Levei três anos. Nessa investigação, um homem chamou minha atenção: William Cosmo. O senhor se reuniu secretamente com ele em três ocasiões. Como os sófons não registraram o conteúdo dessas conversas, eu nunca saberei, mas é muito inusitado que um chefe de Estado de um país pequeno e subdesenvolvido se reúna três vezes com um astrofísico ocidental. Agora sabemos que, na ocasião, o senhor já estava se preparando para se tornar uma Barreira.

"Sem dúvida, o que o interessava era o resultado das pesquisas do dr. Cosmo. Não sei ao certo como esses resultados chamaram sua atenção, mas o senhor tinha formação como engenheiro e contava com a experiência bem-sucedida de seu predecessor socialista, que também nutria um entusiasmo por uma nação governada por engenheiros. Aliás, esse foi um fator determinante para que o senhor se tornasse o sucessor dele na presidência. Então, o senhor devia ter competência e sensibilidade para compreender a relevância em potencial da pesquisa de Cosmo.

"Quando a Crise Trissolariana começou, o grupo de pesquisa do dr. Cosmo estudou a atmosfera do sistema estelar de Trissolaris. Os pesquisadores formularam a hipótese de que a atmosfera havia sido produzida por um antigo planeta que colidira com uma estrela. Na colisão, as camadas externas da estrela se romperam, a fotosfera e a troposfera, fazendo com que o material estelar interno fosse lançado ao espaço e formasse uma atmosfera. Devido à completa irregularidade de movimentos no sistema, há momentos em que as estrelas passam bem perto umas das outras e, nessas ocasiões, a atmosfera de uma estrela é dispersada pela gravidade de outra e, depois, reabastecida pelas erupções na superfície da estrela. Essas erupções não são constantes, mais ou menos como vulcões que passam por explosões súbitas. Por esse motivo acontece a contração e expansão contínua da atmosfera das estrelas. Para provar essa hipótese, Cosmo procurou no universo alguma outra estrela com atmosfera criada após colidir com algum planeta. No terceiro ano da Era da Crise, ele encontrou uma.

"A equipe do dr. Cosmo descobriu o sistema planetário 275E1, a cerca de oitenta e quatro anos-luz do sistema solar. Como o Hubble II não estava operando na época, eles usaram um método indireto. Ao observar e calcular a frequência de oscilação e a máscara de luz, os pesquisadores descobriram que o planeta estava bem perto da estrela. A princípio, essa descoberta não chamou muita atenção, porque a comunidade científica já havia encontrado mais de duzentos sistemas planetários até então, mas observações posteriores revelaram um fato chocante: a distância entre o planeta e a estrela estava se reduzindo sem parar, e a velocidade do encolhimento estava aumentando. Logo, a humanidade observaria pela primeira vez um planeta cair em uma estrela. Um ano mais tarde, ou melhor, oitenta e quatro anos antes da observação, isso aconteceu. As condições de observação da época só permitiam identificar a colisão com base no bamboleio gravitacional e na máscara de luz periódica. Só que, então, algo maravilhoso ocorreu: uma coluna de matéria apareceu em volta da estrela, e essa coluna se expandiu continuamente. Parecia uma mola de fita se abrindo aos poucos a partir da estrela. Cosmo e seus colegas perceberam que o fluxo de matéria havia sido lançado a partir do ponto de impacto do planeta. O pedregulho havia atravessado a casca daquele sol distante e lançado matéria estelar para o espaço, onde, graças à rotação da própria estrela, se formou uma espiral.

"Há uma série de informações cruciais aqui, sr. Rey Diaz. O astro era uma estrela amarela classe G2, com magnitude absoluta de 4,3 e 1,2 milhão de quilômetros de diâmetro. Em suma, era bastante similar ao nosso Sol. Já o planeta tinha cerca de quatro por cento da massa da Terra, ou um pouco menos do que Mercúrio, e a nuvem espiral de matéria produzida pela colisão alcançava um raio de cerca de três unidades astronômicas, mais do que a distância entre o nosso Sol e o cinturão de asteroides.

"E foi nessa descoberta que encontrei a rachadura por onde poderia revelar seu verdadeiro plano estratégico. Agora, na posição de Destruidor de Barreiras, explicarei sua estratégia principal.

"Considerando que conseguisse as mais de um milhão de bombas estelares de hidrogênio, o senhor armazenaria os artefatos em Mercúrio, como prometeu ao CDP. Se as bombas fossem detonadas abaixo da superfície, funcionariam como um motor turbo que iria desacelerar o planeta. Com o tempo, a velocidade não conseguiria mais preservar a órbita, e Mercúrio cairia no Sol. Em seguida, o que aconteceu no sistema 275E1 a oitenta e quatro anos-luz de distância se repetiria aqui: Mercúrio atravessaria a camada convectiva do Sol, lançaria uma quantidade imensa de matéria estelar da camada radiativa para o espaço em alta velocidade e, com a rotação solar, formaria uma atmosfera espiral semelhante à de 275E1. O Sol se diferencia do sistema de Trissolaris na medida em que, sendo uma estrela individual, nunca cruza o caminho de outra estrela, então sua atmosfera continuará aumentando desimpedida até se tornar mais espessa que a atmosfera dessas estrelas. Isso também foi confirmado a partir de observações de 275E1. Quando a espiral de matéria expelida se projetasse para longe do Sol como uma mola de fita sendo aberta, com o tempo alcançaria a órbita de Marte e então produziria uma reação em cadeia magnífica.

"Em primeiro lugar, três planetas terrestres, Vênus, Terra e Marte, passariam pela atmosfera espiral do Sol, perderiam velocidade em virtude da fricção e se transformariam em três meteoros gigantes que acabariam caindo no Sol. Porém, muito antes disso, a atmosfera terrestre seria arrancada pela fricção intensa com a matéria solar. Os oceanos evaporariam, e a perda da atmosfera e dos oceanos evaporados converteriam a Terra em um cometa gigante, cuja cauda se estenderia por toda a sua órbita em torno do Sol. A superfície da Terra voltaria a ser o mar de magma flamejante de suas origens, incapaz de sustentar qualquer vida.

"Quando Vênus, Terra e Marte caíssem no Sol, a expulsão de matéria solar para o espaço se intensificaria. De um único fluxo espiral de matéria, o Sol passaria a ter quatro fluxos. Como a massa total desses outros três planetas é quarenta vezes maior do que a de Mercúrio, e como suas órbitas mais afastadas resultariam em um impacto no Sol a velocidades muito superiores, cada espiral nova seria expelida com uma ferocidade dezenas de vezes maior do que a de Mercúrio. A atmosfera espiral inicial se expandiria rapidamente até se aproximar da órbita de Júpiter.

"A fricção produziria apenas uma ligeira desaceleração na enorme massa de Júpiter, então levaria um bom tempo até a espiral exercer algum efeito perceptível na órbita do planeta. Só que, com os satélites de Júpiter, aconteceria uma destas duas alternativas: a fricção os arrancaria de Júpiter e os faria perder velocidade e cair no Sol, ou eles perderiam velocidade na órbita jupiteriana e cairiam no planeta líquido.

"Conforme a reação em cadeia avançasse, a queda de velocidade na atmosfera espiral seria constante, ainda que pequena, e aos poucos a órbita de Júpiter se reduziria. Isso faria com que o planeta passasse por uma camada cada vez mais densa da atmosfera, cuja fricção aceleraria a perda de velocidade, levando a uma redução ainda mais rápida da órbita... Assim, com o tempo, Júpiter também cairia no Sol. Sua massa é seiscentas vezes maior do que a dos quatro planetas anteriores, e o impacto de um corpo tão vasto no Sol produziria, de acordo com os cálculos mais conservadores, uma expulsão ainda mais violenta de matéria estelar, aumentando a densidade da atmosfera espiral e exacerbando o frio agudo de Urano e Netuno. Só que existiria outra possibilidade mais provável: a queda do gigante Júpiter ampliaria os limites da atmosfera espiral até a órbita de Urano, ou até a de Netuno, e, ainda que a atmosfera seja bem pouco densa nessa faixa superior, o efeito de desaceleração da fricção também atrairia esses planetas e seus satélites até o Sol. Embora não seja possível prever o estado do Sol e as transformações do sistema solar ao final da reação em cadeia, depois que os quatro planetas terrestres e os quatro gigantes gasosos tivessem sido consumidos, uma coisa é certa: para a vida e a civilização, seria um inferno ainda mais cruel do que um ataque trissolariano.

"Como para Trissolaris a única esperança antes que seu planeta seja engolido por suas estrelas é o sistema solar, os trissolarianos não poderiam migrar para nenhum outro mundo a tempo. Logo, sua civilização compartilharia o mesmo destino da humanidade: a destruição total.

"Esta seria a sua estratégia: em último caso, morte para os dois lados. Assim que tudo estivesse preparado, com todas as bombas estelares de hidrogênio estocadas em Mercúrio, o senhor exigiria a rendição de Trissolaris e conquistaria a vitória definitiva para a humanidade.

"O que acabei de expor é fruto do suor de anos de trabalho. Não peço que emita comentário nem opinião, porque, como seu Destruidor, sei que é tudo verdade."

Rey Diaz escutara em silêncio toda a exposição do Destruidor de Barreiras. Ele começou a virar de um lado para o outro o que restava do charuto em sua mão, menos da metade, como se quisesse admirar a ponta incandescente.

O Destruidor se sentou no sofá, bem perto dele. Como um professor que examinasse o dever de casa de um aluno, o Destruidor continuou, incansável:

— Sr. Rey Diaz, eu falei que o senhor é um estrategista brilhante ou, pelo menos, demonstrou uma série de qualidades excelentes durante a formulação e aplicação desse plano.

"Por exemplo, o senhor aproveitou sua própria formação. Hoje, as pessoas se lembram bem das humilhações que o senhor e seu país sofreram na ocasião em que foram obrigados a desativar a instalação nuclear do Orinoco, quando estavam desenvolvendo energia nuclear. O mundo inteiro viu seu rosto consternado, e o senhor se aproveitou da percepção externa de sua paranoia com armas nucleares para reduzir ou até eliminar qualquer possível suspeita.

"Além disso, cada detalhe da execução de seu plano demonstra seu talento. Darei apenas um exemplo: durante o teste em Mercúrio, o senhor queria explodir o pedregulho no céu, mas insistiu em escavar um poço ultraprofundo em uma manobra inteligente. O senhor compreendia muito bem a tolerância dos Estados-membros permanentes do CDP quanto ao custo desse projeto enorme, o que é admirável.

"Apesar disso, o senhor cometeu um deslize imperdoável. Por que esse primeiro teste precisava ser realizado em Mercúrio? Haveria muito tempo para levar as bombas até lá em uma etapa posterior, mas talvez o senhor tenha ficado impaciente, querendo ver o quanto antes o resultado da explosão de uma bomba estelar de hidrogênio naquela atmosfera. As grandes quantidades de matéria rochosa expelida em velocidade de escape talvez tenham até superado suas expectativas. O senhor ficou satisfeito com o resultado, mas essa foi a confirmação definitiva da minha hipótese.

"Sim, sr. Rey Diaz, mesmo após todos os meus esforços, sem o seu deslize eu talvez jamais tivesse conseguido determinar suas verdadeiras intenções estratégicas. A ideia era absurda demais. Mas reconheço que era grandiosa, até bela. Se a reação em cadeia iniciada com a queda de Mercúrio acontecesse de verdade, seria o movimento mais magnífico de toda a sinfonia do sistema solar... ainda que, infelizmente, a humanidade só pudesse apreciar a primeira parte. Sr. Rey Diaz, o senhor é uma Barreira de potencial divino. É uma honra ser seu Destruidor."

O Destruidor de Barreiras se levantou e fez uma mesura amistosa para Rey Diaz, mas foi ignorado solenemente. Rey Diaz deu nova baforada no charuto e só então voltou a examinar o Destruidor, enquanto soprava a fumaça:

— Tudo bem. Então vou fazer a mesma pergunta de Tyler.

O Destruidor se antecipou e falou por ele.

— E daí se o que eu disse for verdade?

Rey Diaz olhou para a ponta acesa do charuto e confirmou com um gesto de cabeça.

— Minha resposta é a mesma do Destruidor de Tyler. Isso não tem qualquer importância para o Senhor.

Rey Diaz tirou os olhos do charuto e encarou seu Destruidor com uma expressão de dúvida.

— O senhor parece um bruto, mas tem uma mente astuta — disse o Destruidor. — Apesar disso, nas profundezas de sua alma, o senhor ainda é um bruto e tem a natureza de um bruto. E essa brutalidade se revela na base desse plano estratégico, que é ganancioso. A humanidade não tem capacidade para produzir tantas bombas estelares de hidrogênio. Mesmo se todos os recursos da indústria terrestre fossem exauridos, não seria possível produzir nem um décimo dessa quantidade. Além disso, um milhão de bombas estelares de hidrogênio é uma quantidade muito aquém da necessária para desacelerar e lançar Mercúrio ao Sol. Com a impetuosidade de um soldado, o senhor formulou um plano impossível e insistiu passo a passo na execução, com os cálculos astuciosos de um grande estrategista. Barreira Rey Diaz, isto é realmente uma tragédia.

Enquanto olhava para o Destruidor, a expressão de Rey Diaz assumiu aos poucos uma suavidade dissimulada, e sinais de convulsões começaram a aparecer em seu rosto enrugado e duro, tomando forma até finalmente irromper em gargalhadas.

— Rá-rá-rá-rá... — riu ele, apontando para o Destruidor. — Super-Homem! Rá-rá-rá-rá. Agora me lembro. Aquele... aquele Super-Homem antigo. Ele era capaz de voar e de reverter a rotação da Terra, mas quando estava andando a cavalo... rá-rá-rá-rá... quando estava andando a cavalo, ele caiu e quebrou o pescoço... rá-rá-rá-rá...

— Quem caiu e quebrou o pescoço foi Christopher Reeve, o ator que interpretava o Super-Homem — corrigiu o Destruidor, em voz baixa.

— Você imagina... imagina que terá um destino melhor que o dele? Rá-rá-rá-rá...

— Desde que entrei por aquela porta, não me preocupo com meu destino. Tive uma vida plena — disse o Destruidor de Barreiras, tranquilo. — Já o senhor deveria pensar em seu destino.

— Você vai morrer primeiro — avisou Rey Diaz, com um sorriso largo no rosto.

Ele empurrou o charuto bem entre os olhos do Destruidor, que cobriu o rosto com as mãos. Então Rey Diaz pegou um cinto que estava no sofá e passou em volta do pescoço do Destruidor, estrangulando-o com todas as forças. Embora o Destruidor fosse jovem, não tinha como se defender da força e da agilidade de Rey Diaz, de modo que foi jogado ao chão pelo pescoço.

— Vou torcer seu pescoço! — berrou Rey Diaz. — Maldito, quem mandou você vir aqui bancar o esperto? Quem você pensa que é? Maldito! Vou torcer seu pescoço!

Ele apertou mais o cinto e bateu a cabeça do Destruidor diversas vezes no chão, até lhe arrebentar os dentes. Quando os guardas apareceram para separar os dois, o rosto do Destruidor estava roxo, ele espumava pela boca, e seus olhos estavam saltados como os de um peixe.

Rey Diaz, ainda furioso, se debateu contra os guardas, sem parar de gritar:

— Torçam o pescoço desse sujeito! Enforquem ele! Agora mesmo! Faz parte do plano! Estão me ouvindo, porra? Parte do plano!

No entanto, os três guardas não seguiram a ordem. Um deles segurou Rey Diaz com firmeza, enquanto os outros dois levantaram o Destruidor de Barreiras, que havia recuperado um pouco do fôlego, e começaram a levá-lo embora.

— Pode esperar, maldito. Você não vai ter uma morte rápida — sentenciou ele, desistindo de se libertar do guarda e de tentar atacar outra vez o Destruidor.

Ao fim dessas palavras, Rey Diaz soltou um longo suspiro. O Destruidor olhou para trás por cima do ombro do guarda, e um sorriso apareceu em seu rosto amassado e inchado.

— Tive uma vida plena — rebateu ele, com a boca sem vários dentes.

Sessão do Projeto Barreiras do CDP

Quando a sessão começou, os Estados Unidos, o Reino Unido, a França e a Alemanha apresentaram uma proposta. Desta vez, exigiam a suspensão imediata do posto de Barreira de Rey Diaz e seu julgamento no Tribunal Internacional de Justiça, por crimes contra a humanidade.

— Após investigação minuciosa — declarou o embaixador americano —, concluímos que a hipótese revelada pelo Destruidor de Barreiras quanto ao propósito estratégico de Rey Diaz tem fundamento. Estamos diante de uma pessoa que cometeu um crime muito superior a qualquer outro em toda a história da humanidade. Como não encontramos uma única lei aplicável a esse caso excepcional, recomendamos que se acrescente o crime de Extinção da Vida na Terra ao direito internacional e que Rey Diaz seja julgado por esse gravíssimo delito.

Rey Diaz parecia bastante à vontade na sessão.

— Vocês estão tentando se livrar de mim, não é? — perguntou ele ao embaixador americano, com um sorriso de desdém. — Desde o começo do Projeto Barreiras, vocês não foram imparciais com as Barreiras. Eu sou o mais detestado.

— A alegação da Barreira Rey Diaz não tem cabimento — retrucou o embaixador britânico. — Na realidade, os países que ele acusa foram os que mais investiram em seu plano, muito mais do que com as outras Barreiras.

— Claro — respondeu Rey Diaz, balançando a cabeça —, mas todos sabemos qual era o verdadeiro motivo por trás desses investimentos pesados no meu plano: colocar as mãos nas bombas estelares de hidrogênio.

— Ridículo! O que faríamos com elas? Essas bombas são incrivelmente ineficientes como armas em uma batalha espacial. Já na Terra, se nem as antigas bombas de hidrogênio de vinte megatons são práticas, imagina um monstro de trezentos — rebateu o embaixador americano.

— Só que as bombas serão as armas mais eficazes em batalhas em outros planetas — argumentou Rey Diaz, com calma —, em particular em guerras entre seres humanos. Na superfície desolada de outros planetas, ninguém precisa se preocupar com baixas civis ou danos ao meio ambiente, de modo que vocês estarão livres para realizar destruição em larga escala ou até devastar a superfície inteira. Em um cenário desses, as bombas estelares de hidrogênio serão mais úteis. Vocês devem ter previsto que, com a expansão da humanidade pelo sistema solar, os conflitos entre a nossa espécie também se expandirão. Como essa realidade não vai mudar nem com Trissolaris como inimigo em comum, vocês já estão se preparando. Na atual conjuntura, é politicamente indefensável desenvolver superarmas para uso contra seres humanos, então vocês se aproveitaram de mim para fazer o serviço sujo.

— Essa não passa da lógica absurda de um terrorista ditador — disse o embaixador dos Estados Unidos. — Rey Diaz é o tipo de homem que, com o status e os poderes de uma Barreira nas mãos, transforma o projeto em um perigo tão grande quanto a invasão trissolariana. Precisamos adotar medidas firmes para corrigir esse erro.

— Eles não estão blefando — falou Rey Diaz, virando-se para Garanin, novamente presidente rotativo. — Agentes da CIA estão à espera lá fora para me prender assim que eu sair desta sessão.

O presidente olhou em direção ao embaixador americano, que estava mexendo com a caneta, concentrado. O primeiro mandato de Garanin havia sido no começo do Projeto Barreiras, e nem ele se lembrava de quantos mandatos curtos havia exercido nas duas décadas seguintes. Porém, aquela era a última vez: já de cabelos brancos, Garanin estava prestes a se aposentar.

— Barreira Rey Diaz, se o que o senhor afirma for verdade, é uma situação condenável. Enquanto os princípios do Projeto Barreiras estiverem vigentes, as Barreiras têm imunidade legal, e nenhuma de suas palavras ou ações pode ser usada como prova de qualquer crime — lembrou Garanin.

— Além do mais, não se esqueçam de que estamos em território internacional — acrescentou o embaixador japonês.

— Então isso significa que — disse o embaixador americano, erguendo a caneta —, mesmo quando Rey Diaz estiver prestes a detonar um milhão de superbombas enterradas em Mercúrio, a sociedade não poderá acusá-lo de nenhum crime?

— De acordo com disposições relevantes da Resolução Barreiras, impor limitações ou empecilhos aos planos estratégicos das Barreiras que exibirem tendências perigosas é uma questão completamente alheia à imunidade legal da Barreira — respondeu Garanin.

— Os crimes de Rey Diaz extrapolaram o limite da imunidade legal. Ele precisa ser punido. Essa é uma condição básica para preservar a existência do Projeto Barreiras — rebateu o embaixador britânico.

— Gostaria de lembrar ao presidente e aos embaixadores — falou Rey Diaz, levantando-se — que esta é uma Sessão do Projeto Barreiras do CDP, não um tribunal.

— Você irá para o tribunal em breve — replicou o embaixador americano, com um sorriso ameaçador.

— Concordo com a Barreira Rey Diaz. Nós deveríamos voltar a debater seu plano estratégico — sugeriu Garanin, aproveitando a oportunidade para colocar temporariamente panos quentes na delicada questão.

O embaixador japonês falou em seguida.

— Ao que tudo indica, os embaixadores chegaram ao seguinte consenso: o plano estratégico de Rey Diaz apresenta tendências perigosas a violações explícitas dos direitos humanos e, de acordo com os princípios relevantes da Resolução Barreiras, precisa ser interrompido.

— Então agora podemos iniciar a votação da Disposição P269, proposta na sessão anterior e referente à interrupção do plano estratégico de Rey Diaz — disse Garanin.

— Sr. presidente, espere um instante — pediu Rey Diaz, levantando a mão. — Antes da votação, eu gostaria de oferecer uma última explicação sobre alguns detalhes do meu plano.

— Se são apenas detalhes, é mesmo necessário? — perguntou alguém.

— Ofereça ao juiz — propôs o embaixador britânico, com sarcasmo.

— Não, são detalhes importantes — insistiu Rey Diaz. — Por enquanto, digamos que seja verdade o que o Destruidor de Barreiras revelou sobre meus propósitos estratégicos. Um embaixador mencionou o momento que antecederia a possível explosão de um milhão de bombas de hidrogênio enviadas para Mercúrio, quando então eu encararia os sófons onipresentes e declararia a Trissolaris a intenção da humanidade de morrer junto com eles. O que aconteceria depois?

— Não podemos prever a reação dos trissolarianos, mas sem dúvida, na Terra, bilhões de pessoas iriam querer torcer seu pescoço, do mesmo jeito que você fez com aquele Destruidor — respondeu o embaixador francês.

— Exato. Por isso tomei algumas medidas para lidar com essa situação. Gostaria que os senhores dessem uma boa olhada nisto. — Rey Diaz levantou a mão esquerda e mostrou o relógio de pulso, completamente preto, com o mostrador duas vezes maior e mais grosso do que o de um relógio normal, embora não parecesse grande demais para o pulso grosso dele. — Isto é um transmissor, que serviria para enviar um sinal pelo espaço até Mercúrio.

— Você usará isso para enviar um sinal de detonação? — perguntou alguém.

— Justamente o contrário. Esse relógio envia um sinal de não detonação.

Suas palavras chamaram a atenção de todos na assembleia.

— O sistema usa o codinome "berço" — prosseguiu o venezuelano. — Quando o berço parar de balançar, o bebê vai acordar. Esse aparelho envia um sinal contínuo para Mercúrio. Se o sinal for interrompido, o sistema acionará imediatamente a detonação das bombas de hidrogênio.

— Isso se chama dispositivo de homem morto. Durante a Guerra Fria, foi considerado o uso de antigatilhos e dispositivos de homem morto em bombas atômicas estratégicas, mas esses sistemas nunca foram implementados. Só um louco faria isso — explicou o embaixador americano, com estoicismo.

Rey Diaz abaixou a mão esquerda e cobriu o berço com a manga.

— Eu não roubei essa ideia maravilhosa de um especialista em estratégia nuclear, e sim de uma produção hollywoodiana. No filme, um dos protagonistas tem um aparelho desses que envia um sinal contínuo, que seria cortado caso seu coração parasse de bater. O outro protagonista está com uma bomba amarrada no corpo, uma bomba impossível de ser removida. Se o artefato não receber o sinal contínuo, BUM. Então, embora esse infeliz não goste do outro sujeito, ele tem que fazer de tudo para protegê-lo... Sabe, eu gosto de ver filmes populares americanos. Até hoje consigo reconhecer a versão antiga do Super-Homem.

— Quer dizer que esse dispositivo está ligado aos seus batimentos cardíacos? — perguntou o embaixador japonês.

Ele estendeu a mão até Rey Diaz, que estava perto, para encostar no dispositivo sob a manga, mas Rey Diaz mexeu o braço e se afastou um pouco.

— Claro. Só que o berço é mais avançado e sofisticado do que isso — explicou o venezuelano. — Ele monitora não apenas meus batimentos cardíacos, mas também vários outros fatores fisiológicos, como pressão arterial, temperatura do corpo etc., e realiza uma análise completa desses parâmetros. Ao primeiro indício de anormalidade, o berço interrompe o sinal do dispositivo. Sem falar que também reconhece inúmeros comandos simples com a minha voz.

Um homem nervoso entrou no auditório e murmurou algo no ouvido de Garanin. Antes que ele terminasse, Garanin olhou para Rey Diaz com uma expressão estranha no rosto, o que não passou despercebido pelos embaixadores atentos.

— É possível desarmar esse seu berço. Durante a Guerra Fria, foram criadas contramedidas para esse tipo de dispositivo — disse o embaixador americano.

— Não é o meu berço. É o berço daquelas bombas de hidrogênio. Se o balanço do berço parar, elas vão acordar — ameaçou Rey Diaz.

— Eu já pensei na mesma técnica — comentou o embaixador alemão. — Quando o sinal é transmitido do seu relógio para Mercúrio, ele precisa passar por um sistema de comunicação complexo. Se destruirmos ou bloquearmos qualquer nó da rede e enviarmos um sinal falso a partir de outra fonte, para continuar a transmissão do sinal antigatilho, inutilizaremos seu sistema de berço.

— Isso é de fato um problema — respondeu Rey Diaz, fazendo um gesto com a cabeça na direção do embaixador alemão. — Sem os sófons, esse problema se resolve com facilidade. Todos os nós são carregados com um algoritmo de codificação idêntico, que gera todos os sinais enviados. Por fora, parece que os valores do sinal mudam de maneira aleatória em cada momento, mas o transmissor e o receptor do berço produzem uma sequência idêntica. Só quando o receptor obtém um sinal correspondente à sua própria sequência é que o sinal é considerado válido. Sem esse algoritmo de codificação, o sinal falso enviado por sua fonte não vai bater com a sequência do receptor. Mas os malditos sófons são capazes de detectar o algoritmo.

— Você pensou em algum outro método? — perguntou alguém.

— Um método bruto. Comigo, todos os métodos são brutos e desajeitados — falou Rey Diaz, com um sorriso sarcástico. — Eu aumentei a sensibilidade com que cada nó monitora seu próprio estado. Para ser mais específico, cada nó de comunicação é composto por diversas unidades, que podem estar bastante afastadas entre si, mas que estão conectadas em uma unidade em comunicação constante. Se qualquer unidade apresentar falha, o nó inteiro emitirá um comando para interromper o antigatilho. Logo, mesmo se o sinal falso retomar o envio ao nó seguinte, ele não será reconhecido. O monitoramento de cada unidade funciona com a precisão de um microssegundo, o que significa, seguindo a sugestão do embaixador alemão, que é preciso destruir todas as unidades de um nó e retomar o envio do sinal falso simultaneamente no intervalo de um microssegundo. Cada nó tem no mínimo três unidades, mas pode ter dezenas. Essas unidades ficam a cerca de trezentos quilômetros umas das outras. Todas são extremamente robustas e transmitirão o alerta assim que detectarem qualquer contato físico. Os trissolarianos talvez sejam capazes de anular essas unidades no intervalo de um microssegundo, mas a humanidade hoje não teria nenhuma chance de sucesso.

A última frase deixou todos em alerta.

— Eu acabei de receber a informação de que o dispositivo no pulso de Rey Diaz está transmitindo um sinal eletromagnético — revelou Garanin, aumentando ainda mais o clima de tensão. — Eu gostaria de perguntar, Barreira Rey Diaz: o sinal em seu relógio está sendo transmitido para Mercúrio?

Rey Diaz deu uma risada antes de responder.

— Por que eu transmitiria para Mercúrio? Lá não tem nada além de um buraco gigante. Sem contar que o sistema de comunicação espacial do berço ainda não foi instalado. Não, não. Vocês não precisam se preocupar com isso. O sinal não está indo para Mercúrio, mas para algum lugar na cidade de Nova York, bem perto de nós.

Com exceção de Rey Diaz, todos na assembleia gelaram, completamente abismados.

— Se o sinal mantendo o berço for interrompido, o que ele vai ativar? — questionou o embaixador britânico com rispidez, desistindo de disfarçar a tensão.

— Ah, vai ativar algo, sim, mas é surpresa — respondeu Rey Diaz, rindo. — Eu fui uma Barreira durante mais de vinte anos e sempre consegui preparar boas surpresas.

— Muito bem, sr. Rey Diaz, então poderia responder a uma pergunta ainda mais direta? Quantas vidas serão sacrificadas por você, ou por nós? — quis saber o embaixador francês, que parecia completamente calmo, mas estava com voz trêmula.

Rey Diaz arregalou os olhos para o francês, como se achasse a pergunta de outro mundo.

— O quê? A quantidade de gente faz diferença? Achei que todos aqui fossem cavalheiros respeitáveis que valorizassem os direitos humanos acima de tudo.

Qual é a diferença entre uma vida e 8,2 milhões de almas? Uma vida só não faria diferença para os senhores?

O embaixador americano ficou de pé.

— Há mais de vinte anos, no começo do Projeto Barreiras, nós avisamos o que esse homem era. — Ele apontava para Rey Diaz e cuspia ao falar. Tentou se segurar, mas acabou perdendo o controle. — Esse homem é um terrorista. Um terrorista imundo! Um demônio! Vocês abriram a caixa, deixaram esse terrível mal escapar e agora precisam assumir a responsabilidade! A ONU precisa prestar contas! — gritou ele histericamente, jogando papéis para todos os lados.

— Mantenha a calma, sr. embaixador — recomendou Rey Diaz, com um sorrisinho. — O berço é muito sensível aos meus índices fisiológicos. Se eu tivesse alguma alteração de humor por causa de um chilique como esse seu, o sinal antigatilho seria interrompido na mesma hora. Por isso, sugiro que o senhor e todos na assembleia não me incomodem muito. Seria melhor se todo mundo tentasse me manter feliz.

— Quais são as suas condições? — perguntou Garanin, em voz baixa.

O sorriso de Rey Diaz traiu uma pontada de tristeza quando ele se virou para Garanin e balançou a cabeça.

— Sr. presidente, que outras condições eu poderia pedir? Quero sair daqui e voltar para meu país. Um avião me espera no aeroporto JFK.

A assembleia estava em silêncio. De modo inconsciente, aos poucos, todos tiraram os olhos de Rey Diaz e se viraram para o embaixador americano, que, incapaz de resistir a tantos olhares, voltou a afundar na cadeira e murmurou:

— Dê o fora daqui!

Rey Diaz assentiu com um movimento lento de cabeça, ficou de pé e começou a se retirar.

— Sr. Rey Diaz, vou levá-lo para casa — disse Garanin, também se levantando.

Rey Diaz esperou até Garanin se aproximar. O presidente andava com menos agilidade do que antigamente.

— Obrigado, sr. presidente. Imaginei que o senhor também gostaria de sair daqui.

Os dois estavam na porta quando Rey Diaz segurou Garanin e se virou com ele uma última vez para o auditório.

— Cavalheiros, não vou sentir saudade daqui. Desperdicei duas décadas, e ninguém me compreendeu. Quero voltar para minha pátria, para meu povo. Da minha pátria e do meu povo, sim, sinto saudade.

Para a surpresa geral, os olhos do homem corpulento estavam cheios de lágrimas.

— Sim, quero voltar para minha pátria — repetiu. — Isto não faz parte do plano.

Quando saiu do edifício da Assembleia Geral da ONU, Rey Diaz abriu os braços para o Sol e gritou, em êxtase:

— Ah, meu venerado Sol!

Sua heliofobia de duas décadas havia desaparecido.

O avião de Rey Diaz decolou e se afastou do litoral leste rumo ao vasto oceano Atlântico.

— Como estou aqui, a aeronave está em segurança — observou Garanin, na cabine. — Por favor, diga a localização da bomba que você ligou ao dispositivo de homem morto.

— Não tem bomba. Não tem nada. Tudo não passou de um blefe para fugir. — Rey Diaz tirou o relógio e o entregou para Garanin. — Isto é apenas um transmissor simples convertido a partir de um celular e não está conectado aos meus batimentos cardíacos. Está desligado. Pode guardar de lembrança.

Os dois ficaram em silêncio por bastante tempo. Por fim, Garanin deu um suspiro e disse:

— Como foi que isso aconteceu? A ideia era que o privilégio de pensamento estratégico isolado das Barreiras fosse usado contra os sófons e Trissolaris. Apesar disso, tanto você quanto Tyler usaram essa prerrogativa contra a humanidade.

— Não tem nada de estranho nisso — respondeu Rey Diaz, que estava sentado perto da janela, aproveitando a luz do sol que brilhava do lado de fora. — Hoje, o maior obstáculo para a sobrevivência da humanidade é a própria humanidade.

Seis horas mais tarde, o avião aterrissou no Aeroporto Internacional Simón Bolívar, nas imediações de Caracas. Garanin não desembarcou. Ele voltaria com o avião para a ONU.

Quando se despediram, Rey Diaz disse:

— Não aborte o Projeto Barreiras. É mesmo uma esperança nesta guerra. Ainda sobraram duas Barreiras. Por favor, transmita meus melhores votos para Bill Hines e Luo Ji.

— Receio que eu também não vá vê-los — disse Garanin, emocionado. Quando Rey Diaz se afastou e deixou o presidente sozinho na cabine do avião, ele estava às lágrimas.

O céu venezuelano estava tão limpo quanto o de Nova York. Rey Diaz desceu a escada de passageiros e sentiu o cheiro familiar da atmosfera tropical, e então se abaixou e deu um demorado beijo no solo de sua pátria. Em seguida, sob a escolta de um grande destacamento da polícia do exército, partiu em um comboio até a capital Caracas. Depois de meia hora de viagem por uma estrada sinuosa entre as montanhas, os carros entraram na cidade e avançaram até o centro e a praça Bolívar. Perto da estátua de Simón Bolívar, Rey Diaz saiu do carro e foi até o pedestal. Acima dele, a cavalo, estava o grande herói de armadura que derrotara os espanhóis e tentara criar a República da Grã-Colômbia na América do Sul. Diante da cena, uma multidão de pessoas agitadas fervilhava ao sol, impulsionando-se para a frente até encontrar a vigorosa resistência do cordão de isolamento da polícia do exército. Alguém disparou para o alto, mas o mar de gente acabou passando pela barreira policial e correndo em direção ao Bolívar vivo ao pé da estátua.

Rey Diaz levantou as mãos e, com lágrimas nos olhos, gritou para a multidão, com voz embargada de emoção:

— Ah, meu povo!

A primeira pedra arremessada por seu povo o atingiu na mão esquerda, a segunda, no peito, e a terceira em cheio na testa, quase o derrubando. Depois, as sucessivas pedras do povo passaram a cair como chuva, até praticamente sepultar o corpo sem vida dele. A última pedra que atingiu a Barreira Rey Diaz foi arremessada por uma idosa, que carregou com dificuldade o seixo até o cadáver e, ao chegar, disse em espanhol:

— Malvado! Você ia matar todo mundo. Meu neto estaria lá. Você teria matado meu neto!

E então, com todas as forças de suas mãos trêmulas, lançou o seixo contra o crânio partido de Rey Diaz, exposto sob um monte de pedras.

A marcha do tempo é implacável. Como uma lâmina afiada, ela atravessa tudo em um avanço constante. Nada é capaz de afetar minimamente essa marcha, mas ela muda tudo.

No mesmo ano do teste em Mercúrio, Chang Weisi se aposentou. Em sua última aparição pública, ele admitiu com franqueza que não tinha confiança na vitória, mas sua revelação não afetou a imagem favorável com que passou para a história por seu trabalho como primeiro comandante da força espacial. Tantos anos de trabalho em um estado de ansiedade cobraram um preço para sua saúde, e Chang Weisi morreu aos sessenta e oito anos de idade. O general estava lúcido no leito de morte e mencionou o nome de Zhang Beihai várias vezes.

Após concluir seu segundo mandato, a secretária-geral Say fundou o Projeto Memorial da Humanidade, cuja meta era compor toda uma coleção de dados e artefatos comemorativos da civilização que viria a ser enviada ao cosmo em uma espaçonave não tripulada. O segmento mais influente do projeto se chamava Diário da Humanidade, um site na internet criado para permitir que a maior quantidade possível de gente registrasse a vida em forma de texto e imagens do dia a dia, tornando-se parte da história da civilização. O site do Diário da Humanidade chegou a contar com mais de dois bilhões de usuários e formou o maior volume de informações de todos os tempos na internet. Mais tarde, considerando que o Projeto Memorial da Humanidade contribuía para o derrotismo, o CDP aprovou uma resolução para impedir sua continuidade e chegou a considerá-lo uma forma de Escapismo. Ainda assim, Say permaneceu alimentando o projeto com seus próprios recursos, até falecer aos oitenta e quatro anos.

Garanin e Kent, após se aposentarem, tomaram uma decisão idêntica: recolher-se no Jardim do Éden no norte da Europa, onde Luo Ji havia morado por cinco anos. Os dois nunca mais foram vistos pelo mundo exterior, e ninguém sabia sequer o dia exato em que faleceram. No entanto, uma coisa era certa: eles viveram por muito tempo, e corriam boatos de que passaram dos cem anos e morreram de causas naturais.

Tal como Keiko Yamasuki havia previsto, Wu Yue passou o resto da vida deprimido e desnorteado. Ele trabalhou durante mais de uma década no Projeto Memorial da Humanidade, mas não obteve nenhum consolo e faleceu em total solidão, aos setenta e sete anos. Assim como Chang Weisi, Wu Yue mencionou o nome de Zhang Beihai em seus últimos momentos. Como o general, o ex-capitão depositava suas esperanças para o futuro da humanidade no resoluto triunfalista que agora hibernava nas brumas do tempo.

O dr. Albert Ringier e o general Fitzroy viveram até os oitenta e poucos anos, testemunharam a conclusão do Hubble III, de cem metros de diâmetro, e usaram o telescópio espacial para avistar o planeta Trissolaris. Contudo, nunca voltaram a observar a Frota Trissolariana ou as sondas que voavam à frente dela. Não viveram por tempo suficiente para vê-las atravessar o terceiro campo de neve.

A vida das pessoas comuns também continuou e chegou ao fim. Dos três vizinhos idosos de Beijing, Miao Fuquan foi o primeiro a falecer, aos setenta e cinco anos. Ele realmente pediu para ser sepultado a duzentos metros de profundidade, em uma mina abandonada. Seu filho cumpriu esse último desejo: explodiu a parede de sustentação e erigiu uma lápide para lembrar o pai. De acordo com o testamento do finado, a última geração de sua família antes da Batalha do Fim dos Tempos deveria remover a lápide, que em caso de vitória da humanidade poderia ser reposta na posição original. Porém, em menos de meio século após a morte de Miao Fuquan, a área acima da mina se transformou em um deserto. A lápide desapareceu, a localização da mina se perdeu, e os descendentes da família Miao não se deram ao trabalho de procurá-la.

Zhang Yuanchao morreu de doença como uma pessoa comum aos oitenta anos e, como uma pessoa comum, foi cremado. Teve as cinzas depositadas em uma gaveta retangular comum em uma parede longa no cemitério público.

Yang Jinwen viveu até os noventa e dois anos, e o recipiente metálico com seus restos mortais voou à terceira velocidade cósmica para fora do sistema solar e rumo ao vasto universo. O sepultamento cósmico consumiu todas as economias que tinha guardado.

Ding Yi seguiu a vida. Após o avanço na tecnologia de fusão controlada, ele voltou sua atenção para a física de base e passou a procurar meios de evitar a interferência dos sófons em experimentos com partículas de alta energia. Sem sucesso. Quando chegou aos setenta anos, já havia abandonado todas as esperanças de realizar qualquer avanço, assim como outros físicos. Entrou em hibernação, com a intenção de despertar na Batalha do Fim dos Tempos. Seu único desejo era poder ver com os próprios olhos a tecnologia superior de Trissolaris.

No século que se seguiu ao início da Crise Trissolariana, todo mundo que havia vivido na Era de Ouro morreu. Essa época era relembrada sem cessar, e os mais velhos que tinham visto aqueles tempos gloriosos ficavam ruminando a memória e apreciando todos os sabores. Eles sempre encerravam com uma frase: "Ah, se soubéssemos dar valor às coisas na época". Os jovens escutavam as histórias com um misto de inveja e ceticismo. Aquela fábula de paz, prosperidade e felicidade, aquela utopia ideal livre de qualquer preocupação... teria mesmo existido?

À medida que os mais velhos faleciam, a Praia Dourada ficava para trás e desaparecia nas brumas da história. O navio da civilização humana flutuava em solidão pelo vasto oceano, cercado por todos os lados por intermináveis ondas sinistras, e ninguém sabia sequer se existia alguma praia do outro lado.

PARTE III

A floresta sombria

ANO 205, ERA DA CRISE

Distância da Frota Trissolariana até o sistema solar: 2,1 anos-luz

Escuridão. Antes da escuridão não havia nada além do nada, e o nada não tinha cor. Não havia nada no nada. A escuridão indicava que, pelo menos, havia espaço. Logo apareceram agitações na escuridão do espaço, penetrando tudo como uma brisa suave. Era a sensação do passar do tempo, pois não havia tempo no nada, mas agora o tempo tomava forma em um descongelamento glacial. Só muito mais tarde houve luz, no início apenas uma mancha luminosa amorfa e, após outra longa espera, a forma do mundo surgiu gradualmente. A consciência recém-ressuscitada lutou para assimilar tudo e começou identificando alguns tubos finos transparentes, e depois um rosto humano por trás, que logo desapareceu para dar lugar à luz branca e pastosa do teto.

Luo Ji despertou da hibernação.

O rosto voltou a aparecer. Pertencia a um homem com expressão gentil, que olhou para Luo Ji e disse:

— Bem-vindo à nossa era.

Quando ele falou, um campo de rosas vibrantes despontou em seu jaleco branco, para então se apagar aos poucos e sumir. Ele continuou falando, e o jaleco exibiu uma variedade de imagens lindas que combinavam com as expressões e emoções daquele homem: mares, poentes, florestas sob uma garoa. Ele avisou que a doença de Luo Ji fora curada durante a hibernação e que o despertar tinha corrido bem. O processo de recuperação levaria apenas uns três dias, e depois o corpo retomaria todas as funções normais...

Ainda lenta e não totalmente desperta, a mente de Luo Ji absorveu apenas uma informação dada pelo médico: aquele era o ano 205 da Era da Crise. Ele havia hibernado por 185 anos.

Luo Ji, a princípio, achou o sotaque do médico curioso, mas logo descobriu que, embora o som do mandarim-padrão não tivesse mudado muito, o vocabulário havia sido complementado com grande quantidade de palavras inglesas. Conforme o médico falava, tudo o que dizia aparecia em texto no teto, aparentemente por reconhecimento de voz. Talvez para ajudar o recém-despertado a entender melhor, as palavras em inglês foram substituídas por caracteres chineses.

Por fim, o médico disse que Luo Ji poderia ser transferido da sala de reanimação para o setor de internação geral. A paisagem no jaleco se despediu com um pôr do sol que rapidamente dava lugar a um céu estrelado. Luo Ji sentiu que o leito começou a se mover e, assim que passou pela porta, ele ouviu o médico chamar:

— Próximo.

Luo Ji virou a cabeça para olhar e avistou outro leito entrar na sala de reanimação com alguém que, obviamente, tinha acabado de ser retirado da câmara de hibernação. O leito foi empurrado às pressas até um conjunto de monitores, e o médico, já com o jaleco todo branco, tocou um dedo na parede, o que fez um terço da superfície exibir gráficos e informações complexas, que ele começou a manipular mecanicamente.

Luo Ji se deu conta de que seu próprio despertar provavelmente não era nenhum grande acontecimento, apenas parte da rotina do lugar. Embora o médico tivesse sido simpático, Luo Ji não passava de um hibernante comum para ele.

Como na sala de reanimação, o corredor não tinha nenhuma lâmpada. As próprias paredes emitiam luz e, embora fosse uma iluminação suave, Luo Ji não conseguia abrir bem os olhos. No entanto, quando ele forçou a vista, as paredes na parte do corredor onde ele estava se escureceram, e a porção escurecida acompanhou o deslocamento do leito. Quando seus olhos se acostumaram à luz, ele voltou a abri-los, e então o corredor se acendeu outra vez, mantendo uma iluminação confortável. Era evidente que o sistema que ajustava o brilho do corredor podia identificar as mudanças nas suas pupilas.

Com base nessa observação, ele supôs que devia estar em uma era de personalização.

Aquilo superava em muito suas expectativas.

As paredes se sucediam devagar, e ele viu inúmeras telas de vários tamanhos distribuídas de maneira aleatória. Algumas eram imagens em movimento que ele não teve tempo de distinguir com clareza e talvez tivessem sido deixadas por usuários que haviam se esquecido de desligá-las.

De vez em quando, seu leito automático cruzava o caminho de gente andando pelo corredor. Luo Ji percebeu que tanto as solas dos pés dessas pessoas quanto as rodas do leito formavam ondas luminosas de pressão nos pontos de contato com o chão, como acontecia quando ele apertava uma tela de LCD com o dedo, na sua longínqua época. Aquele corredor comprido passava uma forte impressão de limpeza, como uma animação computadorizada em 3-D. A diferença é que Luo

Ji sabia que aquilo tudo era real. Ele se deslocava no leito com uma sensação de tranquilidade e conforto que nunca havia sentido antes.

Porém, o mais impressionante eram as pessoas, com ou sem uniforme: todas pareciam limpas e elegantes, e sorriam com simpatia ou acenavam para ele ao se aproximar. As roupas exibiam imagens deslumbrantes, um estilo diferente para cada indivíduo, às vezes abstrato, às vezes concreto. Luo Ji ficou fascinado pela expressão naqueles rostos, porque sabia que os olhos de pessoas comuns eram o melhor reflexo do nível de uma civilização no tempo e no espaço. Certa feita, ele havia visitado uma mostra de fotos tiradas por fotógrafos europeus no final da dinastia Qing, e o que mais tinha se gravado em sua lembrança era a expressão vazia das pessoas fotografadas. As autoridades e os plebeus revelavam apenas passividade e estupidez nos olhos, por sua vez desprovidos de qualquer sinal de vitalidade. Quando as pessoas dessa nova era contemplavam os olhos de Luo Ji, talvez ficassem com essa mesma impressão. Os olhares que encontravam o dele eram repletos de sabedoria vigorosa, e de uma medida de sinceridade, compreensão e amor que Luo Ji raramente vira em sua época. No entanto, o mais notável era a confiança das expressões, uma confiança luminosa que se revelava por trás de cada olhar e, sem dúvida, se tornara a base espiritual do povo dessa nova era.

Não parecia uma era de desespero, o que foi outra surpresa inesperada.

O leito de Luo Ji entrou sem fazer barulho no setor de internação geral, que abrigava outros dois hibernantes recém-despertados. Um deles estava deitado. O outro, perto da porta, guardava seus pertences com a ajuda de uma enfermeira e parecia prestes a ir embora. Pela expressão nos rostos, Luo Ji percebeu que os dois hibernantes eram da mesma época dele. Aqueles olhos pareciam janelas do tempo, e por elas Luo Ji teve mais um vislumbre da era cinzenta de onde viera.

— Como é que eles podem ser assim? Eu sou o bisavô deles! — reclamou o hibernante que estava para ir embora.

— Você não pode exigir tratamento preferencial por causa da idade. É a lei: hibernação não conta para a idade. Por isso, na presença dos idosos, vocês são a geração mais jovem... Vamos. Eles já estão esperando na recepção há bastante tempo — disse a enfermeira.

Ela tentava evitar palavras em inglês, mas de vez em quando se enrolava com os termos em chinês, como se estivesse falando um idioma antigo. Nessas horas, não tinha escolha senão usar a linguagem moderna, e a parede exibia uma tradução em chinês.

— Eu nem consigo entender quando eles falam. Parece língua de passarinho! — resmungou o hibernante, enquanto saía porta afora com a enfermeira, cada um com uma bolsa na mão.

— Nesta era, você precisa aprender sempre. Caso contrário, vai ter que ir morar lá em cima — respondeu a enfermeira.

Luo Ji já estava conseguindo compreender a linguagem moderna sem dificuldade, mas ainda não sabia o que a enfermeira quis dizer com a última frase.

— Olá. Você também hibernou por causa de doença, como o sujeito que acabou de sair? — perguntou o hibernante no leito ao lado. Ele era jovem e parecia ter vinte e poucos anos.

Luo Ji abriu a boca, mas não emitiu nenhum som. O jovem deu um sorriso de incentivo.

— Você consegue falar. Faça mais força!

— Oi — sussurrou Luo Ji, com a voz rouca.

O jovem assentiu com a cabeça.

— Sabe, no meu caso não foi doença. Vim aqui para escapar da realidade. Ah, e meu nome é Xiong Wen.

— Aqui... como é aqui? — quis saber Luo Ji, com muito mais facilidade.

— Não sei bem. Só faz cinco dias que eu cheguei. Ainda assim, com certeza é uma boa era. Só que vamos ter dificuldade para interagir na sociedade. Sobretudo porque acordamos cedo demais. Teria sido melhor acordar alguns anos mais tarde.

— Alguns anos mais tarde? Não seria mais difícil?

— Não. Ainda estamos em estado de guerra agora, então a sociedade não pode tomar conta de nós. Daqui a algumas décadas, após as negociações de paz, haverá paz e prosperidade.

— Negociações de paz? Com quem?

— Com Trissolaris, claro.

Abalado pela resposta de Xiong Wen, Luo Ji se esforçou para se sentar. Uma enfermeira entrou e o ajudou a ficar numa posição confortável no leito.

— Eles falaram que querem negociar a paz? — questionou Luo Ji, ansioso.

— Ainda não. Mas não vão ter escolha — explicou Xiong Wen, saindo do leito com agilidade e vindo se sentar ao lado de Luo Ji. Sem dúvida, só estava esperando por uma chance para apresentar aquela era a alguém recém-despertado. — Você não está sabendo? A humanidade é incrível agora. Simplesmente incrível!

— Como?

— Nossas naves espaciais são extremamente poderosas. Muito mais do que as trissolarianas!

— Como isso é possível?

— Por que não seria? Basta ver a velocidade, sem contar as superarmas. As naves podem alcançar quinze por cento da velocidade da luz! São muito mais rápidas que as trissolarianas!

Quando lançou um olhar de ceticismo para a enfermeira, Luo Ji percebeu que ela era extraordinariamente bonita. Todo mundo nessa era parecia bonito. Ela confirmou com a cabeça e sorriu.

— É verdade.

— E sabe quantas naves a frota espacial tem? — continuou Xiong Wen. — Eu conto para você: duas mil! O dobro dos trissolarianos! E o número não para de crescer!

Luo Ji olhou de novo para a enfermeira, que confirmou com a cabeça.

— Para você ver como a situação da Frota Trissolariana está ruim agora! Sabe, em dois séculos ela passou três vezes pela... hum, poeira espacial... que as pessoas chamam de campo de neve. Ouvi alguém comentar que a última vez foi há quatro anos, e o telescópio observou que a formação está mais esparsa. Os trissolarianos não estão se mantendo juntos. Mais da metade das naves parou de acelerar há muito tempo, sem contar que elas perderam muita velocidade ao atravessar a poeira. Agora estão se arrastando, e vai demorar mais de oitocentos anos para chegarem ao sistema solar. Talvez já nem passem de carcaças arruinadas. Segundo estimativas com base na velocidade atual delas, só trezentas naves, no máximo, vão chegar daqui a dois séculos. Apesar disso, uma sonda trissolariana vai chegar ao sistema solar em breve. Este ano. As outras nove estão vindo logo atrás e chegarão três anos depois.

— Sonda... o que é isso? — perguntou Luo Ji, confuso.

— Nós não recomendamos a troca de informações práticas — censurou a enfermeira. — Quando o hibernante anterior ficou sabendo disso tudo, demorou dias para se acalmar. Não ajuda na recuperação.

— Eu fico feliz com isso, então quem se importa? — rebateu Xiong Wen, encolhendo os ombros. No entanto, em seguida voltou para seu leito e se deitou. Ao olhar para a luz emitida pelo teto, murmurou: — As crianças estão bem. Estão bem mesmo.

— Quem é criança? Hibernação não conta para a idade. Aqui, a criança é você — debochou a enfermeira.

Aos olhos de Luo Ji, ela parecia mais nova do que Xiong Wen, mas ele sabia que sua estimativa de idade com base na aparência talvez não fosse correta nessa era.

— Todas as pessoas da sua época demonstram bastante desespero — disse a enfermeira para Luo Ji. — Só que a situação não está tão séria assim.

Para Luo Ji, aquela voz parecia a de um anjo. Ele se sentia como se tivesse voltado a ser criança e acabado de acordar de um pesadelo, e todas as coisas assustadoras que havia vivido foram resolvidas pelo sorriso de um adulto. Quando a enfermeira falou, seu uniforme se acendeu com um sol nascente rápido, e sob sua luz dourada a terra amarela e árida ficou verde e flores desabrocharam profusamente...

Depois que a enfermeira se retirou, Luo Ji perguntou a Xiong Wen:

— E o Projeto Barreiras?

Xiong Wen balançou a cabeça, confuso.

— Barreiras...? Nunca ouvi falar.

Luo Ji perguntou quando Xiong Wen tinha entrado em hibernação. Fora antes do começo do Projeto Barreiras, quando hibernação era algo caríssimo. A família do rapaz provavelmente tinha muito dinheiro. No entanto, se ele não havia ouvido falar do Projeto Barreiras nos cinco dias desde que fora despertado, era sinal de que, mesmo se o programa não tivesse sido esquecido nessa época, já não tinha mais importância.

Em seguida, por meio de duas áreas triviais, Luo Ji descobriu pessoalmente o nível tecnológico da nova era. Pouco depois de sua chegada ao setor de internação, a enfermeira trouxe sua primeira refeição pós-hibernação, uma quantidade muito pequena de leite, pão e geleia, porque seu estômago ainda estava se recuperando. Ele deu uma mordida no pão e teve a sensação de que estava mastigando serragem.

— Seu paladar também está se recuperando — disse a enfermeira.

— O gosto vai ser pior ainda quando estiver recuperado — comentou Xiong Wen.

A enfermeira riu.

— Claro, não é tão bom quanto a comida que era cultivada no solo na sua época.

— Então, de onde é que esta vem? — perguntou Luo Ji, de boca cheia.

— Da produção de uma fábrica.

— Vocês conseguem fabricar grãos sintéticos?

Xiong Wen respondeu pela enfermeira.

— Os sintéticos são a única opção. A terra não tem mais como ser cultivada.

Luo Ji sentiu pena de Xiong Wen. Em sua época, algumas pessoas haviam se tornado avessas à tecnologia e viam com indiferença qualquer maravilha tecnológica. Aparentemente, Xiong Wen era assim. O jovem não era capaz de apreciar como devia essa nova era.

A descoberta seguinte representou um grande choque para Luo Ji, embora o tema em si não tivesse nada de mais. A enfermeira apontou para o copo de leite e disse que era um copo-aquecedor feito sob medida para hibernantes, porque as pessoas da nova era não costumavam beber líquidos quentes. Até o café era frio. Se ele não estivesse acostumado a tomar leite frio, podia aquecê-lo empurrando uma barra simples perto da base do copo até a temperatura desejada. Quando terminou de beber, Luo Ji examinou o recipiente, que parecia um copo de vidro normal, exceto pela base espessa e opaca, que devia abrigar a fonte de energia. Contudo, por mais que procurasse, ele não conseguia encontrar nenhum controle além da barra e, quando tentou girar a base, viu que era integrada ao resto do copo.

— Não brinque com isso. Você ainda não entende os objetos. É perigoso — repreendeu a enfermeira, ao ver os esforços de Luo Ji.

— Eu queria saber: por onde ele é recarregado?

— Re... carregado? — repetiu com dificuldade a enfermeira, que claramente escutava pela primeira vez aquela palavra.

— *Charge. Recharge* — falou Luo Ji em inglês, mas a enfermeira se limitou a balançar a cabeça, confusa.

— O que acontece quando as pilhas acabam?

— Pilhas?

— *Batteries* — disse ele, em inglês. — Vocês não usam mais pilhas? — Como a enfermeira balançou a cabeça outra vez, ele perguntou: — Então de onde vem a eletricidade do copo?

— Eletricidade? A eletricidade está em tudo — respondeu a enfermeira, contrariada.

— A eletricidade do copo não vai acabar?

— Não vai acabar.

— É inesgotável?

— Inesgotável. Como é que a eletricidade poderia acabar?

Mesmo depois que a enfermeira saiu, Luo Ji não conseguia se desgrudar do copo. Ele ignorou os gracejos de Xiong Wen, pois tinha a sensação de que estava segurando um objeto sagrado, o antigo sonho da humanidade: uma máquina de movimento perpétuo. Se a humanidade havia conquistado de verdade a fonte inesgotável de energia, seria possível realizar praticamente qualquer coisa. Agora Luo Ji acreditava nas palavras da bela enfermeira: a situação talvez não estivesse tão séria.

Quando o médico entrou para um exame de rotina, Luo Ji perguntou sobre o Projeto Barreiras.

— Já ouvi falar. É uma piada antiga — respondeu o médico, com tranquilidade.

— O que aconteceu com as Barreiras?

— Acho que um se suicidou e o outro morreu apedrejado... Foi tudo no período inicial do projeto, e já se passaram quase dois séculos.

— E os outros dois?

— Não sei. Provavelmente continuam hibernando.

— Um deles era chinês. Você se lembra? — arriscou Luo Ji, olhando com ansiedade para o médico.

— Ah, aquele que enfeitiçou uma estrela? Se não me engano, ele era mencionado nas aulas de história pré-moderna — se intrometeu a enfermeira.

— Certo. E agora ele está...? — insistiu Luo Ji.

— Não sei. Acho que continua hibernando. Eu não presto muita atenção nessas coisas — justificou o médico, distraído.

— E a estrela? A que ele enfeitiçou, a estrela com um planeta? O que aconteceu com ela? — quis saber ele, com o coração acelerado.

— O que você acha que aconteceu? Provavelmente ainda está lá. Feitiço? Que piada!

— Então não aconteceu nada mesmo com a estrela?

— Eu pelo menos não fiquei sabendo de nada. E você? — perguntou o médico à enfermeira.

— Eu também não — confirmou ela, balançando a cabeça. — O mundo estava morrendo de medo na época, e um monte de bobagem aconteceu.

— E depois? — indagou Luo Ji, dando um suspiro.

— Depois teve a Grande Ravina — disse o médico.

— Grande Ravina? O que foi isso?

— Você vai descobrir mais tarde. Agora, repouse — recomendou o médico, com um suspiro gentil. — Mas provavelmente seria melhor que você não descobrisse.

Quando o médico se virou para sair, o jaleco branco exibiu nuvens carregadas e escuras, e o uniforme da enfermeira apresentou vários pares de olhos, alguns assustados, outros cheios de lágrimas.

Depois que o médico se retirou, Luo Ji continuou sentado, imóvel na cama por um bom tempo, resmungando sozinho:

— Uma piada. Uma piada antiga.

E então desatou a rir, baixinho no começo, depois às gargalhadas, se contorcendo no leito e assustando Xiong Wen, que pensou em chamar o médico.

— Estou bem. Pode dormir — avisou Luo Ji.

Ele então se deitou e logo dormiu pela primeira vez desde a reanimação. Sonhou com Zhuang Yan e sua filha. Como na outra ocasião, Zhuang Yan caminhava pela neve, com a criança no colo.

Quando Luo Ji acordou, a enfermeira se aproximou e deu bom-dia, em voz baixa, para não acordar Xiong Wen, que ainda dormia.

— É manhã? Por que esta sala não tem nenhuma janela? — questionou Luo Ji, olhando para os lados.

— Qualquer parte da parede pode ficar transparente. Só que os médicos acreditam que você ainda não está pronto para olhar lá para fora. Como o ambiente é desconhecido demais para você, pode afetar seu repouso.

— Já faz algum tempo que fui reanimado, mas ainda não sei como é o mundo exterior. Isso, sim, afeta meu repouso. — Luo Ji apontou para Xiong Wen e acrescentou: — Eu não sou esse tipo de pessoa.

A enfermeira riu.

— Tudo bem. Meu turno está prestes a acabar. Gostaria que eu o levasse para dar uma volta? Você pode tomar café quando voltar.

Empolgado, Luo Ji acompanhou a enfermeira até a sala de descanso dos médicos e enfermeiros. Ao observar a decoração, ele só conseguiu reconhecer cerca de metade dos itens, e não fazia a menor ideia da utilidade do resto. Não havia computadores nem equipamentos do tipo, algo compreensível, porque era possível ativar uma tela em qualquer ponto das paredes. Três guarda-chuvas dispostos do lado de fora da porta chamaram sua atenção. Embora fossem de estilos diferentes, pelo formato, com certeza eram guarda-chuvas. O que causou mais surpresa foi o tamanho. Não existiam guarda-chuvas dobráveis na nova era?

A enfermeira trocou o uniforme no vestiário e saiu com suas próprias roupas. Exceto pelas imagens em movimento que se acendiam no tecido, as roupas femininas dessa era tinham passado por mudanças que Luo Ji teria imaginado. Em comparação com sua época, a principal diferença era a chamativa assimetria. Ele ficou feliz de perceber que, após cento e oitenta e cinco anos, ainda conseguia enxergar beleza na moda feminina. A enfermeira pegou um dos guarda-chuvas, que devia ser bem pesado, porque ela precisava apoiá-lo no ombro.

— Está chovendo lá fora?

Ela balançou a cabeça.

— Você acha que eu estou com um... guarda-chuva? — indagou ela, pouco acostumada com o termo.

— Se não é um guarda-chuva, é o quê? — quis saber Luo Ji, apontando para o aparelho no ombro da enfermeira e imaginando que ela diria algum nome peculiar.

Mas não.

— É minha bicicleta — explicou ela.

Quando os dois chegaram ao corredor, Luo Ji perguntou:

— Sua casa fica longe daqui?

— Se você quer dizer o lugar onde eu moro, não é longe. Dez ou vinte minutos de bicicleta — respondeu ela. E então, parada ali e o medindo com seus olhos encantadores, ela acrescentou algo que deixou Luo Ji chocado: — Não existem casas mais. Ninguém tem casa. Casamento, família, isso tudo desapareceu depois da Grande Ravina. Essa é a primeira coisa a que você precisa se acostumar.

— Nunca vou conseguir me acostumar a isso.

— Será mesmo? Nas aulas de história aprendi que o casamento e a família já haviam começado a se desintegrar na sua época. Muita gente não queria se amarrar. As pessoas queriam viver livres.

Aquela foi a segunda vez que ela mencionou as aulas de história.

Eu já fui assim, mas...

Desde que Luo Ji acordou, Zhuang Yan e sua filha nunca chegaram a sair de sua cabeça, como um papel de parede da sua consciência, perpetuamente visíveis. Contudo, como não era reconhecido por ninguém e em meio a tanta incerteza, ele não podia simplesmente sair perguntando pelas duas, por mais atormentado que fosse pela saudade.

Luo Ji e a enfermeira caminharam por algum tempo ao longo de um corredor. De repente, depois de passarem por uma porta automática, os olhos de Luo Ji se iluminaram quando ele avistou uma plataforma estreita projetando-se adiante e sentiu um sopro de ar fresco. Percebeu que estava do lado de fora.

— Que céu azul!

Essa foi a primeira coisa que ele gritou para o mundo exterior.

— Sério? Mas não se compara ao céu azul da sua era.

Claro que não, porque é muito mais azul. Definitivamente mais azul. Luo Ji não externou esse pensamento, se limitou a apreciar o manto azul infinito e deixou sua alma se deleitar. Então lhe ocorreu um instante de dúvida: seria aquilo o paraíso? Até onde lembrava, só havia contemplado um céu de um azul tão puro durante os cinco anos que passara isolado do mundo, recluso em seu Jardim do Éden. Ainda assim, o céu azul de agora tinha menos nuvens brancas, apenas uns retalhos claros a oeste, como se alguém tivesse manchado o céu de propósito. O sol que acabava de despontar no leste brilhava como cristal no ar perfeitamente transparente, com bordas cobertas de orvalho.

Quando Luo Ji abaixou os olhos, sentiu uma vertigem imediata. Daquela altura, ele levou bastante tempo para se dar conta de que o que estava vendo dali era a cidade. A princípio, achou que estivesse olhando para uma floresta gigantesca, com troncos esguios que se alçavam até o céu, cada um com galhos perpendiculares de tamanhos variados. Os edifícios eram as folhas penduradas nesses galhos. A distribuição da cidade parecia aleatória, e cada árvore tinha uma quantidade diferente de folhas. O Centro de Hibernação e Despertar fazia parte de uma das grandes árvores, e a folha onde seu leito estava pendia da plataforma estreita que se estendia diante dele.

Luo Ji olhou para trás e percebeu que o tronco a que seu galho estava ligado era tão alto que o topo sumia de vista. O galho onde eles se encontravam ficava entre a seção intermediária e a superior da árvore, e Luo Ji conseguia observar outros galhos e folhas estruturais mais acima e mais abaixo. Ao olhar com mais cuidado, constatou que os galhos formavam uma rede intricada de pontes no vazio, pontes cuja extremidade ficava solta no ar.

— Que lugar é este? — perguntou Luo Ji.

— Beijing.

Ele olhou para a enfermeira, que ficava ainda mais bonita sob o sol da alvorada. Ao olhar de novo para o lugar que ela chamava de Beijing, ele indagou:

— Onde fica o centro da cidade?

— Naquela direção. Estamos depois do Quarto Anel Oeste, na Árvore 179, Galho 23, Folha 18, então daqui dá para ver quase a cidade inteira.

Luo Ji olhou ao longe por algum tempo, na direção indicada por ela, e então exclamou:

— Impossível! Como é que não sobrou nada?

— Sobrar o quê? Na sua época, não havia absolutamente nada aqui!

— Como nada? E o Palácio Imperial? E o parque Jingshan? E a Praça da Paz Celestial? E o China World Trade Center? Não faz nem duzentos anos. Não é possível que tenham demolido tudo.

— Ah, isso tudo ainda está lá.

— Onde?

— Na superfície.

Ao ver o olhar de terror de Luo Ji, ela desatou a rir tanto que precisou se apoiar no parapeito.

— Rá, rá, rá. Esqueci. Sinto muito. Eu sempre esqueço. Veja, estamos no subterrâneo. A mil metros de profundidade... Se algum dia eu viajar no tempo até a sua época, você pode me dar o troco e esquecer que a cidade fica na superfície, daí eu vou ficar tão apavorada quanto você. Rá, rá, rá...

— Mas... esse... — Ele levantou as mãos.

— O céu é de mentira. O sol também — explicou a mulher, tentando reprimir um sorriso. — Se bem que não dá para dizer que são de mentira, porque são uma imagem capturada a dez mil metros de altitude e projetada aqui embaixo... então talvez dê para falar que são de verdade.

— Por que construir a cidade abaixo da terra? E a mil metros de profundidade... é muito fundo.

— Para a guerra, é claro. Pense bem. Quando a Batalha do Fim dos Tempos começar, a superfície não vai se tornar um oceano de fogo? Sim, eu sei que essa batalha também já virou uma ideia antiquada, mas depois da Grande Ravina todas as cidades do mundo se desenvolveram no subterrâneo.

— Então todas as cidades do mundo agora ficam debaixo da terra?

— Todas foi exagero, mas a maioria.

Luo Ji examinou o mundo mais uma vez. Agora compreendia que os troncos das árvores imensas eram as colunas que sustentavam o domo do mundo subterrâneo e também faziam as vezes de torres, de onde os edifícios da cidade pendiam.

— Você não vai sentir claustrofobia. Olhe como o céu é amplo! O céu da superfície nem se compara a este.

Luo Ji olhou de novo para o céu azul, ou melhor, para a projeção do céu azul. Desta vez reparou em alguns objetos pequenos — a princípio, só viu poucos fragmentos espalhados mas, à medida que seus olhos foram se acostumando, percebeu que eram tantos que cobriam o céu inteiro. Curiosamente, achou que os objetos no céu lembravam algo que não tinha nada a ver com aquilo: o mostruário de uma joalheria. Antes de se tornar uma Barreira, quando estava apaixonado pela Zhuang Yan de sua imaginação, ele ficara tão obcecado que quis comprar um presente para seu anjo imaginário. Ele foi até uma joalheria e olhou para os pingentes de platina no mostruário, todos lindos, repousando no veludo preto e cintilando sob a luz da loja. Se o veludo preto tivesse sido azul, a imagem seria idêntica à do céu que ele estava vendo.

— Aquela é a frota espacial? — perguntou ele, com entusiasmo.

— Não. Não dá para enxergar a frota daqui. Ela está para além do cinturão de asteroides. Aquilo, bom, aquilo é tudo. Os pontos com forma visível são cidades espaciais, e os sinais de luz são naves civis. Às vezes aparecem belonaves em órbita também. O motor delas é muito luminoso, então não é bom ficar olhando... Certo, agora eu preciso ir. É melhor você voltar logo. Aqui venta bastante.

Luo Ji se virou para se despedir, mas ficou tão surpreso que não conseguiu dizer nada. A mulher estava com o guarda-chuva — ou melhor, com a bicicleta — nas costas, como se fosse uma mochila, e então o objeto se ergueu atrás dela e se abriu no alto até formar dois rotores coaxiais, que começaram a girar sem fazer barulho e em sentido contrário um do outro, para compensar o torque rotacional. Em seguida, ela subiu lentamente no ar, passou por cima do parapeito e saltou para o abismo que o impressionara tanto.

— Como você pode ver, esta é uma era bem decente — gritou ela, suspensa no ar. — Pense na sua época antiga como se fosse um sonho. Até amanhã!

Ela voou com suavidade, conforme os rotores pequenos se debatiam à luz do sol, até se tornar uma minúscula libélula entre duas árvores gigantescas ao longe. Havia enxames inteiros dessas libélulas voando entre as árvores gigantes da cidade. Mais impactantes ainda eram as filas de carros voadores que pareciam cardumes de peixes navegando sem parar entre as plantas do fundo do mar. O sol nascente iluminou a cidade e lançou faixas de luz por entre as árvores, cobrindo o trânsito com uma camada dourada.

Lágrimas rolaram pelo rosto de Luo Ji diante daquele admirável mundo novo, e a sensação de vida recém-nascida invadiu cada célula de seu corpo. O passado realmente era um sonho.

* * *

Quando viu o europeu na recepção, Luo Ji ficou com a impressão de que havia algo de diferente naquele homem. Mais tarde, Luo Ji se deu conta de que a sensação vinha do terno formal que ele usava, que não reproduzia nenhuma imagem e parecia um traje de outros tempos. Talvez fosse uma expressão de solenidade.

O visitante se apresentou assim que Luo Ji apertou sua mão.

— Eu sou o comissário especial Ben Jonathan, da Conferência Conjunta da Frota Solar. Solicitei seu despertar por determinação do comitê, e agora vamos comparecer à última sessão do Projeto Barreiras. Ah, o senhor está me entendendo? O inglês mudou bastante.

Embora Luo Ji *entendesse* as palavras de Jonathan, ao ouvi-lo, a impressão de invasão cultural do Ocidente que Luo Ji tivera ao longo dos últimos dias por causa das mudanças no chinês moderno desapareceu, porque o inglês de Jonathan estava carregado de vocabulário chinês. Por exemplo, ele falou "Projeto Barreiras" em chinês. O inglês, que antigamente era a língua mais difundida no mundo, e o chinês, que tinha a maior população de falantes, haviam se mesclado sem distinções até se tornar a língua mais poderosa do mundo. Luo Ji descobriu depois que os outros idiomas do mundo estavam passando pelo mesmo processo.

O passado não é um sonho, pensou Luo Ji. *O passado está sempre presente.* Ele então percebeu que Jonathan havia falado a palavra "última" e se perguntou se, afinal, havia esperança para uma rápida conclusão depois de tudo.

Jonathan olhou para trás, como se quisesse confirmar que a porta estava fechada, e então foi até a parede e ativou uma interface. Deu alguns toques na superfície, e logo todas as quatro paredes e o teto deram lugar a uma projeção holográfica.

Luo Ji se viu dentro de um auditório. Embora tudo tivesse mudado muito e as paredes e a mesa brilhassem com uma luz suave, era nítido que os arquitetos haviam tentado reproduzir o estilo de uma era passada. Da grande mesa circular e do púlpito até a decoração geral, tudo era uma representação nostálgica, e Luo Ji percebeu em um segundo onde se encontrava. No auditório, só havia dois funcionários, que estavam colocando documentos nas mesas. Luo Ji ficou espantado ao ver que ainda se usavam documentos impressos em papel. Assim como a roupa de Jonathan, aquilo parecia uma expressão de solenidade.

— Reuniões à distância são uma prática comum hoje em dia. Não se preocupe, pois não vai afetar a importância ou a seriedade da assembleia — disse Jonathan. — Como ainda vai demorar um pouco para a sessão começar, o senhor gostaria que eu contasse algumas mudanças básicas? Parece que o senhor não sabe muito sobre o mundo exterior.

Luo Ji confirmou com a cabeça:

— Claro. Obrigado.

Jonathan apontou para o auditório.

— Vou ser breve — justificou ele. — Certo, geopolítica. A Europa é um único país, chamado Comunidade Europeia, e abrange tanto o Leste Europeu quanto a Europa Ocidental, mas não a Rússia. A Rússia e a Bielorrússia se unificaram e formaram um país ainda chamado Federação Russa. No Canadá, houve a separação da parte francófona e da anglófona em países independentes. Outras regiões do mundo também passaram por mudanças, mas essas são as principais.

Luo Ji estava chocado.

— Só mudou isso em quase dois séculos? Imaginei que o mundo hoje seria irreconhecível.

Jonathan se virou para Luo Ji e fez um gesto solene com a cabeça.

— Irreconhecível, dr. Luo. O mundo está mesmo irreconhecível.

— Não, já havia alguns indícios dessas mudanças na nossa época.

— Mas tem algo que nunca foi previsto: já não existe nenhuma grande potência. O poder político declinou em todos os países.

— Em todos os países? Então quem ascendeu?

— Uma entidade supraestatal: a frota espacial.

Luo Ji refletiu um pouco antes de compreender o que Jonathan havia acabado de falar.

— Quer dizer que a frota espacial é independente?

— Exato. As frotas não fazem parte de nenhum país e formam entidades políticas e econômicas independentes que, como os países, integram a ONU. Hoje, existem três frotas principais no sistema solar: a Frota Asiática, a Frota Europeia e a Frota Norte-Americana. Os nomes só se referem à região de origem inicial, mas as frotas propriamente ditas não estão mais subordinadas a essas regiões, sendo completamente independentes. Cada uma conta com o poderio político e econômico de uma superpotência da sua era.

— Meu Deus! — exclamou Luo Ji.

— Por favor, não tire conclusões precipitadas. A Terra não é controlada por um governo militar. O território das frotas espaciais é o espaço, onde exercem sua soberania. Raramente elas interferem em assuntos domésticos da sociedade terrestre, até porque isso é determinado pela Carta da ONU. Hoje o mundo humano está dividido em duas esferas internacionais: a tradicional Terra Internacional e a recém-estabelecida Frota Internacional. As três frotas da Frota Internacional (a Asiática, a Europeia e a Norte-Americana) formam a Frota Solar, e o antigo Conselho de Defesa Planetária se transformou na Conferência Conjunta da Frota Solar, que oficialmente é a maior autoridade da Frota Solar. Só que, assim como a ONU, a CCFS exerce uma função de coordenação, mas não tem nenhum poder de fato. Na verdade, de Frota Solar ela tem apenas o nome. O poder das Forças Armadas espaciais da humanidade está mesmo nas mãos do alto-comando das três principais frotas.

"Bom, agora o senhor já sabe o bastante para participar da assembleia de hoje. A sessão será promovida pela CCFS, que herdou o Projeto Barreiras."

Uma janela se abriu na projeção holográfica, e apareceu uma imagem de Bill Hines e Keiko Yamasuki, que pareciam não ter mudado nada. Hines sorriu para Luo Ji, mas Keiko permaneceu impassível a seu lado, fazendo apenas um ligeiro gesto com a cabeça em resposta ao cumprimento de Luo Ji.

— Acabei de acordar, dr. Luo — disse Hines. — Mas fiquei muito triste de saber que o planeta que você enfeitiçou continua em órbita em torno de sua estrela, a cinquenta anos-luz de distância.

— Rá. Uma piada. Uma piada antiga — respondeu Luo Ji, com sarcasmo, fazendo um gesto com a mão.

— De qualquer maneira, em comparação com Tyler e Rey Diaz, você teve bastante sorte.

— Ao que parece, você foi o único que teve sucesso como Barreira. Talvez sua estratégia realmente tenha elevado a inteligência humana.

Hines abriu um sorriso tão sarcástico quanto o de Luo Ji e balançou a cabeça.

— Não, realmente não foi o caso. Fiquei sabendo que, depois que entramos em hibernação, o estudo da mente humana logo atingiu um obstáculo insuperável. Qualquer avanço teria que abordar o nível quântico dos mecanismos de pensamento do cérebro. Porém, a essa altura, como em todas as ciências, as pesquisas encontraram a intransponível barreira dos sófons. Não elevamos a inteligência humana. No máximo, conseguimos aumentar a confiança de algumas pessoas.

Quando Luo Ji entrou em hibernação, o selo mental ainda não havia sido desenvolvido. Por isso, ele não entendeu bem aquela última frase, embora tenha percebido a ponta de um sorriso misterioso no rosto gélido de Keiko Yamasuki, quando Hines falou.

A janela desapareceu, e então Luo Ji se deu conta de que o auditório estava lotado. A maioria dos presentes usava fardas militares sem grandes diferenças em relação ao estilo antigo. Ninguém exibia imagens nas roupas, mas os botões de lapela e as dragonas brilhavam.

A CCFS ainda adotava um sistema de presidência rotativa. O presidente atual era um civil. Quando olhou para ele, Luo Ji pensou em Garanin e se lembrou que era um homem antigo nascido dois séculos antes, mas pelo menos tinha sorte se comparado com as demais pessoas de sua época, que foram aniquiladas pela marcha do tempo.

Quando a sessão teve início, o presidente tomou a palavra.

— Embaixadores, nesta sessão realizaremos a última votação da Proposta 649, apresentada pela Frota Norte-Americana e pela Frota Europeia na quadragésima sétima Conferência Conjunta do presente ano. Primeiro, eu gostaria de ler a proposta.

"No segundo ano da Crise Trissolariana, o Conselho de Defesa Planetária da ONU estabeleceu o Projeto Barreiras. A iniciativa foi aprovada por unanimidade pelos membros permanentes da ONU e implementada no ano seguinte. Em essência, o Projeto Barreiras era uma tentativa de desenvolver estratégias ocultas de resistência contra a invasão trissolariana. Quatro Barreiras, designadas pelos Estados-membros permanentes da ONU, foram encarregadas de formular e executar planos estratégicos dentro da privacidade de sua própria mente, fora do alcance da vigilância onipresente dos sófons. A ONU promulgou a Resolução Barreiras para garantir privilégios a esses quatro escolhidos, permitindo a formulação e execução de seus planos.

"O Projeto Barreiras existe há mais de duzentos anos, incluindo um hiato de mais de um século. Durante esse tempo, a liderança do projeto foi transferida do extinto CDP para a CCFS.

"O Projeto Barreiras surgiu em meio a um contexto histórico único. A Crise Trissolariana havia acabado de começar e, diante das circunstâncias devastadoras e sem qualquer precedente em toda a história da humanidade, a comunidade internacional havia mergulhado em níveis inéditos de medo e desespero. Nesse ambiente de exceção nasceu o Projeto Barreiras, que não foi uma escolha racional, e sim um esforço desesperado.

"Os fatos históricos provaram que, em termos de plano estratégico, o Projeto Barreiras foi um retumbante fracasso. Não há exagero em dizer que foi o ato mais ingênuo e ignorante já realizado pela sociedade humana como um todo. Às Barreiras foi outorgada uma quantidade inédita de poderes sem qualquer fiscalização, incluindo a liberdade de enganar a comunidade internacional, o que era uma violação dos princípios morais e jurídicos básicos da sociedade humana.

"Durante a execução do Projeto Barreiras, um montante enorme de recursos estratégicos foi consumido sem motivo algum. Ficou demonstrado que a nuvem de mosquitos da Barreira Frederick Tyler era estrategicamente insignificante, e que o plano da Barreira Manuel Rey Diaz, de provocar uma reação em cadeia com Mercúrio, era impraticável, mesmo considerando o nível tecnológico atual da humanidade. O pior, porém, é que os dois planos eram criminosos. Tyler pretendia atacar e eliminar a frota da Terra, e Rey Diaz tinha o objetivo ainda mais sinistro de fazer todos os seres vivos do planeta de reféns.

"As outras duas Barreiras também foram decepções. O verdadeiro objetivo estratégico do plano de evolução mental da Barreira Hines ainda não foi revelado, mas gerou um resultado preliminar, o selo mental, cujo uso nas forças espaciais também é um crime. Trata-se de uma violação grave da liberdade de pensamento, que é a base para a sobrevivência e o progresso constante da civilização humana. Já a Barreira Luo Ji desperdiçou inicialmente recursos públicos de modo irresponsável para levar uma vida hedonista e, depois, fez cena com um misticismo ridículo.

"Nós acreditamos que, em vista do crescimento decisivo do poderio da humanidade e de que a iniciativa nesta guerra agora é nossa, o Projeto Barreiras já não cumpre nenhum propósito. Chegou a hora de colocar um ponto final ao problema que a história nos legou. Propomos que a CCFS interrompa imediatamente o Projeto Barreiras e revogue a Resolução Barreiras da ONU.

"Aqui se encerra a proposta."

O presidente abaixou devagar o documento da proposta e, passando os olhos pelo auditório, disse:

— Começaremos a votação a respeito da Proposta 649 da CCFS. Votos a favor?

Todos os embaixadores levantaram a mão.

As votações na nova era ainda seguiam métodos primitivos. Funcionários percorreram com solenidade o auditório para conferir a quantidade de votos e, quando o resultado foi informado ao presidente, ele anunciou:

— A Proposta 649 foi aprovada por unanimidade e terá efeito imediato — decretou, levantando a cabeça. Luo Ji não sabia se o presidente estava olhando para Hines ou para ele, porque, assim como na primeira sessão à distância a que havia comparecido cento e oitenta e cinco anos antes, ainda não sabia onde sua imagem e a de Hines estavam sendo exibidas no auditório. — Agora que o Projeto Barreiras foi interrompido, a Resolução Barreiras também foi revogada. Em nome da CCFS, notifico a Bill Hines e a Luo Ji que seu status de Barreira foi retirado. Todos os direitos outorgados aos senhores pela Resolução Barreiras, assim como a imunidade jurídica correspondente, não têm mais efeito. Os senhores recuperaram suas identidades de cidadãos comuns de seus respectivos países.

O presidente declarou o encerramento da sessão. Jonathan se levantou e desligou a imagem holográfica, desligando ao mesmo tempo o pesadelo de dois séculos de Luo Ji.

— Dr. Luo, pelo que sei, esse é o cenário que o senhor desejava — comentou Jonathan, sorrindo.

— Sim. É exatamente o que eu queria. Obrigado, sr. comissário. Agradeço também à CCFS por restabelecer meu status de cidadão comum — disse Luo Ji, do fundo do coração.

— Foi uma sessão simples, apenas uma votação de proposta. Bem, tenho a incumbência de tratar em mais detalhes das questões do senhor. Pode começar com sua maior preocupação.

— Onde e como estão minha esposa e minha filha? — quis saber Luo Ji.

Ele não podia mais evitar a pergunta que o atormentava desde que havia despertado. Era algo que gostaria de ter perguntado assim que Jonathan se apresentou, antes da sessão.

— Não se preocupe, as duas estão bem. Continuam hibernando. Posso passar a ficha delas, e o senhor pode solicitar o despertar quando quiser.

— Obrigado. Muito obrigado.

Os olhos de Luo Ji se encheram de água, e mais uma vez ele sentiu que havia chegado ao paraíso.

— De nada, dr. Luo. Se me permite, gostaria de dar um pequeno conselho. Sabe, para um hibernante não é fácil se acostumar à vida nesta era — observou Jonathan, aproximando-se de Luo Ji no sofá. — Recomendo que o senhor estabilize sua própria vida antes de despertar sua esposa e sua filha. A ONU pode arcar com o custo da hibernação das duas por mais duzentos e trinta anos.

— Bom, como é que eu faço para viver aqui?

O comissário deu risada com a pergunta.

— Não se preocupe com isso. Pode ser que o senhor não esteja acostumado a estes tempos, mas viver não será nenhum problema. Nesta era, o sistema de bem-estar social atingiu níveis de excelência, e é possível levar uma vida confortável mesmo sem fazer nada. De qualquer maneira, a universidade onde o senhor trabalhava ainda existe, bem aqui na cidade, e eles falaram que considerariam sua situação profissional e que entrariam em contato mais tarde.

De repente, um pensamento ocorreu a Luo Ji, que quase estremeceu.

— E quanto à minha segurança quando eu sair do hospital? A OTT deseja me assassinar!

— A OTT? — repetiu Jonathan, antes de cair na gargalhada. — A Organização Terra-Trissolaris foi completamente eliminada há um século. Não existe mais nenhuma base social para ela. Claro, ainda há gente com essas tendências ideológicas, mas essas pessoas não são mais capazes de se organizar. O senhor estará em perfeita segurança lá fora.

Quando estava prestes a ir embora, Jonathan abriu mão da postura formal, e o terno começou a brilhar com uma imagem exagerada e distorcida do céu. Ele sorriu e disse para Luo Ji:

— Doutor, de todas as figuras históricas que eu conheci, o senhor é a que tem o melhor senso de humor. Um feitiço. Um feitiço numa estrela. Rá, rá, rá...

Luo Ji ficou sozinho na recepção, refletindo em silêncio sobre a realidade a encarar. Ao fim de dois séculos como uma espécie de messias, ele voltava a ser uma pessoa comum, com uma nova vida pela frente.

— Você agora é um plebeu, meu amigo — disse uma voz grosseira e alta, atrapalhando as reflexões de Luo Ji. Ele se virou para a porta e viu Shi Qiang entrando. — Pois é. Fiquei sabendo com o cara que acabou de sair.

Foi um reencontro feliz. Shi Qiang contou que havia despertado dois meses antes e que sua leucemia fora curada. Os médicos descobriram ainda que ele tinha grande risco de desenvolver doenças hepáticas, provavelmente por causa da bebida, então resolveram esse problema também.

Os dois tinham a impressão de que não havia passado muito tempo desde a última conversa. Quatro ou cinco anos, no máximo, já que não havia noção de tempo durante a hibernação. Entretanto, o reencontro em uma nova era dois séculos no futuro levava aquela amizade a um novo nível.

—Você vai receber alta. Vim buscar você. Não tem por que continuar aqui — disse Shi Qiang, tirando uma muda de roupas de sua mochila e pedindo para Luo Ji se trocar.

— Não é... um pouco grande? — constatou Luo Ji, abrindo o casaco.

— Olhe só para você. Acordou dois meses depois de mim e parece um caipira ao meu lado. Experimente isto.

Shi Qiang apontou para um objeto na parte da frente da camisa e disse que Luo Ji podia usar aquilo para ajustar o tamanho. Quando vestiu o casaco, Luo Ji ouviu um chiado, e a roupa se encolheu aos poucos, até se acomodar às dimensões de seu corpo. Aconteceu o mesmo com as calças.

— Ei, não vai me dizer que está usando as mesmas roupas de dois séculos atrás, não é? — perguntou Luo Ji, olhando para Shi Qiang.

Luo Ji se lembrava como se fosse ontem: o casaco de couro de Shi Qiang era o mesmo que ele havia usado quando os dois se viram pela última vez.

— Os meus pertences se perderam durante a Grande Ravina... quer dizer, a maioria deles. Minha família chegou a guardar aquelas roupas para mim, mas não dava para usar. Você também tem algumas coisas daquela época e, quando se instalar, pode ir lá buscar. Estou falando, meu amigo, quando você se der conta de como tudo mudou, vai ter certeza de que quase duzentos anos não é pouco tempo. — Enquanto falava, Shi Qiang apertou algo no casaco, e suas roupas ficaram totalmente brancas. A textura de couro não passava de uma imagem. — Sabe como é, eu gosto do estilo do passado.

— As minhas roupas também fazem isso? Também exibem imagens? — indagou Luo Ji, olhando para as próprias roupas.

— Exibem, mas é um pouco difícil de configurar. Vamos dar o fora daqui.

Luo Ji e Shi Qiang pegaram o elevador do tronco até o térreo, passaram pelo grande saguão da árvore e saíram para o novo mundo.

* * *

Quando o comissário desativou a imagem holográfica da assembleia, a sessão na verdade não tinha sido encerrada. Luo Ji chegara a perceber que, assim que o presidente declarou o fim da sessão, uma voz ecoou de repente, uma voz feminina. Embora Luo Ji não tivesse conseguido entender bem o que foi dito, todos na assembleia se viraram para um ponto específico. Foi nesse momento que Jonathan desativou a imagem. O comissário também deve ter percebido a interrupção, mas, como o presidente havia declarado que a sessão estava encerrada, Luo Ji agora era um cidadão comum, sem status de Barreira. Logo, sem direito a participar do restante da assembleia, mesmo que não tivesse acabado.

A voz que ecoou era de Keiko Yamasuki.

— Sr. presidente, tenho algo a dizer.

— Dra. Keiko, a senhora não é uma Barreira. Permitimos que participasse da sessão de hoje devido a sua condição especial, mas a senhora não tem direito de se pronunciar — cortou o presidente.

Nenhum dos embaixadores parecia interessado no que ela tinha a dizer. Estavam todos se levantando para ir embora. Para eles, o Projeto Barreiras não passava de uma nota de rodapé na história, um disparate para o qual tinham sido obrigados a gastar energia para corrigir. No entanto, o que Keiko falou em seguida imobilizou todo mundo. Ela se virou para Hines e disse:

— Barreira Bill Hines, eu sou sua Destruidora.

Hines, que estava se preparando para sair, sentiu as pernas fraquejarem ao ouvir as palavras de Keiko e voltou a se sentar na cadeira, o rosto aos poucos perdendo a cor. Os presentes no auditório trocaram olhares e começaram a cochichar.

— Espero que os senhores não tenham esquecido a importância desse título — proferiu Keiko em tom imperioso para a assembleia.

— Sim — respondeu o presidente —, sabemos o que é um Destruidor. Mas sua organização não existe mais.

— Eu sei. — Ela parecia perfeitamente calma. — Apesar disso, como a última integrante da OTT, cumprirei meu dever para com o Senhor.

— Eu devia ter imaginado, Keiko. Eu devia ter imaginado — disse Hines, com a voz trêmula.

Ele parecia fraco. Sabia que sua esposa acreditava nas ideias de Timothy Leary e havia presenciado o desejo fanático dela de alterar a mente humana por meios tecnológicos, mas nunca associara essa obstinação a um ódio secreto pela humanidade.

— Eu gostaria de começar dizendo que o verdadeiro objetivo de seu plano estratégico não era a elevação da inteligência humana — falou ela para Hines. —

Mais do que ninguém, você sabia que era absolutamente impossível a tecnologia humana realizar algo assim no futuro próximo, porque foi você quem descobriu a estrutura quântica do cérebro. Você sabia que, quando o estudo da mente chegasse ao nível quântico, o entrave da física de base pelos sófons transformaria qualquer pesquisa científica em um lago estagnado e fadado a secar. Por isso, o selo mental não foi um mero subproduto acidental de seu estudo sobre a mente, mas sua meta desde o início. Foi o grande objetivo de sua pesquisa. — Ela se voltou para a assembleia. — Agora, eu gostaria que vocês me dissessem: o que aconteceu com o selo mental nos anos que passamos em hibernação?

— Ele não teve muito futuro — comentou o embaixador da Frota Europeia. — Quase cinquenta mil pessoas das forças espaciais nacionais aceitaram, por livre e espontânea vontade, a fé na vitória por meio do selo mental e formaram uma classe especial das Forças Armadas conhecida como "Marcados". Com o tempo, uns dez anos depois do início da hibernação de vocês, o Tribunal de Justiça Internacional considerou que o uso do selo mental era um crime, uma violação da liberdade de pensamento, desativando o único dispositivo de selo mental, o do Centro de Fé. A produção e a utilização desse tipo de equipamento foram proibidas no mundo inteiro com quase o mesmo rigor do acordo de não proliferação de armas nucleares. Na verdade, era ainda mais difícil obter o selo mental do que armas nucleares, sobretudo por causa do computador utilizado no processo. Na época em que vocês começaram a hibernar, a tecnologia de computação praticamente já havia parado de avançar. O supercomputador usado pelo selo mental não está nem de longe ultrapassado nos dias de hoje, sendo inacessível para indivíduos e organizações comuns.

Keiko Yamasuki então revelou sua primeira informação concreta:

— O que vocês não sabem é que existia mais de um dispositivo de selo mental. Foram feitos cinco, cada um acompanhado de seu próprio supercomputador. Os outros quatro Hines entregou em segredo para voluntários que já haviam recebido o selo, os que vocês batizaram de Marcados. Só havia uns três mil na época, mas eles já tinham formado uma organização supranacional bastante fechada dentro das Forças Armadas de diversos países. Hines não me contou isso. Eu descobri pelos sófons. Como o Senhor não se importa com triunfalismo ferrenho, não tomamos nenhuma medida.

— E qual é a relevância disso? — quis saber o presidente.

— Que tal pensarmos em algumas hipóteses? O dispositivo de selo mental não é um equipamento de funcionamento contínuo. Ele só é ativado quando necessário. Cada dispositivo pode ser usado por bastante tempo e, com a devida manutenção, não haveria nenhuma dificuldade na utilização durante meio século. Se um aparelho fosse usado até o limite antes do seguinte, seria possível fazer os quatro dispositivos durarem dois séculos. O que significa que os Marcados talvez não tenham desaparecido, e sim persistido de geração em geração até hoje, formando uma seita cuja fé é reforçada pelo selo mental, e cuja cerimônia de iniciação é o uso voluntário do selo mental.

— Dr. Hines, você perdeu seu status de Barreira e foi destituído do direito de enganar o mundo — lembrou o embaixador da Frota Norte-Americana. — Por favor, responda à Conferência Conjunta: sua esposa, ou melhor, sua Destruidora está falando a verdade?

— Está — confirmou Hines, gesticulando devagar com a cabeça.

— Isso é crime! — exclamou o embaixador da Frota Asiática.

— Talvez — admitiu Hines, assentindo com a cabeça de novo. — Mas, como todos os presentes, eu não sei se os Marcados continuam existindo na atualidade.

— Isso não faz diferença — objetou o embaixador da Frota Europeia. — Penso que o próximo passo será encontrar os dispositivos de selo mental que ainda existem e confiscá-los ou destruí-los. Quanto aos Marcados, se eles aceitaram por livre e espontânea vontade o selo mental, aparentemente não houve violação de nenhuma lei da época. Além disso, se chegaram a aplicar o selo mental em outros voluntários, foi sob a influência da fé ou crença que já haviam recebido por meios técnicos, de modo que não devem ser considerados passíveis de punição. Por isso, a única coisa que precisamos fazer é localizar os selos mentais. A questão dos Marcados talvez nem precise ser investigada.

— Exatamente. Não é ruim que algumas pessoas da Frota Solar tenham fé absoluta na vitória. Mal não vai fazer, pelo menos. O assunto deve permanecer uma questão de foro íntimo, e ninguém precisa saber quem são essas pessoas. De qualquer maneira, devo acrescentar que é difícil entender por que alguém se submeteria ao selo mental hoje em dia, já que a vitória da humanidade é evidente — observou o embaixador da Frota Norte-Americana.

Keiko Yamasuki sorriu com escárnio. A rara expressão de seu rosto remetia a um antigo quadro de uma cobra na grama, com o luar refletido nas escamas.

— Vocês estão sendo ingênuos — disse ela.

— Vocês estão sendo ingênuos — repetiu Hines, abaixando bem a cabeça.

Keiko se virou de novo para o marido.

— Hines, você sempre escondeu seus pensamentos de mim. Antes mesmo de se tornar uma Barreira.

— Eu tinha medo de que você fosse me desprezar — justificou ele, ainda cabisbaixo.

— Quantas vezes ficamos nos olhando em silêncio no bambuzal, nas noites silenciosas de Kyoto? Eu via em seus olhos a solidão de uma Barreira, e também seu desejo de falar. Quantas vezes você quase me contou a verdade? Você queria afundar a cabeça em meus braços, desabafar em meio às lágrimas e conquistar uma libertação completa. Só que sua responsabilidade como Barreira o impediu. A mentira era uma das suas obrigações, e nem a pessoa que você mais amava podia escapar desse ônus. Então o máximo que eu podia fazer era olhar em seus olhos, com a esperança de encontrar algum indício da verdade de seus pensamentos. Você não sabe quantas noites insones eu passei ao seu lado, enquanto você dormia profundamente, na expectativa de ouvir você falar durante o sono... Eu observava você com cuidado crescente, estudando cada gesto, capturando cada olhar, mesmo nos primeiros anos de sua hibernação. Eu repassei todos os detalhes, não por saudade, mas porque queria enxergar seus verdadeiros pensamentos. Por muito tempo, fracassei no meu objetivo. Sabia que você usava uma máscara, mas não conseguia vislumbrar o que estava escondido atrás. E assim se passaram os anos. Até que, finalmente, quando você tinha acabado de acordar e atravessar a nuvem de rede neural para chegar até mim, olhei nos seus olhos e entendi. Eu tinha amadurecido naqueles oito anos, ao passo que você continuava a mesma pessoa. Por isso, estava exposto.

"A partir daquele momento, conheci a verdade sobre você: um derrotista arraigado e um escapista ferrenho. Tanto antes de se tornar uma Barreira quanto depois, seu único objetivo era realizar o êxodo da humanidade. Em comparação com as outras Barreiras, sua genialidade não se concentra em maquinações estratégicas, e sim em ocultar e disfarçar sua verdadeira visão de mundo.

"Apesar disso, eu continuava sem saber como você alcançaria esse objetivo por meio das pesquisas sobre o cérebro e os pensamentos. Eu seguia tateando, mesmo depois da criação do selo mental, até o instante em que entrei em hibernação e me lembrei dos olhos. Os olhos de quem havia recebido a impressão mental... eram como os seus. De repente, fui capaz de compreender uma expressão sua que nunca tinha conseguido interpretar antes. Naquele momento desvendei sua verdadeira estratégia, mas já era tarde demais para falar qualquer coisa."

— Sra. Keiko Yamasuki, acho que não há nada de incomum aí — disse o embaixador da Frota Norte-Americana. — Nós conhecemos a história do selo mental. No primeiro grupo de cinquenta mil voluntários, o procedimento foi realizado sob supervisão extremamente rigorosa.

— É verdade — anuiu ela. — Só que a supervisão era perfeitamente eficaz apenas em relação ao conteúdo do enunciado de fé. O selo mental propriamente dito era muito mais difícil de ser fiscalizado.

— Mas a literatura indica que a supervisão dos detalhes técnicos do selo mental também era rigorosíssima, e que o dispositivo passou por uma infinidade de testes antes de entrar em operação — rebateu o presidente.

Keiko balançou a cabeça.

— O selo mental é um equipamento altamente complexo. Qualquer supervisão teria lacunas, como um pequeno sinal de menos no meio de centenas de milhões de linhas de programação, para ser bem específica. Nem os sófons detectaram isso.

— Um sinal de menos?

— Quando descobriu o modelo de circuito neural referente à conclusão de que certo enunciado era verdadeiro, Hines também descobriu o modelo referente à conclusão de que certo enunciado era falso. Ele não precisava de mais nada. Ele escondeu essa descoberta de todo mundo, até de mim. Não foi difícil, porque os dois modelos eram praticamente idênticos. A questão se manifestava na direção de fluxo de um signo específico no modelo de transmissão neural, o que no modelo matemático do selo mental era representado por um sinal. Positivo para verdadeiro, negativo para falso. Agindo em completo sigilo, Hines manipulou esse sinal no software de controle do selo. Em todos os cinco dispositivos, o sinal era negativo.

Um silêncio mortal tomou conta do auditório, um silêncio semelhante ao da sessão de dois séculos antes do Projeto Barreiras no CDP, quando Rey Diaz apresentara o "berço" no pulso e dissera para a assembleia que o dispositivo receptor do sinal antigatilho estava em algum lugar nas proximidades.

— Dr. Hines, o que você fez? — indagou o presidente, virando-se furioso para ele.

Hines levantou a cabeça, e todos viram que seu rosto pálido havia voltado ao normal. Sua voz estava calma e equilibrada.

— Admito que subestimei o poder da humanidade. O progresso que vocês alcançaram é realmente incrível. Eu pude ver isso com meus próprios olhos e agora acredito, como também acredito que a vitória na guerra será da humanidade. Essa fé é tão firme como se tivesse sido marcada pelo selo mental. O derrotismo e o Escapismo de dois séculos atrás são realmente ridículos. Apesar disso, sr. presidente e embaixadores, eu gostaria de declarar que é impossível que alguém no mundo me convença a me arrepender de meus atos.

— Você ainda acha que não deve se arrepender? — perguntou o embaixador da Frota Asiática, irritado.

Hines levantou a cabeça.

— Não é uma questão de "dever", e sim de impossibilidade. Eu usei o selo mental para marcar este enunciado na minha própria mente: tudo sobre meu plano como Barreira está completamente correto.

Os presentes na assembleia trocaram olhares, e até Keiko estava com uma expressão de surpresa no rosto ao encarar o marido. Hines abriu um sorrisinho para ela e assentiu com a cabeça.

— Sim, querida, se posso chamá-la assim. Só dessa maneira eu poderia obter a força espiritual necessária para executar o plano. Sim, mesmo neste instante, acredito que tudo o que fiz é correto. Minha crença é absoluta, independente do que me diga a realidade. Eu usei o selo mental para me transformar em meu próprio deus, e Deus não pode se arrepender.

— Você continuará pensando assim em um futuro não muito distante, quando os invasores trissolarianos se renderem ao poder superior da civilização humana? — quis saber o presidente, com um olhar mais de curiosidade do que de espanto.

Hines assentiu com seriedade.

— Ainda acharei que tenho razão. Tudo sobre meu plano da Barreira está correto. Naturalmente, diante dos fatos, eu vou sofrer uma dolorosa tortura. — Ele se virou para a esposa. — Querida, você sabe que já sofri essa tortura uma vez, quando acreditava que a água era tóxica.

— Vamos voltar para o presente — pediu o embaixador da Frota Norte-Americana, interrompendo a discussão entrecortada de todo mundo. — A sobrevivência dos Marcados é especulação pura. Afinal, já se passaram mais de cento e setenta anos. Se existe uma seita ou organização com fé tão absoluta assim no derrotismo, por que nunca vimos nenhum sinal?

— Das duas, uma — começou o embaixador da Frota Europeia. — Ou o selo mental desapareceu há muito tempo, e isto não passa de um alarme falso...

O embaixador da Frota Asiática interrompeu e concluiu o raciocínio:

— Ou, o que é o mais assustador dessa situação, os Marcados não deixam nenhum sinal.

Luo Ji e Shi Qiang caminhavam pela cidade subterrânea à sombra das estruturas em forma de árvore, e rios de carros corriam pelos espaços vazios no céu acima de suas cabeças. Como os edifícios eram "folhas" penduradas no ar, o chão era um grande espaço aberto, e os afastadíssimos troncos das árvores gigantes anulavam a necessidade de ruas, deixando apenas uma imensa praça com árvores espalhadas em certos pontos. A paisagem era maravilhosa: vastos gramados, bosques de árvores de verdade, ar fresco, tudo passava uma primeira impressão de que o lugar era uma bela região campestre. Pedestres circulavam com roupas luminosas, como formigas brilhantes. Luo Ji ficou estupefato com o conceito urbano que levava o barulho e as multidões da modernidade para o alto e deixava que o chão voltasse à natureza. Ali não havia nenhuma sombra da guerra, apenas conforto e alegria.

Antes de avançarem muito, eles ouviram uma voz delicada de mulher.

— Com licença, o senhor é Luo Ji?

Ele olhou para os lados e descobriu que a voz vinha de um outdoor no gramado, à beira de uma alameda. A imagem em movimento de uma bela mulher de uniforme o observava.

— Sou — respondeu ele, assentindo com a cabeça.

— Olá. Eu sou a consultora financeira 8065 do Sistema Bancário Geral. Bem-vindo à nossa era. Gostaria de informá-lo a respeito de sua situação financeira atual. — Conforme ela falava, uma tabela de informações apareceu ao seu lado. — Este é o seu extrato bancário no ano 9 da Era da Crise, incluindo contas no Industrial and Commercial Bank of China e no China Construction Bank. Há investimentos em ações de valores mobiliários também, mas esses papéis podem ter se perdido parcialmente durante a Grande Ravina.

— Como é que ela sabe que eu estou aqui? — sussurrou ele.

— Um chip foi implantado no seu braço esquerdo — explicou Shi Qiang. — Não se preocupe, hoje em dia todo mundo tem um. É como uma carteira de identidade. Todos os cartazes conseguem reconhecer você, e agora os anúncios publicitários são todos personalizados. Tudo que eles mostrarem vai ser exclusivo para você, seja lá para onde você for.

Aparentemente, a consultora ouviu as palavras de Shi Qiang:

— Senhor, isto não é um anúncio publicitário — objetou ela. — É um serviço do Sistema Bancário Geral.

— Quanto eu tenho em conta? — quis saber Luo Ji.

Uma planilha muito complexa apareceu ao lado da consultora.

— Esta é a situação de todas as suas economias desde o ano 9 da Era da Crise. É relativamente complicado, mas o senhor pode acessar esses dados em sua área de informações pessoais a partir de agora. — Apareceu outra planilha, mais simples. — Esta é a sua situação financeira atual, considerando todos os subsistemas do Sistema Bancário Geral.

Luo Ji não fazia noção do que aqueles valores significavam, então perguntou ingenuamente:

— Isso... é quanto?

— Meu amigo, você é rico! — respondeu Shi Qiang, dando um tapa vigoroso em seu ombro. — Eu posso não ter tanto quanto você, mas ainda tenho um bom dinheiro. Vou falar, dois séculos de juros... representam realmente um investimento de longo prazo. De pé-rapado a magnata. Só me arrependo de não ter poupado um pouco mais.

— Bom... tem certeza de que não tem nenhum equívoco? — perguntou Luo Ji, cético.

— Hum? — Os olhos grandes da consultora fitaram Luo Ji com uma expressão confusa.

— Faz mais de cento e oitenta anos. Não houve nenhuma inflação? O sistema financeiro continuou funcionando sem problemas?

— Você está complicando demais — disse Shi Qiang, tirando um maço de cigarros do bolso.

Nesse instante, Luo Ji descobriu que o tabaco ainda existia. Porém, quando Shi Qiang puxou um cigarro, conseguiu soltar baforadas de fumaça sem acendê-lo.

— Houve muitas ondas de inflação durante a Grande Ravina — respondeu a consultora —, e o sistema financeiro e o de crédito quase ruíram. Só que a legislação vigente determina que os juros referentes às contas dos hibernantes sejam calculados de acordo com uma fórmula especial que exclui a Grande Ravina e transfere a quantia ao patamar financeiro do período pós-Ravina, retomando a contagem de juros a partir desse ponto.

— Uau, que tratamento preferencial! — exclamou Luo Ji.

— Meu amigo, bons tempos estes — comentou Shi Qiang, soprando fumaça. Então ele ergueu o cigarro e acrescentou: — Com exceção dos cigarros, que são uma porcaria.

— Sr. Luo Ji, esta é apenas uma oportunidade para nos conhecermos. Quando for conveniente para o senhor, podemos conversar sobre atividades financeiras pessoais e um plano de investimentos. Se não houver mais nenhuma dúvida no momento, vou me despedir.

A consultora sorriu e acenou.

— Eu tenho ainda uma pergunta — ele se apressou em falar. Como não sabia o modo de chamar as moças daquela era e não queria correr o risco de se dirigir de maneira inadequada, se limitou a dizer: — Não estou muito familiarizado com esta era, então, por favor, perdoe se minha pergunta soar ofensiva.

A consultora sorriu e respondeu:

— Sem problema. Nossa responsabilidade é ajudar o senhor a se acostumar a esta era o mais depressa possível.

— Obrigado. Bom, gostaria de perguntar: a senhorita é uma pessoa de verdade, um robô, ou um programa?

A pergunta não abalou a consultora.

— É claro que sou uma pessoa de verdade — respondeu ela. — Por acaso um computador seria capaz de lidar com serviços tão complexos como esses?

Depois que a mulher no outdoor desapareceu, Luo Ji comentou com Shi Qiang:

— Da Shi, tem algumas coisas que não estou conseguindo entender. Esta é uma era que inventou o movimento perpétuo e é capaz de sintetizar grãos, mas a tecnologia de computação parece não ter avançado nada. A inteligência artificial não consegue nem gerir finanças pessoais?

— Movimento perpétuo? Você está se referindo a máquinas de movimento perpétuo? — indagou Shi Qiang.

— Sim. Significa energia ilimitada.

Shi Qiang olhou à sua volta.

— Onde tem isso?

Luo Ji apontou para o fluxo do trânsito.

— Aqueles carros voadores. Eles usam combustível ou baterias?

Shi Qiang balançou a cabeça.

— Nenhuma dessas opções. O petróleo da Terra secou. Aqueles carros podem voar para sempre sem usar baterias, e nunca vão ficar sem energia. São incríveis. Estou pensando em comprar um para mim.

— Como é que você pode ser tão insensível a um milagre tecnológico desses? Energia ilimitada para a humanidade. É algo tão grandioso quanto o momento em que Pan Ku criou o firmamento e a Terra! Não percebe como esta era é magnífica?

Shi Qiang jogou a ponta do cigarro no chão. Em seguida, refletiu melhor, se abaixou, pegou a guimba do gramado e a descartou em uma lata de lixo que estava perto.

— Eu, insensível? Você é um intelectual que deixou a imaginação correr solta. Essa tecnologia é algo que já tínhamos na nossa época.

— Você só pode estar brincando.

— Não entendo de tecnologia em geral, mas conheço um pouco dessa específica porque, por acaso, tive a chance de usar uma escuta na polícia que não utilizava pilha, mas nunca ficava sem energia. Sabe como funcionava? Micro-ondas. Eletricidade hoje é isso, embora os métodos sejam um pouco diferentes daqueles do nosso tempo.

Luo Ji parou e encarou Shi Qiang por algum tempo, antes de olhar para os carros voadores no ar. Ele pensou no vidro que se aquecia e enfim entendeu: era transmissão de energia sem fio. A fonte de energia emitia eletricidade na forma de micro-ondas ou alguma outra radiação eletromagnética para formar um campo elétrico em determinado espaço, permitindo que qualquer equipamento nesse espaço obtivesse energia por uma antena ou uma bobina ressonante. Como Shi Qiang havia falado, essa tecnologia era absolutamente comum mesmo dois séculos antes. O único motivo para ela não ser empregada em tudo era a perda de energia, elevada demais. Só era possível aproveitar uma pequena parcela da energia emitida em um espaço, mas a maior parte se perdia. Porém, na nova era, o amadurecimento da tecnologia de fusão controlada permitia que as fontes de energia fossem muito aprimoradas, a ponto de a perda em dispositivos sem fio ser aceitável.

— E os grãos sintéticos? Eles não sintetizam grãos? — indagou Luo Ji.

— Não sei bem se é isso. Os grãos continuam sendo produzidos a partir de sementes, só que agora o processo acontece em fábricas, naqueles tanques de cultivo. Todas as plantações são geneticamente modificadas, e ouvi falar que o trigo forma só a espiga, sem colmo. Além disso, os grãos crescem bem rápido por causa da potente luz solar artificial e de outros fatores, como radiação intensa para induzir o crescimento. Uma safra de trigo e arroz pode ser colhida ao fim de uma semana, então, de fora, parece que estão sendo fabricados em uma linha de produção.

— Ah... — fez Luo Ji, complementando o raciocínio com um longo suspiro.

Ele via as bolhas maravilhosas estourarem diante de seus olhos e revelarem a verdadeira face do mundo: naquela nova e grandiosa era os sófons ainda pairavam por todos os lados e a ciência humana continuava travada. A tecnologia existente jamais cruzaria a fronteira estabelecida pelos sófons.

— E as naves espaciais que são capazes de alcançar quinze por cento da velocidade da luz?

— Bom, isso é verdade. E, quando aquelas naves são mobilizadas, parece um solzinho novo no céu. E as armas espaciais... anteontem, vi uma matéria na TV sobre um exercício da Frota Asiática. Um canhão laser atravessou um navio-alvo do tamanho de um porta-aviões. Metade daquele troço de ferro evaporou como um bloco de gelo, e a outra metade explodiu como fogos de artifício, em uma chuva cintilante de aço derretido. Também existem canhões eletromagnéticos que disparam cem esferas de ferro por segundo, todas do tamanho de uma bola de futebol, a dezenas de quilômetros por segundo. São capazes de aplainar uma montanha em Marte em questão de minutos... Enfim, mesmo sem esse seu movimento perpétuo, com essas tecnologias a humanidade é mais do que capaz de derrubar a Frota Trissolariana.

Shi Qiang entregou um cigarro para Luo Ji e o ensinou a girar o filtro para acender. Os dois fumaram e ficaram contemplando a fumaça branca feito neve rodopiar para cima.

— Enfim, meu amigo, bons tempos estes.

— Sim. Bons tempos.

Luo Ji mal tinha concluído a frase, quando Shi Qiang pulou sobre ele e os dois caíram na grama, a alguns metros de distância. Quase ao mesmo tempo, um barulho alto rasgou a atmosfera e um carro voador caiu exatamente no lugar onde os dois estavam segundos antes. Luo Ji sentiu a onda de choque do impacto, e destroços de metal voaram pelos ares, arrebentando metade do outdoor e fazendo os tubos transparentes de vidro da tela se estilhaçarem no chão. Enquanto Luo Ji continuava estirado no chão, tonto e com um olho roxo, Shi Qiang se levantou de um salto e correu até o carro voador. Embora a estrutura em forma de disco estivesse completamente destruída e deformada, como não havia combustível, não pegou fogo. Só se ouvia o som de faíscas no metal retorcido.

— Não tinha ninguém no carro — disse Shi Qiang para Luo Ji, que se aproximou mancando.

— Da Shi, você salvou minha vida de novo — comentou Luo Ji, apoiando-se no ombro do amigo e massageando a perna dolorida.

— Não sei quantas vezes vou ter que fazer isso. Você realmente devia criar um pouco de juízo e mais alguns olhos. — Ele apontou para o carro voador em destroços. — Lembra alguma coisa?

Luo Ji recordou o atentado de dois séculos antes e sentiu o corpo estremecer.

Muitos curiosos se aproximaram para ver a cena, e suas roupas emitiam imagens de terror. Duas viaturas pousaram, com as sirenes em volume máximo, e policiais saíram para formar um cordão de isolamento em volta do carro quebrado. Seus uniformes piscavam como as lâmpadas das viaturas, e a luminosidade abafou as roupas da multidão. A roupa do policial que foi falar com Shi Qiang e Luo Ji brilhava tanto que eles precisaram fechar os olhos.

— Vocês dois estavam bem aqui quando o carro caiu. Não se feriram? — perguntou ele, preocupado.

Era evidente que havia percebido que os dois eram hibernantes, porque se esforçou para falar em "chinês antigo". Antes que Luo Ji tivesse tempo de responder, Shi Qiang levou o policial para fora do cordão de isolamento e da multidão. Quando se afastaram, o uniforme do policial parou de piscar.

— Vocês precisam investigar isso. Pode ter sido um atentado — avisou Shi Qiang.

O policial riu.

— Está brincando? Foi apenas um acidente de trânsito.

— Queremos registrar queixa.

— Tem certeza?

— Claro. Estamos registrando queixa.

— Você está exagerando. Pode ter sido um susto, mas não passou de um acidente. Bom, de acordo com a lei, se vocês insistem em registrar queixa...

— Nós insistimos.

O policial apertou na manga do uniforme uma tela, que exibiu uma janela de informações. Ele olhou e depois disse:

— Queixa registrada. Durante as próximas quarenta e oito horas, vocês serão monitorados pela polícia, bastando para isso sua autorização.

— Nós autorizamos. Talvez ainda estejamos em perigo.

O policial riu de novo.

— Acho difícil. É uma situação comum.

— Situação comum? Se me permite perguntar: em média, quantos acidentes de trânsito desse tipo acontecem por mês nesta cidade?

— Ano passado foram seis ou sete!

— Pois saiba que, na nossa época, aconteciam mais acidentes do que isso todos os dias, nesta mesma cidade.

— Os carros transitavam no chão na sua época. Nem consigo imaginar como isso era perigoso. Bom, mas tudo bem: agora vocês estão no sistema de vigilância da polícia e serão notificados de qualquer progresso no seu caso. De qualquer maneira, acredite, foi apenas um acidente normal de trânsito. Enfim, apesar da queixa registrada, vocês têm direito à indenização.

Depois que eles se afastaram dos policiais e da cena do acidente, Shi Qiang falou para Luo Ji:

— É melhor irmos para a minha casa. Não me sinto muito à vontade quando saio. Não é longe. Vamos a pé. Como os táxis não têm motorista humano, não são seguros.

— Não entendo... A OTT não tinha sido destruída? — perguntou Luo Ji, olhando para os lados.

Ao longe, o carro caído fora erguido por um carro voador maior. A multidão de curiosos se dispersou, e as viaturas foram embora. Um veículo de manutenção urbana havia aterrissado, e inúmeros trabalhadores desembarcaram para recolher os destroços espalhados e começar os reparos no chão, danificado com o acidente. Após o breve susto, a cidade voltou à agradável tranquilidade da rotina.

— Talvez tenha sido. Mas você precisa confiar na minha intuição, meu amigo.

— Não sou mais uma Barreira.

— Aquele carro aparentemente pensava de outra maneira... Enquanto estivermos caminhando, preste atenção aos carros no alto.

Eles seguiram pela "sombra" dos edifícios de árvores sempre que possível e atravessaram correndo os espaços abertos que encontraram. Logo chegaram a uma praça grande.

— Minha casa fica lá do outro lado. É longe demais para dar a volta, então vamos ter que correr — explicou Shi Qiang.

— Não é um pouco de paranoia? Talvez tenha sido um mero acidente de trânsito.

— Talvez sim, talvez não. Seja como for, não custa tomar um pouco de cuidado... Está vendo aquela escultura no meio da praça? Se acontecer alguma coisa, podemos nos esconder ali.

Havia um espaço quadrado com areia no meio da praça, como um deserto em miniatura. A escultura que Shi Qiang mencionou, localizada bem no meio da areia, era um conjunto de objetos pretos que pareciam pilares, cada um com dois ou três metros de altura. De longe, lembravam um bosque de árvores sem folhas.

Luo Ji correu pela praça atrás de Shi Qiang. Quando chegaram perto da areia, ele ouviu Shi Qiang gritar:

— Rápido. Entre ali!

Ele foi arrastado pela areia e jogado para dentro do bosque de árvores sem folhas. Estirado na areia quente do bosque, olhou para o céu por entre os pilares pretos e viu um carro voador se aproximar do bosque e passar bem rente, antes de subir de novo e acelerar para ir embora. O vento deslocado nesse movimento levantou uma nuvem de areia, que fez um barulho alto ao atingir os pilares.

— Talvez ele não estivesse vindo na nossa direção.

— Hum. Talvez — respondeu Shi Qiang, sentando-se e tirando a areia do sapato.

— Será que vamos virar motivo de piada por causa disso?

— Não se preocupe com essas besteiras. Quem é que vai reconhecer você? Além do mais, nós somos de dois séculos atrás. Por isso, mesmo se fôssemos completamente normais, seríamos motivo de piada. Meu amigo, não perdemos nada tomando cuidado. E se aquele carro estivesse mesmo vindo na sua direção?

Só nesse momento Luo Ji prestou atenção na escultura em que eles se abrigaram. Viu que os pilares não eram árvores sem folhas, e sim braços saídos do deserto. Como eram braços extremamente magros, à primeira vista pareciam árvores mortas. As mãos no alto formavam vários gestos distorcidos na direção do céu e pareciam expressar uma espécie de dor interminável.

— Que tipo de escultura é esta?

No meio de todos aqueles braços sofridos, Luo Ji sentiu um calafrio, embora ainda estivesse suando por causa da corrida. Em uma das pontas da escultura, ele notou um obelisco solene, onde estava entalhada uma linha de caracteres dourados grandes: VIVA A CIVILIZAÇÃO, POIS A CIVILIZAÇÃO NÃO ESPERA.

— O Memorial da Grande Ravina — respondeu Shi Qiang, sem demonstrar interesse em dar mais explicações. Ele conduziu Luo Ji para fora da escultura e até o outro lado da praça a um passo acelerado. — Certo, meu amigo. É nesta árvore que eu moro — disse Shi Qiang, apontando para a gigantesca árvore arquitetônica diante deles.

Luo Ji olhou para os lados antes de arriscar alguns passos. De repente, o chão rangeu, o concreto desapareceu sob seus pés, e ele começou a despencar, sendo segurado por Shi Qiang quando já estava com o tórax no nível do chão. Shi Qiang o puxou com força de volta para cima e, assim que Luo Ji recuperou o equilíbrio, os dois olharam para o buraco no chão. Era um bueiro, cuja tampa tinha se aberto no exato momento em que Luo Ji estava prestes a pisar nela.

— Meu Deus! O senhor está bem? Que perigo! — exclamou uma voz emitida por um outdoor pequeno, nas proximidades. O cartaz estava afixado a um acanhado pavilhão com uma máquina de bebidas e coisas do tipo. A voz pertencia a um rapaz de uniforme azul, que estava pálido e parecia ainda mais assustado do que Luo Ji. — Eu trabalho no Departamento de Evacuação e Esgotos da Terceira Companhia de Administração Municipal. Essa tampa se abriu automaticamente. Talvez tenha sido algum problema de software.

— É uma situação comum? — perguntou Shi Qiang.

— Ah, não, não. É a primeira vez que vejo algo assim.

Shi Qiang apanhou uma pedrinha redonda no gramado ali perto e largou dentro do buraco. Levou um bom tempo até eles ouvirem algum ruído.

— Nossa. Qual é a profundidade? — perguntou ele ao homem no cartaz.

— Uns trinta metros. Como eu disse, que perigo! Sabe, já tive a oportunidade de analisar o sistema de esgotos da superfície. A rede de esgotos da sua época era muito rasa. Enfim, gostaria de informar que esse acidente foi registrado e você... — Ele deu uma olhada na manga do uniforme ao falar. — Ah, sr. Luo. Você pode ir à TCAM para receber sua indenização.

Os dois enfim chegaram ao saguão da árvore de Shi Qiang, número 1863. Da Shi avisou que morava no galho 106, perto do topo, e sugeriu que fossem ao restaurante do térreo, para que Luo Ji comesse algo antes de subir. Além de ser limpo como uma projeção tridimensional, uma característica dos novos tempos ficava ainda mais evidente ali em comparação com o centro de reanimação: havia janelas dinâmicas de informações por todos os lados, em paredes, mesas, cadeiras, no chão, no teto e até em pequenos objetos, como copos e porta-guardanapos nas mesas. Tudo tinha interface e tela, com textos ou imagens em movimento. Era como se o restaurante todo fosse um monitor gigantesco que ostentava um elaborado e luminoso esplendor.

Não havia muita gente no local. Eles escolheram uma mesa perto da janela e se sentaram. Shi Qiang tocou a mesa para ativar uma interface e pediu alguns pratos.

— Não sei ler as letras estrangeiras, então só pedi pratos chineses.

— O mundo parece ter sido construído com tijolos feitos de telas — comentou Luo Ji, com um suspiro.

— Isso mesmo. Qualquer superfície lisa pode se acender. — Enquanto falava, Shi Qiang apanhou um maço de cigarros e entregou para Luo Ji. — Dê uma olhada: é só um maço de cigarros baratos.

Assim que Luo Ji segurou o maço, ele começou a exibir uma imagem animada, com vários retratos em miniatura, como um menu de opções.

— Ah... isso não passa de uma película que exibe imagens — desdenhou Luo Ji, olhando para o maço.

— Película? Dá para entrar na internet com esse troço! — Shi Qiang esticou a mão, tocou no maço e um dos retratos se afundou como um botão.

Logo o anúncio selecionado cobriu o maço todo. Na imagem, Luo Ji viu um casal com um filho, em uma sala de estar. A imagem obviamente era do passado, e o maço emitiu uma voz aguda:

— Sr. Luo, sabemos que o senhor vivia nessa época e que o grande sonho de todos era ter uma casa na capital. Hoje, o Grupo Greenleaf pode lhe oferecer todo tipo de folha. — A imagem então exibiu uma cena de folhas sendo acrescentadas a um galho e, depois, uma variedade deslumbrante de residências penduradas, incluindo uma toda transparente, cuja mobília parecia suspensa no ar. — Naturalmente, também podemos construir uma casa tradicional na superfície, para levá-lo de volta aos bons tempos da Era de Ouro e lhe proporcionar uma boa... família... — Um gramado e uma casa isolada, talvez outra foto antiga, apareceram na tela. A locutora do anúncio falava "chinês antigo" com fluência, mas fez uma pequena pausa antes da palavra "família" e então a pronunciou com ênfase especial, por ser algo que a locutora não tinha, algo que pertencia ao passado.

Shi Qiang pegou o maço das mãos de Luo Ji, tirou os dois últimos cigarros, deu um para ele, amassou e largou o maço vazio na mesa. As imagens ainda brilhavam na embalagem amassada, mas o som tinha sumido.

— Em qualquer lugar a que eu vou, a primeira coisa que faço é desligar todas as telas à minha volta. Não tem nada mais irritante — opinou Shi Qiang, desligando a mesa e o chão com as mãos e os pés. — Só que as pessoas aqui não conseguem viver sem isso. — Ele apontou para os demais clientes no restaurante. — Não existe mais nenhum computador. Quem quiser acessar a internet ou fazer algo do tipo só precisa tocar em qualquer superfície lisa. Roupas e sapatos também servem como computadores. Acredite se quiser, já vi até papel higiênico com acesso à internet.

Luo Ji estendeu a mão para pegar um guardanapo, de papel comum e sem fios. No entanto, assim que puxou um, o porta-guardanapo se ativou, e a mulher bonita na tela ofereceu gaze, indicando com clareza que sabia dos acontecimentos do dia e supunha que Luo Ji tivesse ralado os braços e as pernas.

— Nossa! — exclamou Luo Ji, voltando a enfiar o guardanapo na caixa.

— Esta é a era da informação. Nossa época era bastante primitiva — disse Shi Qiang, rindo.

Enquanto esperavam a comida, Luo Ji perguntou sobre a vida de Shi Qiang. Ele sentiu uma ponta de culpa por só pedir detalhes naquele momento, mas, considerando os acontecimentos recentes, tinha a sensação de que agia como uma máquina programada. Aquele era o primeiro momento de tranquilidade do dia.

— Eles me aposentaram. Não foi ruim — se limitou a responder Shi Qiang.

— Eles quem? A Agência de Segurança Pública ou a unidade em que você estava? Essas instituições ainda existem?

— Existem. Aliás, a ASP ainda é a ASP, embora eu não estivesse mais associado a ela antes de hibernar. A unidade em que entrei depois hoje faz parte da Frota Asiática, que é como um país grande, então agora eu sou estrangeiro.

Depois de falar, ele soltou uma demorada baforada e ficou olhando a fumaça subir, como se fizesse esforço para desvendar algum mistério.

— Os países não têm mais a mesma importância do passado... — mencionou Luo Ji. — O mundo mudou, ficou confuso. Para nossa sorte, Da Shi, somos do tipo indiferente que consegue viver, e viver bem, em qualquer circunstância.

— Luo, meu amigo, para falar a verdade eu não tenho uma mente tão aberta quanto a sua em certos aspectos. Não sou tão eremita. Se eu tivesse passado por tudo que você viveu, já teria desmoronado há muito tempo.

Luo pegou o maço amassado na mesa e o desamassou. A imagem ainda aparecia, ligeiramente descolorida, tocando o anúncio do Grupo Greenleaf.

— Seja como messias ou como refugiado — comentou —, eu sempre consigo usar qualquer recurso disponível para tentar levar uma vida feliz. Você pode achar que é egoísmo da minha parte, mas, para ser sincero, essa é a única característica que respeito na minha personalidade. Da Shi, vou dizer algo sobre você. Embora você pareça uma pessoa desleixada, bem no fundo, é alguém que valoriza a responsabilidade. Agora deixe de lado toda essa responsabilidade. Veja esta era. Quem precisa de nós? Nossa obrigação mais sagrada é *carpe diem*.

— Tudo bem, então. Só não se esqueça de que, se eu tivesse aberto mão de toda responsabilidade, você não estaria com muito apetite agora.

Shi Qiang deixou a guimba no cinzeiro, o que ativou um anúncio de cigarros. Luo Ji se deu conta do equívoco de suas palavras.

— Ah, não, Da Shi, você ainda precisa cumprir sua responsabilidade comigo. Eu acabarei morrendo se você me abandonar. Só hoje você me salvou três vezes. Três pode ser exagero, mas pelo menos duas e meia!

— Quer dizer que não posso abandonar alguém para morrer? Essa é a minha sina, uma vida para salvar a sua — disse Shi Qiang, em tom de reprovação.

Ele olhou à volta, provavelmente tentando descobrir algum lugar que vendesse cigarros. Em seguida, encarou Luo Ji de novo, se inclinou um pouco e sussurrou:

— Mas você foi mesmo um messias por um tempinho, meu amigo.

— Para qualquer um na mesma posição, é impossível manter a sanidade. Felizmente, já voltei ao normal.

— Como foi que você pensou na ideia de enfeitiçar aquela estrela?

— Na época, eu estava em uma paranoia total. Não gosto nem de lembrar. Acredite se quiser, Da Shi, mas tenho certeza de que, enquanto eu hibernava, eles não só curaram a minha doença como também me submeteram a um tratamento psiquiátrico. Juro, eu não sou mais a mesma pessoa. Como é que eu pude ser tão idiota a ponto de ter aquela ideia? Aquele delírio?

— Que delírio? Conte.

— É difícil explicar de maneira resumida. Além do mais, não adianta nada. Com a experiência que você tem, já deve ter lidado com sujeitos delirantes, gente que sempre achava que alguém queria matá-los. Tem algum sentido dar ouvidos à conversa dessas pessoas?

Luo Ji rasgou o maço metodicamente em vários pedaços. Desta vez, a tela foi destruída, mas os fragmentos continuavam brilhando, como um grotesco montinho de cores.

— Tudo bem. Vamos falar de algo feliz. Meu filho ainda está vivo.

— O quê? — perguntou Luo Ji, quase pulando de surpresa.

— Descobri há dois dias. Ele me procurou. Não nos encontramos ainda, só conversamos por telefone.

— Ele não...

— Não sei por quanto tempo ele ficou preso, mas depois entrou em hibernação. Queria vir para o futuro para me encontrar. Não quero nem imaginar onde o garoto arrumou dinheiro. Enfim, agora ele está na superfície e marcou de vir amanhã.

Luo Ji se levantou com entusiasmo, jogando pedaços de papel brilhante no chão.

— Ah, Da Shi, isso é... Precisamos beber para comemorar.

— Uma bebida, então. O álcool desta era tem um gosto horroroso, mas ainda é forte.

A comida chegou. Como Luo Ji não reconheceu nada, Shi Qiang explicou:

— Nada é bom. Alguns restaurantes são abastecidos por fazendas tradicionais, mas são os mais caros. Vamos comer em um quando Xiaoming vier.

Contudo, a atenção de Luo Ji estava voltada para a garçonete, que tinha o rosto e o corpo de uma beleza irreal. Ele viu que as outras garçonetes que circulavam entre as mesas tinham a mesma aparência angelical.

— Ei, não fique olhando feito um idiota. São de mentira — disse Shi Qiang, sem levantar os olhos.

— Robôs? — perguntou Luo Ji.

Finalmente o futuro estava mostrando alguma coisa que ele tinha visto nas histórias de ficção científica de sua infância.

— Mais ou menos.

— Como assim, “mais ou menos”?

Shi Qiang apontou para uma garçonete-robô.

— Essa moça boba só sabe servir a comida. Todas percorrem trajetórias fixas. Não é uma idiotice? Uma vez eu vi uma mesa que tinha sido afastada temporariamente, mas elas continuaram levando pratos para o lugar original, então tudo caía no chão.

Depois de deixar a comida na mesa, a garçonete-robô deu um sorriso gentil e desejou bom apetite. A voz não soava robótica e era incrivelmente linda. Em seguida, em questão de segundos, ela estendeu uma mão delicada e pegou a faca na frente de Shi Qiang...

Em um instante, os olhos de Shi Qiang foram da faca nas mãos da garçonete para Luo Ji, do outro lado da mesa. Shi Qiang pulou por cima da mesa e derrubou Luo Ji com violência, da cadeira para o chão. Quase na mesma hora, a robô esfaqueou o lugar onde estaria o coração de Luo Ji. A faca atravessou o encosto, ativando a interface de informações da cadeira. A robô recolheu a faca e ficou parada ao lado da mesa, com uma bandeja na outra mão e ainda com o sorriso gentil naquele rosto de beleza angelical. Em pânico, Luo Ji se levantou com dificuldade e se escondeu atrás de Shi Qiang. Já Shi Qiang se limitou a fazer um gesto com a mão.

— Não se preocupe. Ela não é tão ágil.

Com a faca na mão e um sorriso no rosto, a robô permaneceu imóvel e voltou a desejar um bom apetite para os dois, com sua voz delicada. Assustados, os fregueses haviam se aglomerado em volta de Shi Qiang e Luo Ji, olhando com espanto para a cena. A gerente do turno chegou às pressas. Ela balançou a cabeça quando ouviu Shi Qiang acusar a robô do restaurante de tentativa de homicídio.

— Senhor, isso é impossível! Os olhos delas não enxergam pessoas, apenas sensores nas mesas e cadeiras!

— Eu sou testemunha de que ela pegou uma faca na mesa e tentou matar esse homem. Vimos a cena com nossos próprios olhos! — falou um homem em voz alta.

Os outros fregueses também confirmaram. Enquanto a gerente pensava em como responder, a robô esfaqueou a cadeira outra vez, cravando a faca exatamente no mesmo buraco aberto com o primeiro golpe e provocando alguns gritos.

— Tenham um bom apetite — disse ela, sorrindo.

Chegaram outras pessoas, entre elas o engenheiro do restaurante. Quando ele apertou a parte de trás da cabeça da robô, o sorriso sumiu e ela disse, antes de ficar completamente imóvel:

— Desativação forçada. Dados de ponto de interrupção salvos.

— Provavelmente foi algum problema de software — explicou o engenheiro, suando frio.

— É uma situação comum? — questionou Shi Qiang, com um sorriso sarcástico.

— Não, não. Juro, que nunca tinha ouvido falar de nada assim — respondeu o engenheiro, mandando dois assistentes recolherem a robô.

A gerente do turno explicou energicamente que, até ser determinada a causa do defeito, o restaurante usaria garçons humanos, mas metade dos fregueses preferiu ir embora.

— Vocês reagiram bem rápido — observou uma testemunha, em tom de admiração.

— Hibernantes. Na época deles, as pessoas estavam acostumadas com esses imprevistos — justificou outro sujeito, cujas roupas exibiam um espadachim.

— Senhores, isso foi realmente... — começou a gerente para Luo Ji e Shi Qiang. — Enfim, garanto que serão indenizados.

— Ótimo. Agora, vamos comer.

Shi Qiang fez um gesto para Luo Ji voltar à cadeira, e um garçom humano trouxe novos pratos para substituir os que tinham sido derramados. Sentado, e ainda em choque, Luo Ji sentiu o incômodo buraco no encosto da cadeira.

— Da Shi, parece que o mundo inteiro está me perseguindo. Antes, eu tinha uma impressão favorável dessa era.

Shi Qiang ficou olhando para um dos pratos à sua frente.

— Eu tenho alguns palpites quanto a isso — respondeu, olhando para Luo Ji e servindo uma bebida. — Deixe para lá, por enquanto. Mais tarde eu conto em detalhes.

— Um brinde. A *carpe diem*, a viver um dia de cada vez. Até uma hora de cada vez. E também ao seu filho ainda vivo — propôs Luo Ji, erguendo o copo.

— Você está bem mesmo? — quis saber Shi Qiang, abrindo um sorriso.

— Já fui um messias. Nada me assusta. — Ele deu de ombros e virou o copo. Fez uma careta ao sentir o gosto do álcool. — Isso parece combustível de foguete.

— Você acaba comigo, meu amigo. Essa sua postura sempre acaba comigo — brincou Shi Qiang, fazendo sinal de positivo.

A folha onde Shi Qiang morava ficava no alto da árvore. Era uma casa grande e toda equipada para uma vida confortável, com direito a uma academia e até a um jardim de inverno com chafariz.

— A frota me cedeu estas acomodações temporárias — explicou ele. — Falaram que eu poderia comprar uma folha melhor com o dinheiro da minha pensão.

— Todo mundo mora em casas espaçosas assim?

— Provavelmente. Esse tipo de estrutura é a melhor maneira de aproveitar o espaço. Uma folha grande equivale a um prédio inteiro da nossa época. Só que o principal motivo é que existe menos gente. Muito menos, desde a Grande Ravina.

— Mas, Da Shi, seu país fica no espaço.

— Eu não vou para lá. Já estou aposentado.

Os olhos de Luo Ji ficaram mais à vontade naquele espaço, em especial porque as janelas de informações da casa de Shi Qiang estavam fechadas, embora fosse possível ver um ou outro brilho nas paredes e no piso. Shi Qiang tocou com o pé em uma interface no chão, uma parede ficou toda transparente e a noite da cidade se descortinou diante dos dois. Era uma floresta deslumbrante e gigantesca de árvores de Natal interligadas pelas luzes do trânsito.

Luo Ji foi até o sofá, que parecia duro feito mármore.

— Dá para sentar aqui? — perguntou.

Quando Shi Qiang confirmou, Luo Ji se sentou com cuidado. De repente, teve a sensação de se afundar em argila mole: as almofadas e o encosto do sofá se adaptavam ao corpo da pessoa, criando um molde cem por cento compatível ao formato do corpo e minimizando a pressão.

Sua ideia para o bloco de minério de ferro na Sala de Meditação da ONU dois séculos antes havia se transformado em realidade.

— Você tem algum comprimido para dormir? — indagou Luo Ji.

Agora que estava em um espaço que parecia seguro, ele começou a sentir a exaustão.

— Não, mas dá para comprar aqui — comentou Shi Qiang, operando a parede de novo. — Aqui. Soníferos sem necessidade de receita. Este aqui parece bom: Rio de Sonhos.

Luo Ji imaginou que presenciaria alguma transmissão avançada de matéria física pela rede, mas a realidade foi muito mais simples. Alguns minutos depois, um furgãozinho voador parou do lado de fora da parede transparente e entregou o remédio com um braço mecânico, por uma portinha que havia acabado de se abrir. Shi Qiang alcançou o medicamento para Luo Ji. Era uma caixa tradicional, sem telas ativas, cujo rótulo indicava para tomar um comprimido. Ele abriu a caixa, tirou um e fez menção de pegar o copo d'água, que estava na mesinha de centro.

— Espere um pouco — pediu Shi Qiang, tirando a caixa das mãos de Luo Ji e analisando a embalagem com cuidado, antes de devolver. — O que está escrito aí? O remédio que eu pedi se chamava Rio de Sonhos.

Luo Ji viu uma linha comprida de nomes complicados de fármacos em inglês.

— Não reconheço. Mas com certeza não é Rio de Sonhos.

Shi Qiang ativou uma janela na mesa de centro e começou a procurar algum médico. Com a ajuda de Luo Ji, conseguiram encontrar um clínico de jaleco, que examinou a embalagem e em seguida olhou para Shi Qiang com uma expressão estranha.

— De onde veio isso? — perguntou o médico, desconfiado.

— Acabei de comprar. Por aqui mesmo.

— Impossível. Isto só é vendido com receita. É usado no centro de hibernação.

— O que ele tem a ver com hibernação?

— É um medicamento de hibernação de curto prazo. Faz a pessoa hibernar por um período de dez dias a um ano.

— Basta engolir um comprimido?

— Claro que não. Antes de começar a hibernação, é preciso preparar uma série de sistemas externos para manter as funções circulatórias internas do corpo.

— E se alguém tomar sem essas precauções?

— Nesse caso, é morte certa. Mas é uma morte sem dor. Por isso, é comum essa medicação ser usada por suicidas.

Shi Qiang fechou a janela e jogou a caixa na mesa. Ficou olhando para Luo Ji por um tempo e então disse:

— Droga.

— Droga — repetiu Luo Ji, se recostando outra vez no sofá.

E então foi alvo do último atentado do dia contra sua vida. Quando ele encostou a cabeça no sofá, o apoio duro logo se adaptou ao formato de seu crânio e começou a criar um molde. Porém, o processo não parou aí. A cabeça e o pescoço continuaram se afundando, até o apoio formar um par de tentáculos de cada lado, que apertaram o pescoço de Luo Ji. Ele não teve tempo de gritar, só de abrir a boca e os olhos, e de agitar as mãos.

Shi Qiang correu à cozinha e voltou com uma faca, que usou para tentar cortar os tentáculos, até recorrer às próprias mãos para arrancá-los do pescoço de Luo Ji. Quando Luo Ji conseguiu se desvencilhar e caiu para a frente, direto no chão, a superfície do sofá se iluminou e começou a exibir uma grande série de mensagens de erro.

— Quantas vezes eu já salvei sua vida hoje, meu amigo? — perguntou Shi Qiang, esfregando as mãos.

— Esta... é... a... sexta — respondeu Luo Ji, recuperando o fôlego.

Ele vomitou no chão e chegou a se apoiar de leve no sofá, mas se afastou na hora, como se tivesse levado um choque. Não sabia o que fazer com as mãos.

— Quando será que eu vou ficar ágil como você e capaz de salvar minha própria vida?

— Provavelmente nunca — disse Shi Qiang.

Uma máquina que parecia um aspirador de pó chegou deslizando para limpar o vômito no chão.

— Então eu não tenho a menor chance. Que mundo perverso.

— Não é tão ruim assim. Pelo menos eu tenho um palpite sobre essa situação toda. Depois que o primeiro atentado contra você fracassou, foram mais cinco. Isso é estupidez, não é o comportamento de um profissional. Alguma coisa deve ter dado errado em algum lugar... Vamos ligar para a polícia agora mesmo. Não podemos esperar até eles solucionarem o caso.

— O que deu errado, e onde? Da Shi, já faz dois séculos. Não aplique o mesmo raciocínio que você usava na nossa época.

— É a mesma coisa, meu amigo. Algumas coisas nunca mudam, seja lá qual for a época. Agora, não sei o que deu errado, não sei mesmo. Eu até me pergunto se existe um "alguém"...

A campainha tocou e Shi Qiang abriu a porta. Havia cinco pessoas do lado de fora e, embora estivessem à paisana, Shi Qiang identificou os sujeitos antes mesmo de o líder exibir o distintivo.

— Uau. Quer dizer que existem policiais de patrulha nesta sociedade! Entrem, senhores.

Três entraram na casa, e outros dois ficaram do lado de fora, para montar guarda. O policial encarregado, que parecia ter uns trinta anos, examinou o cômodo. As telas em sua roupa estavam desligadas, o que deixou Shi Qiang e Luo Ji mais à vontade. Além disso, ele falava "chinês antigo" puro com fluência, sem palavras inglesas.

— Meu nome é Guo Zhengming e trabalho para o Departamento de Realidade Digital da Agência de Segurança Pública. Peço desculpas pela demora, foi negligência da nossa parte. A última vez que tivemos um caso assim foi há meio século. — Ele fez uma reverência para Shi Qiang. — Minha admiração a meu superior: hoje em dia é muito raro ver na polícia uma aptidão como a sua.

Enquanto o policial Guo falava, Luo Ji e Shi Qiang perceberam que as janelas de informações da casa tinham se apagado. Sem dúvida, a folha havia sido desconectada do hiperinformacional mundo externo. Os outros dois policiais estavam trabalhando sem cessar e tinham algo que Luo Ji não via há muito tempo: um laptop. No entanto, o computador era fino como uma folha de papel.

— Eles estão instalando um firewall para esta folha — explicou Guo. — Podem ficar tranquilos, agora vocês estão em segurança. Já adianto que vou me certificar pessoalmente para que vocês sejam indenizados pelo sistema da ASP do município.

— Só hoje — disse Shi Qiang, contando com os dedos —, recebemos quatro promessas de indenização.

— Eu sei. E muitas pessoas em muitos departamentos perderam o emprego por causa disso. Gostaria de pedir a colaboração dos senhores para eu não ser mais um nessa lista. Agradeço desde já — falou ele, abaixando a cabeça.

— Eu entendo — comentou Shi Qiang. — Já estive nessa posição. Vocês precisam que a gente explique o que aconteceu?

— Não. Na verdade, nós estávamos acompanhando o caso de vocês desde o começo. Foi pura negligência.

— Pode nos dizer o que está acontecendo?

— Matador 5.2.

— O quê?

— Matador 5.2, um vírus de rede. A OTT lançou a primeira versão mais ou menos um século depois do início da Era da Crise, e com o tempo surgiram versões novas e atualizações. É um vírus de assassinato, que usa diversos métodos para estabelecer a identidade do alvo, incluindo o chip que todos têm implantado no corpo. Assim que localiza o alvo, o vírus Matador manipula todo e qualquer equipamento físico disponível para realizar o assassinato. O que vocês viram hoje foi a manifestação concreta dessa ameaça. A impressão é que tudo no mundo quer matar você. Na época da primeira versão, as pessoas batizaram o vírus de "maldição moderna". Durante algum tempo, o Matador chegou a ser vendido de forma ilegal virtualmente. O comprador inseria o número de identificação pessoal do alvo e carregava o vírus. Depois, mesmo se a pessoa conseguisse escapar da morte, seria bastante difícil para ela viver em sociedade.

— A indústria se desenvolveu até esse ponto? Incrível! — exclamou Shi Qiang.

— Programas desenvolvidos há um século ainda rodam hoje? — indagou Luo Ji, incrédulo.

— Claro. A tecnologia de computação parou de evoluir há muito tempo. Quando o vírus Matador surgiu, matou bastante gente, inclusive um chefe de Estado, mas com o tempo acabou controlado por firewalls e antivírus, até se tornar uma raridade e posteriormente desaparecer. Esta versão do Matador foi programada especificamente para atacar o dr. Luo. Porém, como o alvo estava em hibernação, o vírus nunca teve a chance de executar qualquer ação concreta. Por isso, ficou inativo e não foi detectado ou registrado pelo sistema de segurança de informações. Só quando o dr. Luo despertou no mundo atual o Matador 5.2 se ativou e executou sua missão. A questão é que seus criadores foram eliminados há um século.

— Ainda estavam tentando me matar há um século? — questionou Luo Ji.

Um estado de espírito que ele achou que havia sumido para sempre voltou com tudo, e Luo Ji teve dificuldade para afastar aquela sensação de novo.

— Sim. O mais importante desta versão do vírus Matador é que foi programada especificamente para você. Como ela nunca tinha sido ativada, estava à espreita até hoje.

— Então o que a gente faz agora? — perguntou Shi Qiang.

— Vamos remover o Matador 5.2 do sistema todo, mas vai demorar um pouco. Enquanto não terminarmos, vocês têm duas opções. A primeira: o dr. Luo pode receber temporariamente uma identidade falsa, mas isso não é garantia de segurança total e talvez traga consequências mais sérias. Devido à sofisticação tecnológica do programa da OTT, existe uma possibilidade de que o Matador 5.2 já tenha registrado outras características do alvo. Em um caso polêmico de um século atrás, quando um indivíduo recebeu uma identidade falsa, o Matador usou reconhecimento por aproximação para matar mais de cem pessoas ao mesmo tempo, incluindo o alvo. A segunda opção, que recomendo, é passar um tempo na superfície. O Matador 5.2 não vai ser capaz de manipular nenhum equipamento lá em cima.

— Concordo — disse Shi Qiang. — Além do mais, eu já queria ir para a superfície antes dessa situação.

— O que tem na superfície? — perguntou Luo Ji.

— A maioria dos hibernantes despertados mora na superfície — explicou Shi Qiang. — Eles têm dificuldade para se adaptar aqui.

— Isso mesmo. Na minha opinião, vocês deviam passar um tempo lá em cima — insistiu o policial Guo. — Muitos aspectos da sociedade moderna, como política, economia, cultura, estilo de vida e relação entre os sexos mudaram muito nos últimos dois séculos, então demora um pouco para a gente se adaptar.

— Mas você se adaptou bastante bem — observou Shi Qiang, encarando o policial. Assim como Luo Ji, ele havia percebido que o homem tinha falado "a gente".

— Eu entrei em hibernação por causa de leucemia e era bem jovem quando me reanimaram, tinha só treze anos — comentou Guo Zhengming, dando risada. — Mas as pessoas ainda não entendem as dificuldades que precisei encarar. Não sei quantas vezes tive que passar por tratamento psicológico.

— E existem muitos hibernantes como você que se adaptaram completamente à vida moderna? — indagou Luo Ji.

— Ah, sim, vários. Mas ainda é possível viver muito bem na superfície.

— Zhang Beihai, comandante do Contingente Especial de Reforços do Futuro, se apresentando — disse Zhang Beihai, prestando continência.

Atrás do comandante da Frota Asiática fluía a brilhante Via Láctea. O Comando da Frota estava em órbita acima de Júpiter e em constante rotação, para gerar gravidade artificial. Zhang Beihai percebeu que as luzes da sala eram relativamente fracas, e as amplas janelas pareciam projetadas para atingir o máximo possível de integração entre o ambiente interno e o espaço do lado de fora.

O comandante da Frota Asiática prestou continência também. Ele parecia bastante jovem, e seus traços orientais estavam iluminados pelo brilho das dragonas nos ombros e da insígnia no quepe:

— Saudações, antecessor.

Quando recebeu a farda seis dias após ser despertado, Zhang Beihai reconheceu o famoso emblema da força espacial: uma estrela de prata disparando raios em quatro direções, cada raio no formato de uma espada. Dois séculos haviam se passado e, embora a insígnia não tivesse mudado muito, a frota se tornara um país independente, sob a liderança de um presidente. O comandante da frota era responsável apenas pelo braço militar.

— Isso é um exagero, comandante. Agora todos somos recrutas novatos e precisamos aprender tudo — disse Zhang Beihai.

O comandante da Frota Asiática sorriu e balançou a cabeça:

— Você não pode dizer isso. Já aprendeu tudo o que tinha para aprender aqui. E o conhecimento que você carrega nós nunca poderemos adquirir. Por isso tomamos a decisão de despertá-lo agora.

— O comandante Chang Weisi, da Força Espacial Chinesa, pediu que eu lhe transmitisse seus cumprimentos.

As palavras de Zhang Beihai tocaram o coração do comandante da Frota Asiática. Ele se virou e olhou pela janela para o rio de estrelas, que lembrava a nascente de um grande rio.

— Ele era um general extraordinário, um dos fundadores da Frota Asiática. Ainda hoje a estratégia espacial usa o modelo que ele estabeleceu há dois séculos. Quem dera ele tivesse a oportunidade de ver o dia de hoje.

— As realizações de hoje são muito superiores a tudo que eu sempre sonhei.

— Mas tudo isto começou na época dele... na sua.

Júpiter apareceu, a princípio como um pedaço de arco, mas logo dominando todo o campo de visão da janela, banhando a sala com sua luminosidade laranja. Os desenhos idílicos de hidrogênio e hélio no vasto oceano gasoso, fascinantes em seus detalhes, eram de uma escala arrebatadora. A Grande Mancha Vermelha surgiu. A supertempestade que seria capaz de conter duas Terras parecia um olho gigante e cego daquele mundo difuso. As três frotas haviam instalado a base principal em Júpiter, pois o oceano de hidrogênio e hélio representava uma fonte inesgotável de combustível para fusão.

Zhang Beihai estava hipnotizado pela paisagem jupiteriana. Inúmeras vezes sonhara com o novo domínio que se apresentava diante de seus olhos. Ele esperou até Júpiter sair da janela para falar.

— Comandante, as grandes realizações desta era são o motivo que faz com que nossa missão seja desnecessária.

— Não, não é verdade — respondeu o comandante. — O Plano de Reforços para o Futuro foi uma iniciativa visionária. Durante a Grande Ravina, quando as Forças Armadas Espaciais estavam à beira do colapso, os contingentes especiais de reforços foram cruciais para estabilizar a situação geral.

— Só que nosso contingente chegou tarde demais para prestar qualquer ajuda.

— Sinto muito, mas as coisas são como são — disse o comandante, cujas rugas no rosto assumiram uma expressão gentil. — Depois que você hibernou, foram estabelecidos mais contingentes de reforços especiais do futuro, e os últimos a hibernarem foram os primeiros a despertar.

— É compreensível, comandante, já que a experiência de vida desses hibernantes estava mais próxima daquela era.

— Exato. Com o tempo, seu contingente foi o último que ainda estava em hibernação. A Grande Ravina terminou, e o mundo entrou em um período de desenvolvimento acelerado. Como o derrotismo praticamente havia desaparecido, não existia necessidade de despertá-lo. Na época, a frota decidiu preservar o seu contingente até a Batalha do Fim dos Tempos.

— Comandante, na verdade era essa a nossa esperança — observou Zhang Beihai, entusiasmado.

— E é a maior honra para todos os militares espaciais. Eles sabiam muito bem disso ao tomar a decisão. De qualquer maneira, como você sabe, as circunstâncias atuais mudaram completamente. — O comandante da Frota Asiática apontou para o rio de estrelas às suas costas. — A Batalha do Fim dos Tempos talvez nunca aconteça.

— Isso é ótimo, comandante. Meu pequeno ressentimento como soldado não é nada diante da grande vitória que a humanidade está prestes a conquistar. Só espero que você possa atender a nosso único pedido: permita que nosso contingente se junte à frota no nível mais baixo, como soldados rasos, para fazer tudo o que estiver ao nosso alcance.

O comandante balançou a cabeça:

— O tempo do serviço para todo o contingente especial será retomado a partir do momento de reanimação, e cada um subirá uma ou duas patentes.

— Comandante, isso não seria recomendável. Nós não queremos passar o resto da nossa carreira dentro de um escritório. Queremos ir para a linha de frente da frota. Dois séculos atrás, a força espacial era nosso sonho. Sem ela, nossas vidas perdem o sentido. Aliás, mesmo com nossa patente atual, não teríamos permissão para trabalhar na frota.

— Eu nunca disse que queria que vocês saíssem da frota. É justamente o contrário. Todos vocês trabalharão na frota para cumprir uma missão de extrema importância.

— Obrigado, comandante. Mas que missão poderia existir para nós na atualidade?

O comandante da Frota Asiática não respondeu. Como se o pensamento tivesse acabado de passar por sua cabeça, ele perguntou:

— Você não se incomoda de ter essa conversa assim em pé?

A sala do comandante não tinha cadeiras, e a mesa fora projetada alta o bastante para permitir que se trabalhasse em pé. A rotação do Comando da Frota produzia um sexto da gravidade da Terra, de modo que não fazia muita diferença se sentar ou ficar de pé.

Zhang Beihai sorriu e assentiu com a cabeça.

— Não tem problema. Passei um ano no espaço.

— E o idioma? Teve algum problema de comunicação na frota?

O comandante falava em chinês-padrão, mas as três frotas haviam formado um idioma próprio, semelhante ao chinês moderno e ao inglês moderno da Terra, ainda que com uma combinação mais uniforme das duas línguas. Metade do vocabulário era composta de palavras chinesas, e metade, de palavras inglesas.

— No começo, tive dificuldade para distinguir entre o vocabulário chinês e o inglês, mas não demorei muito para aprender. Falar é mais difícil.

— Não tem importância. Nós conseguimos entender se você usar só inglês ou só chinês quando falar. Quer dizer que o Estado-Maior já terminou o briefing com vocês?

— Correto. Eles nos passaram uma introdução geral a tudo nos nossos primeiros dias na base.

— Então vocês devem estar cientes do selo mental.

— Sim.

— Investigações recentes ainda não revelaram nenhum sinal dos Marcados. Qual é a sua conclusão?

— Acredito que uma das possibilidades é que os Marcados tenham desaparecido. A outra é que permanecem em profundo sigilo. Uma pessoa com mentalidade derrotista comum tende a se abrir com os outros. Agora, é inevitável que uma fé arraigada resultante de um processo tecnológico produza um sentimento correspondente de missão. O derrotismo e o Escapismo estão intimamente relacionados. Se os Marcados existirem de verdade, sua missão maior será escapar para o universo. Só que, para alcançar essa meta, eles precisam ocultar a todo custo seus verdadeiros pensamentos.

O comandante assentiu com a cabeça em aprovação.

— Excelente análise. É a mesma opinião do Estado-Maior.

— Comandante, essa segunda opção é perigosíssima.

— É verdade, ainda mais agora que a sonda trissolariana está tão perto do sistema solar. Uma classificação dos sistemas de comando dividiu nossa frota em dois grupos principais. O primeiro, um sistema de comando distribuído, é uma estrutura tradicional semelhante à embarcação naval que você comandou no passado. As ordens do comandante são executadas por diversos oficiais e subalternos.

O segundo é um sistema de comando centralizado. As ordens do comandante são executadas de maneira automática pelo computador da nave. As belonaves espaciais avançadas mais recentes, incluindo aquelas em fase de construção, fazem parte dessa categoria. O selo mental representa uma ameaça sobretudo para essas espaçonaves, porque o comandante detém um poder enorme nesse sistema de comando. Ele pode decidir de maneira unilateral quando a nave sai e quando volta à base, a velocidade e o curso, e até grande parte dos sistemas bélicos. Nesse sistema de comando, poderíamos dizer que a nave é uma extensão do corpo do comandante.

"No momento, 179 das 695 belonaves de classe estelar da nossa frota têm um sistema de comando centralizado. A análise se concentrará nos oficiais comandantes a bordo dessas naves. O plano original era que todas as belonaves sujeitas ao processo de análise estivessem na base e isoladas, mas as circunstâncias atuais não permitem mais esse planejamento, porque as três frotas estão se preparando para interceptar a sonda trissolariana quando ela chegar. Como será o primeiro combate efetivo entre a Frota Espacial e os invasores trissolarianos, todas as belonaves precisam estar de prontidão."

— Nesse caso, comandante, sugiro que a autoridade nas belonaves de comando centralizado seja entregue a indivíduos confiáveis — disse Zhang Beihai, que havia especulado quanto à missão, mas ainda não adivinhara o que seria.

— Quem é confiável? — perguntou o comandante. — Nós não sabemos qual é a dimensão do selo mental e não temos informação alguma sobre os Marcados. Nessas circunstâncias, não podemos confiar em ninguém. Nem sequer em mim.

O sol despontou na janela. Embora naquela distância o brilho fosse muito menor do que na Terra, o corpo do comandante da Frota Asiática foi ofuscado pela luminosidade quando o disco passou atrás dele, e sua voz emergiu do clarão:

— Agora, vocês são confiáveis. Quando entraram em hibernação, o selo mental ainda não existia. Sem contar que um dos fatores mais importantes para que vocês fossem selecionados há dois séculos foram sua lealdade e fé. Vocês são o único grupo confiável disponível no momento. Por isso, a frota decidiu colocar toda a autoridade do sistema de comando centralizado nas mãos do seu contingente. Cada um de vocês será designado comandante interino, de modo que toda ordem dada pelos comandantes anteriores passe por vocês antes de ser inserida no sistema de comando.

Dois sóis minúsculos se acenderam nos olhos de Zhang Beihai.

— Comandante, receio que isso não será possível.

— Não faz parte da nossa tradição recusar uma ordem.

O uso da expressão "nossa tradição" pelo comandante acalentou o coração de Zhang Beihai, indicando que o sangue das Forças Armadas de dois séculos antes continuava correndo nas veias do corpo da frota espacial da atualidade.

— Comandante, nós viemos de dois séculos atrás. Para fazer uma comparação com a Marinha na nossa época, seria como usar um homem da Frota Beiyang para comandar um contratorpedeiro do século XXI.

— Você acha que os almirantes Deng Shichang e Liu Buchan da dinastia Qing realmente não seriam capazes de comandar contratorpedeiros do século XXI? Eles tinham formação e dominavam a língua inglesa. Teriam aprendido rápido. Hoje, o comando de uma belonave espacial não envolve detalhes técnicos. Os comandantes emitem ordens gerais, mas a nave é uma caixa-preta para eles. Além disso, as belonaves estarão atracadas na base durante o serviço de seus homens como comandantes interinos. Elas não vão navegar. A missão do seu contingente será transmitir as ordens dos comandantes anteriores ao sistema de controle após determinar se essas ordens são normais. Vocês vão conseguir aprender no ofício.

— Nós teremos poder demais. Você poderia permitir que os comandantes anteriores preservassem parte desse poder, cabendo a nós a supervisão das ordens dadas.

— Pense bem, isso não daria certo. Se os Marcados realmente ocupassem posições-chave de batalha, eles tomariam todas as medidas necessárias para escapar da supervisão, incluindo assassinar os supervisores. Uma nave de comando centralizado só precisa de três ordens para sair da base: depois é tarde demais para tomar qualquer atitude. O sistema só poderá aceitar ordens do comandante interino.

Quando a nave de transporte sobrevoou a base da Frota Asiática em Júpiter, Zhang Beihai teve a impressão de que estava vendo uma cordilheira imensa, mas cada montanha era uma belonave atracada. A base naval tinha orbitado até o lado noturno de Júpiter, e as montanhas de aço repousavam em silêncio sob a fosforescência da superfície e sob o luar prateado de Europa. Pouco depois, uma bola de luz branca emergiu na beira da cordilheira, iluminando completamente em um instante as naves atracadas. Para Zhang Beihai, a cena parecia um nascer do sol nas montanhas, projetando uma sombra em movimento da frota na turbulenta atmosfera jupteriana. Quando uma segunda luz surgiu do outro lado da frota, ele percebeu que não era o Sol, mas duas belonaves que tinham entrado no atracadouro e virado seus motores de fusão na direção da base, para a desaceleração.

O chefe de Estado-Maior da frota, que estava conduzindo Zhang Beihai a seu novo posto, explicou que havia ali mais de quatrocentas belonaves, ou dois terços da Frota Asiática. Em viagens pelo sistema solar e além, o restante das naves da frota também voltaria à base.

Zhang Beihai precisou fazer esforço para deixar de admirar o grande espetáculo da frota e voltar para a realidade.

— Senhor, a convocação de todas as naves não vai provocar alguma reação imediata dos Marcados?

— Hum. Não, as naves foram chamadas de volta por outro motivo... um motivo real, não uma desculpa, embora pareça mesmo um pouco ridículo. Você não deve ter visto muito o noticiário ultimamente, não é?

— Negativo. Estava lendo materiais sobre a *Seleção Natural*.

— Não se preocupe. Considerando a última fase do treinamento básico, você está bem ambientado. Sua tarefa agora será se acostumar com os sistemas a ponto de que tudo possa correr sem imprevistos quando você embarcar. Não é tão difícil quanto você imagina... A competição entre a Frota Europeia, a Frota Norte-Americana e a nossa para interceptar a sonda trissolariana se transformou em rixa, mas ontem a Conferência Conjunta estabeleceu um acordo preliminar: os navios das três frotas devem se reunir na base. Uma comissão especial coordenará a execução da manobra para evitar que qualquer nave seja enviada sem autorização para a interceptação.

— Como foi que chegou a esse ponto? Todas as informações tecnológicas e estratégicas obtidas com uma interceptação bem-sucedida serão compartilhadas.

— Sim, mas é uma questão de honra. A primeira frota a realizar o contato com Trissolaris adquirirá uma quantidade considerável de capital político. Por que eu falei que era ridículo? Porque é barato e completamente sem riscos. O pior que pode acontecer é a sonda se autodestruir durante o processo de interceptação, então todos estão correndo para chegar antes. Se fosse uma batalha contra a Frota Trissolariana principal, as três frotas tentariam preservar suas forças. A política atual não mudou muito desde sua época... Olhe lá a *Seleção Natural*.

À medida que a nave de transporte se aproximava da *Seleção Natural* e a vastidão daquela montanha de ferro foi ganhando contornos mais nítidos, a imagem do *Tang* surgiu na mente de Zhang Beihai. A *Seleção Natural*, constituída de um corpo em forma de disco e um motor cilíndrico à parte, não era nada parecida com aquele porta-aviões marítimo de dois séculos antes. Quando o *Tang* conheceu seu fim prematuro, Zhang Beihai teve a sensação de perder o lar espiritual, embora nunca tivesse chegado a se instalar na embarcação. Agora aquela nave gigantesca lhe conferia uma nova sensação de lar. No imponente casco da *Seleção Natural*, seu espírito encontrou um lugar onde morar após uma vida de nômade por dois séculos, como uma criança acolhida por algum poder imenso.

A *Seleção Natural* era a nave capitânia da terceira esquadra da Frota Asiática e inigualável em termos de tonelagem e desempenho. Com a força total de seu avançado sistema de propulsão por fusão sem meio, era capaz de acelerar a até quinze por cento da velocidade da luz, e seus impecáveis sistemas ecológicos internos suportavam viagens de longa duração. Uma versão experimental desse sistema tinha sido posta em uso na Lua setenta e cinco anos antes e ainda não havia apresentado nenhum defeito ou problema significativo. As armas da *Seleção Natural* também eram as mais poderosas da frota. Lasers de raios gama, canhões eletromagnéticos, feixes de partícula de alta energia e torpedos estelares compunham um sistema bélico quádruplo, capaz de devastar a superfície de um planeta do tamanho da Terra.

De dentro da nave de transporte, todo o campo de visão de Zhang Beihai estava dominado por apenas uma parte da *Seleção Natural*. Ele percebeu que o revestimento externo da nave era completamente liso, um amplo espelho que refletia à perfeição o oceano atmosférico de Júpiter, bem como a aproximação gradual da nave de transporte.

Uma abertura ovalada surgiu no revestimento externo. A nave de transporte voou para dentro e parou. O chefe de Estado-Maior abriu a porta da cabine e saiu primeiro. Embora estivesse um pouco nervoso por não ter visto a nave passar por uma eclusa de ar, Zhang Beihai logo sentiu a corrente de ar fresco do lado de fora. Ele nunca havia visto a tecnologia que preservava a pressão de um compartimento aberto para o espaço e impedia vazamentos de ar.

Zhang Beihai e o chefe de Estado-Maior estavam dentro de uma gigantesca esfera, do tamanho de um campo de futebol. Os compartimentos nas naves espaciais costumavam apresentar uma estrutura esférica, na medida em que, durante acelerações, desacelerações ou mudanças de direção, qualquer ponto da esfera poderia servir de chão ou teto. Já durante os momentos sem gravidade, o centro da esfera seria o principal espaço de atividade da tripulação. Na época de Zhang Beihai, as cabines eram desenvolvidas com base na estrutura de edifícios terrestres, então ele não estava nem um pouco acostumado àquele modelo completamente novo. O chefe de Estado-Maior explicou que ali era o hangar de caças, mas, como não havia nenhum caça no momento, os dois mil oficiais e soldados da *Seleção Natural* estavam flutuando em formação, no centro da esfera.

Antes de Zhang Beihai entrar em hibernação, as forças espaciais da Terra já haviam começado a realizar exercícios em ambientes sem gravidade no espaço. O resultado foi a elaboração de normas e manuais de exercícios, mas a aplicação tinha sido particularmente difícil. Embora os tripulantes pudessem usar os micropropulsores dos trajes espaciais para se deslocar fora da cabine, como não havia equipamentos de propulsão no lado de dentro, precisavam se movimentar com o auxílio de suportes fixos e nadando no ar. Nessas condições, era muito difícil formar fileiras organizadas. Ali, Zhang Beihai ficou impressionado ao ver mais de duas mil pessoas flutuando no espaço em uma formação perfeita, sem qualquer apoio. Agora, o deslocamento dos tripulantes pelas cabines sem gravidade era feito em particular com cintos magnéticos, construídos com supercondutores e um circuito que gerava um campo magnético que interagia com o campo onipresente das cabines e dos corredores da nave. Com um pequeno dispositivo de controle na mão, os tripulantes podiam se movimentar livremente dentro da nave. Zhang Beihai estava usando um cinto desses, mas precisaria de treino para aprender a usar bem o equipamento.

Ele contemplou a formação de soldados espaciais, uma geração que havia crescido na frota. Os corpos altos e esguios não apresentavam a robustez desajeitada das pessoas criadas com a gravidade da Terra, mas tinham a agilidade leve dos espaciais. Havia três oficiais na frente da formação, e o olhar de Zhang Beihai acabou indo parar na jovem no centro, com quatro estrelas brilhantes no ombro: sem dúvida a comandante da *Seleção Natural*. Uma representante típica da nova humanidade espacial, mais alta até do que Zhang Beihai, que já era bem alto. Ela pairou com facilidade para longe da formação, e seu corpo esbelto deslizou pelo espaço, como uma elegante nota musical. Ela parou ao alcançar Zhang Beihai e o chefe de Estado-Maior, e o cabelo que estava flutuando atrás de si se chocou de leve contra a pele clara de seu pescoço. Seus olhos eram cheios de brilho e vitalidade, e Zhang Beihai confiou naquela mulher no mesmo segundo, porque um Marcado jamais teria aquela expressão.

— Dongfang Yanxu, comandante da *Seleção Natural* — se apresentou ela, prestando continência. Seus olhos brilharam com uma pontada de desafio espirituoso. — Em nome de toda a tripulação, ofereço um presente ao meu antepassado. — Ela estendeu a mão, e Zhang Beihai viu que, embora o objeto tivesse mudado bastante, ainda era possível reconhecer uma pistola. — Se o senhor constatar que minha mentalidade é derrotista e que tenho objetivos escapistas, pode me matar com isto.

Chegar à superfície era fácil. O tronco de todas as árvores gigantescas era uma coluna que sustentava o domo acima da cidade subterrânea, de modo que dava para pegar no tronco um elevador direto para a superfície, atravessando uma camada rochosa de mais de trezentos metros de espessura. Luo Ji e Shi Qiang tiveram um sentimento de nostalgia suscitado por um detalhe: as paredes e o chão do corredor da saída não dispunham de janelas de exibição ativadas. As informações apareciam em telas normais, penduradas do teto. Parecia uma estação de metrô antiga, e a maior parte das poucas pessoas ali usava roupas que não piscavam.

Quando os dois passaram pela eclusa de ar do corredor, foram recebidos por uma baforada quente e poeirenta.

— Olhe lá, o meu garoto! — gritou Shi Qiang, apontando para um homem que subia a escada às pressas.

Daquela distância, Luo Ji só conseguiu distinguir que o homem tinha uns quarenta anos, então ficou um pouco surpreso com a certeza de Shi Qiang. Enquanto Shi Qiang descia os degraus em disparada para cumprimentar o filho, Luo Ji desviou os olhos do reencontro familiar e contemplou o mundo de superfície à sua volta.

O céu era amarelo. Só agora ele entendia por que a imagem do céu exibido na cidade subterrânea era capturada a dez mil metros de altitude: porque, visto do solo, o Sol aparecia apenas como uma silhueta difusa. Tudo na superfície estava coberto de areia, e os carros que passavam pelas ruas levantavam nuvens de poeira. Esta foi outra imagem do passado para Luo Ji: carros que andavam no chão. Os automóveis não pareciam movidos a gasolina e apresentavam formas estranhas. Alguns eram novos, outros eram velhos, mas todos tinham uma característica idêntica: uma chapa lisa instalada no teto, semelhante a um toldo. Do outro lado da rua, Luo Ji avistou um edifício dos tempos antigos: as janelas estavam tapadas com placas de madeira ou não passavam de buracos escuros sem vidro, e os peitoris estavam cobertos de areia. No entanto, era nítido que havia gente morando em alguns dos cômodos, porque ele viu roupas penduradas em varais do lado de fora e até vasos de flores em uma ou outra janela. Embora a visibilidade fosse baixa naquele ar cheio de areia, ele não demorou a distinguir contornos familiares de edifícios mais distantes e teve certeza de que estava na mesma cidade onde passara metade da vida, dois séculos antes.

Luo Ji desceu a escada até os dois homens, que trocavam abraços e cumprimentos, carregados de animação. Ao ver de perto o sujeito de meia-idade, ele percebeu que Shi Qiang não tinha se enganado.

— Pai, se você parar e pensar, eu sou apenas cinco anos mais novo que você — disse Shi Xiaoming, enxugando as lágrimas do canto dos olhos.

— Nada mau, garotão. Eu estava com medo de que um velho de barba branca viesse me chamar de pai — revelou Shi Qiang, dando risada.

Em seguida, ele apresentou o filho a Luo Ji.

— Ah, dr. Luo. Você era famoso no mundo inteiro — comentou Shi Xiaoming, observando Luo Ji de cima a baixo.

Os três foram para o carro de Shi Xiaoming, que estava estacionado perto do meio-fio da rua. Antes de entrarem, Luo Ji perguntou sobre aquilo no teto.

— É uma antena. Aqui na superfície, a eletricidade que usamos é a que vaza da cidade subterrânea, então as antenas são um pouco maiores, e a energia só permite que os carros andem no chão. Eles não voam.

O carro não era rápido, devido à energia ou à areia na pista. Luo Ji olhou pela janela para a cidade poeirenta. Estava com a mente cheia de perguntas, mas Shi Xiaoming e o pai falavam sem parar, e ele não conseguiu encontrar uma brecha na conversa.

— A mamãe faleceu no ano 34 da Crise. Sua neta e eu estávamos com ela na época.

— Ah, que bom... Você não trouxe minha neta?

— Depois do divórcio, ela foi morar com a mãe. Consultei a ficha dela. Ela viveu até os oitenta e poucos e morreu no ano 105.

— Que pena que não tive a chance de conhecê-la... De quanto tempo foi a sua pena?

— Dezenove anos.

— E o que você fez depois?

— Fiz de tudo. No começo, por falta de opção, continuei aplicando golpes, mas depois consegui um trabalho honesto. Quando juntei dinheiro, vislumbrei os sinais da Grande Ravina e entrei em hibernação. Na época, eu não sabia que as coisas melhorariam mais tarde. Só queria ver você.

— Nossa casa ainda existe?

— O direito de propriedade foi ampliado para além do período original de setenta anos, mas só pude ficar pouco tempo até ela ser demolida. A que compramos depois ainda existe, mas não fui ver como está. — Shi Xiaoming apontou para fora do carro. — A população na cidade é menos de um por cento do que era na nossa época. Sabe o que existe de mais desvalorizado hoje em dia? Aquela casa. Você dedicou sua vida inteira a ela, pai, mas agora tudo está vazio. Você pode morar onde quiser.

Finalmente Luo Ji conseguiu uma brecha na conversa.

— Todos os hibernantes que foram despertados moram na cidade antiga? — quis saber ele.

— Nem pensar! Eles moram fora, porque tem areia demais na cidade. Só que o principal motivo é que não tem nada para fazer. Agora, claro, a gente precisa ficar perto da cidade subterrânea para ter eletricidade.

— O que vocês fazem da vida? — perguntou Shi Qiang.

— Pense um pouco: o que sabemos fazer que as crianças não sabem? Agricultura!

Assim como outros hibernantes de todas as idades, Shi Xiaoming tinha o hábito de chamar as pessoas modernas de “crianças”. O carro saiu da cidade e seguiu para o leste. Conforme a quantidade de areia diminuiu a ponto de deixar a rodovia visível, Luo Ji reconheceu que era a antiga via expressa entre Beijing e Shijiazhuang, embora a pista estivesse rodeada pelos dois lados por grandes acúmulos de areia. Os edifícios antigos continuavam lá, cravados no meio da areia, mas o que dava um pouco de vida àquela planície desértica do norte da China eram os pequenos oásis ladeados por árvores esparsas. Shi Xiaoming explicou que eram povoados de hibernantes.

Eles entraram em um desses oásis, uma pequena comunidade residencial cercada por uma barreira de árvores que Shi Xiaoming chamou de Vilarejo Vida Nova 5. Quando saiu do carro, Luo Ji sentiu como se o tempo andasse para trás: vários prédios residenciais de seis andares com espaço livre na frente, idosos jogando xadrez em mesas de concreto, mães empurrando carrinhos de bebê, algumas crianças correndo atrás da bola na grama rala do solo arenoso...

Shi Xiaoming morava no sexto andar com a esposa, que era nove anos mais nova. Ela havia entrado em hibernação no ano 21 devido a um câncer de fígado, mas agora estava completamente curada. O casal tinha um filho de quatro anos, que chamou Shi Qiang de "vovô".

Luo Ji e Shi Qiang foram recebidos com um banquete: legumes e verduras produzidos *in loco*, frango e leitão criados em fazendas vizinhas, e até bebida alcoólica de fabricação artesanal. Shi Xiaoming e a esposa convidaram três vizinhos para o almoço, três homens que, como Shi Xiaoming, haviam entrado em hibernação relativamente cedo, quando o processo era caro e só estava disponível para os membros mais ricos da classe alta ou para seus descendentes. Agora, reunidos ali após mais de um século, todos não passavam de pessoas comuns. Um dos vizinhos era Zhang Yan, o neto de Zhang Yuanchao, que Shi Xiaoming havia enganado nos velhos tempos.

— Pai, lembra quando você me obrigou a devolver todo o dinheiro do golpe que apliquei em Zhang Yuanchao? Pois então, comecei a fazer isso no dia em que saí da prisão, e foi assim que conheci Yan, que tinha acabado de se formar na faculdade. Inspirados pelos dois vizinhos dele, entramos para o ramo dos funerais e batizamos nossa empresa de Alturas e Funduras. "Alturas" porque fazíamos sepultamentos no espaço. A princípio, lançávamos apenas cinzas para o sistema solar, mas com o tempo passamos a ter capacidade de lançar corpos inteiros. Por um valor, claro. "Funduras", de sepultamentos em minas. No começo, usávamos poços abandonados, mas depois passamos a cavar nossos próprios poços, já que também funcionariam como tumbas anti-Trissolaris.

O homem que se chamava Yan era um pouco mais velho: parecia ter uns cinquenta ou sessenta anos. Shi Xiaoming explicou que Yan já tinha sido despertado uma vez e vivido mais de trinta anos antes de voltar à hibernação.

— Qual é situação administrativa desta região? — perguntou Luo Ji.

— É completamente idêntica à de áreas residenciais modernas da cidade. Estamos em um bairro considerado periférico, e temos uma subprefeitura. Aqui não moram só hibernantes. Temos também gente moderna, e é comum pessoas da cidade se deslocarem para cá a lazer — respondeu Shi Xiaoming.

— A gente chama o povo moderno de "tocadores de parede" — acrescentou Zhang Yan —, porque quando chegam aqui ficam encostando nas paredes por hábito, tentando ativar alguma coisa.

— Então a vida é tranquila? — perguntou Shi Qiang.

Todos responderam que era bastante boa.

— Lá na estrada eu vi as plantações de vocês. É mesmo possível se manter com agricultura?

— Por que não? Hoje em dia, nas cidades, os produtos agrícolas são artigos de luxo... O governo é bastante generoso com hibernantes. Mesmo quem não faz nada ainda pode levar uma vida confortável com os subsídios governamentais. Mas todo mundo quer ter alguma atividade. A ideia de que todos os hibernantes sabem cuidar da terra é uma bobagem. Ninguém era agricultor, no começo, mas é só isso que a gente consegue fazer.

O assunto logo se encaminhou para a história dos últimos dois séculos.

— Então o que foi a tal Grande Ravina? — perguntou Luo Ji, algo que ele queria saber havia bastante tempo.

Na mesma hora, todos ficaram sérios. Como o almoço já estava acabando, Shi Xiaoming deixou o assunto continuar.

— Você provavelmente já descobriu um pouco sobre esse tema nos últimos dias. É uma longa história. Durante mais de uma década depois que você entrou em hibernação, a vida foi muito boa. Só que, com o tempo, à medida que a transformação econômica ganhava força, o padrão de vida começou a piorar dia após dia, e o clima de tensão política se intensificou. Realmente pareciam tempos de guerra.

— Não foi só em alguns países — observou um dos vizinhos. — O planeta inteiro ficou assim. A sociedade estava com os nervos à flor da pele. Se alguém falasse algum disparate ou se expressasse mal, as pessoas acusavam de fazer parte da OTT ou de ser traidor da humanidade, então ninguém se sentia seguro. Logo começaram a censurar o cinema e a televisão da Era de Ouro, até que fossem proibidos no mundo inteiro. Claro, havia filmes e programas demais para que a proibição funcionasse de verdade.

— Que motivo alegaram para a censura?

— Tinham medo de que as pessoas perdessem o espírito de luta — disse Shi Xiaoming. — Enfim... contanto que houvesse comida, dava para levar a vida. Mas, com o tempo, a situação piorou, e o mundo começou a passar fome. Isso aconteceu mais ou menos vinte anos depois que o dr. Luo entrou em hibernação.

— Por causa da transição econômica?

— Isso. Só que a deterioração ambiental também foi um fator importante. Embora existissem leis ambientais, naquela época pessimista o pensamento dominante era: "De que adianta preservar o meio ambiente? Mesmo se a Terra virar um lindo jardim, não vai ficar tudo para os trissolarianos de qualquer jeito?". Aos poucos, a preservação ambiental passou a ser considerada uma traição tão grande contra a humanidade quanto a OTT. Organizações de proteção ambiental eram tratadas como braços da OTT e reprimidas. Os trabalhos nas forças espaciais aceleraram o desenvolvimento de uma indústria pesada muito poluente e, como consequência, a poluição ambiental foi implacável. Efeito estufa, anomalias climáticas, desertificação... — Shi Xiaoming suspirou.

— Quando entrei em hibernação, a desertificação estava só começando — comentou outro vizinho. — Não é o que você imagina, como se o deserto avançasse da Grande Muralha. Nada disso! Era uma colcha de retalhos de erosão. Porções de terra perfeitamente boas do interior começaram a se transformar em deserto ao mesmo tempo, e o processo se espalhou a partir desses pontos, como um pano úmido secando ao sol.

— Logo a produção agrícola despencou, e as reservas de grãos foram exauridas. E aí... veio a Grande Ravina.

— A previsão de que o padrão de vida sofreria um retrocesso de cem anos se concretizou? — perguntou Luo Ji.

Shi Xiaoming deu uma risada sarcástica.

— Ah, dr. Luo. Cem anos? Só nos seus sonhos! Um retrocesso de cem anos naquela época teria sido... por volta da década de 1930 ou algo do tipo. Um cenário desses seria um paraíso em comparação com a Grande Ravina! Não, não. Foi muito pior. Até porque havia muito mais gente do que na Grande Depressão: 8,3 bilhões! — Shi Xiaoming apontou para Zhang Yan. — Ele vivenciou a Grande Ravina por um tempo, quando foi despertado. Conte como foi.

Zhang Yan terminou o copo.

— Eu vi com meus próprios olhos a grande marcha da fome — disse ele, com o olhar perdido. — Milhões de pessoas fugindo da fome, atravessando as grandes planícies sob a areia que cobria o céu. Céu quente, terra quente, sol quente. Quando alguém morria, era repartido na mesma hora... Era o inferno na Terra. Existem muitos vídeos disponíveis, se vocês quiserem dar uma olhada. Se pararmos para pensar naquela época, é uma sorte estarmos vivos.

— A Grande Ravina durou uns cinquenta anos, e nesse meio século a população mundial caiu de 8,3 bilhões para 3,5 bilhões. Pensem no que isso significa!

Luo Ji se levantou e foi até a janela. Atrás da linha protetora de árvores, ele avistou o deserto, a cobertura amarela de areia que se estendia em silêncio até o horizonte sob o sol do meio-dia. A mão do tempo havia aplanado tudo.

— E depois? — perguntou Shi Qiang.

Zhang Yan deu um longo suspiro, como se tivesse sido libertado de um peso nos ombros por não precisar mais falar daquele período histórico.

— Bom, depois algumas pessoas começaram a encontrar um rumo, e aí mais e mais gente também foi assimilando. Todos passaram a se perguntar se valia a pena pagar um preço tão alto, mesmo se fosse para vencer a Batalha do Fim dos Tempos. O que era mais importante: uma criança morrendo de fome nos seus braços ou a perpetuação da civilização humana? Agora vocês talvez achem que a segunda opção é mais importante, mas não teriam pensado dessa maneira naqueles tempos. Seja lá o que o futuro reserve, o presente é mais importante. Claro, essa perspectiva foi considerada um absurdo no início, o raciocínio típico de um traidor da humanidade, mas era impossível não pensar assim. Por isso, em bem pouco tempo, o mundo inteiro estava pensando desse modo. Havia um bordão muito popular na época, que logo se tornou uma citação histórica famosa.

— "Viva a civilização, pois a civilização não espera" — sentenciou Luo Ji, sem tirar os olhos da janela.

— Sim, essa mesma. A civilização deve ser nossa.

— E depois? — indagou Shi Qiang.

— Um segundo Iluminismo, um segundo Renascimento, uma segunda Revolução Francesa... Dá para ver tudo isso nos livros de história.

Luo Ji se virou, surpreso. As previsões que fizera para Zhuang Yan dois séculos antes haviam se concretizado.

— Uma segunda Revolução Francesa? Na França?

— Não, não. É só maneira de dizer. Foi no mundo inteiro! Depois da revolução, os novos governos nacionais encerraram suas estratégias espaciais e dedicaram esforços para melhorar a vida das pessoas. Então surgiram tecnologias cruciais: engenharia genética e tecnologia de fusão foram direcionadas para a produção alimentícia em larga escala, interrompendo a era da nutrição contingenciada pelo clima. A partir desse marco, o mundo não passaria mais fome. Tudo foi muito rápido depois disso... afinal, eram menos pessoas. Em questão de apenas duas décadas, a vida voltou ao nível anterior da Grande Ravina, e depois o padrão da Era de Ouro foi restabelecido. As pessoas tinham se dedicado a essa vida de conforto, e ninguém queria voltar.

— Tem outra expressão que você talvez ache interessante, dr. Luo — mencionou o primeiro vizinho, que era economista antes de hibernar e tinha uma visão aprofundada de mundo. — Imunidade da civilização. Significa que, quando o mundo é afligido por uma doença grave, o sistema imunológico da civilização é ativado, então algo como o início da Era da Crise não vai se repetir. O humanismo vem primeiro, e a perpetuação da civilização em seguida. A sociedade atual se baseia nesses conceitos.

— E depois? — perguntou Luo Ji.

— Depois começou a parte estranha. — Shi Xiaoming se empolgou. — A princípio, os países do mundo pretendiam viver em paz e deixar a Crise Trissolariana em segundo plano, mas o que vocês acham que aconteceu? Houve progresso acelerado em todo canto. A tecnologia avançou e superou todos os obstáculos técnicos que dificultavam a estratégia espacial antes da Grande Ravina!

— Isso não é estranho — objetou Luo Ji. — É inevitável que a emancipação da natureza humana leve ao progresso científico e tecnológico.

— Depois de mais ou menos meio século de paz após a Grande Ravina, o mundo começou a pensar na invasão trissolariana e a reconsiderar a guerra. Agora que o poder da humanidade se encontrava em um patamar completamente distinto da época pré-Grande Ravina, foi declarado um novo estado de guerra global, e teve início a construção de uma frota espacial. Só que, ao contrário de antes, as constituições dos países eram claras em um aspecto: o consumo de recursos para a estratégia espacial tinha que permanecer dentro de determinado limite, sem exercer um impacto desastroso na economia mundial e na vida das pessoas. Foi nesse momento que as frotas espaciais se tornaram países independentes e...

— Mas vocês não precisam pensar em nada disso — interrompeu o economista. — A partir de agora, tratem apenas de levar uma boa vida. Aquele bordão revolucionário antigo não passa de uma adaptação do antigo ditado da Era de Ouro: "Viva a vida, pois a vida não espera". Um brinde à nova vida!

Depois que eles esvaziaram seus copos, Luo Ji elogiou a maneira de pensar do economista. No momento, sua mente tinha espaço apenas para Zhuang Yan e sua filha. Ele queria se instalar o quanto antes e depois despertá-las.

Viva a civilização, viva a vida.

Após embarcar na *Seleção Natural*, Zhang Beihai descobriu que o sistema de comando moderno havia evoluído muito além de sua imaginação. Com volume equivalente a três dos maiores porta-aviões marítimos do século XXI, a nave gigantesca era praticamente uma pequena cidade, mas não tinha passadiço nem módulo de comando, nem tampouco uma cabine de comandante ou uma sala de operações. Na realidade, não havia nenhum compartimento de função específica: eram todos esferas comuns idênticas que só se distinguiam pelo tamanho. Em qualquer ponto dentro da nave, era possível usar uma luva de dados para ativar uma tela holográfica, que, em virtude do custo elevado, era uma raridade até mesmo na sociedade superconectada da Terra. Além disso, em qualquer ponto da nave, com as devidas permissões do sistema, era possível carregar um painel de controle completo, incluindo uma interface de comando, que na prática transformava a nave toda, até os corredores e os banheiros, em passadiço, módulo de comando, cabine de comandante e sala de operações! Para Zhang Beihai, lembrava a evolução do modelo cliente-servidor para o modelo navegador-servidor nas redes de computadores do século XXI. No modelo antigo, só era possível acessar o servidor por meio de programas específicos instalados em um computador, mas, com o modelo posterior, passou a ser possível usar qualquer computador de uma rede para acessar o servidor, desde que se tivessem as permissões certas.

Zhang Beihai e Dongfang Yanxu estavam em uma cabine comum que, como qualquer outra, não tinha nenhum instrumento ou tela especial. Não passava de um compartimento esférico cujas anteparas eram brancas na maior parte do tempo, o que dava a impressão de se estar dentro de uma bola gigante de pingue-pongue. Quando a aceleração da nave produzia gravidade, qualquer parte da antepara podia ser moldada em um formato adequado para servir de cadeira.

Para Zhang Beihai, este era outro aspecto da tecnologia moderna que poucas pessoas haviam imaginado: a eliminação de edificações de propósito único. Os primeiros indícios dessa tendência haviam aparecido há pouco na Terra, mas já faziam parte da estrutura básica do mundo muito mais avançado da frota. Aquele mundo era sóbrio e simples. Não havia mais dispositivos de instalação permanente, porque eles apareciam quando necessário em qualquer lugar desejado. O mundo, que a tecnologia havia deixado complexo, estava voltando a ser simples, com a tecnologia invisível moldando profundamente o rosto da realidade.

— Agora, vamos à sua primeira lição a bordo — disse Dongfang Yanxu. — Claro, você não deveria receber esta aula de uma comandante que está sendo avaliada, mas ninguém na frota merece mais confiança do que eu. Hoje, vamos demonstrar como lançar a *Seleção Natural* e colocar a nave em modo de navegação. Se você prestar bastante atenção, já bloqueará a primeira via de acesso dos Marcados. — Enquanto falava, ela usou a luva de dados para abrir uma carta estelar holográfica no meio do ar. — Isso pode ser um pouco diferente dos mapas espaciais do seu tempo, mas ainda toma o Sol como ponto de origem.

— Estudei isso durante o treinamento, então consigo ler sem problemas — respondeu Zhang Beihai, olhando para a carta estelar.

Sua lembrança daquele antigo mapa do sistema solar que ele e Chang Weisi haviam visto dois séculos antes continuava nítida. No entanto, a carta estelar atual demarcava em detalhes a posição de todos os corpos celestiais localizados até cem anos-luz do Sol, a uma escala mais de cem vezes maior que a do velho mapa.

— Você não precisa entender muito. Nas circunstâncias atuais, é proibido navegar para qualquer ponto do mapa... Se eu fosse Marcada e quisesse roubar a *Seleção Natural* para fugir pelo cosmo, antes teria que escolher um rumo. Assim. — Ela ativou e deixou verde um ponto no mapa. — Claro, só estamos no modo de simulação agora, porque não tenho mais as permissões. Quando você receber suas permissões de comandante, terei que me reportar a você para realizar as operações. Porém, se eu realmente inserisse essa solicitação, seria um gesto perigoso. Você deveria negar e também teria que me denunciar.

Quando o rumo foi ativado, apareceu uma interface no ar. Graças ao treinamento, Zhang Beihai já estava bastante habituado à aparência e às operações, mas ouviu com paciência a explicação de Dongfang Yanxu e observou conforme ela passava a nave imensa do status de suspensão completa para hibernação, depois para prontidão e, por fim, Devagar Avante.

— Se fossem operações reais, a *Seleção Natural* agora desatracaria. O que você acha? Mais simples do que as operações de naves espaciais da sua época?

— Sim. Muito mais simples.

Quando ele e os outros integrantes do Contingente Especial viram a interface pela primeira vez, ficaram surpresos pela simplicidade e pela ausência absoluta de detalhes técnicos.

— A operação é completamente automática, e o comandante não tem acesso a nada do processo técnico — comentou Dongfang Yanxu.

— Essa tela só exibe parâmetros gerais. Como é que podemos ver as condições de operação da nave?

— As condições de operação são monitoradas por oficiais e graduados nos níveis inferiores. A tela desses quadros é mais complexa... quanto menor a patente, mais complicada é a interface. O comandante e o imediato devem voltar a atenção para questões mais importantes... Certo, vamos continuar. Se eu fosse uma Marcada... Veja só eu fazendo essa suposição de novo. O que você acha?

— Levando em conta minha posição, qualquer resposta seria uma demonstração de irresponsabilidade.

— Tudo bem. Se eu fosse uma Marcada, programaria o manete diretamente para Avante Quatro. Nenhuma outra nave consegue alcançar a *Seleção Natural* se estivermos em aceleração Avante Quatro.

— Mas você não conseguiria fazer isso, mesmo se tivesse as permissões, porque o sistema só executa Avante Quatro se detectar que todos os passageiros estão em estado de mar profundo.

Em propulsão máxima, a aceleração da nave podia chegar a 120 G, o que produzia uma força mais de dez vezes maior do que um ser humano seria capaz de suportar em condições normais. Para usar a potência máxima, os tripulantes precisariam entrar em "estado de mar profundo": as cabines eram preenchidas com um "fluido de aceleração em mar profundo", que pessoas treinadas podiam respirar diretamente. Durante a respiração, pulmões e órgãos seriam preenchidos pelo fluido, que tinha sido concebido na primeira metade do século XX, com o propósito de facilitar mergulhos a grandes profundidades. A pressão interna do corpo humano cheio de fluido de aceleração em mar profundo se equilibrava com a externa, de modo que o indivíduo fosse capaz de suportar pressões intensas, como um peixe de grandes profundidades. Como o ambiente de uma cabine cheia de líquido em uma nave espacial em aceleração intensa era semelhante ao do mar profundo, o líquido passou a ser usado para proteger o corpo humano contra a aceleração ultra-alta das viagens espaciais. Daí o termo "estado de mar profundo".

Dongfang Yanxu assentiu com a cabeça.

— Só que você precisa saber que existe um jeito de contornar essa situação. Se a nave estiver configurada para controle remoto, vai presumir que não há ninguém a bordo e não fará a verificação. Essa configuração faz parte das permissões do comandante.

— Eu gostaria de tentar. Por favor, confirme se estou fazendo certo.

Zhang Beihai ativou uma interface diante de si e começou a configurar o modo de controle remoto da nave espacial, consultando um caderninho de vez em quando.

Dongfang Yanxu sorriu ao ver o caderno.

— Já existem métodos de registro mais eficientes.

— Ah, é costume. Para qualquer coisa muito importante, eu sempre fico mais tranquilo se tiver o registro por escrito. Só que já não consigo mais encontrar canetas. Trouxe duas comigo quando entrei em hibernação, mas só o lápis ainda estava em condições de uso.

— Você aprendeu rápido.

— Só porque o sistema de comando preservou muito do estilo da Marinha. Mesmo depois de tanto tempo, o nome das coisas continua igual. As ordens das máquinas, por exemplo.

— A frota espacial realmente teve origem na Marinha... Certo, você logo vai receber suas permissões de sistema como comandante interino da *Seleção Natural*. Esta belonave está em prontidão classe A, ou, como vocês diziam na sua época, "em ponto de bala".

Ela estendeu os braços finos e rodopiou no ar. Zhang Beihai não tinha descoberto ainda como fazer essa ação com o cinto supercondutor.

— Nós não ficávamos "a ponto de bala" naquela época, mas é óbvio que você conhece bastante de história naval — disse ele, mudando de assunto para evitar o tema delicado que talvez provocasse hostilidade por parte dela.

— Uma grande e antiga divisão das Forças Armadas.

— A frota espacial não herdou essa grandeza?

— Herdou. Mas eu vou sair. Pretendo pedir baixa.

— Por causa da avaliação?

Ela se virou para ele, e sua basta cabeleira preta saltou de novo com a falta de gravidade.

— Vocês conviviam com esse tipo de situação com frequência no seu tempo, não é?

— Não necessariamente. Mas, quando acontecia, qualquer um compreendia, porque se submeter à avaliação faz parte das obrigações de um soldado.

— Já se passaram dois séculos. Não estamos mais na sua época.

— Dongfang, não contribua para aumentar o abismo. Nós dois somos parecidos em alguns aspectos. Em toda a história, os soldados sempre precisaram resistir à humilhação.

— Você está me aconselhando a ficar?

— Não.

— Trabalho ideológico. É assim que se chama, não é? Não era esse o seu trabalho antigamente?

— Não mais. Tenho um novo trabalho.

Ela flutuou em volta de Zhang Beihai com facilidade, como se o estudasse com atenção.

— É porque somos crianças para vocês? Fui para a Terra seis meses atrás e, em um bairro de hibernantes, um menino de seis ou sete anos me chamou de criança.

Ele riu.

— Nós somos crianças para vocês? — perguntou ela.

— Na nossa época, nós dávamos muita importância para as diferenças de geração. No interior, alguns adultos chamavam crianças de tia e tio por causa da diferença de geração na família.

— Só que a antiguidade da sua geração não tem importância para mim.

— Dá para ver isso nos seus olhos.

— Sua filha e sua esposa... elas não vieram com você? Pelo que sei, a família dos integrantes do Contingente Especial também tinha permissão de hibernar.

— Elas não vieram e não queriam que eu hibernasse. Na nossa época, os sinais apontavam para um futuro desastroso, sabe? Elas me acusaram de ser irresponsável. As duas saíram de casa e, no dia seguinte, o Contingente Especial recebeu a ordem no meio da noite. Nem tive tempo de vê-las de novo. Era uma noite de fim de inverno, bem fria, quando saí de casa com minhas malas... Claro, não espero que você entenda nada disso.

— Eu entendo... O que houve com elas?

— Minha esposa morreu no ano 47. Minha filha, no ano 81.

— Elas vivenciaram a Grande Ravina.

Dongfang Yanxu abaixou os olhos e ficou um tempo em silêncio. Depois, ativou uma janela holográfica e ligou um modo de exibição externa. As anteparas da esfera branca derreteram feito cera, e a *Seleção Natural* desapareceu, deixando-os suspensos no espaço infinito, diante do mar de estrelas da Via Láctea.

Eles eram dois seres independentes no universo, desligados de qualquer mundo, cercados apenas pelo abismo. Pairavam no universo como a Terra, o Sol e a própria galáxia, sem origem, sem destino. Apenas existiam...

Zhang Beihai já havia sentido isso uma vez, cento e noventa anos antes, quando flutuou pelo espaço usando apenas um traje espacial, com uma pistola carregada de projéteis de meteorito na mão.

— Eu gosto assim, quando podemos ignorar a nave e a frota e tudo o mais, exceto a nossa própria mente — disse ela.

— Dongfang — chamou Zhang Beihai, em voz baixa.

— Hum? — A comandante se virou, e seus olhos brilhavam com a luz da Via Láctea.

— Se chegar o dia em que eu precisar matar você, por favor, me perdoe — sussurrou ele, com delicadeza.

Ela respondeu com um sorriso.

— Eu pareço Marcada para você?

Zhang Beihai a contemplou à luz do sol localizado a cinco unidades astronômicas de distância. Ela era uma delicada pluma flutuando em meio ao mar de estrelas.

— Nosso lugar é na Terra e no mar, o seu é nas estrelas — respondeu ele.

— Isso é ruim?

— Não. É muito bom.

— A sonda apagou!

O anúncio do oficial de serviço foi um choque para o dr. Kuhn e para o general Robinson. Os dois sabiam que assim que se espalhasse a informação provocaria agitação tanto na Terra Internacional quanto na Frota Internacional, sobretudo porque as observações mais recentes da velocidade da sonda indicavam que ela cruzaria a órbita de Júpiter em apenas seis dias.

Kuhn e Robinson estavam na Estação Ringier-Fitzroy, que orbitava o Sol na borda externa do cinturão de asteroides. A cinco quilômetros da estação, flutuavam no espaço os objetos mais peculiares do sistema solar: um conjunto de seis lentes gigantes, uma com mil e duzentos metros de diâmetro e, abaixo, outras cinco ligeiramente menores. Tratava-se da versão mais recente do telescópio espacial, mas, ao contrário das cinco gerações anteriores do Hubble, aquele telescópio não tinha tubo, nem qualquer material que ligasse as seis lentes gigantes. Cada uma flutuava de maneira independente, e suas bordas estavam equipadas com vários propulsores iônicos usados para ajustar com precisão a distância entre elas ou mudar a orientação do conjunto inteiro. Ainda que a Estação Ringier-Fitzroy fosse o centro de controle do telescópio, até mesmo dali as lentes transparentes eram quase invisíveis. Quando técnicos e engenheiros voavam entre elas para fazer manutenção, o universo do outro lado parecia absurdamente distorcido. Vista por determinado ângulo, a íris protetora da superfície refletia a luz do Sol e revelava toda a lente gigantesca, cuja curvatura lembrava um planeta coberto de arco-íris fascinantes. O telescópio rompeu com a convenção da série Hubble e foi batizado de Telescópio Ringier-Fitzroy, em homenagem aos dois homens que descobriram os rastros da Frota Trissolariana. Embora a descoberta não tivesse nenhum peso acadêmico, o nome era adequado, pois o propósito fundamental daquele telescópio imenso, um esforço conjunto das três frotas, era o acompanhamento constante da Frota Trissolariana.

O telescópio sempre fora administrado por uma equipe semelhante à dos tempos de Ringier e Fitzroy — com um cientista-chefe da Terra e uma autoridade em assuntos militares da frota —, e as mesmas diferenças de opinião existentes entre Ringier e Fitzroy eram registradas. No momento, Kuhn queria encaixar seu próprio estudo sobre o cosmo no tempo de observação, enquanto Robinson se esforçava para impedi-lo e garantir os interesses da frota. Os dois também discutiam sobre outros assuntos: por exemplo, Kuhn comentava com nostalgia a época maravilhosa em que o mundo era liderado pelas superpotências da Terra, com os Estados Unidos à frente, ao contrário da burocracia ineficiente da frota atual; sempre que ele falava disso, Robinson era implacável ao desmontar as ridículas fantasias históricas de Kuhn. Contudo, a discussão mais intensa era sobre a velocidade de rotação da estação. O general insistia em uma rotação lenta para obter o mínimo de gravidade, ou até em manter a estação sem rotação alguma para uma condição de absoluta falta de gravidade, ao passo que Kuhn queria uma rotação rápida e a gravidade-padrão da Terra.

No entanto, o acontecimento de agora superava tudo. O fato de a sonda se "apagar" significava que os motores dela tinham sido desativados. Dois anos antes, muito além da Nuvem de Oort, a sonda começara a desacelerar, ativando o motor na direção do Sol e permitindo que o telescópio acompanhasse seu avanço pela luz emitida. Agora que a luz se apagou, não era mais possível observá-la, pois a sonda propriamente dita era pequena demais — provavelmente do tamanho de um caminhão, considerando o rastro deixado por ela ao atravessar a poeira interestelar. Um objeto tão pequeno na periferia do Cinturão de Kuiper, deixando de emitir luz própria e refletindo apenas uma fração da pouca luz do Sol distante... nem um telescópio poderoso como o Ringier-Fitzroy seria capaz de distinguir um objeto escuro e minúsculo assim, tão distante na escuridão do espaço.

— As três frotas não sabem fazer nada além de brigar pelo poder. Que maravilha... O alvo desapareceu... — resmungou Kuhn, agitando os braços para dar ênfase às suas palavras. Ele esqueceu que a estação estava em condição de gravidade zero, e seus movimentos o fizeram dar uma cambalhota.

Pela primeira vez, o general Robinson não defendeu a frota. Inicialmente, a Frota Asiática enviara três naves leves e velozes para monitorar a sonda de perto. Entretanto, quando as três frotas começaram a disputar o direito de realizar a interceptação da sonda, a Conferência Conjunta emitiu uma resolução que determinava o retorno de todas as naves para as respectivas bases. A Frota Asiática argumentou várias vezes que as três naves de caça não estavam aparelhadas com nenhum armamento ou equipamento externo, que jamais conseguiriam interceptar a sonda e que cada uma era tripulada por apenas duas pessoas, para que pudessem alcançar aceleração máxima a fim de monitorar o alvo. No entanto, a Frota Europeia e a Frota Norte-Americana não se convenceram e insistiram em que todas as naves espaciais em trânsito voltassem e fossem substituídas por três naves da Terra Internacional, na condição de parte neutra. Não fosse por isso, as naves da Frota Asiática já teriam feito contato por aproximação com a sonda e começado a monitorá-la. As naves da Terra, enviadas pela Comunidade Europeia e pela China, ainda não haviam passado nem da órbita de Netuno.

— Talvez. Pode ser que os motores sejam ativados de novo — disse o general. — A sonda ainda está vindo muito depressa e, se não desacelerar, não vai conseguir estabelecer uma órbita em volta do Sol. Vai acabar passando direto pelo sistema solar.

— Você agora é o comandante trissolariano? Talvez a sonda nunca tenha planejado parar no sistema solar, só passar direto mesmo! — objetou Kuhn. Uma ideia então lhe ocorreu de repente. — Se os motores estão desligados, ela não vai mudar a rota! Será que não dá para calcular o destino dela e enviar as naves de monitoramento para ficar esperando?

O general balançou a cabeça.

— Não é um cálculo preciso o bastante. Não é o mesmo que uma missão de busca da força aérea na atmosfera terrestre. Com qualquer erro ínfimo, você acaba com um desvio de centenas ou milhares ou até milhões de quilômetros. Em uma área tão vasta, a nave de monitoramento não vai conseguir encontrar um alvo tão pequeno e escuro... Seja como for, precisamos pensar em alguma solução.

— O que podemos fazer? Deixe a frota se virar.

O general engrossou o tom.

— Doutor, você precisa compreender a natureza da situação. Ainda que não seja culpa sua, a mídia não vai ligar, porque o sistema Ringier-Fitzroy era responsável por monitorar a sonda no espaço sideral. Logo, boa parte dessa tempestade vai cair na nossa cabeça.

Kuhn não respondeu, mas manteve o corpo em perpendicular em relação ao general por algum tempo.

— Tem mais alguma coisa depois da órbita de Netuno que poderia ser útil? — perguntou Kuhn.

— Para a frota, provavelmente não. Para a Terra...

O general se virou para perguntar ao oficial de serviço e logo foi informado de que a Organização de Proteção ao Meio Ambiente da ONU estava com quatro naves grandes perto de Netuno, trabalhando nas fases do Projeto Guarda-Chuva de Fumaça. As três naves pequenas encarregadas de monitorar a sonda trissolariana haviam sido enviadas a partir dessas naves maiores.

— E elas estão lá para extrair película de óleo? — perguntou Kuhn.

A resposta foi afirmativa. Película de óleo era uma substância encontrada nos anéis de Netuno. Sob temperaturas altas, essa matéria se transformava em um gás de difusão rápida que, no espaço, se condensava em nanopartículas e formava poeira espacial. A substância fora batizada assim porque quando evaporava era altamente difusível, de modo que uma pequena quantidade era capaz de espalhar poeira por uma grande área, como se fosse uma gotícula de óleo expandida em uma película de espessura molecular sobre uma grande superfície de água. A poeira formada por essa película de óleo tinha outra propriedade: ao contrário do que acontecia com outros tipos de poeira espacial, os ventos solares não dispersavam a "poeira de película de óleo" com facilidade.

Foi a descoberta da película de óleo que possibilitou o Projeto Guarda-Chuva de Fumaça. O plano era usar explosões nucleares no espaço para evaporar e espalhar a substância em uma nuvem de poeira entre o Sol e a Terra, para reduzir a radiação solar que incidia no planeta e amenizar o aquecimento global.

— Eu lembro que devia ter uma bomba estelar perto da órbita de Netuno desde antes das guerras — comentou Kuhn.

— Tem. E as naves do Projeto Guarda-Chuva de Fumaça também levaram algumas, para explodir em Netuno e nos satélites. Não sei quantas, exatamente.

— Acho que uma é suficiente — respondeu Kuhn, entusiasmado.

Como a Barreira Rey Diaz havia previsto dois séculos antes ao desenvolver a bomba estelar de hidrogênio para seu plano, ainda que a utilidade da arma fosse limitada na Batalha do Fim dos Tempos, as grandes potências queriam obtê-la para se preparar para uma possível guerra interplanetária entre a humanidade. Foram produzidas mais de cinco mil bombas, especialmente durante a Grande Ravina, quando as relações internacionais eram voláteis pela escassez de recursos e a humanidade chegou às raias da guerra. Com o advento da nova era, as armas de destruição em massa se tornaram perigosos artigos supérfluos e foram armazenadas no espaço sideral, embora ainda pertencessem aos países da Terra.

Alguns desses artefatos foram detonados em projetos de engenharia planetária, e outra parte foi posta em órbita nos confins do sistema solar, partindo do princípio de que o material de fusão poderia servir de combustível suplementar para naves de longo alcance. No entanto, em virtude da dificuldade de desmontagem dessas bombas, a ideia nunca chegou a ser realizada.

— Você acha que vai dar certo? — perguntou Robinson, com um brilho nos olhos.

O general ficou um pouco ressentido por não ter pensado em uma ideia tão simples e pelo fato de que Kuhn havia aproveitado a oportunidade de entrar para a história.

— Vamos tentar. É a única coisa que podemos fazer.

— Se sua ideia funcionar, doutor, a Estação Ringier-Fitzroy vai girar o suficiente para produzir gravidade terrestre até o fim dos tempos.

— É a maior construção em toda a história da humanidade — decretou o comandante da *Sombra Azul*, observando a escuridão do espaço pela janela da nave.

Não havia nada visível, mas ele tentou se convencer de que conseguia enxergar a nuvem de poeira.

— Por que ela não é iluminada pelo Sol como a cauda de um cometa? — perguntou o piloto.

A tripulação da *Sombra Azul* se limitava aos dois. O piloto sabia que a densidade da nuvem de poeira era equivalente à da cauda de um cometa, ou à de um vácuo produzido em laboratório na Terra.

— Talvez a luz solar seja muito fraca.

O comandante olhou para o Sol. Na solidão do espaço entre a órbita de Netuno e o Cinturão de Kuiper, o Sol parecia uma estrela grande, cujo formato redondo mal se distinguia. Mesmo assim, a luz fraca ainda era capaz de produzir sombras na antepara.

— Além do mais — prosseguiu o comandante —, a cauda de um cometa só é visível a partir de certa distância. Nós estamos bem na beirada da nuvem.

O piloto tentou conceber uma imagem mental da rarefeita e gigantesca nuvem. Alguns dias antes, ele e o comandante haviam visto com os próprios olhos como a nuvem podia ser pequena quando comprimida em estado sólido. Na ocasião, a imensa nave *Pacífico* havia chegado de Netuno e deixado cinco objetos ao parar naquela região do espaço. Primeiro, o braço mecânico da *Sombra Azul* recolheu uma bomba estelar de hidrogênio que datava do começo da guerra, um cilindro de cinco metros de comprimento e um metro e meio de diâmetro. Em seguida, apanhou quatro esferas grandes que tinham de trinta a cinquenta metros de diâmetro. As quatro esferas, a película de óleo extraída dos anéis de Netuno, foram dispostas a centenas de metros da bomba. Depois que a *Pacífico* saiu daquela região, a bomba foi detonada, formando um pequeno sol, do qual a luz e o calor se expandiram pelo gélido abismo do espaço e vaporizaram instantaneamente as esferas à sua volta. A película gasosa de óleo se difundiu depressa no tsunami de radiação da bomba de hidrogênio e se resfriou até formar uma nuvem de incontáveis partículas de poeira. Com dois milhões de quilômetros de diâmetro, a nuvem era maior do que o Sol.

A nuvem de poeira estava localizada na região por onde se esperava que a sonda trissolariana passasse, de acordo com observações de trajetória feitas antes da desativação do motor dela. O dr. Kuhn e o general Robinson tinham a esperança de determinar com precisão a trajetória e a posição da sonda com base nas marcas que ela deixaria na nuvem artificial de poeira.

Após a formação da nuvem, a *Pacífico* voltou para a base em Netuno, deixando para trás três naves pequenas, que monitorariam a sonda de perto assim que seu rastro fosse visível. Pequena e veloz, a *Sombra Azul* era uma dessas naves e havia sido apelidada de "corredora espacial". Exceto por uma cápsula compacta que comportava apenas cinco pessoas, todo o restante do volume era ocupado por um motor por fusão, o que proporcionava grande aceleração e manobrabilidade. Assim que a nuvem de poeira se formou, a *Sombra Azul* atravessou toda a área para testar se haveria rastros, e os resultados foram bastante satisfatórios. Claro que apenas o telescópio espacial localizado a mais de cem unidades astronômicas de distância seria capaz de observar os vestígios. Pela perspectiva da *Sombra Azul*, seu próprio rastro era invisível, e o espaço à sua volta parecia vazio como sempre. Ainda assim, depois de passar pela nuvem, o piloto insistiu em dizer que o Sol parecia um pouco mais fraco, que o contorno circular antes nítido estava um pouco embaçado. Observações feitas por instrumentos confirmaram a única impressão visual que eles tinham daquela criação gigantesca.

— Faltam menos de três horas — comentou o comandante, ao olhar o relógio.

A nuvem de poeira na verdade era um satélite gigante e rarefeito em órbita ao redor do Sol, em movimento constante. Se saísse do ponto por onde a sonda talvez passasse, seria preciso criar outra nuvem de poeira no lugar.

— Você está mesmo torcendo para a gente alcançar a sonda? — perguntou o piloto.

— Por que não? Nós estamos fazendo história!

— Será que o troço não vai nos atacar? Não somos soldados. A frota é que devia estar encarregada dessa missão.

Nesse momento, uma mensagem da Estação Ringier-Fitzroy comunicou à nave que a sonda trissolariana havia entrado na nuvem de poeira e deixado um rastro, e que a trajetória havia permitido o cálculo de parâmetros precisos. A *Sombra Azul* recebeu ordem de partir imediatamente para localizar e monitorar de perto o alvo. A estação estava a mais de cem unidades astronômicas da *Sombra Azul*, o que significava que a mensagem havia levado mais de dez horas em trânsito até chegar à nave, mas o vestígio estava lá. Cálculos orbitais haviam considerado até o efeito produzido pela nuvem rarefeita, de modo que a localização da sonda era apenas questão de tempo.

A *Sombra Azul* programou a rota com base na trajetória da sonda e voltou a entrar na nuvem invisível, mas agora indo na direção da sonda trissolariana. Desta vez, o voo foi longo e, durante mais de dez horas, o piloto e o comandante ficaram com sono. Porém, a distância decrescente entre a nave e a sonda manteve os dois homens em alerta.

— Estou vendo! Estou vendo! — gritou o piloto.

— Do que você está falando? Ainda faltam mais de catorze mil quilômetros! — respondeu o comandante.

Jamais um caminhão poderia ser visto a olho nu a mais de catorze mil quilômetros de distância, mesmo levando em conta a transparência do espaço. No entanto, logo o comandante também viu com os próprios olhos: na trajetória descrita pelos parâmetros, diante do painel silencioso do espaço, havia um ponto de luz em movimento.

Depois de refletir por um instante, o comandante compreendeu: a nuvem de poeira maior que o Sol não fora necessária, porque a sonda trissolariana tinha reativado seus motores e continuava a desacelerar. Ela não pretendia passar direto pelo sistema solar, e sim ficar aqui.

Como não passava de uma medida temporária nas frotas, a cerimônia de passagem das permissões de comando na *Seleção Natural* foi um evento simples e discreto. Só participaram a comandante Dongfang Yanxu, o comandante interino Zhang Beihai, o primeiro imediato Levin e o segundo imediato Akira Inoue, além de uma equipe especial do Estado-Maior Geral.

Apesar do desenvolvimento tecnológico da era, a humanidade ainda não havia superado a estagnação das teorias de base, de modo que a transferência das permissões da *Seleção Natural* foi feita por instrumentos que Zhang Beihai já conhecia: autenticação tripla por retina, impressão digital e senha. Quando a equipe do Estado-Maior terminou de configurar os dados de pupila e as impressões digitais que identificavam o comandante no sistema, Dongfang Yanxu comunicou sua senha a Zhang Beihai: "***M****en* ***a****lways* ***r****emember* ***l****ove* ***b****ecause* ***o****f* ***r****omance* ***o****nly*".

— Você não fuma — respondeu ele, com tranquilidade.

— E a marca que deu origem a esse acrônimo desapareceu durante a Grande Ravina — acrescentou ela, com uma pontada de decepção na voz, abaixando os olhos.

— Mas não deixa de ser uma boa senha. Antigamente, também não era muita gente que conhecia.

A comandante e os imediatos saíram, deixando Zhang Beihai sozinho para alterar a senha e assumir o controle total da *Seleção Natural*.

— Ele é esperto — observou Akira Inoue, quando a porta da cabine esférica sumiu.

— Sabedoria ancestral — disse Dongfang Yanxu, olhando para o lugar de onde a porta havia desaparecido, como se tentasse enxergar do outro lado. — Nós nunca vamos conseguir aprender tudo o que ele trouxe de dois séculos atrás, mas ele pode aprender o que nós sabemos.

Os três então ficaram esperando em silêncio. Cinco minutos se passaram, obviamente tempo demais para a troca de uma senha, sobretudo considerando que, de todos os integrantes do Contingente Especial submetidos ao treinamento, o então futuro comandante Zhang Beihai fora considerado o operador mais habilidoso do sistema de comando. Transcorreram outros cinco minutos. Os dois imediatos começaram a nadar pelo corredor com impaciência, mas Dongfang Yanxu continuou em silêncio e imóvel.

Finalmente a porta voltou a aparecer. Para a surpresa dos três, a cabine esférica estava preta. Zhang Beihai tinha aberto um mapa estelar holográfico com as legendas desligadas, exibindo apenas as estrelas cintilantes. Da porta, parecia que ele estava flutuando do lado de fora da nave, ao lado da interface de comando.

— Terminei — avisou.

— Por que demorou tanto? — resmungou Levin.

— Você estava aproveitando a emoção de ganhar a *Seleção Natural*? — perguntou Akira Inoue.

Zhang Beihai não falou nada. Ele não olhou para a interface e preferiu se virar para uma estrela, em uma parte distante do mapa. Dongfang Yanxu percebeu que havia uma luz verde piscando naquela direção.

— Isso seria ridículo — falou Levin, em resposta a Akira Inoue. — Gostaria de lembrar que o comando ainda pertence a Dongfang Yanxu. O comandante interino é apenas uma barreira de segurança. Sinto muito pela grosseria, mas na verdade ele não passa disso.

— Sem contar que essa situação temporária logo vai acabar — comentou Akira Inoue. — As investigações da frota estão chegando ao fim, e basicamente ficou provado que os Marcados não existem.

Ele ia continuar falando, mas foi silenciado por uma pequena exclamação de surpresa da comandante.

— Meu Deus! — soltou ela, e os dois imediatos acompanharam seu olhar e viram o status da *Seleção Natural* na interface de Zhang Beihai.

A belonave tinha sido configurada para o modo de controle remoto, dispensando assim a verificação de estado de mar profundo que antecede o Avante Quatro. As comunicações externas haviam sido interrompidas. Para piorar, a maioria das configurações de comando para propulsão máxima estava ativada. Com o toque de apenas mais um botão, a *Seleção Natural* sairia em velocidade máxima até o alvo selecionado no mapa.

— Não, isso não pode estar acontecendo — disse Dongfang Yanxu, com a voz tão baixa que só ela escutou. Falou para si mesma, como respondendo à exclamação anterior para "Deus". Nunca acreditara na existência de Deus, mas agora sua prece era genuína.

— Você enlouqueceu? — gritou Levin.

Ele e Akira Inoue correram para a cabine, mas bateram na antepara. Não havia porta alguma, apenas uma parte ovalada da parede ficara transparente.

— A *Seleção Natural* está prestes a iniciar Avante Quatro. Toda a tripulação deve entrar em estado de mar profundo agora mesmo — ordenou Zhang Beihai, articulando cada palavra com sua voz calma e solene, deixando os vocábulos no ar como uma âncora ancestral em meio a um vento frio.

— Impossível! — exclamou Akira Inoue.

— Você é um Marcado? — perguntou Dongfang Yanxu, controlando-se por um tempo.

— Você sabe que isso não é possível — rebateu Zhang Beihai.

— OTT?

— Não.

— Então quem é você?

— Um soldado cumprindo seu dever na luta pela sobrevivência da humanidade.

— Por que você está fazendo isso?

— Vou explicar assim que a aceleração for concluída. Repito: toda a tripulação deve entrar em estado de mar profundo agora mesmo.

— Impossível! — repetiu Akira Inoue.

Zhang Beihai se virou e, sem olhar uma vez sequer para os imediatos, encarou Dongfang Yanxu. Na mesma hora, diante daqueles olhos, ela pensou no símbolo da Força Espacial Chinesa, formado por espadas e estrelas.

— Dongfang, falei que lamentaria se precisasse matar você. Não falta muito tempo.

O fluido de aceleração em mar profundo começou a aparecer dentro do compartimento esférico de Zhang Beihai, formando bolas no ambiente de gravidade zero. Os globos líquidos, que exibiam um reflexo distorcido de Zhang Beihai junto com a interface e o mapa estelar, foram se agrupando em globos maiores. Os dois imediatos olharam para Dongfang Yanxu.

— Façam o que ele pediu. A nave inteira precisa entrar em estado de mar profundo — mandou a comandante.

Os dois imediatos a encararam. Eles sabiam qual era a consequência de iniciar Avante Quatro sem a proteção do estado de mar profundo: o corpo seria esmagado contra a antepara por uma força cento e vinte vezes maior que a gravidade da Terra. Primeiro, o sangue seria expelido pela pressão imensa, dispersando-se em uma camada fina de manchas circulares absurdamente grandes, e depois os órgãos seriam espremidos para fora, formando outra camada fina que seria esmagada junto com o corpo, como uma pintura de Dalí...

Quando se encaminharam para suas cabines, os três deram ordem para que a nave inteira entrasse em estado de mar profundo.

— Você é uma comandante bem preparada. — Zhang Beihai acenou com a cabeça para Dongfang Yanxu. — Isso é sinal de maturidade.

— Para onde estamos indo?

— Seja lá para onde for, é uma opção mais responsável do que permanecer aqui.

Ao fim dessas palavras, ele mergulhou no fluido de aceleração em mar profundo, e Dongfang Yanxu só conseguiu ver um corpo indistinto por trás do líquido que preenchia o compartimento esférico.

Flutuando no líquido translúcido, Zhang Beihai se lembrou de sua experiência de mergulho na Marinha dois séculos antes. Ele nunca imaginara que o oceano seria tão escuro a uma profundidade de poucas dezenas de metros, e aquele mundo submarino lhe causou a mesma impressão que ele vivenciou mais tarde no espaço. O mar era uma miniatura do espaço na Terra. Ele tentou respirar, mas seus reflexos lhe provocaram um engasgo violento com líquido e resquícios de ar, e seu corpo se convulsionou com a reação. Mesmo assim, ao contrário do que esperava, ele não sufocou, e o líquido frio preencheu seus pulmões, forneceu oxigênio para o sangue, e Zhang Beihai começou a respirar livremente, como um peixe.

Na interface suspensa em meio ao líquido, ele viu que o fluido de aceleração em mar profundo estava preenchendo cada um dos compartimentos da nave. O processo se estendeu por mais de dez minutos. Zhang Beihai começou a perder a consciência conforme o líquido respirável era injetado com uma substância hipnótica, que fez toda a tripulação adormecer para evitar danos ao cérebro resultantes do aumento de pressão e da ligeira hipóxia gerada pela aceleração de Avante Quatro.

Zhang Beihai sentiu o espírito de seu pai voltar do além e repousar na nave espacial, unindo-se a ela. Ele apertou o botão na interface e mentalizou o comando pelo qual havia trabalhado a vida inteira:

"*Seleção Natural*, Avante Quatro!"

Um pequeno sol surgiu na órbita de Júpiter, e a luminosidade intensa ofuscou a fosforescência da atmosfera jupiteriana. Arrastando o sol consigo, a belonave estelar *Seleção Natural* se afastou da base da Frota Asiática e acelerou em alta velocidade, projetando sombras das outras naves — cada mancha escura grande o bastante para englobar a Terra — na superfície do planeta. Dez minutos depois, uma sombra maior se abriu sobre Júpiter, como uma cortina estendida diante do gigantesco planeta. A *Seleção Natural* estava passando por Io.

Foi nesse momento que o Alto-Comando da Frota Asiática confirmou o fato inacreditável de que a *Seleção Natural* havia desertado. A princípio, achando que se tratava de um ato não autorizado com a intenção de interceptar a sonda trissolariana, a Frota Europeia e a Frota Norte-Americana enviaram mensagens de protesto e advertência para a Frota Asiática, mas logo perceberam que o rumo tomado pela *Seleção Natural* não batia: a nave estava seguindo na direção contrária da sonda trissolariana.

Aos poucos, os inúmeros sistemas que tentavam estabelecer contato com a *Seleção Natural* foram desistindo, após a ausência de respostas. Quando ficou claro que não havia muito que fazer quanto à deserção, o alto-comando decidiu enviar naves para perseguição e interceptação. Embora as bases localizadas nas quatro grande luas de Júpiter tivessem poder de fogo suficiente para destruir a *Seleção Natural*, não tomariam nenhuma providência nesse sentido, porque era muito provável que apenas uma minoria da tripulação, ou talvez um único indivíduo, fosse responsável pela deserção, e que os dois mil e tantos soldados em estado de mar profundo não passassem de reféns. Os comandantes na base de laser de raios gama se limitaram a observar, enquanto o pequeno sol cruzava o céu e voava rumo ao espaço sideral, despejando luz sobre as amplas plataformas de gelo de Europa como fósforo em chamas.

A *Seleção Natural* atravessou a órbita de dezesseis luas de Júpiter e alcançou velocidade de escape quando chegou a Calisto. Visto a partir da base da Frota Asiática, o pequeno sol encolheu gradativamente, transformando-se em uma estrela brilhante que permaneceu vagamente visível durante uma semana, um lembrete estelar do extenso sofrimento da Frota Asiática. Como a força em perseguição precisava entrar em estado de mar profundo, as naves só foram lançadas quarenta e cinco minutos após a fuga da *Seleção Natural*, iluminando Júpiter com outros quatro sóis.

No Alto-Comando da Frota Asiática, que havia interrompido a rotação, o comandante observou em silêncio o imenso lado escuro de Júpiter, vendo raios se espalharem pela atmosfera a dez mil quilômetros de distância. A potente radiação dos motores por fusão da *Seleção Natural* e das naves em perseguição havia provocado ionização e raios na atmosfera. Os lampejos fugazes iluminaram porções da atmosfera, visível àquela distância como auréolas que mudavam de lugar o tempo todo, transformando a superfície do planeta em um lago fustigado por uma chuva fluorescente.

A *Seleção Natural* acelerou em silêncio até um centésimo da velocidade da luz, o ponto sem volta do consumo do combustível de fusão. Agora incapaz de retornar ao sistema solar por seus próprios meios, a nave tinha se tornado um barco solitário, fadado a vagar eternamente pelo espaço sideral.

O comandante da Frota Asiática contemplou as estrelas e tentou encontrar uma específica, mas em vão, pois naquela direção havia apenas a luz fraca dos motores por fusão das naves perseguidoras. Logo chegou um relatório: a *Seleção Natural* tinha parado de acelerar. Pouco depois, a *Seleção Natural* restabeleceu as comunicações com a frota. Foi quando aconteceu o seguinte diálogo, com intervalos de mais de dez segundos entre as transmissões, já que a nave agora se encontrava a mais de cinco milhões de quilômetros de distância:

SELEÇÃO NATURAL: *Seleção Natural* chamando Frota Asiática! *Seleção Natural* chamando Frota Asiática!

FROTA ASIÁTICA: *Seleção Natural*, fala a Frota Asiática. Informe sua situação.

SELEÇÃO NATURAL: Aqui é o comandante interino Zhang Beihai. Só falarei diretamente com o comandante da frota.

COMANDANTE DA FROTA: Estou ouvindo.

ZHANG BEIHAI: Assumo total responsabilidade pela viagem de fuga da *Seleção Natural*.

COMANDANTE DA FROTA: Há mais alguém envolvido?

ZHANG BEIHAI: Não. A responsabilidade é só minha. A decisão não passa por mais ninguém a bordo da *Seleção Natural*.

COMANDANTE DA FROTA: Quero falar com a comandante Dongfang Yanxu.

ZHANG BEIHAI: Agora não.

COMANDANTE DA FROTA: Qual é a situação momentânea da nave?

ZHANG BEIHAI: Está tudo bem. Todos os tripulantes continuam em estado de mar profundo, exceto eu. Os sistemas de energia e de manutenção de vida estão funcionando normalmente.

COMANDANTE DA FROTA: E quais são suas razões para esta traição?

ZHANG BEIHAI: Posso ter desertado, mas não sou um traidor.

COMANDANTE DA FROTA: Suas razões?

ZHANG BEIHAI: É certo que a humanidade vai ser derrotada no campo de batalha. Quero apenas salvar uma das naves estelares da Terra para preservar uma semente da civilização humana no universo, um resquício de esperança.

COMANDANTE DA FROTA: Isso faz de você um escapista.

ZHANG BEIHAI: Não passo de um soldado cumprindo meu dever.

COMANDANTE DA FROTA: Você recebeu o selo mental?

ZHANG BEIHAI: Você sabe que isso não é possível. A tecnologia ainda não existia quando eu entrei em hibernação.

COMANDANTE DA FROTA: Nesse caso, devo afirmar que o estranho rigor de suas crenças derrotistas é incompreensível.

ZHANG BEIHAI: Eu não preciso do selo mental, já que estou no controle das minhas crenças. Minha fé é rigorosa porque não é fruto da minha própria inteligência. No começo da Crise Trissolariana, meu pai e eu começamos a refletir com seriedade a respeito das questões mais elementares desta guerra. Aos poucos, um grupo de grandes pensadores, incluindo cientistas, políticos e estrategistas militares, se formou em torno de meu pai. Eles se autodenominavam Historiadores do Futuro.

COMANDANTE DA FROTA: Era uma organização secreta?

ZHANG BEIHAI: Não. Eles estudavam as questões mais elementares, e os debates eram feitos sempre abertamente. O governo e as Forças Armadas chegaram até a tomar a iniciativa de realizar congressos sobre História do Futuro. A partir da pesquisa desses pensadores, cheguei à conclusão de que a humanidade está condenada.

COMANDANTE DA FROTA: Acontece que as teorias da História do Futuro já foram refutadas.

ZHANG BEIHAI: O senhor subestima os Historiadores do Futuro, mas se esquece que eles previram não só a Grande Ravina, como também o Segundo Iluminismo e o Segundo Renascimento. As previsões que fizeram para a era de prosperidade atual se confirmam praticamente na totalidade. Pois bem, esses pensadores previram que a humanidade seria completamente derrotada e eliminada na Batalha do Fim dos Tempos.

COMANDANTE DA FROTA: Você se esqueceu que está a bordo de uma nave espacial capaz de atingir quinze por cento da velocidade da luz?

ZHANG BEIHAI: A cavalaria de Genghis Khan atacou com a velocidade dos veículos blindados do século XX. A balestra da dinastia Song tinha alcance de até mil e quinhentos metros, o que era comparável aos fuzis de assalto do século XX.

Só que a cavalaria e as balestras ancestrais não eram páreo para as forças modernas. Tudo é determinado por teorias de base. Os Historiadores do Futuro entendiam perfeitamente essa questão. Já vocês foram ofuscados pelo brilho moribundo da tecnologia de baixo nível e estão contando vantagem no berçário da civilização moderna, sem absolutamente qualquer preparo mental para a iminente batalha definitiva que selará o destino da humanidade.

COMANDANTE DA FROTA: Você veio de um grande exército, que derrotou um inimigo com equipamentos muito mais avançados. Dependendo exclusivamente de armas capturadas, suas forças conquistaram a vitória em uma das maiores guerras terrestres do mundo. Seu comportamento é uma desonra para esse exército.

ZHANG BEIHAI: Como três gerações da minha família serviram nesse exército, sou mais habilitado do que o senhor para falar sobre ele, caro comandante. Durante a Guerra da Coreia, meu avô atacou um tanque Pershing com uma granada. A granada bateu na blindagem e deslizou para o lado antes de explodir. O alvo mal sofreu um arranhão, mas meu avô foi atingido por tiros da metralhadora do tanque, quebrou as duas pernas debaixo da lagarta e ficou inválido pelo resto da vida. Agora, na comparação com dois camaradas do mesmo regimento, que acabaram completamente esmagados, ele teve sorte... Foi a história desse exército que nos ensinou tão bem a importância do desnível tecnológico em tempos de guerra. A glória que vocês conhecem é a contada pelos livros de história, mas nosso trauma foi sedimentado pelo sangue de nossos pais e avós. Nós sabemos melhor do que vocês o que significa ir à guerra.

COMANDANTE DA FROTA: Quando você concebeu seu plano de traição?

ZHANG BEIHAI: Vou repetir o que disse. Posso ter desertado, mas não sou um traidor. Concebi o plano na última vez em que vi meu pai. Seus olhos me revelaram o que eu precisaria fazer, e levei dois séculos para concretizar meus objetivos.

COMANDANTE DA FROTA: E para conseguir colocar em prática suas ideias você se disfarçou de triunfalista. Por sinal, um disfarce muito eficaz.

ZHANG BEIHAI: O general Chang Weisi quase percebeu.

COMANDANTE DA FROTA: Sim. O general admitia que nunca havia desvendado as bases para a fé triunfalista que movia você, e as suspeitas que ele tinha se intensificaram com o entusiasmo peculiar que você demonstrou por sistemas de propulsão por radiação capazes de viagens interestelares. Ele sempre se opôs à sua inclusão no Contingente Especial de Reforços do Futuro, mas não podia descumprir as ordens de seus superiores. Ele nos mandou uma carta para fazer o alerta, mas foi no jeito sutil da sua época, de modo que acabamos ignorando.

ZHANG BEIHAI: Eu assassinei três pessoas para obter uma nave espacial capaz de escapar pelo espaço.

COMANDANTE DA FROTA: Nós não sabíamos disso. Talvez ninguém soubesse. De qualquer maneira, uma coisa é certa: a direção que as pesquisas tomaram naquela época foi crucial para o desenvolvimento posterior da tecnologia de viagens espaciais.

ZHANG BEIHAI: Obrigado por reconhecer isso.

COMANDANTE DA FROTA: Agora, devo acrescentar que seu plano vai fracassar.

ZHANG BEIHAI: Talvez. Mas ainda não fracassou.

COMANDANTE DA FROTA: A *Seleção Natural* está com apenas um quinto da capacidade de combustível de fusão.

ZHANG BEIHAI: Sim, mas eu precisava agir sem pestanejar. Não teria outra oportunidade.

COMANDANTE DA FROTA: O resultado é que você só pode acelerar até um por cento da velocidade da luz agora. Não pode consumir combustível em excesso, porque os sistemas de manutenção de vida da nave ainda precisam de energia para se manter em operação por um período que pode ir de algumas décadas a alguns séculos. Só que, a essa velocidade, a força em perseguição alcançará sua nave em pouco tempo.

ZHANG BEIHAI: Eu ainda estou no comando da *Seleção Natural*.

COMANDANTE DA FROTA: Sabemos disso, assim como você sabe qual é nossa preocupação: que a perseguição o faça continuar acelerando, consumindo combustível até o sistema de manutenção de vida se apagar e a *Seleção Natural* se tornar uma nave morta, a uma temperatura próxima do zero absoluto. Por isso, a força de perseguição não se aproximará da *Seleção Natural* por enquanto. Temos certeza de que a comandante e os soldados a bordo serão capazes de resolver os problemas da própria nave.

ZHANG BEIHAI: Também tenho certeza de que todos os problemas serão resolvidos. Assumirei minha responsabilidade, mas ainda acredito firmemente que a *Seleção Natural* está voando na direção certa.

Quando acordou de repente, Luo Ji reconheceu que algo mais havia sobrevivido do passado: rojões. O sol estava nascendo, e o deserto do lado de fora da janela refletia a luz branca do amanhecer, iluminado por explosões de bombinhas e de fogos de artifício. Alguém então bateu à porta, com força. Sem esperar resposta, Shi Xiaoming girou a maçaneta e entrou às pressas, corado de empolgação e insistindo para que Luo Ji ligasse a TV para ver o jornal.

Luo Ji assistia à televisão muito raramente. Desde que chegara ao Vilarejo Vida Nova 5, voltara a levar o mesmo modo de vida do passado. Depois do impacto com o despertar na nova era, aquela sensação era uma preciosidade para ele, que por enquanto não queria ser perturbado por informações sobre o presente. Ele passava a maior parte do tempo imerso em lembranças de Zhuang Yan e Xia Xia. Embora a papelada para a reanimação da esposa e da filha já tivesse sido preenchida, em virtude da regulamentação do governo em relação aos hibernantes, as duas só seriam despertadas dali a dois meses.

Assim que Luo Ji ligou a TV, o noticiário anunciou: cinco horas antes, o Telescópio Ringier-Fitzroy havia observado a Frota Trissolariana atravessar mais uma nuvem de poeira interestelar. Desde a primeira aparição, havia dois séculos, era a sétima vez que a frota se revelava ao passar por uma nuvem de poeira. A frota perdera a estrutura rigorosa, então o pincel que tinha se formado na primeira nuvem agora estava irreconhecível. No entanto, assim como na passagem pela segunda nuvem, uma cerda havia se adiantado, mas desta vez a forma do rastro indicava que a cerda não era uma sonda, e sim uma belonave da frota. Após as etapas de aceleração e cruzeiro da viagem até o sistema solar, havia quinze anos que algumas naves da Frota Trissolariana tinham começado a desacelerar. Cinco anos depois, a maioria das naves já estava reduzindo a velocidade. Agora, porém, ficava claro que aquela nave específica nunca havia diminuído a marcha. Na verdade, considerando a trajetória marcada na nuvem de poeira, ela continuava em aceleração. No ritmo atual, chegaria ao sistema solar meio século antes do resto da frota.

O avanço isolado de uma nave invasora no sistema solar, ao alcance da poderosa frota da Terra, seria suicídio. Por isso, só restava uma conclusão possível: ela estava vindo negociar. Observações da Frota Trissolariana ao longo de dois séculos haviam determinado a aceleração máxima de cada nave, e projeções indicavam que aquela nave avançada não seria capaz de realizar uma desaceleração suficiente, então passaria direto pelo sistema solar em cento e cinquenta anos. Esse fato dava margem a apenas duas possibilidades: os trissolarianos queriam a ajuda da Terra para desacelerar ou, o que era mais provável, antes de atravessar o sistema solar a nave enviaria uma embarcação menor, com mais capacidade de desaceleração, uma nave para transportar a delegação trissolariana para as negociações.

— Não entendo... Se eles quisessem negociar, não avisariam a humanidade com os sófons? — perguntou Luo Ji.

— É fácil explicar! — respondeu Shi Xiaoming. — Os trissolarianos pensam de um jeito diferente. Como a mente deles é transparente, eles imaginam que nós já sabemos o que estão pensando.

Embora não estivesse convencido, Luo Ji partilhava da mesma sensação de Shi Xiaoming, como se o sol tivesse nascido mais cedo lá fora. Quando o sol subiu de verdade, os festejos atingiram o clímax. Aquele não passava de um pequeno recanto do mundo, e o grosso da celebração aconteceu nas cidades subterrâneas, onde as pessoas saíram de suas árvores e encheram as ruas e praças, aumentando ao máximo o brilho de suas roupas para formar um intenso mar de luz. Fogos de artifício virtuais desabrocharam no domo acima das multidões, e às vezes uma explosão de cor preenchia o céu todo e produzia um esplendor comparável ao sol.

As notícias continuavam chegando. A princípio, os governos se mostravam cautelosos, e os porta-vozes declararam inúmeras vezes que não havia nenhuma indicação concreta de que Trissolaris pretendia mesmo negociar. Apesar disso, ao mesmo tempo, a ONU e a CCFS convocaram uma reunião de emergência para formular estratégias e termos para as negociações...

No Vilarejo Vida Nova 5, os festejos foram interrompidos por um breve interlúdio: um parlamentar da cidade chegou para fazer um discurso, acompanhado de sua equipe. Defensor ferrenho de algo chamado Projeto Luz do Sol, ele quis aproveitar a oportunidade para conquistar o apoio da comunidade de hibernantes.

Proposto pela ONU, o Projeto Luz do Sol tinha como maior motivação a concessão de espaço para os Trissolarianos no sistema solar, em caso de vitória da humanidade na Batalha do Fim dos Tempos. Havia diversas versões do projeto. O Plano de Sobrevivência Fraca demarcava reservas trissolarianas em Plutão e Caronte, assim como nas luas de Netuno, mas só seriam aceitos os tripulantes das naves derrotadas de Trissolaris. As condições de vida nessas reservas seriam péssimas, e os trissolarianos dependeriam de energia de fusão e da ajuda da humanidade para se manter. Já o Plano de Sobrevivência Forte cederia Marte como refúgio trissolariano e, com o tempo, admitiria todos os imigrantes de Trissolaris, além dos tripulantes da frota. Esse plano proporcionaria à civilização trissolariana as melhores condições de vida do sistema solar fora da Terra. As outras versões eram meios-termos entre essas duas, embora houvesse também algumas ideias mais extremas, como aceitar trissolarianos na sociedade da Terra. O Projeto Luz do Sol tinha conquistado amplo apoio da Terra Internacional e da Frota Internacional, e já havia estudos preliminares e planos em curso, com pressão de muitas organizações intergovernamentais em ambas as frentes Internacionais. No entanto, o projeto encontrava forte resistência na comunidade de hibernantes, que chegaram até a cunhar um termo para seus defensores: "Dongguo", em homenagem ao erudito emotivo que salvou a vida de um lobo na fábula.*

* Na fábula "O lobo de Zhongshan", atribuída ao escritor Ma Zhongxi, da dinastia Ming, o Mestre Dongguo, um estudioso erudito, fica com pena de um lobo faminto que está sendo caçado e esconde o animal em um saco, até os caçadores irem embora. Quando liberta o lobo, o animal ameaça comê-lo, mas é convencido a levar a disputa a um fazendeiro idoso, que faria as vezes

Assim que o parlamentar começou seu discurso, o público desatou a vaiar e a jogar tomates.

— Eu gostaria de lembrar a todos — disse o orador, tentando se desviar de um tomate —, que vivemos em uma era humanitária após o Segundo Renascimento. A vida e a civilização de todas as raças são dignas de respeito máximo. Vocês por acaso não estão se banhando na luz desta era? Os hibernantes desfrutam de cidadania plena na sociedade moderna, em absoluta igualdade e sem qualquer discriminação. Embora esse princípio seja reconhecido pela Constituição, ele existe sobretudo no coração de cada indivíduo. Com certeza vocês todos compreendem isso. Trissolaris também é uma grande civilização, e a sociedade humana precisa aceitar que os trissolarianos têm o direito de existir. O Projeto Luz do Sol não é caridade, e sim um ato de reconhecimento e uma expressão do próprio valor da humanidade! Se nós... Ei, idiotas! Trabalhem direito!

A última frase do parlamentar foi dirigida à sua equipe, que se esforçava para recolher os tomates caídos no chão — afinal, os frutos eram caríssimos na cidade subterrânea. Quando os hibernantes presenciaram a cena, começaram a jogar também pepinos e batatas no palanque, e assim o pequeno mal-estar se transformou em divertimento mútuo.

Ao meio-dia, todos os lares fizeram um banquete. No gramado, uma suntuosa variedade de produtos agrícolas orgânicos foi oferecida aos habitantes da cidade que haviam participado da diversão, incluindo o parlamentar Dongguo e sua comitiva. As festividades seguiram regadas por toda a tarde até o pôr do sol, que naquele dia foi extraordinariamente bonito. As planícies de areia em volta do vilarejo pareciam um delicado lençol sob o laranja-avermelhado do sol, e os contornos suaves das dunas lembravam o corpo de mulheres adormecidas...

À noite, uma notícia aumentou ainda mais o entusiasmo das pessoas: a Frota Internacional havia decidido combinar as belonaves estelares da Frota Asiática, da Frota Europeia e da Frota Norte-Americana em uma frota única de duas mil e quinze naves, para zarpar ao mesmo tempo e interceptar a sonda trissolariana na órbita de Netuno! A informação provocou um clímax renovado nos festejos, e o céu noturno se encheu de fogos de artifício. Contudo, ela também inspirou um pouco de desdém e sarcasmo.

— Vão mobilizar duas mil naves por causa de uma sonda minúscula?

— Seria como usar duas mil facas para matar um frango!

— Pois é! Dois mil canhões para acertar um mosquito! Não é tão difícil!

---

de mediador. Ao ser informado da situação, o fazendeiro argumenta que o lobo jamais caberia no saco. Para provar o contrário, o lobo entra de novo, e então o fazendeiro amarra a boca do saco e mata o lobo a enxadadas.

— Ei, pessoal, a gente devia ver pelo lado da Frota Internacional. Talvez seja a única oportunidade que eles terão de combater Trissolaris.

— Verdade. Se é que dá para chamar isso de combate.

— Tudo bem. Basta pensar nisso como um desfile militar para a humanidade. Vamos ver do que essa superfrota é capaz. Os trissolarianos vão morrer de medo! Vão ficar tão assustados que não conseguirão nem urinar. Se é que urinam.

Foram muitos risos.

Perto da meia-noite, mais notícias: a frota combinada havia partido da base em Júpiter! O noticiário anunciou aos espectadores que a frota era visível a olho nu no sul do céu. O clima de festa então diminuiu pela primeira vez, e as pessoas procuraram Júpiter no céu. Embora não tenha sido fácil, graças à orientação do especialista da TV as pessoas encontraram o planeta a sudoeste. A essa altura, a luz da frota combinada se deslocava na direção da Terra por uma distância de cinco unidades astronômicas. Quarenta e cinco minutos depois, o brilho de Júpiter aumentou de repente, superando rapidamente Sirius até se tornar o objeto mais luminoso no céu noturno. Depois, uma estrela brilhante se separou de Júpiter, como uma alma que sai de um corpo. O planeta retomou o brilho original, e a estrela se afastou devagar. Esse foi o lançamento da frota combinada.

Praticamente ao mesmo tempo, imagens ao vivo da base de Júpiter chegaram à Terra. Na televisão, os telespectadores observaram o surgimento súbito de dois mil sóis nas trevas do espaço. Visão deslumbrante em meio à noite eterna do espaço, a formação perfeitamente retangular fez todo mundo pensar na mesma coisa: *E disse Deus, haja luz, e houve luz.* Diante da luz daqueles dois mil sóis, parecia que Júpiter e suas luas estavam pegando fogo. A atmosfera do planeta, ionizada pela radiação, produziu relâmpagos por todo o hemisfério voltado para a frota e cobriu a superfície com um gigantesco manto de luminosidade elétrica. A frota acelerou sem romper a formação — um muro imenso que bloqueava o sol — e seguiu em seu avanço imponente pelo espaço com a força de uma tempestade, declarando ao universo a dignidade e a invencibilidade da raça humana. O espírito da humanidade, reprimido desde a primeira aparição da Frota Trissolariana dois séculos antes, finalmente encontrava libertação total. Nesse instante, todas as estrelas da galáxia contiveram humildemente a própria luz, e a Humanidade e Deus deram juntos um passo orgulhoso rumo ao universo.

O povo chorou e celebrou, e muitas pessoas soltaram brados altos e emocionados. Nunca antes na história aconteceu momento semelhante, em que cada indivíduo sentia felicidade e orgulho por pertencer à raça humana.

Ainda assim, houve aqueles que mantiveram o juízo. Luo Ji foi um. Ao examinar a multidão, ele reparou que mais alguém continuava calmo: Shi Qiang estava sozinho, recostado na lateral de uma televisão holográfica gigante, fumando um cigarro e observando com indiferença as pessoas na festa.

Luo Ji se aproximou dele.

— O que você... — perguntou.

— Ah, oi, meu amigo. Tenho um dever a cumprir. — Ele indicou a multidão em frenesi. — Alegria extrema pode se transformar em sofrimento com muita facilidade, e agora é o melhor momento para alguma tragédia acontecer. Como durante o discurso do sr. Dongguo hoje cedo. Se eu não tivesse pensado nos tomates na hora certa, as pessoas teriam usado pedras.

Shi Qiang havia sido efetivado recentemente chefe de polícia do Vilarejo Vida Nova 5. Para a comunidade de hibernantes, causou certa estranheza a nomeação de um sujeito da Frota Asiática, alguém que não era mais cidadão chinês, para um cargo oficial do governo. Porém, o trabalho de Shi Qiang tinha sido elogiado por todos na comunidade.

— Além do mais, não sou do tipo que se deixa levar pela empolgação — continuou ele, colocando as mãos nos ombros de Luo Ji. — E você também não, meu amigo.

— Não, não sou. — Luo Ji assentiu com a cabeça. — Sempre preferi viver um dia de cada vez. O futuro não era nada para mim, ainda que por um tempo eu tenha sido obrigado a virar um messias. Talvez meu estado atual seja uma forma de compensar pelos danos que isso causou. Vou me deitar. Acredite se quiser, Da Shi, mas hoje à noite eu realmente vou conseguir dormir.

— Vá ver seu colega. Ele acabou de chegar. A vitória da humanidade talvez não seja algo bom para ele.

Luo Ji ficou ligeiramente abalado pelo comentário. Ao olhar para o homem que Shi Qiang apontava, percebeu com surpresa que se tratava da antiga Barreira Bill Hines. O rosto do britânico estava pálido, e ele parecia em transe. Não estava muito longe de Shi Qiang e acabara de reparar em Luo Ji. Quando os dois trocaram um abraço, Luo Ji teve a impressão de que o corpo de Hines estremeceu de fraqueza.

— Eu estava procurando você — disse ele para Luo Ji. — Só nós dois, o lixo da história, podemos entender um ao outro. Só que agora acho que nem você consegue me entender.

— E Keiko Yamasuki?

— Lembra a Sala de Meditação no Edifício da Assembleia Geral da ONU? — perguntou Hines. — Estava sempre vazia. Os turistas só iam lá de vez em quando... Lembra aquele bloco de minério de ferro? Ela cometeu haraquiri em cima dele.

— Ah...

— Antes de morrer, ela me amaldiçoou, falou que minha vida seria pior que a morte, já que estou marcado com o selo mental do derrotismo diante da vitória da humanidade. Ela tinha razão. Estou sofrendo muito agora. Claro que estou feliz com a vitória, mas para mim é impossível acreditar nisso. É como se dois gladiadores estivessem lutando dentro da minha cabeça. É muito mais difícil acreditar na vitória do que tentar acreditar que a água é potável.

Depois que ele e Shi Qiang arranjaram um quarto para Hines, Luo Ji voltou para seu próprio quarto e logo adormeceu. Sonhou de novo com Zhuang Yan e a filha. Quando acordou, o sol brilhava pela janela e os festejos continuavam do lado de fora.

A *Seleção Natural* voava a um por cento da velocidade da luz em uma rota entre Júpiter e a órbita de Saturno. Atrás da nave, o Sol estava pequeno, mas ainda era a estrela mais luminosa; à frente, a Via Láctea reluzia com um brilho ainda maior. A nave estava seguindo mais ou menos na direção da constelação de Cisne, mas, na escala do espaço sideral, a velocidade era imperceptível. Para alguém de fora, a *Seleção Natural* pareceria suspensa no espaço. Na verdade, até de dentro parecia que todo movimento do universo fora eliminado e que a nave se encontrava estagnada, entre a Via Láctea e o Sol. O tempo parecia paralisado.

— Você fracassou — disse Dongfang Yanxu para Zhang Beihai.

Com exceção dos dois, toda a tripulação da nave continuava em estado de mar profundo. Zhang Beihai seguia trancado dentro do compartimento esférico, e Dongfang Yanxu, impedida de entrar, precisava falar com ele pelo sistema de comunicação. Pelo segmento ainda transparente da antepara, ela via que o responsável por roubar a belonave mais poderosa da humanidade flutuava com tranquilidade no centro do compartimento, de cabeça baixa, escrevendo com atenção em um caderno. Diante dele, uma interface indicava que a nave estava armada para entrar em Avante Quatro, à espera apenas do toque de um botão. Zhang Beihai estava cercado por várias bolas de fluido de aceleração em mar profundo, que ainda não havia sido escoado. Seu uniforme secara, mas estava amarrotado e fazia Zhang Beihai parecer muito mais velho.

Ele ignorou o comentário de Dongfang e continuou escrevendo, cabisbaixo.

— A força em perseguição está a apenas 1,2 milhão de quilômetros da *Seleção Natural* — insistiu ela.

— Eu sei — respondeu ele, sem tirar os olhos do caderno. — Foi uma decisão sábia manter a nave toda em estado de mar profundo.

— Não podia ser diferente. Caso contrário, oficiais e soldados teriam atacado esta cabine. E, se você pusesse a *Seleção Natural* em Avante Quatro de uma hora para outra, todo mundo teria morrido. Por causa da tripulação da nave, os perseguidores ainda não se aproximaram.

Ele não falou nada. Virou uma folha do caderno e continuou escrevendo.

— Você não faria isso, não é? — perguntou ela, em voz baixa.

— Você nunca imaginou que eu faria o que estou fazendo agora. — Ele ficou em silêncio por alguns segundos e depois acrescentou: — As pessoas da minha época têm um jeito próprio de pensar.

— Mas nós não somos inimigos.

— Não existem inimigos ou camaradas permanentes. Apenas o dever é permanente.

— Então seu pessimismo quanto à guerra não tem qualquer fundamento. Trissolaris acabou de mostrar sinais de que deseja negociar, e a Frota Solar combinada partiu para interceptar a sonda trissolariana. A guerra vai terminar com a vitória da humanidade.

— Eu vi a notícia...

— E ainda persiste em seu derrotismo e Escapismo?

— Sim.

Ela balançou a cabeça, frustrada.

— Seu jeito de pensar é mesmo diferente do nosso. Por exemplo, você sabia desde o início que seu plano não teria sucesso, porque a *Seleção Natural* está com apenas um quinto de combustível e com certeza será capturada.

Ele soltou o lápis e olhou para ela de dentro da cabine. Seus olhos estavam plácidos como um lago.

— Nós todos somos soldados, mas você sabe qual é a maior diferença entre os soldados do meu tempo e os de hoje? Vocês determinam suas ações com base nos resultados possíveis. Já para nós o dever precisa ser cumprido independentemente do resultado. Aquela seria minha única chance, então aproveitei.

— Você está dizendo isso para se consolar.

— Não. Essa é a minha natureza. Não espero que você compreenda, Dongfang. Afinal, dois séculos nos separam.

— Agora que você já cumpriu seu dever e que sua iniciativa escapista não tem futuro, renda-se.

Zhang Beihai sorriu para ela e voltou a escrever.

— Ainda não é hora. Preciso escrever o que vivenciei. Tudo o que aconteceu entre esses dois séculos deve ser registrado, para que possa servir de auxílio a algumas pessoas sensatas nos próximos dois séculos.

— Você pode ditar para o computador.

— Negativo. Estou acostumado a escrever à mão. Papel dura mais que computador. Não se preocupe. Assumirei toda a responsabilidade.

* * *

Ding Yi olhou pela escotilha larga da *Quantum*. Embora a tela holográfica da cabine esférica proporcionasse uma imagem melhor, ele ainda gostava de ver as coisas com os próprios olhos. E o que viu foi que estava em um plano imenso formado por dois mil sóis deslumbrantes cuja luz parecia incendiar seus cabelos brancos. Embora tivesse se acostumado com aquela paisagem nos dias que se seguiram ao lançamento da frota combinada, a vastidão continuava lhe provocando certo abalo sempre que a contemplava. A frota não havia estabelecido aquela formação apenas como demonstração de força ou imponência. Se estivessem organizadas em colunas alternadas, como era tradicional na Marinha, a radiação produzida pelo motor de cada belonave afetaria as naves nas fileiras de trás. Na formação retangular, havia um intervalo de cerca de vinte quilômetros entre as naves: embora fossem em média três ou quatro vezes maiores do que um porta-aviões naval, a essa distância não passavam de pontos, e apenas o brilho de seus motores por fusão denunciava sua existência no espaço.

A frota combinada estava em formação densa, só usada em ocasiões específicas. Em uma formação de cruzeiro normal, o certo seria um intervalo de mais ou menos trezentos ou quinhentos quilômetros entre as naves, então a distância de vinte quilômetros era quase como navegar de casco colado no mar. Diversos almirantes das três frotas discordaram dessa estratégia, mas uma formação convencional apresentaria duas questões delicadas. A primeira: deveria ser respeitado o princípio de igualdade em relação à oportunidade de combate. Se a sonda fosse recebida por uma formação normal, as naves mais periféricas ficariam a dezenas de milhares de quilômetros do alvo no momento em que a frota atingisse distância mínima. Se houvesse conflito durante a interceptação, talvez boa quantidade de naves não tivesse participação durante o embate, restando para elas apenas um eterno ressentimento nos livros de história. No entanto, as três frotas também não podiam se dividir em suas próprias subformações, porque seria impossível coordenar quem ocuparia a posição mais vantajosa na formação geral. A segunda: a Frota Internacional e as Nações Unidas queriam um cenário extasiante, não para se exibir diante dos trissolarianos, mas para oferecer um espetáculo ao público. O impacto visual carregava uma importância política enorme para as duas organizações. Como a força principal do inimigo ainda se encontrava a dois anos-luz de distância, sem dúvida a formação densa não estava em perigo.

A *Quantum* estava em um canto da formação, de modo que Ding Yi conseguia enxergar a maior parte da frota. Quando as naves atravessaram a órbita de Saturno, todos os motores por fusão foram virados para a frente, e a frota começou a desacelerar. Agora, conforme a frota se aproximava da sonda trissolariana, a velocidade era negativa — ela estava avançando na direção do Sol à medida que a distância até o alvo diminuía.

Ding Yi pôs um cachimbo nos lábios. Como não havia fumo na nova era, ele sugava um cachimbo vazio, cujo aroma de tabaco era um resquício fraco e indefinido, como uma lembrança do passado.

Fazia sete anos que ele havia sido despertado e, desde então, trabalhara como professor no Departamento de Física da Universidade de Beijing. Um ano antes, solicitara que a frota o enviasse como um dos encarregados de examinar a sonda trissolariana de perto, quando ela fosse interceptada. Apesar do grande renome de Ding Yi, sua solicitação foi recusada, então ele declarou que se mataria na frente dos comandantes das três frotas, se não mudassem de ideia. Eles avisaram que pensariam a respeito. Na realidade, a escolha da primeira pessoa a estabelecer comunicação com a sonda era um problema espinhoso, pois o primeiro contato com a sonda seria o primeiro contato com Trissolaris. De acordo com o princípio de igualdade aplicado à interceptação, nenhuma das três frotas poderia ser a única a receber essa honraria, mas o envio de um representante de cada traria problemas operacionais e talvez complicasse a situação. Por isso, a missão precisava ser realizada por alguém que não fizesse parte da Frota Internacional. Ding Yi, obviamente, era o candidato mais adequado, embora por trás da eventual aprovação de seu pedido houvesse outro motivo não declarado: a Frota Internacional e a Terra Internacional não acreditavam que conseguiriam capturar a sonda, porque era quase certo que ela se autodestruiria durante ou após a interceptação. Antes disso, seria crucial realizar observações e contatos de perto, para se obter a maior quantidade possível de informações. Como responsável pelo descobrimento do macroátomo e pela invenção da fusão controlada, o experiente físico tinha capacitação total. No entanto, Ding Yi era independente e, aos oitenta e três anos de idade, dispunha de um currículo inigualável que lhe conferia autoridade para fazer o que bem entendesse.

Na última reunião de comando da *Quantum* antes do início da operação de interceptação, Ding Yi viu uma imagem da sonda trissolariana. Três naves de monitoramento haviam sido enviadas pelas três frotas para substituir a *Sombra Azul* da Terra Internacional. Essas naves tinham captado uma imagem do alvo a quinhentos quilômetros de distância, o mais perto que qualquer embarcação humana já havia chegado da sonda, e confirmado o tamanho esperado: 3,5 metros de comprimento. Quando Ding Yi viu a sonda, pensou o mesmo que todo mundo: parecia uma gota de mercúrio. Ela tinha um formato perfeito de lágrima, com cabeça redonda, cauda pontuda e uma superfície tão lisa que era completamente reflexiva. A Via Láctea aparecia refletida como uma estampa delicada de luz que conferia à gota de mercúrio uma beleza singular. O formato de gota era tão natural que todo observador imaginava que a sonda estava em estado líquido, o que impossibilitaria qualquer estrutura interna. Ding Yi permaneceu em silêncio após ver a imagem da sonda e não falou durante a reunião. Estava com uma expressão soturna.

— Mestre Ding, parece que o senhor está pensativo — disse o comandante.

— Não estou com bom pressentimento — respondeu ele em voz baixa, apontando para a sonda holográfica com o cachimbo.

— Por quê? Parece uma obra de arte inofensiva — comentou um oficial.

— Justamente por isso não estou com bom pressentimento — rebateu Ding Yi, balançando a cabeça grisalha. — Parece uma obra de arte, não uma sonda interestelar. Quando surge algo tão diferente assim do nosso conceito mental, bom sinal não deve ser.

— É peculiar. A superfície é completamente fechada. Cadê o exaustor do motor?

— E, apesar disso, o motor se acende, como nós já observamos. Quando a sonda se apagou pela segunda vez, a *Sombra Azul* não estava perto o bastante para captar uma imagem, então não sabemos de onde vinha a luz.

— Qual é a massa do alvo? — perguntou Ding Yi.

— Não temos um valor exato no momento. A partir de medições com instrumentos gravitacionais de alta precisão, estimamos que seja de menos de dez toneladas.

— Então pelo menos não é algo feito de matéria extraída de uma estrela de nêutrons.

O comandante encerrou a discussão dos oficiais e deu seguimento à reunião.

— Mestre Ding — disse ele —, a frota planejou sua visita da seguinte forma: depois que a nave não tripulada concluir a captura do alvo e conduzir um período de observação, se não houver nenhum imprevisto, o senhor usará um transporte para entrar na nave de captura e conduzir de perto a observação da sonda. Só poderá permanecer lá por quinze minutos, no máximo. Esta é a capitã de corveta Xizi, a representante da Frota Asiática que acompanhará o senhor durante sua análise.

Uma jovem oficial prestou continência para Ding Yi. Como as outras mulheres da frota, ela era alta e esbelta, o exemplo perfeito da Nova Humanidade Espacial.

Após uma breve olhada para a capitã, Ding Yi se virou para o comandante.

— Por que precisa ir alguém mais? Não posso ir sozinho?

— Claro que não. O senhor não está familiarizado com o ambiente espacial e precisará de auxílio durante todo o processo.

— Nesse caso, é melhor eu não ir. Existe mesmo a necessidade de que alguém me acompanhe... — Ele se interrompeu antes de dizer “para a morte”.

— Mestre Ding, essa viagem representa perigo, claro, mas não um perigo grave — ponderou o comandante. — Se a sonda se autodestruir, isso provavelmente vai acontecer durante a interceptação. Existe uma possibilidade muito reduzida de que ela se autodestrua duas horas depois, contanto que a análise não utilize instrumentos agressivos.

Na verdade, a principal razão para a Terra Internacional e a Frota Internacional decidirem enviar um ser humano até a sonda não era para uma inspeção. Quando o mundo viu a sonda pela primeira vez, todos ficaram fascinados pelo exterior magnífico. A gota de mercúrio era lindíssima, uma forma extremamente simples, mas produzida com extraordinária maestria. Cada ponto de sua superfície parecia perfeitamente posicionado, e ela tinha um elegante dinamismo, como se a cada instante gotejasse sem parar na noite cósmica, inspirando a sensação de que artistas humanos, mesmo se tentassem criar a forma mais lisa possível, jamais conseguiriam chegar perto daquilo. A sonda transcendia toda e qualquer possibilidade. Nem na República de Platão havia uma forma tão perfeita: mais reta que a linha mais reta, mais circular que um círculo perfeito, um golfinho espelhado que saltava de um mar de sonhos, a cristalização de todo o amor do universo... Como a beleza sempre foi associada ao bem, se de fato havia alguma separação entre o bem e o mal no universo, aquele objeto só poderia pertencer ao lado do bem.

Assim, logo surgiu uma hipótese: o objeto talvez nem fosse uma sonda. Observações posteriores confirmaram essa hipótese, de certa forma. A princípio, as pessoas perceberam a superfície externa, o extraordinário acabamento liso que fazia com que a sonda fosse completamente reflexiva. A frota realizou um experimento no alvo com uma grande quantidade de equipamentos de monitoração: a superfície toda foi irradiada com ondas eletromagnéticas de alta frequência e comprimentos variados, e a refletância foi medida. Para espanto geral, descobriu-se que em todas as frequências, inclusive a luz visível, a reflexão era de praticamente cem por cento. Não se detectou nenhuma absorção, o que indicava que a sonda não era capaz de detectar nenhuma onda de alta frequência — ou, em termos leigos, que ela era cega. Um objeto cego devia trazer algum significado especial. A suposição mais razoável era de que se tratava de um gesto de boa-fé de Trissolaris para com a humanidade, expresso pelo design não funcional e pela beleza da forma. Uma demonstração genuína do desejo de paz.

Desse modo, a sonda recebeu um nome novo em homenagem à forma: "gota". Tanto na Terra quanto em Trissolaris, a água era a origem da vida e um símbolo de paz.

A opinião pública insistia em que devia ser enviada uma delegação formal para fazer contato com a gota, em vez de uma expedição composta por um físico e três oficiais comuns. No entanto, após cuidadosa reflexão, a Frota Internacional decidiu manter o plano original.

— Vocês não podiam pelo menos mandar outra pessoa? Deixar que esta moça... — disse Ding Yi, apontando para Xizi.

Xizi sorriu.

— Mestre Ding, eu sou a oficial científica da *Quantum*. Sou a responsável por expedições científicas fora da nave em todas as nossas viagens. É meu dever.

— Além do mais, metade da frota é composta por mulheres — lembrou o comandante. — O senhor será acompanhado por mais duas pessoas, oficiais científicos da Frota Europeia e da Frota Norte-Americana. Eles se apresentarão em breve. Mestre Ding, gostaria de reforçar: conforme a decisão da CCFS, o senhor será o primeiro a fazer contato direto com o alvo. Só depois é que os outros poderão tocar a sonda.

— Inútil. — Ding Yi balançou a cabeça outra vez. — A humanidade não mudou nada. Continua tão ansiosa para satisfazer a própria vaidade... Bem, mas não se preocupem: vou fazer o que vocês quiserem. Só pretendo dar uma olhada, só isso. Meu interesse é pela teoria por trás dessa supertecnologia. Receio apenas que esta vida seja... hum.

O comandante flutuou até Ding Yi.

— Mestre Ding — falou ele, preocupado —, o senhor pode ir descansar. Como a interceptação começará em breve, o senhor deve poupar as energias antes de partir na expedição.

Ding Yi olhou para o comandante. Por um instante, não se deu conta de que a reunião continuaria assim que ele saísse. Depois, voltou a olhar para a imagem da gota e reparou que a cabeça redonda refletia uma fileira regular de luzes que aos poucos se deformava, à medida que se aproximava da parte traseira e se mesclava em uma estampa refletida da Via Láctea. Aquilo era a frota. Ele encarou outra vez os oficiais da *Quantum* que flutuavam à sua frente, todos muito jovens: pareciam nobres e perfeitos, do comandante aos subordinados, e traziam no olhar um brilho de sabedoria divina, mas eram apenas crianças. A luz da frota que entrava pelas escotilhas auto-obscurecidas estava colorida com o dourado de um entardecer, banhando todos em ouro. Atrás deles, a imagem flutuante da gota parecia um símbolo prateado sobrenatural, dando ao ambiente um aspecto maravilhoso e transcendental, e transformando os presentes em deuses no topo do monte Olimpo... Uma sensação profunda brotou dentro de Ding Yi, que se agitou.

— Mestre Ding, o senhor gostaria de acrescentar alguma coisa? — quis saber o comandante.

— Hum, eu gostaria de dizer... — Ele mexeu as mãos de maneira aleatória e soltou o cachimbo no ar. — Eu gostaria de dizer que vocês, crianças, me trataram muito bem ao longo dos últimos dias...

— O senhor é o homem que nós mais admiramos — comentou um imediato.

— Ah... então eu gostaria de acrescentar algumas coisas. Não passa de... besteira de um velho bobo. Vocês não precisam levar a sério. De qualquer maneira, como eu vi dois séculos, vivi um pouco mais do que vocês, crianças... Claro, vocês não precisam levar a sério minhas palavras, mas...

— Mestre Ding, se o senhor quer dizer algo, fique à vontade. Temos muito respeito pelo senhor.

Ding Yi assentiu devagar com a cabeça. Então, apontou para cima.

— Se esta nave precisar acelerar com potência máxima, toda a tripulação vai precisar... mergulhar em um líquido.

— Exatamente. Em estado de mar profundo.

— Isso. Estado de mar profundo. — Ding Yi hesitou outra vez e ficou ruminando por um tempo, antes de decidir continuar. — Quando sairmos para realizar a análise, será que esta nave... hum, a *Quantum*... pode entrar em estado de mar profundo?

Os oficiais trocaram um olhar, surpresos.

— Por quê? — perguntou o comandante.

Ding Yi começou a agitar as mãos de novo. Seu cabelo branco brilhava à luz da frota. Como alguém havia observado quando o físico embarcou, ele lembrava bastante Einstein.

— Hum... bem, de qualquer forma, não custa nada, certo? Sabem, não estou com bom pressentimento.

Ele ficou em silêncio depois dessas palavras, com o olhar perdido na distância infinita. Por fim, estendeu a mão, pegou o cachimbo do ar e guardou no bolso. Sem se despedir, mexeu sem jeito no cinto supercondutor para flutuar na direção da porta, enquanto os oficiais o observavam.

Quando estava quase saindo, ele se virou.

— Crianças, vocês sabem o que venho fazendo esses anos todos? Ministrando aulas de física na universidade e orientando teses de doutorado. — Ele olhou para a galáxia, esboçando um sorriso misterioso... e os oficiais repararam que o sorriso tinha uma pontada de tristeza. — Crianças, um homem de dois séculos atrás ainda consegue ensinar física em uma universidade nos dias de hoje.

Ao terminar essas palavras, ele se virou e saiu.

O comandante sabia que deveria dizer algo. No entanto, agora que Ding Yi havia se retirado, as palavras não saíram, e ele continuou mergulhado em pensamentos. Alguns oficiais olharam para a gota, mas a maioria encarava o comandante.

— Comandante, o senhor não pretende levar isso a sério, não é? — perguntou um tenente.

— Embora seja um cientista sábio, ele ainda é um homem antiquado — acrescentou outra pessoa. — Suas ideias sobre questões modernas são sempre...

— Só não se esqueçam de que, na área dele, a humanidade não realizou nenhum avanço. Continuamos reféns de dois séculos atrás.

— Ele estava falando de intuição. Talvez a intuição dele tenha descoberto algo — sugeriu um oficial, cheio de admiração na voz.

— Além do mais... — soltou Xizi.

Entretanto, ao ver os oficiais de patente superior à sua volta, ela engoliu o resto das palavras.

— Por favor, capitã, continue — pediu o comandante.

— Além do mais, como ele falou, não custa nada — concluiu ela.

— Pense por este lado. De acordo com os planos de combate atuais — disse um imediato —, se a operação de captura for malsucedida e a gota fugir de repente, a frota só poderá enviar caças para a perseguição. Só tem um detalhe: para uma perseguição de longo alcance, é preciso uma nave estelar, então é importante que a frota tenha algumas belonaves preparadas. Foi um descuido do plano original.

— Apresente um relatório à frota — decretou o comandante.

A aprovação da frota chegou rápido. Quando a equipe de análise estivesse a caminho da sonda, a *Quantum* e a *Era de Bronze*, a nave estelar ao seu lado, entrariam em estado de mar profundo.

Para a operação de captura da gota, a formação combinada manteve uma distância de mil quilômetros do alvo, valor decidido após rigorosos cálculos. Havia inúmeras hipóteses quanto à maneira como a gota podia se autodestruir, mas a descarga máxima de energia se daria em caso de autodestruição por aniquilação de antimatéria. Como a gota tinha menos de dez toneladas de massa, a descarga máxima de energia possível seria o resultado da aniquilação de cinco toneladas de antimatéria com cinco de matéria. Se ocorresse na Terra, uma aniquilação dessas bastaria para destruir toda a vida na superfície do planeta. No entanto, no espaço, a energia seria emitida toda em forma de luz, de modo que, para as belonaves estelares, com super-resistência antirradiação, mil quilômetros representavam uma margem de segurança eficiente.

A captura seria realizada pela *Mantis*, uma pequena nave não tripulada que antes era usada para coletar amostras minerais no cinturão de asteroides. Seu recurso mais importante era um braço robótico extralongo.

No início da operação, a *Mantis* percorreu a linha de quinhentos quilômetros mantida pela nave de monitoramento anterior e se aproximou com cuidado do alvo, voando devagar e parando por alguns minutos a cada cinquenta quilômetros, para que o potente sistema onidirecional de vigilância atrás de si fizesse uma análise completa do alvo. A *Mantis* só avançava após confirmar que não havia nenhuma anomalia.

A mil quilômetros do alvo, a frota combinada havia se equiparado à velocidade da gota. A maioria das belonaves desativara seus motores por fusão e começara a pairar em silêncio pelo abismo do espaço, refletindo a débil luz do Sol em seus gigantescos cascos metálicos. A frota inteira parecia um conjunto de cidades espaciais abandonadas, uma Stonehenge pré-histórica e silenciosa. Todos na frota, 1,2 milhão de pessoas, prenderam a respiração ao acompanhar a curta viagem da *Mantis*.

As imagens vistas pela frota viajaram na velocidade da luz durante três horas até alcançar a Terra, onde foram transmitidas para três bilhões de pessoas, que também estavam prendendo a respiração. O mundo humano tinha parado. Não havia nenhum carro voador entre as árvores gigantes, e as metrópoles subterrâneas estavam mergulhadas em silêncio. Até a rede global de informações, acessada incessantemente desde o nascimento três séculos antes, se esvaziou. A maior parte dos dados transmitidos era composta por imagens captadas a vinte unidades astronômicas de distância.

Com seu avanço intermitente, a *Mantis* levou meia hora para percorrer uma distância que no espaço era só um pulo. Por fim, a pequena nave não tripulada se deteve a cinquenta metros do alvo. Agora, o reflexo distorcido da *Mantis* era claramente visível na superfície de mercúrio da gota. Os inúmeros instrumentos da nave começaram uma análise de curto alcance e logo confirmaram observações anteriores: a temperatura da superfície da gota era ainda menor do que a do espaço à sua volta, próxima do zero absoluto. Os cientistas tinham conjecturado que havia algum sistema de resfriamento potente dentro da gota, mas os instrumentos da *Mantis* ainda não conseguiam detectar nada da estrutura interna do alvo.

A *Mantis* estendeu o braço robótico extralongo na direção do alvo, avançando aos poucos pela distância de cinquenta metros. No entanto, o potente sistema de monitoramento da nave não captou nenhuma anomalia. O vagaroso processo demorou meia hora, até que finalmente a ponta do braço alcançou a posição do alvo e encostou naquele objeto que havia chegado de uma viagem de quase dois séculos pelo espaço, desde um lugar a quatro anos-luz dali. Quando os seis dedos do braço robótico enfim seguraram a gota, todos os corações na frota bateram em uníssono e, três horas depois, o mesmo aconteceu com todos os corações na Terra.

Após prender a gota, o braço mecânico ficou imóvel, aguardando. Como após dez minutos o alvo continuou sem apresentar qualquer reação ou anomalia, a *Mantis* começou a recolhê-lo. Nesse momento, as pessoas perceberam um contraste peculiar. O braço mecânico obviamente fora projetado para ser funcional, com uma estrutura de aço ríspida e sistemas hidráulicos expostos, que passavam uma impressão de tecnologia complicada e industrialismo grosseiro. Já a gota tinha uma forma perfeita, um líquido sólido, cintilante e liso, cuja extraordinária beleza eliminava todo e qualquer conceito funcional e técnico, expressando a leveza e o desapego da filosofia e da arte. A garra de aço do braço robótico segurava a gota da mesma forma que a mão peluda de um australopiteco seguraria uma pérola. A gota parecia tão frágil — como o revestimento de vidro de uma garrafa térmica no espaço — que todos temeram o pior: que ela fosse se quebrar na garra. Porém, não aconteceu nada, e o braço robótico começou a se retrair.

Levou mais meia hora até o braço terminar de se retrair e puxar a gota para dentro do compartimento principal da *Mantis*. Em seguida, as duas anteparas se fecharam devagar. Se o alvo fosse se autodestruir, aquele seria o momento mais provável. A frota e a Terra aguardaram em silêncio, como se pelo silêncio todos fossem capazes de escutar o som do tempo atravessando o espaço.

Duas horas depois, nada aconteceu.

Se a gota fosse uma sonda militar, sem dúvida teria se autodestruído ao cair nas mãos do inimigo. Ora, como a destruição não havia acontecido, estava comprovado o que as pessoas sempre tinham imaginado: aquilo era um presente de Trissolaris para a humanidade, um símbolo de paz enviado pela misteriosa forma de expressão daquela civilização.

O mundo voltou a estourar de alegria. Os festejos não foram tão intensos e desregrados quanto da outra vez, porque a vitória da humanidade e o fim da guerra já não eram novidade para ninguém. Mesmo no pior dos cenários — em caso de fracasso das iminentes negociações e de continuação da guerra —, a humanidade ainda acabaria vitoriosa. A presença da frota combinada no espaço dera às massas uma impressão visual do poderio humano, e a Terra agora acalentava a confiança tranquila de que podia fazer frente a qualquer inimigo.

Com a chegada da gota, as pessoas passaram a mudar de ideia a respeito de Trissolaris. Cada vez mais gente admitia que a raça que marchava rumo ao sistema solar era uma grande civilização, que resistira a duzentas e tantas catástrofes com uma tenacidade inacreditável. O único propósito daquela árdua jornada de quatro anos-luz pela vastidão do espaço era encontrar uma estrela estável, um lar onde os trissolarianos pudessem existir... O sentimento geral em relação a Trissolaris foi mudando da hostilidade e do ódio para empatia, compaixão e até admiração. As pessoas também se deram conta de outro fato: Trissolaris havia enviado dez gotas dois séculos antes, mas só agora a humanidade compreendia o significado verdadeiro delas. Sem dúvida essa dificuldade de compreensão se devia à postura extremamente sutil dos trissolarianos, o que era também um reflexo do estado de espírito da Terra, distorcido pela história sangrenta da humanidade. Em um referendo global pela internet, o apoio do público ao Projeto Luz do Sol cresceu assombrosamente, inclinando-se cada vez mais para o Plano de Sobrevivência Forte, que oferecia Marte como reserva trissolariana.

A ONU e as frotas aceleraram os preparativos para as negociações, e as duas Internacionais começaram a formar delegações.

Isso tudo aconteceu no intervalo de vinte e quatro horas depois da captura da gota.

No entanto, o que mais empolgou as pessoas não foi o conjunto de fatos diante de seus olhos, e sim o esboço rudimentar de um belo futuro. Que paraíso fantástico o sistema solar se tornaria após a união entre a tecnologia de Trissolaris e o poder da humanidade?

Mais ou menos à mesma distância do outro lado do Sol, a *Seleção Natural* pairava em silêncio a um por cento da velocidade da luz.

— Mensagem que acabou de chegar: a gota não se destruiu durante a captura — disse Dongfang Yanxu para Zhang Beihai.

— O que é uma gota? — perguntou ele.

Os dois se encararam através da antepara transparente. Zhang Beihai parecia esgotado.

— A sonda trissolariana. Agora está confirmado que ela é um presente para a raça humana, uma demonstração do desejo de paz de Trissolaris.

— É mesmo? Isso é ótimo.

— Parece que você não está ligando muito.

Em vez de responder, Zhang Beihai levantou o caderno para frente, com as duas mãos.

— Acabei!

Em seguida, guardou o caderno em um bolso apertado.

— Então agora você pode devolver o controle da *Seleção Natural*?

— Posso, mas antes gostaria de saber o que você pretende fazer quando retomar o comando da nave.

— Desacelerar.

— Para encontrar a força em perseguição?

— Sim. O estoque de combustível está abaixo do necessário para o retorno, de modo que a *Seleção Natural* precisa reabastecer antes de voltar ao sistema solar. Só que a força em perseguição não dispõe de combustível suficiente para nós. Aquelas quatro naves têm apenas metade da tonelagem da *Seleção Natural* e, durante a perseguição, aceleraram e desaceleraram até cinco por cento da velocidade da luz. Como elas só têm combustível suficiente para voltar, a tripulação da *Seleção Natural* terá que embarcar na força de perseguição. Mais tarde, uma nave com mais combustível será enviada para escoltar a *Seleção Natural* de volta ao sistema solar, mas isso vai levar tempo. Precisamos desacelerar o máximo possível antes de deixarmos a nave, para minimizar esse tempo.

— Não desacelere, Dongfang.

— Por quê?

— A desaceleração consumirá o resto do combustível da nave. Não podemos nos tornar uma nave sem energia. Ninguém sabe o que vai acontecer. Como comandante, você precisa pensar nisso.

— O que é que pode acontecer? O futuro está selado: a guerra vai acabar, a humanidade vai vencer e você estará completamente errado!

Ele sorriu diante daquele entusiasmo, como se tentasse aplacá-lo. Seu olhar para ela tinha uma brandura que não existia antes, o que abalou as emoções da comandante. Dongfang Yanxu achava inconcebível o derrotismo de Zhang Beihai e desconfiava que sua deserção tivesse outras intenções. Ela chegara a se questionar quanto à sanidade daquele homem. No entanto, por algum motivo, sentia certo apego por ele. Dongfang Yanxu havia deixado o pai quando era muito nova, o que não era nada incomum para alguém nascido naquele tempo. Amor paterno era um conceito ultrapassado. Porém, com aquele soldado antiquado do século XXI, ela passara a compreender.

— Dongfang — disse ele —, eu nasci em uma época problemática. Sou realista. A única coisa que sei é que o inimigo ainda está lá e continua se aproximando do sistema solar. Como soldado, eu só consigo ficar feliz quando todo mundo estiver em paz... Não desacelere. Essa é a minha condição para entregar o controle da nave. Claro, a minha única garantia será a sua palavra.

— Dou minha palavra de que a *Seleção Natural* não vai desacelerar.

Zhang Beihai se virou e flutuou até o painel de instrumentos, abrindo a interface de transferência de permissões e inserindo a senha. Após uma série de toques, ele fechou a interface.

— Os privilégios de comando da *Seleção Natural* foram transferidos para você. A senha ainda é Marlboro — informou Zhang Beihai, sem olhar para ela.

Dongfang Yanxu abriu a interface no ar e confirmou rapidamente.

— Obrigada. Gostaria de solicitar que você não saia dessa cabine nem abra a porta por enquanto. Os tripulantes da nave estão saindo do estado de mar profundo, e tenho medo de que tentem alguma agressão.

— Eles vão me obrigar a andar na prancha? — Ele riu ao ver o semblante de confusão dela. — É uma forma de pena de morte em navios antigos. Se a prática ainda existisse hoje, vocês teriam que jogar um criminoso como eu para fora no espaço... Tudo bem. Seria ótimo ficar sozinho.

Em comparação com a *Quantum*, a nave de transporte que saiu parecia pequena como um carro que deixasse uma cidade. O brilho do seu motor iluminava apenas uma área reduzida do gigantesco casco da belonave, como uma vela na frente de um penhasco. A nave de transporte saiu devagar da sombra da *Quantum* para a luz do Sol, e seu motor reluzia como um vaga-lume no voo rumo à gota, a mil quilômetros de distância.

A expedição era composta por quatro integrantes: uma capitã de corveta da Frota Europeia, um capitão de fragata da Frota Norte-Americana, Xizi da Frota Asiática e Ding Yi.

Pela escotilha, Ding Yi viu a formação da frota recuar. A *Quantum*, situada em um canto, ainda parecia grande, mas a belonave mais próxima, a *Nuvem*, estava tão pequena que mal se distinguiam os contornos. Mais ao longe, as fileiras de belonaves não passavam de linhas pontilhadas no campo de visão de Ding Yi. Ele sabia que a malha retangular tinha cem naves de comprimento e vinte de altura, com outras quinze naves manobrando fora de formação. No entanto, quando tentou contar de um lado para outro, não conseguiu enxergar direito depois da nave trinta, que estava a apenas seiscentos quilômetros de distância. Aconteceu o mesmo quando tentou olhar para cima, onde o lado mais curto se estendia no sentido vertical. As belonaves visíveis ao longe eram apenas pontos desfocados de luz diante da fraca iluminação do Sol, quase indistinguíveis do entorno estrelado. A malha da frota só seria visível a olho nu quando os motores fossem ativados. A frota combinada era uma matriz de cem por vinte no espaço. Ding Yi imaginou outra matriz multiplicada por aquela, os elementos horizontais de uma multiplicados pelos elementos verticais de outra até formar uma matriz maior ainda, embora, na realidade, a única constante que importava para a matriz fosse um ponto minúsculo: a gota. Como ele não gostava de assimetria extrema em matemática, esse esforço de ginástica mental para tentar se acalmar não deu certo.

Quando a força de aceleração diminuiu, ele puxou conversa com Xizi, que estava sentada ao seu lado.

— Criança, você é de Hangzhou?

Xizi estava olhando para a frente, como se tentasse enxergar a não tripulada *Mantis*, que ainda se encontrava a centenas de quilômetros de distância. Ela então saiu de seus devaneios e balançou a cabeça.

— Não, mestre Ding. Nasci na Frota Asiática. Não sei se meu nome tem alguma relação com Hangzhou.* Mas já fui lá. É um lugar bonito.

— Era um lugar bonito na minha época. Uma pena que o Lago do Oeste tenha se transformado em um Lago da Lua Crescente, encravado no meio de um deserto... Enfim... embora o deserto esteja por todas as partes, o mundo de hoje ainda me lembra do sul e dos tempos em que as mulheres eram delicadas como a água. — Ao fazer essa comparação, ele olhou para Xizi, cuja encantadora silhueta estava realçada pela luz suave do Sol distante que entrava pela escotilha. — Criança, você me lembra alguém que eu amei uma vez. Ela tinha a mesma patente que você e, embora não fosse tão alta, também era muito bonita...

— Muitas moças devem ter se apaixonado pelo senhor nos velhos tempos — comentou Xizi, virando-se para Ding Yi.

— Normalmente eu não perturbava as moças que amava. Eu acreditava no que Goethe dizia: "E se te quero bem, o que podes fazer?".

Xizi riu.

— Ah, quem me dera eu encarasse a física do mesmo modo! — continuou ele. — O que mais lamento na vida é a cegueira que os sófons nos impuseram. Mas existe um jeito mais otimista de encarar as coisas: se vamos explorar as leis, o que as leis podem fazer? Talvez um dia a humanidade, ou quem sabe alguém mais, explore as leis a tal ponto que consiga alterar não só a própria realidade, como talvez o universo inteiro. Será possível moldar cada sistema estelar conforme o desejo, como uma massa sovada. Mas e daí? Mesmo nesse caso, as leis não vão mudar. Sim, aquela presença imutável ainda estará lá, eternamente jovem, como a lembrança de uma pessoa amada... — Enquanto falava, Ding Yi apontou para a brilhante Via Láctea, do lado de fora da escotilha. — E, quando eu penso assim, meus medos desaparecem.

Xizi não respondeu, e os dois mergulharam em um silêncio profundo. A *Mantis* logo surgiu no horizonte, embora ainda não passasse de um ponto de luz a duzentos quilômetros de distância. A nave de transporte fez um giro de cento e oitenta graus, e o exaustor do motor, agora apontado para a frente, começou a desaceleração.

A frota agora aparecia exatamente à frente da nave de transporte, a cerca de oitocentos quilômetros de distância, uma distância trivial no espaço, mas suficiente para transformar gigantescas belonaves em pontos praticamente invisíveis. A própria frota só se distinguia do entorno estrelado por estar muito bem

* *Xīzī* é outra grafia para Xi Shi, uma das Quatro Beldades da China Antiga, que morava nos arredores de Hangzhou. O Lago do Oeste (*Xīhú*) de Hangzhou tem uma relação especial com Xi Shi.

organizada em fileiras. A malha retangular parecia uma tela por cima da Via Láctea, e a linearidade formava um forte contraste com o caos do mar de estrelas. Embora a distância fizesse o tamanho colossal parecer insignificante, o esplendor da formação era nítido. Na frota e na distante Terra, muitas pessoas que viam aquela imagem sentiram que aquilo era uma representação visual da metáfora que Ding Yi fizera há pouco.

A nave de transporte chegou à *Mantis*, e a força de desaceleração foi interrompida. Pela velocidade do processo, os tripulantes da nave de transporte tiveram a impressão de que a *Mantis* havia brotado de repente no espaço.

A atracação foi rápida. Como a *Mantis* não era tripulada, a cabine não tinha ar, então os quatro integrantes da expedição vestiram trajes espaciais leves. Após receberem instruções finais da frota, eles flutuaram pela portinhola e entraram na *Mantis*.

A gota pairava bem no centro da cabine principal esférica da *Mantis*. Completamente distintas da imagem vista a bordo da *Quantum*, as cores eram mais claras e fracas, obviamente um resultado das diferenças com a cena refletida na superfície: em virtude de sua refletância total, a gota não tinha nenhuma cor própria. A cabine principal da *Mantis* armazenava o braço robótico dobrado, equipamentos diversos e algumas pilhas de amostras rochosas retiradas de asteroides. Flutuando naquele ambiente de pedras e máquinas, a gota voltava a criar um contraste entre preciosidade e brusquidão, estética e tecnologia.

— É a lágrima da Santa Mãe — disse Xizi.

Suas palavras foram transmitidas da *Mantis* à velocidade da luz, primeiro para a frota e, três horas depois, para todo o mundo humano. Xizi e os outros dois escolhidos pela frota — pessoas que as circunstâncias inesperadas lançaram a uma posição central no momento máximo da história da civilização — tiveram a mesma sensação: ali, tão perto da gota, todo estranhamento em relação àquele mundo distante desapareceu, dando lugar a um desejo intenso de reconhecimento. Sim, no gélido vazio do universo, toda vida à base de carbono partilhava de um mesmo destino, que poderia levar um bilhão de anos para se desenvolver, mas era um destino que cultivava um sentimento de amor que transcendia o tempo e o espaço. E ali os três sentiram esse amor na gota, um amor capaz de transpor o abismo de qualquer hostilidade. Os olhos de Xizi, do capitão de fragata da Frota Norte-Americana e da capitã de corveta da Frota Europeia ficaram cheios de lágrimas, assim como, três horas depois, ficariam os olhos de outros bilhões de pessoas.

Já Ding Yi observava tudo com frieza, por trás dos três oficiais da frota.

— Estou vendo outra coisa — comentou ele. — Algo muito mais sublime. Um universo onde tanto o eu quanto o outro foram esquecidos, um esforço que, para abranger tudo, tudo expulsa.

— É filosofia demais para o meu gosto — disse Xizi, rindo e chorando ao mesmo tempo.

— Dr. Ding, não temos muito tempo — lembrou o capitão de fragata, fazendo um gesto para que Ding Yi passasse à frente e fosse o primeiro a tocar a gota.

Ding Yi flutuou devagar até a gota e pôs a mão, protegida do frio por uma luva, na superfície espelhada. Em seguida, os três oficiais também tocaram a sonda.

— Parece tão frágil… Eu tenho medo de quebrar — murmurou Xizi.

— Não estou sentindo nenhuma fricção — comentou o capitão de fragata, espantado. — É muito lisa.

— Quão lisa? — perguntou Ding Yi.

Para responder, Xizi tirou do bolso de seu traje espacial um instrumento cilíndrico: um microscópio. Ela apoiou a lente na gota, e o grupo viu na pequena tela do instrumento uma imagem ampliada da superfície: um espelho liso.

— Qual é o fator de magnificação? — quis saber Ding Yi.

— Cem vezes — falou Xizi.

Ela apontou para um número no canto da tela e depois ajustou o fator para mil. A superfície ampliada ainda era um espelho liso.

— Seu instrumento está com defeito — insinuou o capitão de fragata.

Xizi tirou o microscópio da gota e apoiou contra o visor do próprio traje espacial. Os outros três se aproximaram para olhar a tela: o visor do traje, que a olho nu parecia uma superfície lisa como a gota, era uma praia rochosa ao ser ampliado mil vezes. Xizi voltou o microscópio para a superfície de gota, e a tela exibiu outra vez um espelho liso idêntico à superfície não ampliada em volta do instrumento.

— Multiplique o fator de magnificação por dez — pediu Ding Yi.

Esse fator era maior do que a capacidade de ampliação ótica, de modo que Xizi executou uma série de operações para colocar o microscópio em modo de tunelamento de elétrons. Agora a força de magnificação era de dez mil vezes.

A superfície ampliada continuava um espelho liso. A superfície mais lisa que a tecnologia humana era capaz de produzir revelava sua aspereza sob um fator de apenas mil vezes de ampliação, como a impressão de Gulliver ao ver o rosto da bela mulher gigante.

— Ajuste para cem mil vezes — sugeriu o capitão de fragata.

Ainda se via apenas um espelho liso.

— Um milhão de vezes.

Espelho liso.

— Dez milhões de vezes.

Com esse fator seria possível enxergar macromoléculas, mas na tela os quatro ainda viam um espelho liso, sem o menor sinal de aspereza, completamente idêntico à superfície lisa não ampliada do restante da gota.

— Aumente mais!

Xizi balançou a cabeça. Aquele era o limite da capacidade de ampliação do microscópio eletrônico.

Mais de dois séculos antes, no livro *2001: Uma odisseia no espaço*, Arthur C. Clarke descrevera um monólito preto deixado na lua por uma civilização alienígena avançada. Os astronautas haviam medido as dimensões do objeto com réguas comuns e concluído que ele tinha a proporção de um por quatro por nove. Quando conferiram os dados usando a tecnologia de medição mais precisa da Terra, a proporção continuou exatos um por quatro por nove, sem uma variação sequer. Clarke disse que era "uma demonstração passiva, mas quase arrogante, de perfeição geométrica".

Agora, a humanidade se via diante de uma demonstração muito mais arrogante de poder.

— Será que é mesmo possível existir uma superfície absolutamente lisa? — perguntou Xizi, chocada.

— Sim — respondeu Ding Yi. — A superfície de uma estrela de nêutrons é quase absolutamente lisa.

— Mas a gota tem uma massa normal!

Ding Yi refletiu um pouco e então olhou à sua volta.

— Conectem o computador da nave para descobrirmos o ponto que o braço robótico segurou durante a captura.

A ordem foi executada remotamente por um oficial de monitoramento da frota. O computador da *Mantis* projetou pequenos feixes vermelhos de laser para marcar a posição em que a garra de aço havia prendido a superfície da gota. Xizi examinou um dos pontos com o microscópio e, com uma ampliação de dez milhões de vezes, viu um espelho liso perfeito.

— Qual foi a pressão aplicada no ponto de contato? — indagou o capitão de fragata.

Logo chegou a resposta da frota: aproximadamente duzentos quilogramas por centímetro quadrado. Superfícies lisas se arranham com facilidade, mas a força da garra de metal não deixou nenhuma marca na gota.

Ding Yi saiu flutuando pela cabine em busca de algo. Voltou com uma picareta, talvez esquecida lá por alguém durante uma missão de coleta de amostras. Antes que pudesse ser impedido, Ding Yi bateu com força na superfície espelhada. Houve um som intenso e melódico, como se a picareta tivesse atingido um pavimento de jade. O som percorreu seu corpo, mas os outros três não ouviram nada no vácuo da cabine. Ele apontou com o cabo da picareta para o lugar onde tinha atingido, e Xizi examinou com o microscópio.

Com uma ampliação de dez milhões de vezes, ainda era um espelho liso.

Arrasado, Ding Yi largou a picareta e tirou os olhos da gota, perdido em pensamentos. Os olhos dos três oficiais, e os de mais de um milhão de pessoas na frota, o observavam.

— O melhor que podemos fazer é especular — sentenciou ele, virando-se para os outros. — As moléculas nesse negócio estão organizadas com cuidado, como uma guarda de honra, e se solidificam umas às outras. Sabem quão sólida essa coisa é? Para dar uma ideia, é como se as moléculas estivessem pregadas! Elas não estão nem vibrando.

— É por isso que está em zero absoluto! — exclamou Xizi.

Ela e os outros dois oficiais entenderam o que Ding Yi estava querendo dizer: em matéria de densidade normal, os núcleos dos átomos estão bastante separados uns dos outros. Manter os núcleos presos era tão fácil quanto ligar os oitos planetas ao Sol com barras de aço para formar uma estrutura estacionária.

— Que força seria capaz disso?

— Só existe uma opção: interação forte.*

Pelo visor, dava para ver que a testa de Ding Yi estava coberta de suor.

— Mas... é a mesma coisa que acertar a lua com um arco e flecha!

— De fato, eles acertaram a lua com um arco e flecha... A lágrima da Santa Mãe? — Ele deu uma risada sombria e pesarosa, que provocou calafrios em todos.

Os oficiais sabiam o que significava aquele comentário: a gota não era frágil como uma lágrima. Pelo contrário, era cem vezes mais forte do que o material mais resistente do sistema solar. Perto dela, todas as substâncias conhecidas eram frágeis como papel. A gota poderia atravessar a Terra como uma bala em um queijo, e sua superfície não sofreria nem sequer o mais ínfimo dano.

— Então... por que ela está aqui? — questionou de repente o capitão de fragata.

— Vai saber... Talvez seja mesmo uma mensageira. Só que veio para entregar uma mensagem diferente à humanidade — respondeu Ding Yi, tirando os olhos da gota.

— Qual?

— E se te destruo, o que podes fazer?

Essa frase foi seguida por um momento de silêncio, à medida que os outros três integrantes da expedição e mais de um milhão de integrantes da frota combinada ruminavam sobre o significado por trás daquelas palavras. De repente, Ding Yi quebrou o silêncio:

* Interação forte é a mais forte das quatro interações fundamentais, responsável pela força nuclear forte, que une as partículas subatômicas. É cerca de cem vezes mais poderosa do que o eletromagnetismo, mas só produz efeitos a distâncias inferiores a um femtômetro.

— Fujam! — A palavra saiu fraca, mas em seguida ele levantou as mãos e gritou, com a voz rouca: — Crianças idiotas. Fujam!

— Fugir para onde? — perguntou Xizi, assustada.

O capitão de fragata se deu conta da verdade poucos segundos depois de Ding Yi. E, como Ding Yi, gritou em desespero:

— A frota! Evacuar a frota!

Mas era tarde demais. Uma potente interferência já havia eliminado os canais de comunicação. A imagem transmitida da *Mantis* desapareceu, e a frota não conseguiu ouvir o último apelo do capitão de fragata.

Uma aura azul surgiu na ponta da gota, a princípio pequena, mas muito intensa, lançando um manto azul ao redor. Então se expandiu drasticamente, indo do azul para o amarelo e, por fim, para o vermelho. Quase parecia que a aura não estava sendo produzida pela gota, e sim abrindo caminho de dentro dela. A aura foi perdendo luminosidade conforme se expandia e, ao atingir um diâmetro duas vezes maior do que o lado mais largo da gota, sumiu. No mesmo instante, uma segunda aura pequena surgiu na ponta. Como a primeira, ela se expandiu, mudou de cor, perdeu luminosidade e logo desapareceu. As auras continuaram surgindo da ponta para a cauda a cada dois ou três segundos e, movida por esse impulso, a gota passou a avançar e acelerou rapidamente.

No entanto, os quatro integrantes da expedição não chegaram a ver a segunda aura, porque a primeira foi acompanhada de uma temperatura ultra-alta semelhante à do núcleo do Sol, vaporizando-os instantaneamente.

O casco da *Mantis* brilhou, vermelho, como o lado de fora de uma lanterna chinesa cuja vela tivesse acabado de ser acesa. A estrutura de metal derreteu feito cera, mas, assim que começou a derreter, a nave explodiu, dispersando-se pelo espaço como um líquido incandescente, sem quase nenhum vestígio sólido.

A mil quilômetros de distância, a frota tinha uma visão nítida da explosão da *Mantis*, mas a análise preliminar foi de que a gota havia se autodestruído. Todos lamentaram o sacrifício dos quatro integrantes da expedição e ficaram desconsolados com o lastimável fato de que a gota não era uma mensageira da paz. Porém, a raça humana não fazia ideia nem tinha o menor preparo psicológico para o que estava prestes a acontecer.

A primeira anomalia foi identificada pelo computador de monitoramento espacial da frota, que ao processar imagens da explosão da *Mantis* descobriu que um dos fragmentos era estranho. A maioria dos pedaços era metal derretido voando pelo espaço em velocidade constante após a explosão, mas aquele estava acelerando. Claro, só um computador seria capaz de encontrar um objeto minúsculo em meio à infinidade de fragmentos voadores. Ao fazer uma comparação com o banco de dados e referências, que incluía uma imensa quantidade de informações sobre a *Mantis*, o computador formulou dezenas de explicações plausíveis para aquele destroço peculiar, mas nenhuma era correta.

Nem o computador nem os seres humanos perceberam que a explosão havia destruído apenas a *Mantis* e os quatro integrantes da expedição, mas não a gota.

Quanto ao fragmento em aceleração, o sistema de monitoramento espacial da frota emitiu apenas um alerta de ataque de nível 3, na medida em que o objeto que se aproximava não era uma belonave e estava se dirigindo para um dos cantos da formação retangular. Nessa trajetória, ele passaria por fora da formação e não atingiria nenhuma nave. Por conta da grande quantidade de alertas de níveis altíssimos emitidos após a explosão da *Mantis*, esse foi ignorado completamente. No entanto, o computador havia identificado também a grande aceleração do fragmento. Após trezentos quilômetros, o objeto já havia passado da terceira velocidade cósmica e continuava acelerando. A classificação do alerta foi alterada para um nível ainda mais preocupante, mas ele continuou sendo ignorado.

Transcorreram meros cinquenta e um segundos até o fragmento percorrer cerca de mil e quinhentos quilômetros a partir da explosão. Quando chegou ao canto da frota, voava a uma velocidade de 31,7 quilômetros por segundo. Agora, estava na periferia da formação, a cento e sessenta quilômetros da *Fronteira Infinita*, a primeira belonave daquela ponta da malha. Em vez de passar direto pela formação, o fragmento virou em um ângulo de trinta graus e, sem perder velocidade, voou na direção da *Fronteira Infinita*. Nos cerca de dois segundos que levou para percorrer a distância, o computador chegou a diminuir outra vez a classificação do alerta, ao concluir que o fragmento não era nenhum objeto físico, pois o movimento descrito era impossível de acordo com a mecânica aeroespacial. Em um voo com o dobro da terceira velocidade cósmica, uma curva fechada sem redução de velocidade equivalia a bater em uma parede de ferro. Se fosse uma nave com algum bloco de metal, a mudança de direção teria resultado em uma força tão grande que achataria o metal até formar uma película fina. Por isso, o fragmento devia ser uma ilusão.

A gota atingiu a *Fronteira Infinita* com o dobro da terceira velocidade cósmica, em uma trajetória que seguia diretamente ao longo da primeira fileira do retângulo da frota. Ela acertou a porção traseira da belonave e a atravessou sem sofrer resistência, como se tivesse penetrado uma sombra. Em virtude da imensa velocidade do impacto, apareceram dois buracos extremamente regulares no casco, um na popa e outro na proa, com mais ou menos o mesmo diâmetro da parte mais larga da gota. No entanto, logo em seguida, esses buracos se deformaram e aumentaram, à medida que o metal das extremidades derretia com o calor resultante do impacto em alta velocidade e da temperatura ultra-alta da aura da gota. As seções atingidas da nave ficaram incandescentes, e o brilho se expandiu a partir do ponto de impacto até cobrir metade da nave, como um pedaço de ferro recém-saído da forja.

Após passar pela *Fronteira Infinita*, a gota seguiu em frente a trinta quilômetros por segundo. No intervalo de três segundos, ela percorreu noventa quilômetros, passando pela *Yuanfang*, a nave ao lado da *Fronteira Infinita* na primeira fileira, e depois pela *Sirene*, a *Antártida* e a *Absoluta*, deixando os cascos incandescentes, como se as belonaves fossem uma série de abajures gigantescos.

E então a *Fronteira Infinita* explodiu. Ela e as quatro belonaves seguintes tinham sido atingidas no tanque de combustível de fusão. Contudo, ao contrário da explosão convencional de alta temperatura da *Mantis*, aquelas explosões foram reações de fusão iniciadas pelo combustível da *Fronteira Infinita*. Ninguém jamais descobriu se a reação fora instigada pela aura de propulsão extremamente quente da gota ou por algum outro fator. A bola de fogo da explosão termonuclear se iniciou no ponto de impacto do tanque de combustível e se ampliou depressa, até iluminar toda a frota diante do pano aveludado do espaço, superando até o brilho da Via Láctea.

Uma atrás de outra, bolas de fogo nucleares começaram a se formar na *Yuanfang*, na *Sirene*, na *Antártida* e na *Absoluta*.

Nos oito segundos seguintes, a gota atravessou outras dez belonaves estelares.

A essa altura, a bola de fogo nuclear em expansão havia engolido completamente a *Fronteira Infinita* e começara a encolher, enquanto novas bolas de fogo brotavam e cresciam nas outras naves atingidas.

A gota seguiu sua trajetória ao longo da malha, penetrando uma a uma as belonaves estelares, a intervalos de menos de um segundo.

A bola de fogo de fusão na *Fronteira Infinita* se apagara, deixando para trás um casco totalmente derretido, que então explodiu, despejando, como um botão de flor que desabrochava, um milhão de toneladas de metal líquido incandescente em uma tempestade esférica de magma vermelho-escuro.

A gota continuou avançando, voando em linha reta por mais belonaves e deixando um rastro de dez bolas de fogo nucleares. A frota inteira foi iluminada pelas chamas daqueles pequenos sóis inflamados, como se tivesse sido incendiada e transformada em um mar de luz. Atrás da fileira de bolas de fogo, as belonaves dissolvidas continuaram lançando ondas de metal derretido quente ao espaço, como pedras imensas jogadas em um mar de magma.

Ao fim de um minuto e dezoito segundos, a gota havia concluído um percurso de dois mil quilômetros, passando por todas as cem naves da primeira linha da formação retangular da frota combinada.

Quando *Adão*, a última nave da fileira, foi engolida por uma bola de fogo nuclear, as explosões de magma metálico da outra ponta já haviam se dispersado e resfriado, e o cerne da explosão — o lugar onde um minuto antes estava a *Fronteira Infinita* — já estava quase completamente vazio. *Yuanfang*, *Sirene*, *Antártida*, *Absoluta*... todas, uma a uma, se transformaram em magma metálico e desapareceram. Quando a última bola de fogo nuclear da fileira se apagou e a escuridão voltou ao espaço, o magma que se esfriava aos poucos e estava quase invisível voltou a aparecer, como manchas de luz vermelho-escura nas trevas do espaço, como um rio de sangue de dois mil quilômetros de comprimento.

Após transpassar a *Adão*, a gota voou por uma pequena distância de cerca de oitenta quilômetros em espaço vazio e executou outra curva fechada impossível de ser explicada pela mecânica aeroespacial humana. Dessa vez, o ângulo foi menor ainda: uma inversão praticamente completa de apenas quinze graus, executada quase de maneira instantânea e sem redução de velocidade. Em seguida, após um pequeno ajuste de rota para se alinhar com a segunda fileira de belonaves da malha da frota — ou o que tinha se tornado a primeira fileira, em vista da destruição recente —, a gota avançou a trinta quilômetros por segundo contra a *Ganges*, a primeira belonave da fila.

Até aquele momento, o Comando da Frota ainda não havia reagido.

O sistema de informações de batalha havia cumprido à risca sua missão e usado sua ampla rede de monitoramento para capturar um registro completo de todos os dados de batalha durante aquele intervalo de um minuto e dezoito segundos. Naquele momento, apenas o sistema computadorizado de decisões de batalha era capaz de analisar a quantidade colossal de informações, e a conclusão a que ele chegou foi a seguinte: uma poderosa força espacial inimiga havia aparecido nas proximidades e realizado um ataque contra a frota. No entanto, o computador não ofereceu nenhum dado sobre essa força inimiga. Só havia duas certezas: a força espacial inimiga estava localizada na posição ocupada pela gota e nenhum dos meios de detecção disponíveis era capaz de enxergá-la.

A essa altura, os comandantes da frota estavam em estado de choque completo. Durante quase duzentos anos, os esforços de pesquisa em estratégia e táticas para o espaço haviam concebido toda e qualquer hipótese de batalha extrema, mas a ideia de cem belonaves explodindo como bombinhas em menos de um minuto ia muito além de qualquer capacidade de compreensão. A torrente de dados que transbordava do sistema de informações de batalha era uma prova de que, de mãos atadas, os comandantes dependiam das análises e conclusões do sistema computadorizado de decisões de batalha e precisavam dedicar a atenção a detectar uma frota inimiga invisível que nem sequer existia. Todos os recursos de monitoramento em batalha tinham sido apontados para pontos remotos do espaço e ignoraram o perigo bem diante da frota. Muitas pessoas chegaram a acreditar que esse poderoso inimigo invisível talvez fosse uma terceira força alienígena além da humanidade e de Trissolaris, na medida em que, no inconsciente, ainda encaravam Trissolaris como o lado mais fraco e fadado à derrota.

O principal motivo por que o sistema de monitoramento de batalha da frota não detectou a presença da gota foi que ela era invisível para o radar em todos os comprimentos de onda, só podendo ser localizada mediante análise de imagens do espectro visível. Porém, imagens visíveis eram tratadas com muito menos importância do que os dados do radar. A maioria dos fragmentos espalhados pelo espaço em tempestades de destroços era formada por metal líquido — mais de um milhão de toneladas por nave destruída —, derretido pela temperatura elevada das explosões nucleares. Um volume considerável dessa quantidade extraordinária de destroços derretidos tinha mais ou menos o mesmo tamanho e formato da gota, tornando difícil ao sistema computadorizado de análise de imagens a tarefa de distinguir entre a gota e os destroços. Além do mais, como quase todos os comandantes acreditavam que a gota havia se autodestruído dentro da *Mantis*, ninguém emitiu nenhuma instrução específica para esse tipo de análise.

Nesse meio-tempo, outras circunstâncias agravavam o cenário de caos e confusão. Os destroços lançados pela explosão da primeira fila de belonaves logo chegaram à segunda fila, levando os sistemas de defesa de batalha a reagir com lasers de alta energia e canhões eletromagnéticos para interceptar os fragmentos. Esses objetos voadores, a maioria composta de metal derretido pelas bolas de fogo nucleares, variavam de tamanho e, embora tivessem se resfriado parcialmente em meio à temperatura baixa do espaço, somente a carapaça externa havia se solidificado. Por dentro, ainda eram metais em estado líquido incandescente e, quando atingidos, explodiam como brilhantes fogos de artifício. Não demorou para que a segunda fileira se tornasse uma barreira flamejante paralela ao opaco "rio de sangue" criado pela destruição das belonaves na primeira linha da malha, fervilhando com explosões, como se fosse banhada por ondas de fogo arremessadas a partir da direção daquele inimigo invisível. A tempestade de destroços era intensa demais para os sistemas defensivos e, quando alguns fragmentos chegavam a atingir as belonaves, o impacto das massas de metal sólido e líquido tinha poder de destruição considerável. Algumas belonaves da segunda fileira da frota tiveram sérias avarias no casco, e alguns até se romperam. Alarmes estridentes de descompressão berraram...

Embora a batalha ofuscante contra os destroços tivesse recebido a devida atenção, naquelas circunstâncias era difícil para os computadores e as pessoas no sistema de comando não caírem no equívoco de que a frota estava enfrentando um combate acirrado contra uma força espacial inimiga. Nem humanos nem máquinas perceberam a minúscula figura da Morte que havia começado a destruir a segunda fileira de naves.

Por isso, quando a gota avançou rumo à *Ganges*, as cem belonaves da segunda fileira ainda estavam dispostas em linha reta. Uma formação mortal. A gota voou como um raio e, no intervalo de apenas dez segundos, atravessou doze belonaves: *Ganges*, *Colúmbia*, *Justiça*, *Masada*, *Próton*, *Yandi*, *Atlântico*, *Sirius*, *Ação de Graças*, *Avanço*, *Han* e *Tormenta*. Repetindo o cenário de destruição da primeira fila, cada belonave ficou incandescente após a penetração e foi consumida por uma bola de fogo nuclear que produziu milhões de toneladas de magma metálico vermelho--escuro, que em seguida explodiu. Nesse quadro brutal de destruição, as belonaves enfileiradas lembravam um pavio de dois mil quilômetros de comprimento, que ardia com tamanha intensidade que deixava para trás apenas cinzas e um fraco brilho vermelho-escuro.

Um minuto e vinte e um segundos depois, as cem naves da segunda fileira foram completamente aniquiladas.

Após passar pela última nave, a *Meiji*, a gota chegou ao fim da fileira e descreveu outra curva em ângulo agudo para atacar a *Newton*, a primeira belonave da terceira fila. Durante a destruição da segunda fileira, os destroços das explosões foram lançados contra a terceira. A onda de fragmentos carregava tanto metal derretido arremessado pelas explosões da segunda fileira quanto pedaços de metal quase frios das naves da primeira. A essa altura, a maioria das belonaves da terceira fila já havia ativado seus motores e sistemas defensivos e iniciado manobras, de modo que, desta vez, as naves não estavam dispostas todas em linha reta perfeita como no caso das fileiras um e dois. No entanto, as cem naves continuavam relativamente enfileiradas. Depois de atravessar a *Newton*, a gota fez um ajuste acentuado e, em um piscar de olhos, percorreu os vinte quilômetros que separavam a *Newton* da *Iluminação*, que havia se desviado três quilômetros da linha. Da *Iluminação*, a gota descreveu outra virada brusca e mirou e penetrou a *Cretáceo*, que se deslocava para o outro lado. Em seguida, prosseguiu em trajetória irregular até atravessar cada uma das demais belonaves da terceira fila, sem jamais voar a menos de trinta quilômetros por segundo.

Posteriormente, ao observar a rota da gota, analistas ficaram espantados ao constatar que cada mudança de direção tinha sido uma virada brusca, não uma curva suave como as operadas pelas naves humanas. Essa trajetória de voo diabólica demonstrava um movimento espacial completamente além da compreensão humana, como se a gota fosse uma sombra sem massa, alheia aos princípios da dinâmica, deslocando-se à vontade como a ponta da caneta de Deus. Durante o ataque na terceira fileira da frota, as mudanças de direção bruscas ocorreram com uma frequência de duas ou três vezes por segundo, uma agulha letal criando um bordado de destruição ao longo das cem belonaves da linha.

A gota levou dois minutos e trinta e cinco segundos para destruir a terceira fila de naves.

A essa altura, todas as belonaves da frota já haviam ativado seus motores. Embora a malha tivesse perdido completamente a formação, a gota continuou atacando as naves que batiam em retirada. O ritmo de destruição diminuiu, mas em nenhum momento houve menos de três a cinco explosões nucleares em meio às naves. As chamas letais ofuscaram o brilho dos motores, transformando a frota em uma nuvem de vaga-lumes apavorados.

O sistema de comando da frota ainda não fazia a menor ideia da verdadeira origem do ataque e continuava dedicando esforços a procurar a imaginária frota inimiga invisível. No entanto, uma análise posterior da imensa nuvem de informações vagas transmitidas pela frota revelou que, naquele momento, surgiu a primeira avaliação que se aproximava da realidade, feita por dois oficiais de baixo escalão da Frota Asiática. Segue uma transcrição da conversa entre o segundo-tenente Zhao Xin, assistente de seleção de alvo na *Beifang*, e o capitão Li Wei, controlador do sistema intermediário de armamento eletromagnético na *Milenar Kunpeng*:

ZHAO XIN: Aqui é *Beifang* TR317, chamando *Milenar Kunpeng* EM986! Aqui é *Beifang* TR317, chamando *Milenar Kunpeng* EM986!

LI WEI: Aqui é *Milenar Kunpeng* EM986. Atenção, a transmissão de comunicações por voz entre naves neste nível é uma violação das normas de guerra.

ZHAO XIN: É Li Wei? Aqui é Zhao Xin! Estava tentando encontrar você!

LI WEI: Olá, Zhao Xin! Que bom que você ainda está vivo.

ZHAO XIN: Descobri algo e queria transmitir para o nível de comando compartilhado, mas meu nível de segurança não tem autorização. Será que você poderia me ajudar?

LI WEI: O meu nível de segurança também não tem autorização. Mas o comando compartilhado já está lidando com muita informação no momento. O que você queria transmitir?

ZHAO XIN: Analisei uma imagem visual da batalha...

LI WEI: Você não devia analisar informações de radar?

ZHAO XIN: Essa é uma falácia do sistema. Quando analisei a imagem visual e extraí apenas a característica de velocidade, sabe o que percebi? Sabe o que está acontecendo?

LI WEI: Parece que você sabe.

ZHAO XIN: Não pense que eu enlouqueci... Você é meu amigo e me conhece bem.

LI WEI: Você é um verdadeiro iceberg. Seria a última pessoa do mundo a enlouquecer. Diga.

ZHAO XIN: Preste atenção, é a frota que enlouqueceu. Nós mesmos estamos nos atacando!

LI WEI: ...

ZHAO XIN: A *Fronteira Infinita* atacou a *Yuanfang*, e a *Yuanfang* atacou a *Sirene*, e a *Sirene* atacou a *Antártida*, e a *Antártida*...

LI WEI: Você enlouqueceu!

ZHAO XIN: É isso que está acontecendo. A ataca B, que depois de ser atacado, mas antes de explodir, ataca C, que depois de ser atacado, mas antes de explodir, ataca D e assim por diante... É como se cada belonave atingida atacasse a belonave seguinte na fileira... como uma doença contagiosa, ou uma brincadeira de telefone sem fio. Droga, só que na linha está a morte. É uma loucura!

LI WEI: Que armas as naves estão usando?

ZHAO XIN: Não sei. Identifiquei um projétil na imagem, absurdamente pequeno e rápido, muito, muito mais rápido que os canhões eletromagnéticos. E com uma precisão inacreditável. O projétil acerta os tanques de combustível sempre!

LI WEI: Envie a análise para mim.

ZHAO XIN: Já enviei tudo, dos dados originais até a análise vetorial. Dê uma olhada, droga!

A análise do segundo-tenente Zhao Xin, ainda que pouco convencional, era bem próxima da realidade. Li Wei levou meio minuto para estudar as informações que recebeu. Nesse meio-tempo, outras trinta e nove belonaves foram destruídas.

LI WEI: Percebi uma coisa na velocidade.

ZHAO XIN: Que velocidade?

LI WEI: A do projétil pequeno. Quando ele é disparado de cada belonave, a velocidade é ligeiramente menor. Então ele acelera para trinta quilômetros por segundo durante a trajetória, acerta a nave seguinte e, quando sai do casco dela, antes da explosão, apresenta uma velocidade um pouco menor. Aí ele volta a acelerar...

ZHAO XIN: Isso não quer dizer nada...

LI WEI: O que eu estou defendendo é que... parece uma pequena resistência.

ZHAO XIN: Resistência? Como assim?

LI WEI: Cada vez que esse projétil atravessa um alvo, ele perde velocidade com a resistência.

ZHAO XIN: Entendi o que você está dizendo. Não sou idiota. Você mencionou "esse projétil" e "atravessa um alvo"... É um objeto só?

LI WEI: Dê uma olhada lá fora. Outras cem naves acabaram de explodir.

Essa conversa aconteceu não no idioma moderno da frota, mas no mandarim falado no século XXI. Pela forma como se expressavam, era óbvio que os dois eram hibernantes. Havia poucos hibernantes na frota. Embora a maioria tivesse sido despertada bem jovem, eles ainda não tinham a mesma capacidade das pessoas modernas para absorver informações, de modo que a maior parte era encarregada de atividades de nível relativamente baixo. Seja como for, posteriormente se descobriu que a vasta maioria dos primeiros oficiais e soldados a recobrar o juízo e o bom senso era composta por hibernantes. Esses dois oficiais, por exemplo, apesar de estarem em um nível sem permissão sequer para acessar os sistemas avançados da nave, foram capazes de realizar uma análise impressionante.

As informações de Zhao Xin e Li Wei não foram transmitidas para o sistema de comando da frota, mas a análise da batalha feita pelo sistema estava se encaminhando para a direção certa. Ao concluir que a força inimiga invisível proposta pelo sistema computadorizado de decisões não existia, a atenção se voltou para analisar o conjunto de informações da batalha. Após buscas e comparações, o sistema enfim descobriu que a gota não havia se autodestruído e continuava em operação. A imagem da gota captada pelo registro da batalha estava inalterada, exceto pelo acréscimo de uma aura de propulsão na cauda. A forma de gota continuava perfeita, embora agora o que se refletia em sua superfície rápida fosse o brilho de bolas de fogo nucleares e magma metálico, uma luminosidade ofuscante que se alternava com tons vermelho-escuros. Parecia uma gota de sangue fervente. Análises posteriores elaboraram um modelo para a trajetória de ataque da gota.

Dois séculos de estudos em estratégias espaciais haviam formulado diversos cenários para a Batalha do Fim dos Tempos, mas os estrategistas sempre imaginaram que o inimigo seria grande. A humanidade enfrentaria a maior parte da poderosa força trissolariana no campo de batalha do espaço, e cada belonave só podia ser uma fortaleza de morte do tamanho de uma pequena cidade. Os especialistas haviam imaginado todo tipo extremo de armamento e tática do inimigo, até a hipótese mais assustadora de todas, de que a Frota Trissolariana lançaria um ataque com armas de antimatéria capazes de aniquilar um couraçado estelar com um projétil do tamanho de uma bala de fuzil.

No entanto, agora a frota combinada precisava encarar os fatos: o único inimigo lançado era uma sonda minúscula, uma gota d'água do imenso oceano da força trissolariana, e essa sonda utilizara uma das mais antigas e primitivas estratégias da história das Marinhas da humanidade: abalroamento.

Passaram-se cerca de treze minutos do momento em que a sonda lançou o ataque até a avaliação correta do cenário por parte do sistema de comando da frota. Considerando a complexidade e a morbidez das condições de batalha, foi um intervalo relativamente curto, mas não o suficiente para deter a gota. Nas batalhas navais do século xx, talvez houvesse tempo para que os comandantes fossem convocados a uma reunião no navio capitânia assim que a frota inimiga aparecesse no horizonte. Mas batalhas espaciais eram medidas em segundos e, naqueles treze minutos, a sonda destruiu mais de seiscentas belonaves. Só então a humanidade percebeu que o comando de uma batalha espacial estava além do seu alcance e, por conta do bloqueio dos sófons, do alcance de sua inteligência artificial. Falando estritamente em termos de comando, a humanidade talvez *nunca* viesse a ter capacidade para combater Trissolaris no espaço.

Em virtude da velocidade dos ataques da sonda e da sua invisibilidade ao radar, os sistemas defensivos das primeiras naves nem tiveram tempo de esboçar reação. Entretanto, conforme aumentava a distância entre as belonaves — logo, a distância entre os ataques da gota —, os sistemas de todas as naves foram recalibrados com base nas características do inimigo. Desse modo, a *Nelson* foi a primeira nave a tentar uma interceptação, usando armas laser para aumentar a precisão dos disparos contra o alvo pequeno e veloz. Ao ser atingida por vários feixes, a gota emitiu uma luz intensa e visível, ainda que os disparos da *Nelson* fossem de laser de raios gama, invisíveis a olho nu. Nunca se entendeu por que a sonda era invisível para o radar, já que contava com uma superfície totalmente reflexiva e tinha formato perfeitamente difuso, mas talvez a resposta para a invisibilidade fosse o poder de alterar a frequência das ondas eletromagnéticas refletidas. A luz emitida pela gota ao ser atingida foi tão intensa que ofuscou as explosões nucleares ao redor, obrigou os sistemas de monitoramento a escurecerem as imagens captadas para evitar danos aos componentes ópticos e causou cegueira prolongada a quem olhasse diretamente para ela. Em outras palavras, em termos práticos, a luz superpotente era indistinguível da escuridão. Envolta pela luz arrebatadora, a gota entrou na *Nelson* e se apagou, mergulhando o campo de batalha em absoluta escuridão. Em questão de segundos, as bolas de fogo nucleares voltaram a dominar o espaço e a gota emergiu ilesa da *Nelson*, voando na direção da *Verde*, a mais ou menos oitenta quilômetros de distância.

O sistema de defesa da *Verde* ativou o modo de armas cinéticas de impulso eletromagnético para interceptar o ataque da gota. As cápsulas de metal disparadas pelo canhão tinham um poder de destruição imenso, e a energia cinética da alta velocidade fazia com que cada cápsula atingisse o alvo com a força de uma bomba. Contra alvos em terra, esses disparos derrubariam uma montanha em um piscar de olhos. A velocidade relativa da gota só aumentou a energia das cápsulas, mas, quando foi atingida por elas, a gota desacelerou ligeiramente antes de reajustar a propulsão e recuperar a velocidade. Sob uma pesada tempestade de cápsulas, a sonda seguiu direto contra a *Verde* e penetrou o casco. Se fosse vista pela ampliação ultra-alta do microscópio, a superfície da gota ainda pareceria um espelho completamente liso e intacto.

Materiais de interação forte são tão diferentes de matéria comum quanto substâncias sólidas são de líquidas. Os ataques das armas humanas contra o inimigo eram como ondas fustigando um recife. Era impossível danificar a gota, o que significava que nada no sistema solar seria capaz de destruí-la. Ela era intocável.

O sistema de comando da frota havia acabado de se estabilizar, mas logo mergulhou no caos de novo e, com o desespero pela perda de todas as armas disponíveis, não voltaria a se recuperar do colapso. A implacável hecatombe espacial continuou.

Como a distância entre as naves havia aumentado, a gota acelerou e começou a avançar duas vezes mais rápido, a sessenta quilômetros por segundo. Com uma inteligência fria e calculista, seus ataques resolviam o problema praticamente de primeira e com perfeição, como um mensageiro que levasse a morte para regiões específicas quase sempre em viagem única. Como seus alvos estavam em movimento constante, a gota realizava uma infinidade de medições precisas e cálculos complexos, sem a menor dificuldade e com velocidade impressionante. Durante seu massacre extremamente calculado, ela às vezes se desviava para a margem do grupo de naves, a fim de eliminar as poucas mais periféricas e impedir a tendência da frota de escapar naquela direção.

Via de regra, a gota fazia ataques precisos nos tanques de combustível das naves — não se sabia se ela identificava a localização no momento da investida ou se os sófons haviam estabelecido um banco de dados com a estrutura de todas as naves. No entanto, em cerca de dez por cento dos alvos, a gota não atingiu os tanques. Nesses casos, a destruição não foi resultado da fusão de material nuclear, de modo que levou um tempo relativamente longo para as naves incandescentes enfim explodirem, uma situação brutal em que a tripulação sofreu com temperaturas elevadas antes de morrer carbonizada.

A batida em retirada das naves não correu bem. Como era tarde demais para entrar em estado de mar profundo, as belonaves só podiam tentar escapar com aceleração de Avante Três, então a dispersão era impossível. Tal qual um cão pastor correndo junto a um rebanho, a gota executava bloqueios ocasionais em pontos específicos nas beiradas da formação, para manter a frota agrupada.

Como o espaço estava repleto de destroços resfriados ou ainda derretidos, e também de pedaços grandes de belonaves destruídas, os sistemas de defesa das naves precisavam ativar o tempo todo canhões eletromagnéticos e lasers para abrir caminho. Os fragmentos formavam arcos cintilantes de fogo, que envolviam cada nave com um dossel luminoso. Ainda assim, parte dos destroços conseguiu atravessar as defesas e causar sérios estragos aos cascos e até a perda de capacidade de navegação, em caso de choque direto. Colisões com fragmentos maiores eram fatais.

Apesar do colapso do sistema de comando da frota, o Alto-Comando prosseguiu orientando a operação de fuga. Contudo, por conta da densidade da formação inicial, eram inevitáveis as colisões entre as naves. A *Himalaia* e a *Thor* bateram de frente em alta velocidade e foram esmigalhadas. A *Mensageira* acertou a *Gênese* por trás, e o ar que escapou como um furacão pelos rombos abertos arrebentou as duas naves, lançando tripulantes e objetos ao espaço, formando caudas extensas no rastro dos dois gigantescos destroços.

O episódio mais macabro dessa tragédia espacial aconteceu com a *Einstein* e a *Xia*, cujos comandantes usaram o modo de controle remoto para desativar as proteções do sistema e entraram em aceleração Avante Quatro. Ninguém da tripulação estava protegido pelo estado de mar profundo. Os registros transmitidos pela *Xia* mostraram um hangar sem nenhum caça, mas ocupado por cem pessoas que foram esmagadas na antepara pela força G da aceleração. Nas imagens, flores rubras de sangue desabrocharam no fundo branco do tamanho de um campo de futebol, formando camadas extremamente finas que se expandiram até se unirem sob a força imensa... Cabines esféricas proporcionaram o auge do horror: no início da hipergravidade, os tripulantes que estavam dentro deslizaram para baixo, antes da pesada mão do diabo transformar todos em uma massa disforme, como se o demônio estivesse esmigalhando um punhado de bonecos de argila. Ninguém teve tempo sequer de gritar, e o único som que ecoava era o de ossos quebrados e vísceras espremidas para fora. Depois, aquele amontoado de carne e ossos foi coberto por um líquido sanguinolento, que ficou assustadoramente claro quando as partes sólidas foram sedimentadas pela elevada força G, criando uma superfície lisa imóvel com a pressão intensa. Dentro dessa superfície que parecia sólida, o amontoado disforme de carne, ossos e órgãos lembrava rubis incrustados em um cristal.

Posteriormente, especialistas supuseram que a aceleração Avante Quatro na *Einstein* e na *Xia* tinha sido um erro em meio ao caos, mas novas análises descartaram essa hipótese. O uso do modo de controle remoto para contornar os procedimentos rigorosos exigidos pelo sistema de controle das naves antes da aceleração Avante Quatro — incluindo a confirmação de que todos os tripulantes haviam entrado em estado de mar profundo — demandava uma série complexa de operações que dificilmente teriam sido feitas por engano. A partir das informações transmitidas entre as duas naves, também foi revelado que, antes de entrar em Avante Quatro, a *Einstein* e a *Xia* haviam usado caças e naves menores para evacuar seus tripulantes. Elas só entraram em Avante Quatro quando o inimigo se aproximou e as belonaves mais próximas começaram a explodir, o que indica que os comandantes da *Einstein* e da *Xia* pretendiam escapar da gota com a aceleração máxima para ao menos preservar as belonaves, mas nem com essa estratégia desesperada conseguiram esse objetivo. O atento deus da morte percebeu que essas naves estavam acelerando muito mais depressa do que a média do grupo e logo alcançou e destruiu as duas, junto com sua carga já sem vida.

Entretanto, outras duas belonaves conseguiram acelerar em Avante Quatro e escapar do ataque da gota: a *Quantum* e a *Era de Bronze*, que haviam entrado em estado de mar profundo antes da interceptação da sonda, a pedido de Ding Yi. Assim que a terceira fila de naves foi destruída, as duas entraram em Avante Quatro e iniciaram uma fuga de emergência na mesma direção. Graças à sua posição no canto da malha, com toda a frota entre elas e a gota, ambas tiveram tempo para escapar rumo às profundezas do espaço.

Mais de mil naves — mais da metade da frota — tinham sido destruídas em vinte minutos de ataque. O espaço estava abarrotado de destroços em um aglomerado de dez mil quilômetros de diâmetro: uma nuvem metálica em rápida expansão, cuja periferia se iluminava o tempo todo pela explosão nuclear das belonaves, como se um rosto gigantesco de pedra piscasse em meio à noite cósmica. Nos intervalos entre uma bola de fogo e outra, o brilho do magma metálico transformava a nuvem em um pôr do sol vermelho-sangue.

As belonaves remanescentes haviam se dispersado bastante, mas quase todas continuavam dentro da nuvem metálica. A maioria havia exaurido a munição de seus canhões eletromagnéticos e precisava recorrer aos lasers para abrir caminho entre a nuvem, mas o consumo excessivo de energia reduzia a potência das armas e obrigava as naves a traçar uma trajetória lenta e tortuosa por entre os destroços. Muitas avançavam praticamente na mesma velocidade da taxa de expansão da nuvem, que havia se transformado em uma armadilha letal, de onde era impossível escapar e navegar.

O inimigo agora voava a dez vezes a terceira velocidade cósmica, cerca de cento e setenta quilômetros por segundo, atravessando destroços que se liquefaziam com o impacto, dispersando-se rapidamente e colidindo com outros destroços, o que dava à gota uma cauda brilhante. No início, ela parecia um cometa cheio de fúria, mas, à medida que a cauda crescia, se transformou em um gigantesco dragão prateado de dez mil quilômetros de diâmetro. A nuvem metálica toda reluzia com o brilho do dragão, conforme ele se agitava de um lado a outro, em sua dança ensandecida. As belonaves atacadas pela cabeça do dragão começaram a explodir ao longo do corpo desse temível inimigo, que então acabou decorado por quatro ou cinco pequenos sóis. Mais adiante, as belonaves derretidas se tornaram explosões de milhões de toneladas de magma metálico que tingiram a cauda com um vermelho-sangue perturbador...

Trinta minutos depois, o dragão reluzente continuava voando, mas as bolas de fogo nucleares em seu corpo tinham desaparecido, e a cauda já não estava vermelha. Não restava uma belonave sequer na nuvem metálica.

O corpo do dragão desapareceu completamente quando a gota saiu da nuvem. Então o inimigo começou a eliminar os resquícios da frota. Apenas vinte e uma belonaves haviam escapado da nuvem, a maioria tão avariada durante o processo que só conseguia avançar com aceleração mínima ou flutuar à deriva. A gota alcançou e destruiu rapidamente essas naves mais danificadas, uma a uma. As nuvens metálicas formadas pelas naves recém-explodidas cresceram e se uniram à nuvem maior.

A gota levou um pouco mais de tempo para destruir as cinco naves fugitivas menos debilitadas, porque elas já haviam ganhado velocidade e estavam voando em direções diferentes. A *Arca*, a última nave a ser destruída dessa leva, havia percorrido uma distância considerável após sair da nuvem, de modo que, quando a bola de fogo de sua explosão iluminou o espaço por alguns segundos antes de se apagar, foi como se uma lâmpada solitária se acendesse no vento do deserto.

As Forças Armadas da humanidade no espaço haviam sido aniquiladas.

A gota disparou por um breve instante na direção em que a *Quantum* e a *Era de Bronze* haviam fugido, mas logo abandonou a perseguição porque os dois alvos estavam longe demais e com aceleração muito alta. Assim, a *Quantum* e a *Era de Bronze* se tornaram as únicas belonaves sobreviventes daquele extraordinário cenário de destruição.

A gota deixou a cena da hecatombe espacial e seguiu na direção do Sol.

Além da *Quantum* e da *Era de Bronze*, uma pequena parcela da frota havia escapado da catástrofe ao evacuar em caças e outras naves menores, antes que suas belonaves fossem destruídas. Embora pudesse aniquilar todas sem a menor dificuldade, a gota não tinha interesse em naves pequenas. Como não dispunham de sistemas de defesa nem poderiam sobreviver a um impacto, a maior ameaça para elas residia nos velozes fragmentos de metal, que chegaram a destruir algumas delas no momento em que escaparam de suas belonaves. Essas naves tinham mais chance de fugir no início e no fim de um ataque, porque em um primeiro momento a nuvem metálica ainda não havia se formado e, no final, tinha ficado muito menos densa à medida que se expandia.

Os caças e as naves pequenas que não foram destruídos permaneceram à deriva por alguns dias, perto da órbita de Urano, até que fossem resgatados por naves civis que navegavam por aquela região do espaço. Eram cerca de sessenta mil sobreviventes, incluindo os dois oficiais hibernantes que fizeram a primeira avaliação que se aproximava da realidade em relação ao ataque da gota: o segundo-tenente Zhao Xin e o capitão Li Wei.

Com o tempo, aquela região se estabilizou, e a nuvem metálica perdeu o brilho em meio ao frio do cosmo, desaparecendo nas trevas. Ao longo dos anos, a atração gravitacional do Sol interrompeu a expansão dos destroços e espalhou esses fragmentos por uma longa faixa que acabou se tornando um cinturão metálico extremamente fino em volta do Sol, como se um milhão de almas inquietas flutuassem eternamente nos remotos confins do sistema solar.

A destruição de toda a força espacial da humanidade foi realizada por apenas uma sonda trissolariana. Dentro de três anos, outras nove chegariam ao sistema solar. A soma das dez juntas não chegava nem a um décimo de milésimo do tamanho de uma única belonave, e Trissolaris ainda tinha uma frota de mil a caminho do sistema solar.

"E se te destruo, o que podes fazer?"

Zhang Beihai despertou de um longo sono e conferiu o relógio: ele havia dormido por quinze horas, possivelmente o sono mais longo de sua vida sem contar os dois séculos de hibernação. Agora experimentava uma sensação nova. Após um momento de reflexão, descobriu a origem desse sentimento.

Ele estava sozinho.

Antes, mesmo quando estava flutuando sem mais ninguém na vastidão do espaço, Zhang Beihai nunca havia se sentido sozinho. Os olhos de seu pai sempre o acompanhavam do além, um olhar presente em cada momento. Como os raios de sol durante o dia e as estrelas à noite, aquela presença se tornara uma parte do mundo de Zhang Beihai. Agora, aquela presença havia desaparecido.

Chegou a hora de sair, pensou ele, enquanto passava a mão pelo uniforme. Como havia dormido em gravidade zero, o cabelo e a roupa não estavam desarrumados. Após dar uma última olhada pela cabine esférica onde havia passado mais de um mês, ele abriu a porta e flutuou para fora, preparado para encarar com tranquilidade a fúria dos tripulantes, as inúmeras expressões de desprezo e repulsa, o juízo final... Como um soldado consciente, estava pronto para encarar uma vida que ele não sabia quanto tempo ainda duraria. Seja lá o que acontecesse, com certeza o resto de seus dias transcorreria sem sobressaltos.

O corredor estava vazio.

Zhang Beihai avançou devagar, passando por compartimentos dos dois lados, todos abertos e idênticos à sua própria cabine esférica, cujas paredes brancas como a neve lembravam olhos sem pupila. O espaço estava limpo, e ele não avistou nenhuma janela de informações. O sistema de comunicação da nave provavelmente fora reinicializado e reformatado.

Ele se lembrou de um filme que viu na adolescência. Os personagens viviam em um mundo que era um cubo mágico gigantesco, formado por uma infinidade de cômodos idênticos em forma de cubo, cada um com um mecanismo letal diferente. As pessoas ficavam vagando de um cômodo a outro, eternamente...

Ele ficou surpreso com o fluxo livre de seus pensamentos, o que antigamente seria uma regalia. No entanto, agora que sua missão de quase dois séculos havia terminado, sua mente podia divagar à vontade.

Zhang Beihai virou em uma esquina do corredor e se viu diante de outro mais longo, também deserto. As anteparas emitiam uma suave e uniforme luminosidade branca que retirava qualquer noção de profundidade. O mundo parecia compacto. Também nos dois lados daquele corredor as portas das cabines esféricas estavam abertas, todas espaços brancos idênticos.

A *Seleção Natural* parecia abandonada. Na visão de Zhang Beihai, a gigantesca nave onde ele se encontrava era um símbolo imenso, porém conciso, uma metáfora para alguma lei oculta pela realidade. Ele tinha a ilusão de que aquelas esferas brancas idênticas se estendiam sem fim pelo espaço à sua volta, repetindo-se infinitamente no universo.

Uma ideia veio à sua mente: holografia.

Como cada cabine esférica era capaz de plena manipulação e controle da *Seleção Natural*, pelo menos pela perspectiva da informática, cada cabine era a totalidade da *Seleção Natural*. Logo, a *Seleção Natural* era holográfica.

A própria nave era uma semente metálica que continha todas as informações sobre a civilização humana. Se porventura germinasse em algum outro lugar no universo, poderia crescer até se tornar uma civilização completa. A parte continha o todo, logo a civilização humana também podia ser holográfica.

Ele havia fracassado, pois não conseguira espalhar essas sementes, o que lamentava. Mas não chegava a estar triste, e não apenas porque havia feito tudo que estava ao seu alcance para cumprir seu dever. Sua mente, agora livre, alçou voo, e ele imaginou que o próprio universo era holográfico, cada ponto contendo o todo, de modo que o universo inteiro persistiria enquanto existisse um átomo. De repente, foi invadido por uma sensação de clareza absoluta, a mesma que Ding Yi experimentara apenas dez horas antes na outra extremidade do sistema solar, na última etapa de sua aproximação rumo à gota, enquanto Zhang Beihai dormia.

Ele chegou ao fim do corredor e abriu a porta para o maior salão esférico da belonave, por onde havia chegado quando embarcara na *Seleção Natural* três meses antes. Como naquela ocasião, havia uma formação de oficiais e soldados da frota pairando no centro da esfera, mas desta vez estavam em quantidade muito maior e organizados em três camadas. Os dois mil tripulantes da *Seleção*

Natural constituíam a camada central, e Zhang Beihai percebeu que essa era a única camada real. As outras duas eram hologramas.

Ao observar com mais atenção, ele viu que as formações de hologramas eram compostas pelos oficiais e soldados das quatro naves perseguidoras. Bem no meio da formação tripla havia uma fileira de cinco oficiais: Dongfang Yanxu e os comandantes das outras quatro naves. Exceto Dongfang Yanxu, todos eram hologramas, obviamente transmitidos pelas naves em perseguição. Quando Zhang Beihai entrou no salão, mais de cinco mil pessoas o encararam com uma expressão nitidamente distinta da que se dirigiria a um desertor. Os comandantes prestaram continência em ordem.

— *Espaço Azul*, da Frota Asiática!

— *Enterprise*, da Frota Norte-Americana!

— *Espaço Profundo*, da Frota Asiática!

— *Lei Máxima*, da Frota Europeia!

Dongfang Yanxu foi a última a prestar continência.

— *Seleção Natural*, da Frota Asiática! Senhor, as cinco belonaves estelares que o senhor preservou para a humanidade são tudo o que resta da frota espacial da Terra. Por favor, aceite o comando!

— É um desastre. Tudo desabou. É um desvario coletivo! — lamentou Shi Xiaoming, suspirando e balançando a cabeça. Ele havia acabado de voltar da cidade subterrânea. — A cidade inteira está fora de controle. É um caos.

Todas as autoridades da administração tinham comparecido a uma reunião com o governo do vilarejo. Os hibernantes representavam dois terços dos presentes, e as pessoas modernas, o resto. Agora era fácil perceber as diferenças: embora se encontrassem em abalo extremo, os hibernantes mantinham a compostura, apesar do estado de espírito. Já os modernos davam mostras de níveis variados de colapso e perdiam o controle em diversos momentos durante a reunião. As palavras de Shi Xiaoming voltaram a abalar os nervos frágeis deles. O executivo-chefe do vilarejo estava com os olhos marejados e, quando cobriu o rosto para chorar, outros modernos também choraram. A autoridade responsável pela educação desatou a rir histericamente, e outros modernos começaram a gemer e jogaram suas xícaras no chão...

— Fiquem calmos — pediu Shi Qiang.

Ele não falou alto, mas sua voz carregava uma dignidade que acalmou as autoridades modernas. O executivo e os demais que choravam se esforçaram para conter as lágrimas.

— Eles são apenas crianças — comentou Hines, balançando a cabeça.

Ali na condição de representante do povo, ele talvez fosse o único que se beneficiou da destruição da frota combinada, porque havia voltado ao normal agora que a realidade estava alinhada com seu selo mental. Antes, atormentado noite e dia pelo selo mental diante do que parecia uma vitória aparentemente certa da humanidade, Hines quase sofrera um colapso mental. Chegara a ser encaminhado para o maior hospital da cidade, onde psiquiatras especializados foram incapazes de fornecer ajuda, mas fizeram uma sugestão inovadora, que Luo Ji e as autoridades na superfície ajudaram a concretizar: assim como no conto "O cerco de Berlim", de Daudet, ou no antigo filme *Adeus, Lênin!*, da Era de Ouro, por que não inventar um ambiente fictício em que a humanidade tivesse fracassado? Por sorte, no ápice da tecnologia virtual moderna, não foi nem um pouco difícil criar esse ambiente. Em casa, todos os dias Hines via noticiários transmitidos especialmente para ele, incluindo imagens tridimensionais que pareciam de verdade. Ele viu uma parte da Frota Trissolariana acelerar e chegar ao sistema solar antes da hora, e a frota combinada da humanidade sofrer pesadas baixas em uma batalha no Cinturão de Kuiper. Depois, as três frotas não conseguiram defender a linha de frente na órbita de Netuno e foram obrigadas a travar uma difícil resistência na órbita de Júpiter...

O funcionário do vilarejo responsável por fabricar esse mundo de faz de conta tinha se entusiasmado bastante com o trabalho e, quando a derrota devastadora realmente aconteceu, foi o primeiro a surtar. Ele havia esgotado a imaginação para pintar a derrota da humanidade na forma mais desastrosa possível, tanto para atender a necessidade de Hines quanto para satisfazer um capricho pessoal, mas a cruel realidade tinha ido muito além de tudo que ele havia concebido.

Quando as imagens da destruição da frota a vinte unidades astronômicas de distância chegaram à Terra após um intervalo de três horas, o público se comportou como um bando de crianças desesperadas que transformaram o mundo em um jardim de infância infernal. Surtos em massa se disseminaram em um piscar de olhos, e tudo fugiu do controle.

No vilarejo de Shi Qiang, todos os agentes acima dele na hierarquia pediram demissão ou ruíram e não fizeram mais nada, de modo que as autoridades superiores lhe deram uma promoção de emergência para assumir as funções do executivo local. Podia não ser um cargo tão importante assim, mas o destino daquele vilarejo de hibernantes estava em suas mãos durante a crise. Por sorte, em comparação com a cidade subterrânea, as sociedades de hibernantes permaneceram relativamente estáveis.

— Quero pedir que todos considerem nossa situação atual — disse Shi Qiang. — Se houver algum problema com o sistema de ambiente artificial da cidade subterrânea, o lugar vai virar um inferno e todos vão fugir para a superfície. Nesse caso, ninguém vai conseguir sobreviver aqui. Por isso, é melhor pensarmos em migrar.

— Migrar para onde? — perguntou alguém.

— Para algum lugar pouco povoado, como o noroeste. É claro que antes precisaríamos mandar gente lá para conferir. Por enquanto, ninguém sabe o que vai acontecer com o mundo, nem se vai eclodir outra Grande Ravina. Temos que fazer preparativos para que possamos subsistir exclusivamente de agricultura.

— A gota vai atacar a Terra? — perguntou outra pessoa.

— De que adianta ficar especulando? — Shi Qiang balançou a cabeça. — De qualquer forma, ninguém pode fazer nada quanto a isso. Além do mais, até a sonda atravessar a Terra, nós ainda precisamos viver, não é?

— Exatamente. Não adianta nada ficarmos preocupados. Disso eu tenho certeza — concordou Luo Ji, rompendo o silêncio.

As sete espaçonaves que a humanidade ainda tinha saíram do sistema solar divididas em dois grupos. O primeiro contava com cinco naves e era composto pela *Seleção Natural* e pelas naves perseguidoras. Já o outro tinha duas, a *Quantum* e a *Era de Bronze*, que haviam sobrevivido à devastação da gota. Em cantos opostos do sistema solar, com o Sol no meio, esses dois pequenos grupos apresentavam trajetórias voltadas para direções praticamente contrárias, e aos poucos iam se distanciando cada vez mais um do outro.

Na *Seleção Natural*, Zhang Beihai permaneceu impassível após ouvir o relato sobre a aniquilação da frota combinada. Seus olhos continuaram plácidos como um lago.

— Uma formação densa é um erro imperdoável — comentou ele, em voz baixa. — Tudo o mais está dentro do esperado. — Em seguida, ele passou o olhar pelos cinco comandantes e pelas três camadas de oficiais e soldados. — Camaradas, me dirijo a todos por esse título antiquado porque desejo que, a partir de hoje, todos nós tenhamos uma mesma vontade. Cada um de vocês precisa compreender a realidade diante de nós e encarar o futuro pela frente. Camaradas, não há volta.

De fato, não havia volta. A gota que destruíra a frota combinada continuava no sistema solar, e outras nove chegariam dentro de três anos. Para aquela pequena frota, o antigo lar tinha se transformado em uma armadilha letal. Pelas informações recebidas, a civilização humana sofreria o colapso total antes mesmo da chegada da Frota Trissolariana principal, de modo que o fim dos tempos para a Terra não demoraria muito. As cinco naves precisavam aceitar a responsabilidade de conduzir a civilização adiante, mas só podiam seguir voando, e para longe. As naves seriam para sempre o lar desses homens e dessas mulheres, e o espaço, seu lugar de repouso final.

Juntos, os cinco mil e quinhentos tripulantes eram como um bebê arrancado do cordão umbilical e lançado com crueldade no abismo do espaço. Como esse bebê, a única coisa que eles podiam fazer era chorar. No entanto, os olhos tranquilos de Zhang Beihai eram um intenso campo de força que sustentava a estabilidade da formação e ajudava a tripulação a manter a pose militar. O que crianças abandonadas na noite infinita mais precisavam era de um pai, e agora, como Dongfang Yanxu, todos encontraram essa figura paterna naquele soldado ancestral.

— Nós seremos uma parte da humanidade para sempre — continuou Zhang Beihai. — Apesar disso, a partir de agora, somos uma sociedade independente e devemos nos livrar da nossa dependência psicológica em relação à Terra. Precisamos escolher um novo nome para este nosso mundo.

— Nós viemos da Terra e talvez sejamos os únicos herdeiros da nossa civilização, então proponho Nave Terra — sugeriu Dongfang Yanxu.

— Excelente. — Zhang Beihai assentiu com a cabeça, satisfeito, e se virou para a formação. — A partir de agora, todos somos cidadãos da Nave Terra. Este momento talvez seja o segundo início da civilização humana. Há muitas coisas que precisamos fazer, então peço que todos voltem aos seus postos agora.

As duas formações de holograma desapareceram, e a formação da *Seleção Natural* começou a se dispersar.

— Senhor, devemos agrupar nossas quatro naves? — perguntou o comandante da *Espaço Profundo*.

Os comandantes não haviam desaparecido. Zhang Beihai balançou a cabeça com firmeza.

— Não é necessário. No momento, vocês estão a cerca de duzentos mil quilômetros da *Seleção Natural*. Embora seja uma viagem pequena, o agrupamento consumiria combustível nuclear e, como energia é a base da nossa sobrevivência, precisamos poupar o máximo possível do pouco que temos. Somos os únicos seres humanos desta parte do espaço, então compreendo seu desejo de se agregar, mas duzentos mil quilômetros é uma distância curta. A partir de agora, temos que pensar a longo prazo.

— Sim, temos que pensar a longo prazo — repetiu Dongfang Yanxu, ainda com os olhos voltados para o infinito, como se observasse os longos anos à sua frente.

— Temos que realizar uma assembleia geral o quanto antes, para estabelecer questões básicas — prosseguiu Zhang Beihai. — Depois será preciso que a maioria dos tripulantes entre em hibernação o mais depressa possível, para que os sistemas ecológicos possam operar em força mínima... Seja lá o que o futuro nos reservar, a história da Nave Terra começou.

Os olhos do pai de Zhang Beihai voltaram a emergir do além, como raios que surgiam dos limites do cosmo e penetravam tudo. Zhang Beihai sentiu o olhar e, em seu íntimo, disse: *Não, pai. Você não pode descansar. Ainda não acabou. Começou de novo.*

No dia seguinte, ainda acompanhando o horário terrestre, a Nave Terra realizou a primeira Assembleia Geral, em um salão formado pela combinação de cinco subsalões holográficos. Havia cerca de três mil presentes, e aqueles que não puderam deixar seus postos participaram remotamente.

O primeiro ato da assembleia foi definir uma questão urgente: o destino da jornada da Nave Terra. Por unanimidade, ficou decidido manter o rumo atual. O destino era o que Zhang Beihai havia fixado para a *Seleção Natural*, na direção da constelação de Cisne — ou, para ser mais exato, a estrela NH558J2, um dos sistemas planetários mais próximos ao sistema solar. Essa estrela tinha dois planetas, ambos gasosos como Júpiter e inadequados para a vida humana, mas poderia suplementar o estoque de combustível nuclear. Agora parecia que a escolha do destino tinha sido pensada com cuidado, pois a uma distância de apenas 1,5 ano-luz do destino atual existia outro sistema planetário que, de acordo com observações iniciais, dispunha de um planeta com ambiente natural semelhante ao da Terra. No entanto, esse sistema tinha só um planeta e, caso acabasse se revelando um mundo inóspito — as condições necessárias para um mundo habitável eram muito mais específicas do que qualquer observação preliminar poderia revelar —, a Nave Terra perderia a chance de se reabastecer. Após alcançar a NH558J2 e reabastecer, eles poderiam voar rumo ao destino seguinte a uma velocidade ainda maior.

A NH558J2 ficava a dezoito anos-luz do sistema solar. Na velocidade atual, levando em conta os inevitáveis imprevistos ao longo da jornada, a Nave Terra levaria dois mil anos para chegar.

Dois milênios. Esse número sombrio apresentava outro retrato nítido do presente e do futuro. Mesmo considerando a hibernação, a maioria dos cidadãos da Nave Terra jamais viveria para chegar ao seu destino. A vida dos tripulantes duraria apenas uma pequena parte dos vinte séculos da viagem e, mesmo para os descendentes que veriam NH558J2, esse sistema planetário não passaria de uma parada intermediária. Ninguém sabia qual seria o destino seguinte, muito menos quando a Nave Terra enfim encontraria um genuíno lar habitável.

Na realidade, o pensamento de Zhang Beihai havia sido extremamente racional. Ele sabia que não se tratava de coincidência o fato de que a Terra era adequada para a vida humana, e que definitivamente não se tratava do efeito do princípio antrópico, e sim do resultado da interação a longo prazo da biosfera com o ambiente natural, um resultado que dificilmente se repetiria em outro planeta em volta de alguma estrela distante. Sua escolha pela NH558J2 considerava outra possibilidade: talvez eles jamais encontrassem um mundo habitável, e a nova civilização humana viveria eternamente em viagem pelo espaço.

Como era de esperar, ele não declarou essa ideia abertamente. Talvez só a geração seguinte nascida na Nave Terra seria capaz de aceitar com naturalidade uma civilização estelar. A geração atual teria que viver para sempre com o ideal de um lar em um planeta como a Terra.

A assembleia também determinou a situação política da Nave Terra. Ficou decidido que as cinco naves continuariam parte do mundo humano para sempre. Porém, em vista das circunstâncias atuais, era impossível para a Nave Terra estar politicamente subordinada à Terra ou às três frotas, então ela se tornaria um país independente.

Quando essa resolução foi transmitida para o sistema solar, a ONU e a CCFS ficaram um bom tempo em silêncio antes de responder. Sem formalizar posição, as organizações apenas enviaram uma aceitação tácita.

E assim o mundo humano se dividiu em três Internacionais: a antiga Terra Internacional, a Frota Internacional da nova era e a Nave Internacional que singrava as profundezas do cosmo. Esse último grupo contava com pouco mais de cinco mil pessoas, mas levava consigo todas as esperanças da civilização humana.

Na segunda Assembleia Geral, os cidadãos passaram a discutir a questão da estrutura de liderança da Nave Terra.

— Acho que é cedo demais para esse item na pauta — interrompeu Zhang Beihai, no início da sessão. — Precisamos determinar a estrutura da sociedade na Nave Terra antes de decidir um tipo de governo.

— Quer dizer, precisamos primeiro redigir uma Constituição — observou Dongfang Yanxu.

— Pelo menos os princípios básicos de uma Constituição.

Desse modo, a assembleia seguiu deliberando nessa linha. A maioria das pessoas estava inclinada a pensar que, como a Nave Terra era um sistema extremamente frágil em viagem pelo implacável ambiente do espaço, seria preciso estabelecer uma sociedade disciplinada para garantir um desejo único de sobrevivência em tão adversas condições. Alguém propôs que fosse mantido o sistema militar atual, e a ideia recebeu amplo apoio.

— Vocês se referem a uma sociedade totalitária — disse Zhang Beihai.

— Senhor, deve haver alguma maneira mais sonora de nomear isso. Afinal, somos militares — objetou o comandante da *Espaço Azul*.

— Acho que não vai funcionar. — Zhang Beihai balançou a cabeça, determinado. — Para garantirmos a sobrevivência, não basta continuarmos vivos. A melhor maneira de assegurar nossa continuidade é pelo desenvolvimento. Durante nossa viagem, teremos que desenvolver nossa própria ciência e tecnologia para ampliar o tamanho da frota. Os fatos históricos da Idade Média e da Grande Ravina provam que um sistema totalitário é a maior barreira contra o progresso humano. A Nave Terra precisa de inovação e de ideias novas e vibrantes, o que só é possível com o estabelecimento de uma sociedade que respeite plenamente a liberdade e a individualidade.

— O senhor está sugerindo estabelecer uma sociedade como a Terra Internacional, só que em versão moderna? A Nave Terra apresenta certas condições intrínsecas — mencionou um oficial de baixa patente.

— É verdade. — Dongfang Yanxu fez um gesto afirmativo com a cabeça para o oficial. — A Nave Terra pode ter pouca gente, mas dispõe de um sistema de informações altamente refinado que permite que qualquer problema seja debatido e submetido a votação por todos. Podemos criar a primeira sociedade genuinamente democrática da história da humanidade.

— Isso também não vai funcionar. — Zhang Beihai balançou a cabeça outra vez. — Como aqueles cidadãos já disseram, a Nave Terra está viajando pelo implacável ambiente do espaço, onde o mundo inteiro vive sob a ameaça de catástrofes a qualquer momento. A história da Terra durante a Crise Trissolariana demonstrou que, diante desse tipo de condição, em particular quando o mundo precisa fazer sacrifícios para preservar o todo, a sociedade humanitária que você está considerando é muito frágil.

Os presentes na assembleia trocaram olhares, todos com o mesmo pensamento: *Então o que a gente faz?*

— Estou simplificando demais — disse Zhang Beihai, sorrindo. — Ninguém jamais conseguiu responder a essa questão em toda a história da humanidade, então como é que nós vamos resolver o tema em uma sessão? Acho que precisaremos de um longo processo de tentativa e erro até encontrarmos o modelo social mais adequado para a Nave Terra. Após a sessão, devemos abrir debates sobre o assunto... Por favor, me perdoem por tumultuar a pauta. Sugiro continuarmos com o assunto inicial.

Dongfang Yanxu nunca havia visto Zhang Beihai sorrir daquele jeito. Ele raramente sorria e, quando o fazia, estampava um sorriso confiante e piedoso. Contudo, dessa vez, seu sorriso traía uma timidez constrangida que ela nunca vira antes. Embora a interrupção não tivesse sido nada de mais, ele era um indivíduo reservado, e aquela foi a primeira vez que apresentou uma opinião e depois voltou atrás. Ela também percebeu a distração: ele não havia feito nenhuma anotação até o momento, ao contrário dos registros cuidadosos da sessão anterior. Zhang Beihai era a única pessoa a bordo que ainda usava o método antigo de papel e lápis, algo que tinha se tornado uma marca pessoal.

Em que, afinal, ele estaria pensando?

A sessão voltou para o tema da estrutura de liderança. Os cidadãos estavam inclinados a considerar que o momento ainda não era propício para uma escolha, então a cadeia hierárquica das naves não mudaria por enquanto. Cada nave seria liderada por seu respectivo comandante, e uma Comissão Executiva da Nave Terra, composta pelos cinco e um presidente, seria responsável por debater e decidir a respeito de questões importantes. Por unanimidade, Zhang Beihai foi eleito o presidente da comissão, para servir como comandante supremo da Nave Terra. A resolução foi apresentada à assembleia e aprovada com cem por cento dos votos.

Só que ele recusou a posição.

— Senhor, é sua responsabilidade — tentou convencê-lo o comandante da *Espaço Profundo*.

— Na Nave Terra, o senhor é o único com prestígio para comandar todas as naves — acrescentou Dongfang Yanxu.

— Acredito que já tenha cumprido minha responsabilidade. Estou cansado e cheguei à idade de me aposentar — respondeu Zhang Beihai, em voz baixa.

Quando a assembleia foi encerrada, Zhang Beihai pediu para Dongfang Yanxu esperar.

— Dongfang — falou ele, depois que todos se retiraram —, eu gostaria de recuperar minha posição de comandante interino da *Seleção Natural*.

— Comandante interino? — perguntou ela, encarando-o com surpresa.

— Sim. Eu gostaria que você me concedesse as permissões operacionais da nave outra vez.

— Posso transferir todo o comando da *Seleção Natural* para o senhor, sem problemas. Com certeza a Comissão Executiva e os cidadãos não vão se opor.

Ele balançou a cabeça e sorriu.

— Não, você continuará no comando, com plena autoridade na nave. Por favor, confie em mim. Não vou interferir em nada do seu trabalho.

— Então por que deseja os privilégios de comandante interino? Isso é mesmo necessário na sua posição atual?

— É que eu gosto da nave. Ela foi um sonho nosso durante dois séculos. Sabe o que eu precisei fazer para que esta nave estivesse aqui conosco hoje?

Quando Zhang Beihai a encarou, ela percebeu que a placidez daqueles olhos havia desaparecido, revelando um cansaço vazio e um pesar intenso. Ele até parecia outra pessoa: não era mais aquele sobrevivente calmo e soturno de pensamentos profundos e atos determinados, e sim um homem oprimido pela implacável marcha do tempo. Ao observá-lo, Dongfang Yanxu experimentou um grau de preocupação e compaixão que nunca havia sentido antes.

— Senhor, não pense nisso. Os historiadores foram justos com suas ações no século XXI. A decisão pela pesquisa em propulsão por radiação foi um passo crucial na direção certa para a tecnologia espacial da humanidade. Talvez na época fosse... fosse a única opção, assim como a fuga foi a única opção para a *Seleção Natural*. Além do mais, de acordo com a legislação moderna, o crime já prescreveu há muito tempo.

— Pode ser, mas eu não consigo me livrar dessa cruz. Você não entende... Eu tenho um apego forte por esta nave, mais do que você. Sinto que ela faz parte de mim e não posso abandoná-la. Sem contar que preciso ter alguma coisa para fazer no futuro. Ter obrigações me acalma um pouco a mente.

Ele então se virou e saiu, uma figura cansada flutuante que se afastava até se tornar um pontinho preto na imensidão branca do espaço esférico. Dongfang Yanxu ficou olhando até ele desaparecer na branquidão, sendo aos poucos cercada e engolida por um sentimento de solidão até então desconhecido para ela.

Em sessões posteriores da Assembleia Geral, os cidadãos da Nave Terra mergulharam na empolgante criação de um mundo novo. Debates intensos sobre a Constituição e a estrutura social do mundo ocorreram, inúmeras leis foram formuladas, a primeira eleição foi planejada... Havia uma troca constante de ideias entre oficiais e soldados de diversas patentes e de naves diferentes. Os tripulantes descortinavam as perspectivas para o futuro e estavam ansiosos para transformar a Nave Terra em um núcleo que cresceria até se tornar uma civilização do futuro, ficando cada vez maior à medida que a frota avançasse de um sistema estelar a outro. Cada vez mais gente passou a chamar a Nave Terra de "segundo Éden", um segundo ponto de partida para a civilização humana.

Mas esse maravilhamento não durou muito, pois a Nave Terra era literalmente um Jardim do Éden.

O capitão de fragata Lan Xi, psicólogo-chefe da *Seleção Natural*, dirigia o Segundo Departamento de Serviço Civil, uma divisão de oficiais militares treinados em psicologia encarregados do bem-estar mental da tripulação durante viagens longas pelo espaço e em batalhas. Quando a Nave Terra começou sua jornada sem fim, Lan Xi e seus subordinados ficaram em alerta, como guerreiros à espera do ataque de um poderoso inimigo. Os planos formulados nas mais diversas situações anteriores haviam preparado esses oficiais para uma grande variedade de possíveis crises psicológicas.

O consenso geral apontava que o inimigo número 1 era justamente o "Problema N": nostalgia, ou saudade de casa. Como pela primeira vez a humanidade embarcava em uma viagem sem volta, o Problema N tinha potencial para provocar um desastre psicológico em massa. Lan Xi orientou o SDSC a tomar todas as precauções necessárias, incluindo a criação de canais dedicados para comunicação com a Terra e com as três frotas. Assim, todo tripulante teria condições de manter contato constante com amigos e familiares na Terra e na frota, e poderia assistir à maioria dos noticiários e programas transmitidos pelas duas Internacionais. Embora a Nave Terra estivesse a setenta unidades astronômicas do Sol, o que resultava em um atraso de nove horas no sinal, a qualidade de comunicação com a Terra e com as frotas era excelente.

Além das consultas e das orientações a qualquer sinal do Problema N, os psicólogos do SDSC também prepararam um recurso drástico para lidar com um desastre psicológico em massa: usar hibernação como forma de quarentena para uma multidão descontrolada.

Com o tempo, ficou claro que todas essas preocupações eram desnecessárias. Embora o Problema N estivesse presente em toda a Nave Terra, não estava nem perto de fugir ao controle. Para se ter uma ideia, ele não chegava nem ao nível das corriqueiras viagens longas do passado. A princípio, Lan Xi ficou confuso, mas logo descobriu uma explicação: após a destruição da frota principal da humanidade, a Terra havia perdido todas as esperanças. Embora ainda faltassem dois séculos para o definitivo fim dos tempos (de acordo com os cálculos mais otimistas), as notícias que chegavam da Terra mostravam que o inesperado baque da arrasadora derrota havia mergulhado o mundo no caos, e que o planeta estava impregnado do fedor da morte. Para a Nave Terra, não havia nada na Terra ou no sistema solar que pudesse alimentar seus tripulantes. Ora, o potencial nostálgico de um lar assim era limitado.

No entanto, apareceu outro inimigo, muito mais ameaçador do que o Problema N. Quando Lan Xi e os oficiais do SDSC se deram conta de sua existência, ele já havia se alastrado.

Pela experiência, Lan Xi sabia que em viagens espaciais longas o Problema N costumava aparecer primeiro em soldados e oficiais de baixa patente, pois suas obrigações demandavam muito menos atenção do que as de oficiais de patente mais alta, e seu preparo mental era relativamente fraco. Por essa razão, desde o início o SDSC voltou seus esforços para os níveis inferiores, mas a sombra se abateu antes nos níveis superiores.

Foi por volta daquele momento que Lan Xi percebeu algo curioso. A primeira eleição para as instituições governamentais da Nave Terra estava prestes a acontecer, uma eleição aberta a toda a população, o que significava na prática que a maioria dos comandantes veteranos estava diante da transição de oficiais militares para autoridades de um governo. As posições seriam redistribuídas, e muitos seriam substituídos por concorrentes de patente inferior. Lan Xi ficou surpreso ao constatar que nenhum dos oficiais superiores da *Seleção Natural* estava muito preocupado com a eleição que determinaria o restante de suas vidas. Ele não viu nenhum desses oficiais promover qualquer campanha e, sempre que tocava no assunto da eleição, observava que ninguém tinha o menor interesse. Era inevitável não pensar no comportamento distraído de Zhang Beihai durante a segunda sessão da Assembleia Geral.

Então Lan Xi começou a ver sintomas de desequilíbrio psicológico nos oficiais de patente superior a capitão de fragata. Muitos começaram a assumir um comportamento cada vez mais introvertido, passando muito tempo sozinhos e perdidos em pensamentos, demonstrando uma redução drástica de interações sociais. Eles se posicionavam cada vez menos em reuniões e, às vezes, ficavam completamente calados. Lan Xi observou que os olhos desses oficiais haviam perdido o brilho e que eles apresentavam uma postura melancólica, evitando encarar as pessoas com receio de que alguém percebesse a opacidade de seus olhares. Quando acontecia de seus olhos cruzarem com os de alguém, eles logo desviavam o rosto, como se tivessem levado um choque... Quanto maior a patente, mais graves os sintomas. Para piorar o quadro, havia sinais de que esse problema estava se disseminando pelos patamares inferiores.

Era impossível mudar o cenário com as consultas psicológicas. Ninguém procurava os psicólogos, então o SDSC precisou recorrer ao poder discricionário de realizar consultas compulsórias. Ainda assim, a maioria das pessoas não falava nada.

Lan Xi decidiu levar o problema à comandante suprema e foi até Dongfang Yanxu. Zhang Beihai antes contava com enorme prestígio e status na *Seleção Natural* e em toda a Nave Terra, mas ele rejeitara tudo, retirando-se da disputa e insistindo em que era uma pessoa comum. Só não abrira mão da responsabilidade de comandante interino: transmitir as ordens da comandante para o sistema de controle da nave. No resto do tempo, passava perambulando pela *Seleção Natural*, aprendendo detalhes da nave com oficiais e soldados de todas as patentes e exibindo afeto constante pela arca espacial. Fora isso, permanecia calmo e indiferente, praticamente inabalado pela vasta sombra psicológica que se abatia sobre a nave. Sem dúvida, ele estava tentando se manter isolado, mas Lan Xi conhecia outro motivo importante para esse comportamento: os antigos não eram tão sensíveis quanto os modernos e, nas atuais circunstâncias, a insensibilidade exercia uma excelente função protetora.

— Comandante, seria bom termos alguma indicação do que está acontecendo — disse ele.

— Capitão, imaginávamos que essa indicação viria de você.

— Quer dizer que a senhora não sabe nada da condição atual da Nave Terra?

Os olhos baços de Dongfang Yanxu se encheram de infinita tristeza.

— Só sei que somos os primeiros seres humanos a ir para o espaço.

— Como assim?

— Esta é a primeira vez que a humanidade vai de verdade para o espaço.

— Ah. Entendi. Antes, por mais longe que os seres humanos viajassem pelo espaço, ainda assim não passavam de uma espécie de pipa presa à Terra. Estavam ligados ao planeta por uma linha espiritual. Agora, essa linha foi cortada.

— Isso mesmo. A linha foi cortada. A mudança essencial não é o fato de que a linha foi solta, e sim de que a mão desapareceu. A Terra está se encaminhando para o fim dos tempos. Na verdade, na nossa cabeça ela já morreu. Nossas cinco espaçonaves não estão conectadas a nenhum mundo. Não há nada à nossa volta além do abismo do espaço.

— É mesmo. A humanidade nunca enfrentou um ambiente psicológico assim antes.

— Exato. Neste ambiente, a própria base do espírito humano vai se transformar. As pessoas vão se tornar...

Ela parou de falar de repente, e a tristeza em seus olhos desapareceu, dando lugar apenas à melancolia, como um céu nublado após o fim da chuva.

— Quer dizer que neste ambiente as pessoas vão se tornar pessoas diferentes?

— Diferentes? Não, capitão. As pessoas vão se tornar... "não pessoas".

As últimas palavras provocaram um calafrio em Lan Xi. Ele encarou Dongfang Yanxu, que não desviou o olhar. Ali, naqueles olhos vazios, ele viu janelas completamente fechadas para a alma dela.

— O que estou querendo dizer é que nós não seremos mais pessoas no mesmo sentido de antes... Capitão, é só isso que tenho a comentar. Faça o melhor que puder. E... — Como se estivesse falando durante o sono, ela acrescentou: — Logo vai chegar a sua vez.

O cenário continuou se deteriorando. No dia seguinte à conversa com Dongfang Yanxu, aconteceu um incidente grave na *Seleção Natural*. Um capitão de fragata do sistema de navegação da nave atirou em outro oficial, com quem dividia a cabine. Segundo o relato da vítima, o oficial havia acordado de repente no meio da noite e, ao ver o outro também acordado, acusara o colega de cabine de tentar ouvi-lo falar durante o sono. No calor da discussão, o capitão se deixou levar pelas emoções e disparou a arma.

Na mesma hora, Lan Xi foi visitar o capitão detido.

— O que você tinha medo de que ele escutasse durante o seu sono? — perguntou ele.

— Quer dizer que ele ouviu mesmo? — quis saber o detido, apavorado.

Lan Xi balançou a cabeça.

— Ele disse que você não falou nada.

— E daí se eu tivesse falado? O que a gente diz durante o sono não pode ser considerado verdade! Minha cabeça não pensa assim. Eu não vou para o inferno por algo que falei durante o sono!

Lan Xi acabou não conseguindo convencer o prisioneiro a revelar o que imaginou ter dito durante o sono, então perguntou se ele aceitaria se submeter a uma sessão de hipnoterapia. Ao ouvir a proposta, o detido surtou de novo de repente, e tentou estrangular Lan Xi até os oficiais de segurança enfim afastarem os dois. Quando Lan Xi saiu da detenção, um guarda que havia escutado a conversa foi até ele.

— Capitão, não fale de hipnoterapia de novo — pediu ele. — Caso contrário, o SDSC vai se tornar a divisão mais odiada da nave. Vocês não durariam muito.

Lan Xi então ligou para o capitão de mar e guerra Scott, um psicólogo da *Enterprise*. Scott também atuava como capelão da nave, um posto que a maioria das naves da Frota Asiática não tinha. A *Enterprise* e as outras naves da força de perseguição ainda estavam a duzentos mil quilômetros de distância da *Seleção Natural*.

— Por que está tão escuro aí? — perguntou Lan Xi, ao ver a *Enterprise*.

As paredes curvas da cabine onde Scott estava tinham sido ajustadas para emitir um brilho amarelo suave e exibiam uma imagem das estrelas do lado de fora, dando a impressão de que o capitão de mar e guerra estava no meio de um cosmo enevoado. Embora o rosto dele estivesse mergulhado nas sombras, Lan Xi conseguia sentir que os olhos de Scott não sustentavam seu olhar por muito tempo.

— O Jardim do Éden está ficando escuro. As trevas vão engolir tudo — respondeu Scott, com uma voz esgotada.

Lan Xi quisera consultar o colega porque, como capelão da *Enterprise*, provavelmente as pessoas teriam revelado a verdade em confissão, de modo que talvez ele pudesse dar algum conselho. No entanto, ao ouvir aquela voz e ao constatar como aqueles olhos oscilavam no meio da escuridão, Lan Xi percebeu que não conseguiria nada. Então reprimiu a pergunta que estava prestes a fazer e recorreu a outra, que foi uma surpresa até para ele mesmo:

— O que aconteceu no primeiro Jardim do Éden vai se repetir no segundo?

— Não sei. De qualquer forma, as víboras já chegaram. As serpentes do segundo Jardim do Éden estão rastejando pela alma das pessoas neste exato momento.

— Quer dizer que vocês comeram o fruto proibido da árvore do conhecimento?

Scott confirmou devagar com a cabeça. Em seguida, abaixou o rosto e não o levantou mais, como se estivesse tentando esconder os olhos, que poderiam traí-lo.

— Dá para dizer que sim.

— Quem vai ser expulso do Jardim do Éden? — quis saber Lan Xi, cuja voz vacilou, e suas mãos suavam frio.

— Muitas pessoas. Só que, ao contrário da primeira vez, agora pode ser que algumas pessoas fiquem.

— Quem? Quem vai ficar?

Scott deu um longo suspiro.

— Capitão Lan, já falei demais. Que tal você procurar a árvore do conhecimento por conta própria? Afinal, todos precisam dar esse passo, não é?

— Onde eu devo procurar?

— Pare de trabalhar e reflita um pouco. Sinta mais, que você a encontrará.

Após a conversa com Scott, Lan Xi decidiu seguir o conselho e fez uma pausa na agitação do trabalho e nas preocupações com o caos para refletir. Em menos tempo do que havia imaginado, as víboras frias e escorregadias do Éden rastejaram para dentro de sua consciência. Ele encontrou a árvore do conhecimento e comeu o fruto proibido: os últimos raios de luz de sua alma desapareceram para sempre e tudo mergulhou na escuridão.

Na Nave Terra, um fio invisível e tenso estava sendo esticado até quase arrebentar.

Dois dias depois, o comandante da *Lei Máxima* se suicidou. Ele estava na plataforma traseira, que tinha um domo transparente e parecia exposta ao espaço. A popa da nave estava voltada para o sistema solar, onde o Sol agora não passava de uma estrela amarela só um pouco mais brilhante do que as outras. O braço espiralado periférico da Via Láctea aparecia na mesma direção, com estrelas esparsas. A vastidão do espaço profundo exibia uma arrogância que não proporcionava nenhum consolo para a mente e os olhos.

— Escuro. É escuro demais — murmurou o comandante, antes de dar um tiro na cabeça.

Quando ficou sabendo que o comandante da *Lei Máxima* tinha se suicidado, Dongfang Yanxu teve uma premonição de que o tempo havia se esgotado. Então convocou uma reunião de emergência com os dois imediatos, no grande hangar de caças esférico.

No corredor, a caminho do hangar, ela ouviu alguém chamar seu nome. Era Zhang Beihai. No meio da melancolia, ela mal havia pensado nele nos últimos dias. Zhang Beihai a mediu de cima a baixo, e seu olhar carregado de preocupação paterna lhe deu uma sensação de conforto inimaginável, pois era difícil encontrar olhos livres de sombras na Nave Terra naqueles dias.

— Dongfang, acho que você não tem estado bem ultimamente. Não sei por quê, mas você parece estar escondendo alguma coisa. O que houve?

Em vez de responder, ela perguntou:

— Como o senhor tem passado?

— Bem. Muito bem até. Tenho passeado pela nave toda, estudando. Estou aprendendo sobre o sistema de armamentos da *Seleção Natural*. Claro, ainda não saí do básico, mas é fascinante. Imagine como Colombo se sentiria se visitasse um porta-aviões. Estou igualzinho.

Ao ver a calma e paz de Zhang Beihai, Dongfang Yanxu ficou com um pouco de inveja. Sim, ele havia concluído sua grande missão e tinha o direito de aproveitar a tranquilidade. Aquele grande homem havia feito história e acolhido a ignorância dos hibernantes. Agora, só precisava ser protegido.

— Senhor — disse ela, pensando a respeito —, não pergunte para mais ninguém isso que acabou de me perguntar. Não fale de nada disso.

— Por quê? Por que não posso perguntar?

— É perigoso. Além do mais, o senhor não precisa saber. Acredite.

Ele assentiu com a cabeça.

— Tudo bem. Não vou perguntar. Obrigado por me tratar como uma pessoa comum. Era o que eu queria.

Ela se despediu às pressas mas, ao retomar o caminho, ouviu a voz do fundador da Nave Terra às suas costas:

— Dongfang, o que for para ser será. Não se preocupe, vai dar tudo certo.

Ela viu os dois imediatos no centro do salão esférico. Havia escolhido aquele local porque o tamanho do espaço dava a impressão de que estavam no meio do deserto. Os três flutuavam no centro de um mundo completamente branco, como se o resto do universo estivesse vazio, o que transmitia uma sensação de segurança para a reunião.

Os três olhavam em direções diferentes.

— Precisamos deixar tudo claro — começou ela.

— Sim. Cada segundo que adiarmos é perigoso — concordou Levin.

Ele e Akira Inoue então se viraram para Dongfang Yanxu. O sentido daquele gesto era claro: *Você é a comandante, você fala primeiro.* No entanto, ela não tinha coragem.

O que se passaria ali, na segunda aurora da civilização humana, poderia ser a base de um novo épico de Homero ou de uma nova *Bíblia*. Judas se tornara Judas porque fora o primeiro a beijar Jesus, e por isso ele era fundamentalmente distinto do segundo. Agora se tratava da mesma situação. O primeiro a falar representaria um marco na história da segunda civilização. Talvez essa pessoa se tornasse Judas, ou talvez Jesus. Porém, seja lá qual fosse o caso, Dongfang Yanxu não tinha coragem.

Ainda assim, ela precisava cumprir sua própria missão, então fez uma escolha inteligente. Não evitou o olhar de seus companheiros. A linguagem não era necessária. Toda comunicação poderia ser feita através dos olhos. Quando eles se encararam, seus olhares entrecruzados fizeram as vezes de cabos de dados, ligando suas almas e transmitindo informações em alta velocidade.

Combustível.

Combustível.

Combustível.

O caminho ainda não está nítido, mas já foram identificadas pelo menos duas nuvens de poeira interestelar.

Resistência.

Claro. Após passar por elas, as naves vão reduzir para 0,03 por cento da velocidade da luz, por conta da resistência na poeira.

Nós ainda estamos a mais de dez anos-luz de distância da NH558J2. Vai levar sessenta mil anos até a chegada.

Logo, essa chegada nunca vai acontecer.

As naves talvez cheguem, mas a vida a bordo, não. Nem a hibernação pode ser mantida por tanto tempo.

A menos que...

A menos que a velocidade seja mantida dentro das nuvens de poeira ou que, ao sair, a gente decida acelerar.

Sem combustível suficiente.

Combustível de fusão é a única fonte de energia a bordo e precisa ser usado em outras áreas: sistemas ambientais, possíveis correções de rota...

E para a desaceleração quando chegarmos ao sistema-alvo. A NH558J2 é muito menor que o Sol. Não podemos entrar em órbita usando apenas a gravidade para desacelerar. Teremos que consumir uma grande quantidade de combustível. Caso contrário, vamos passar direto.

O total de combustível da Nave Terra bastaria para duas naves.

Mas, se tomarmos cuidado, vai bastar para uma só.

Combustível.

Combustível.

Combustível.

— E tem a questão das peças — disse Dongfang Yanxu.

Peças.

Peças.

Peças.

Especialmente peças de sistemas críticos: motores por fusão, sistemas de controle e informação, sistemas ambientais.

Talvez não seja uma questão tão urgente quanto o combustível, mas é a base para a sobrevivência a longo prazo. A NH558J2 não tem nenhum planeta habitável para estabelecermos uma colônia ou instalarmos uma indústria, nem tampouco os recursos necessários para isso. Não passa de um lugar para o reabastecimento, antes da viagem para o sistema seguinte, onde talvez seja possível instalar uma indústria para fabricar peças.

A Seleção Natural *tem apenas dois estoques de reposição para peças cruciais.*

Muito pouco.

Muito pouco.

Exceto os motores por fusão, a maioria das peças cruciais na Nave Terra é compatível entre as naves.

Peças dos motores podem ser usadas após modificação.

— É possível reunir toda a tripulação em uma ou duas naves? — perguntou Dongfang Yanxu em voz alta, mas foi só para orientar a comunicação pelos olhares.

Impossível.

Impossível.

Impossível. É gente demais. Os sistemas ambientais e de hibernação não são capazes de sustentar todos. Será um desastre até mesmo se a quantidade atual crescer um pouco.

— Então está claro agora?

A voz de Dongfang Yanxu ressoou no espaço branco e vazio, como os murmúrios de alguém imerso em sono profundo.

Claro.

Claro.

Algumas pessoas precisam morrer, ou todo mundo morrerá.

E então aqueles olhos se calaram. Os três sentiram um desejo intenso de se virar, como se suas almas estivessem se sacudindo do terror provocado por um trovão saído das profundezas do universo. Dongfang Yanxu foi a primeira a serenar os próprios olhos.

— Parem — pediu ela.

Parem.

Não desistam.

Não desistam?

Não desistam! Porque ninguém mais desistiu. Se desistirmos, seremos expulsos do Jardim do Éden.

Por que nós?

Claro, eles também não deviam ser expulsos.

Só que alguém precisa sair. O Jardim do Éden tem capacidade limitada.

Nós não queremos sair do Jardim do Éden.

Então não podemos desistir!

Três pares de olhos às raias do colapso se entrecruzaram de novo.

Bomba H infrassônica.

Bomba H infrassônica.

Bomba H infrassônica.

Todas as naves têm.

É difícil se defender contra um ataque furtivo.

Seus olhares se separaram por um momento, quando as mentes foram levadas à beira da ruína. Eles precisavam descansar. Quando os três pares de olhos voltaram a se encontrar, estavam inseguros e instáveis, como velas tremeluzindo ao vento.

Mal!

Mal!

Mal!

Vamos virar demônios!

Vamos virar demônios!

Vamos virar demônios!

— Mas... o que *eles* estão pensando? — perguntou Dongfang Yanxu, em voz baixa.

Para os outros dois, sua voz, mesmo baixa, pareceu perdurar com insistência no espaço branco, como o zumbido de um mosquito.

Sim. Não queremos virar demônios, mas quem sabe o que eles estão pensando?

Então já somos demônios, senão como poderíamos pensar neles como demônios sem qualquer justificativa?

Está bem, então não vamos pensar neles como demônios.

— Isso não vai resolver o problema — observou Dongfang Yanxu, balançando de leve a cabeça.

Sim. Mesmo se eles não forem demônios, o problema continua de pé.

Porque eles não sabem o que nós estamos pensando.

Será que eles sabem que nós não somos demônios?

O problema continua de pé.

Eles não sabem o que estamos pensando deles.

Eles não sabem o que estamos pensando do que eles estão pensando de nós.

Isso vai resultar em uma interminável desconfiança em cadeia: eles não sabem o que nós estamos pensando do que eles estão pensando do que nós estamos pensando do que eles estão pensando do que nós...

Como podemos romper essa desconfiança em cadeia?

Comunicação?

Na Terra, talvez. Mas não no espaço. Algumas pessoas precisam morrer, ou todo mundo morrerá. Essa foi a mão morta e sombria que o espaço estendeu para a Nave Terra sobreviver. Uma barreira intransponível. Diante desse quadro, a comunicação é inútil.

Só resta uma escolha. A questão é quem fará essa escolha.

Escuro. É escuro *demais.*

— Não podemos adiar mais — sentenciou Dongfang Yanxu, decidida.

Sem mais atrasos. Nesta região sombria do espaço, os caçadores estão prendendo a respiração. O fio está prestes a se partir.

A cada segundo, o perigo cresce exponencialmente.

Como tanto faz quem puxa o gatilho, por que nós não puxamos?

Akira Inoue então rompeu o silêncio.

— Tem outra opção!

Nós nos sacrificamos.

Por quê?

Por que nós?

Nós três poderíamos, mas temos autoridade para tomar essa decisão em nome das duas mil pessoas a bordo da Seleção Natural*?*

Os três estavam parados sobre o fio de uma navalha. Embora os cortes fossem dolorosos, se saltassem para qualquer um dos lados, cairiam em um abismo infinito. Aquelas eram as dores do parto que daria à luz os novos humanos do espaço.

— Que tal o seguinte? Primeiro nós travamos os alvos e depois pensamos um pouco mais — sugeriu Levin.

Dongfang Yanxu assentiu. Levin abriu no ar uma interface de controle para o sistema de armamentos e selecionou a janela dos mísseis com bombas H infrassônicas. Em um sistema de coordenadas esférico com a *Seleção Natural* no centro, a *Espaço Azul*, a *Enterprise*, a *Espaço Profundo* e a *Lei Máxima* apareciam como quatro pontos de luz a duzentos mil quilômetros. A distância ocultava a estrutura dos alvos, na medida em que, na escala do espaço, tudo era apenas um ponto.

No entanto, os quatro pontos de luz estavam cercados por quatro auras vermelhas, quatro miras letais que indicavam que o sistema de armamentos já havia travado os alvos.

Espantados, os três trocaram um olhar e balançaram a cabeça, para dizer que nenhum fizera aquilo. Além deles, os oficiais de controle de armas e de seleção de alvo também tinham permissão para travar alvos com o sistema de armamentos, mas a operação precisava ser autorizada pela comandante ou pelos imediatos. Assim, só outra pessoa teria permissão direta para travar os alvos e lançar ataques.

Como somos idiotas. Ele é apenas uma pessoa comum que já mudou o rumo da história duas vezes!

Ele foi o primeiro a perceber tudo!

Quem sabe quando ele percebeu? Talvez quando a Nave Terra foi fundada, talvez até antes, quando descobriu que a frota combinada tinha sido destruída. Ele é a última pessoa a demonstrar preocupação. Como os pais da era dele, sempre pensando nos filhos.

Dongfang Yanxu voou pelo salão esférico o mais rápido possível, acompanhada de perto pelos outros dois. Eles saíram pela porta e seguiram por aquele corredor longo até chegar à porta da cabine de Zhang Beihai. À frente do soldado ancestral, pairava uma interface idêntica à que eles haviam acabado de ver na reunião. Eles correram para entrar, mas a cena da deserção da *Seleção Natural* se repetiu: os três bateram na antepara. Não havia porta alguma, apenas uma parte ovalada da parede ficara transparente.

— O que você está fazendo? — berrou Levin.

— Crianças — disse Zhang Beihai. Era a primeira vez que usava esse tratamento com eles. Embora estivesse de costas, os três imaginaram que seus olhos deviam estar plácidos como um lago. — Deixem que eu faça isso.

— Então é algo como "Se eu não for para o inferno, quem vai?"?* É isso? — questionou Dongfang Yanxu, em voz alta.

— Eu estou preparado para ir para lá, se necessário, desde que me tornei soldado — respondeu ele, continuando as operações de pré-lançamento das armas.

Do lado de fora, os três viram que, mesmo sem ter sido treinado nessas operações, cada passo executado estava correto. Os olhos de Dongfang Yanxu se encheram de lágrimas.

— Vamos juntos — gritou ela. — Eu quero entrar. Quero ir para o inferno com você!

Ele não respondeu e se limitou a prosseguir os preparativos. Programou os mísseis para autodestruição manual, de modo que pudessem ser detonados pela nave mãe durante o percurso. Só depois de concluir o último passo ele rompeu o silêncio.

— Dongfang, pense. Nós poderíamos ter tomado essa decisão antes? De jeito nenhum. Mas agora podemos, porque o espaço nos transformou em humanos novos.

Ele programou as ogivas para explodirem a cinquenta quilômetros de seus alvos respectivos. Desse modo, as naves não sofreriam danos internos, mas mesmo a uma distância maior ainda a detonação seria fatal para toda a tripulação a bordo dos alvos.

— O nascimento de uma nova civilização é a formação de uma nova moralidade — prosseguiu ele, removendo a primeira trava de segurança das ogivas. —

* Esta célebre frase resume o grande juramento do bodisatva Ksitigarbha (Dìzàng Púsà) de só se tornar buda depois que todos os seres vivos fossem salvos.

Quando as gerações futuras olharem para todos os nossos atos, talvez considerem que foi tudo perfeitamente normal. Por isso, crianças, nós não vamos para o inferno.

A segunda trava de segurança foi removida.

De repente, o alarme soou por toda a nave, como o choro de dez mil fantasmas na escuridão do espaço. O ar ficou cheio de telas como se estivesse nevando, exibindo uma quantidade imensa de informações recebidas pelo sistema defensivo da *Seleção Natural* sobre os mísseis que estavam se aproximando, mas ninguém teve tempo de ler.

Foram apenas quatro segundos entre o alarme e a detonação das bombas H infrassônicas.

As imagens transmitidas pela *Seleção Natural* para a Terra mostraram que Zhang Beihai talvez tivesse compreendido tudo em apenas um único segundo. Ele havia imaginado que sua árdua procissão de mais de dois séculos tinha deixado seu coração duro como ferro, mas ignorara algo oculto nas profundezas de sua alma e hesitara antes da decisão final. Ele tentou conter o tremor de seu coração, e esse último instante de brandura foi o responsável por sua morte e pela de todos os tripulantes da *Seleção Natural*. Após um mês de tensão em meio às trevas, ele foi só alguns segundos mais lento do que a outra nave.

Três pequenos sóis iluminaram a escuridão do espaço, formando um triângulo equilátero com a *Seleção Natural* no centro, a uma distância média de quarenta quilômetros. A bola de fogo da fusão durou vinte segundos e brilhou com frequências infrassônicas invisíveis a olho nu.

As imagens recebidas mostraram que, nos três segundos restantes, Zhang Beihai se virou para Dongfang Yanxu, esboçou um sorriso e disse:

— Não importa. Tanto f...

Não se sabia quais foram as palavras exatas, pois ele não teve tempo de terminar. Um poderoso pulso eletromagnético atingiu a nave vindo de três direções, fazendo o imenso casco da *Seleção Natural* vibrar como as asas de uma cigarra. A energia dessas vibrações se converteu em ondas infrassônicas, o que, na imagem, parecia uma névoa de sangue que envolvia tudo.

O ataque partira da *Lei Máxima*, que havia disparado doze mísseis camuflados armados com bombas H infrassônicas contra as outras quatro naves. Os três mísseis contra a *Seleção Natural*, que estava a duzentos mil quilômetros de distância, tinham sido lançados antes dos dirigidos às naves mais próximas, para que todos atingissem o ponto de detonação ao mesmo tempo. Um imediato havia assumido a *Lei Máxima* após o suicídio do comandante, mas não se sabia quem havia tomado a decisão de atacar. Esse mistério permaneceria para sempre.

No final, a *Lei Máxima* não foi uma das afortunadas a permanecer no Jardim do Éden.

Das outras três naves perseguidoras, a *Espaço Azul* tinha sido a mais bem preparada para o caso de imprevistos. Antes do ataque, ela havia criado um vácuo em seu interior, e toda a tripulação estava em trajes espaciais. Como ondas infrassônicas não se propagam no vácuo, ninguém se feriu, e a nave sofreu apenas avarias mínimas pelo pulso eletromagnético.

Logo após a explosão das bombas nucleares, a *Espaço Azul* começou o contra-ataque com lasers, a reação mais rápida possível. A *Lei Máxima* foi iluminada por cinco feixes de laser de raios gama, que abriram cinco imensos buracos em seu casco. O interior logo pegou fogo e sofreu pequenas explosões, o que anulou toda a capacidade de combate da nave. Então a *Espaço Azul* lançou ataques mais pesados e, após uma saraivada de mísseis nucleares e uma chuva de disparos dos canhões eletromagnéticos, a *Lei Máxima* explodiu com violência, sem sobreviventes.

Quase ao mesmo tempo da Batalha da Escuridão na Nave Terra, uma tragédia semelhante acontecia na outra extremidade do sistema solar. A *Era de Bronze* lançou um ataque-surpresa contra a *Quantum*, usando as mesmas bombas H infrassônicas para eliminar toda a vida dentro do alvo e preservar a nave ilesa. Como as duas naves haviam enviado poucas informações para a Terra, ninguém sabia ao certo o que tinha acontecido com elas. Ambas haviam executado uma aceleração intensa para escapar do ataque da sonda, mas não desaceleraram como as perseguidoras da *Seleção Natural*, de modo que o combustível restante provavelmente seria mais do que o suficiente para voltar à Terra.

A infinitude do espaço acolheu uma nova humanidade sombria em seus braços sombrios.

Na nuvem de metal em expansão formada pela explosão da *Lei Máxima*, a *Espaço Azul* alcançou a *Enterprise* e a *Espaço Profundo*, que não exibiam nenhum sinal de vida, e extraiu todo o combustível de fusão. Após recolher todos os materiais dessas duas naves, a *Espaço Azul* atravessou os duzentos mil quilômetros até a *Seleção Natural* e repetiu o mesmo procedimento. Com os três gigantescos cascos das naves mortas cobertos pelas fagulhas de soldadoras a laser, a Nave Terra havia se tornado um canteiro de obras no espaço. Se Zhang Beihai ainda estivesse vivo, a imagem com certeza o faria pensar no porta-aviões *Tang* de dois séculos antes.

A *Espaço Azul* apanhou pedaços das três belonaves abandonadas, arranjando-os em uma formação semelhante a Stonehenge, para servir como uma tumba no espaço sideral. A tripulação então fez uma cerimônia para velar todas as vítimas da Batalha da Escuridão.

Usando trajes espaciais, os 1273 tripulantes da *Espaço Azul* se reuniram em formação flutuante no centro da tumba. Eles eram os últimos cidadãos da Nave Terra. À sua volta, pedaços gigantescos das naves pareciam uma cordilheira circular, e os buracos abertos nos destroços lembravam cavernas imensas nas montanhas. Os corpos das 4227 vítimas foram deixados dentro dos destroços, que projetavam uma sombra nos vivos, como se eles estivessem em um vale à meia-noite. A única luz vinha da frieza da Via Láctea que vazava pelos vãos entre os pedaços arruinados.

A tripulação permaneceu tranquila durante o funeral. Os novos humanos espaciais haviam deixado a infância para trás.

Uma pequena luminária votiva foi acesa. Era uma lâmpada de cinquenta watts, com outras cem de reposição, que seriam substituídas automaticamente na luminária. Mantida por uma pequena bateria nuclear, a luminária votiva permaneceria acesa por dezenas de milhares de anos. Sua luz fraca era como uma vela no vale, lançando uma pequena aura no grande paredão dos destroços e iluminando um pedaço de antepara de titânio que fora gravado com o nome das vítimas. Não havia epitáfio.

Uma hora depois, a tumba espacial foi iluminada pela última vez com o brilho da aceleração da *Espaço Azul*. A tumba viajava a um por cento da velocidade da luz. Dentro de alguns séculos, cairia para 0,03 por cento da velocidade da luz, em decorrência da resistência das nuvens interestelares. Ela ainda chegaria à estrela NH558J2 em sessenta mil anos, mas a *Espaço Azul* já teria partido para o sistema estelar seguinte mais de cinquenta milênios antes.

A *Espaço Azul* mergulhou nas profundezas do espaço com bastante combustível de fusão e oito estoques de reposição para peças cruciais. Era uma quantidade tão grande de material que seria impossível armazenar tudo dentro da nave, então foram anexados vários compartimentos externos ao casco, alterando completamente o aspecto externo e transformando a nave em um corpo imenso, feio e irregular. Ela realmente parecia um viajante em uma longa jornada.

Um ano antes, na extremidade oposta do sistema solar, a *Era de Bronze* havia acelerado para longe dos destroços da *Quantum*, a caminho da constelação de Touro.

A *Espaço Azul* e a *Era de Bronze* tinham saído de um mundo de luz e se tornado duas naves de sombras.

O universo também já fora luminoso. Durante um breve período após o Big Bang, toda a matéria existia em forma de luz, e foi só depois que o universo se tornou cinzas que os elementos mais pesados precipitaram a partir da escuridão e formaram planetas e vida. A escuridão era a mãe de toda a vida e civilização.

Na Terra, uma avalanche de pragas e insultos foi despejada para o espaço na direção da *Espaço Azul* e da *Era de Bronze*, mas as naves não responderam. Aqueles dois mundos próprios interromperam todo contato com o sistema solar, pois, para eles, a Terra já estava morta.

As duas naves sombrias se tornaram uma só com a escuridão, separadas pelo sistema solar e se afastando cada vez mais. Levando consigo toda a riqueza de pensamentos e lembranças da humanidade, e acolhendo toda a glória, todos os sonhos da Terra, elas desapareceram em silêncio pela noite eterna.

— Eu sabia!

Essas foram as primeiras palavras de Luo Ji ao ter conhecimento da Batalha da Escuridão que havia ocorrido nos confins do sistema solar. Ele deixou para trás um Shi Qiang confuso, saiu correndo da casa e disparou pelo vilarejo, até parar de frente para o deserto do norte da China.

— Eu tinha razão! Eu tinha razão! — gritou ele para o céu.

Era tarde da noite e, talvez por causa da chuva que tinha acabado de cair, a visibilidade atmosférica era excelente. As estrelas estavam visíveis, embora não fossem tão claras quanto no século XXI, e pareciam muito mais espalhadas do que antes, pois só se viam as mais brilhantes. Ainda assim, Luo Ji foi invadido pelo mesmo sentimento que tivera naquela noite fria no lago congelado, dois séculos antes: o cidadão comum Luo Ji havia desaparecido, dando lugar mais uma vez a uma Barreira.

— Da Shi, a vitória da humanidade está nas minhas mãos! — disse ele para Shi Qiang, que o seguira até ali.

Shi Qiang riu.

— Hein?

A risada ligeiramente debochada de Shi Qiang aplacou o entusiasmo de Luo Ji.

— Eu sabia que você não ia acreditar em mim.

— Então o que você vai fazer agora? — perguntou Shi Qiang.

Luo Ji voltou os olhos para a areia, e seu ânimo desabou.

— O que eu deveria fazer? Aparentemente, não *posso* fazer mais nada.

— Você pelo menos podia dar um jeito de comunicar à hierarquia.

— Não sei se daria certo, mas vou tentar. Mesmo se for só para cumprir minha responsabilidade.

— Até onde você vai?

— O mais longe possível. O secretário-geral da ONU. Ou o presidente da CCFS.

— Acho que isso não vai ser fácil. Nós agora somos pessoas comuns... Bom, mas você precisa tentar. Hum, você pode tentar recorrer primeiro à esfera municipal. Procure o prefeito.

— Tudo bem. Vou para a cidade, então.

Ele se levantou.

— Eu vou junto.

— Não, eu vou sozinho.

— Mesmo com esse cargo, continuo sendo funcionário público. Vai ser mais fácil para mim agendar uma reunião com o prefeito.

Luo Ji olhou para o céu.

— Quando é que a gota chega à Terra?

— Os noticiários apontam que ela deve chegar daqui a dez ou vinte horas.

— Você sabe por que ela está vindo para cá? A missão não era destruir a frota combinada. Também não era atacar a Terra. Nada disso. A gota foi lançada para me matar. Não quero que você esteja ao meu lado quando ela chegar.

Shi Qiang deu a mesma risada debochada.

— Ainda temos dez horas, não é? Quando ela chegar, eu me afasto de você.

Luo Ji balançou a cabeça e abriu um sorriso sarcástico.

— Você não está me levando nem um pouco a sério. Então por que quer me ajudar?

— Meu amigo, cabe à chefia decidir acreditar ou não em você. Pelo sim, pelo não, eu sempre vou pelo sim. Você deve ter sido escolhido entre bilhões de pessoas, dois séculos atrás, por algum motivo, não é? Além do mais, se eu lavar as mãos para você, a posteridade não vai me condenar? Se a chefia não levar você a sério, pelo menos eu não perco nada. Não terá passado de uma ida à cidade. Agora, tem um detalhe: você diz que aquele negócio que está vindo para a Terra quer matar você. Não acredito nem um pouco nessa hipótese. Tenho bastante experiência com assassinatos, e algo assim seria exagero, até para os trissolarianos.

Eles chegaram à estação de passagem da cidade velha para a subterrânea. Embora fosse madrugada, os elevadores continuavam funcionando normalmente. Havia uma multidão saindo com muitas malas, mas para descer eram poucos, e no elevador deles só havia outras duas pessoas.

— Vocês são hibernantes? Todos estão subindo. Por que vocês vão descer? A cidade está um caos — comentou um deles, um rapaz.

Suas roupas exibiam bolas de fogo que brilhavam sem cessar em um fundo preto. Um exame mais atento revelava que era uma imagem da destruição da frota combinada.

— Então por que vocês estão descendo? — rebateu Shi Qiang.

— Achei um lugar para morar na superfície, então vou descer para buscar algumas coisas — respondeu o rapaz, antes de fazer um gesto com a cabeça na direção deles. — Vocês da superfície vão ficar ricos. Nós não temos nenhuma casa lá em cima, e a maioria dos direitos de propriedade das casas está nas suas mãos. Vamos ter que comprar de vocês.

— Se a cidade subterrânea ruir e todo mundo subir correndo para a superfície, provavelmente não vai ter muita gente comprando e vendendo — disse Shi Qiang.

A outra pessoa que descia no mesmo elevador era um homem de meia-idade. Encolhido no canto, ele escutava a conversa e de repente cobriu o rosto com as mãos e deu um gemido.

— Não. Ah...

Ele então se agachou e começou a chorar. Suas roupas exibiam uma cena bíblica clássica: Adão e Eva nus, à sombra de uma árvore no Jardim do Éden, enquanto uma serpente sedutora rastejava entre eles. Talvez fosse um símbolo da recente Batalha da Escuridão.

— Tem muita gente igual a ele — apontou o rapaz, cheio de desdém pelo homem que chorava. — De mente perturbada. — Os olhos do rapaz se animaram. — Na verdade, o fim dos tempos é uma época maravilhosa. Eu diria até que a mais maravilhosa de todas. Esta é a única ocasião na história em que as pessoas vão ter a oportunidade de abandonar todas as preocupações, todos os fardos, e se dedicar à vida. É burrice ficar que nem ele. Agora, o jeito mais responsável de encarar a situação é aproveitar os dias enquanto der.

Quando o elevador terminou de descer, Luo Ji e Shi Qiang saíram para o saguão e logo sentiram o cheiro forte e peculiar de algo queimando. A cidade subterrânea estava mais clara do que antes, mas era uma luz branca incômoda. Quando olhou à sua volta, o que Luo Ji viu entre as árvores gigantescas não era o azul do céu, e sim um branco absoluto. A projeção do céu no domo da cidade subterrânea tinha desaparecido. Diante daquela brancura, ele se lembrou das cabines esféricas das naves que tinha visto no noticiário. Os gramados estavam cobertos de lixo que caíra das árvores imensas. Nas imediações, ele avistou os destroços de alguns carros voadores que tinham despencado, e um ardia em chamas, cercado por uma multidão que apanhava coisas inflamáveis nos gramados e ateava fogo nelas. Uma das pessoas chegou a jogar as próprias roupas nas chamas enquanto ainda exibiam imagens. De uma tubulação subterrânea rompida, jorrava um jato alto de água, encharcando um grupo de pessoas que brincavam embaixo, feito crianças. De vez em quando, elas soltavam uns gritos animados e se dispersavam, para escapar do entulho que caía das árvores, antes de voltarem a se reagrupar e continuar a bagunça. Luo Ji olhou para cima de novo e observou focos de incêndio em vários pontos das árvores. As sirenes de veículos bombeiros voadores berravam pelo ar, carregando folhas soltas que tinham pegado fogo nas árvores...

Ele percebeu que as pessoas na rua se encaixavam em dois grupos, como as duas pessoas do elevador. Um grupo era dos deprimidos, que caminhavam com o olhar perdido ou passavam o tempo sentados nos gramados, sofrendo o tormento do desespero, um desespero cuja causa já não era a derrota da humanidade, e sim as difíceis condições de vida atuais. Já o outro grupo era dos eufóricos, que se encontravam em um estado de empolgação enlouquecida e estavam embriagados de libertinagem.

O trânsito na cidade estava caótico. Luo Ji e Shi Qiang demoraram meia hora para conseguir um táxi e, quando o carro voador sem motorista levou os dois por entre as árvores imensas, Luo Ji se lembrou daquele primeiro dia horrível na cidade e sentiu a tensão de quem embarcava em uma montanha-russa. Por sorte, o carro chegou rápido à Prefeitura.

Shi Qiang já havia ido à administração municipal mais de uma vez a trabalho e conhecia o lugar relativamente bem. Após uma quantidade considerável de etapas, eles conseguiram enfim permissão para falar com o prefeito, contanto que esperassem até a tarde. Luo Ji tinha imaginado que haveria dificuldades e ficou surpreso quando o prefeito aceitou recebê-los, pois aqueles eram tempos de exceção e eles não eram ninguém. No almoço, Shi Qiang comentou com Luo Ji que o prefeito tinha tomado posse no dia anterior. Antes de assumir, ocupava um posto municipal referente aos hibernantes e era, em certo sentido, chefe de Shi Qiang, que ele conhecia razoavelmente bem.

— Ele é um compatriota nosso — explicou Shi Qiang.

Naquela era, a palavra "compatriota" tinha ganhado um novo sentido, mudando de localização geográfica para temporal. Ainda assim, não era usada por todos os hibernantes. Só os que haviam entrado em hibernação mais ou menos na mesma época eram considerados compatriotas. Ao se encontrar após muitos anos, os compatriotas temporais nutriam uma afinidade maior ainda do que os compatriotas geográficos de antigamente.

Luo Ji e Shi Qiang esperaram até quatro e meia para encontrar o prefeito. Autoridades importantes daquela era costumavam ter status de celebridade, e só as pessoas mais bonitas eram eleitas. Apesar disso, o prefeito era normal e tinha mais ou menos a mesma idade de Shi Qiang, embora muito mais magro e com um detalhe que o identificava logo de saída como hibernante: ele usava óculos. Definitivamente esse objeto era uma antiguidade de dois séculos atrás, porque até as lentes de contato já não eram fabricadas havia muito tempo. Porém, como as pessoas que usavam óculos costumavam ficar incomodadas com a própria aparência sem o objeto, muitos hibernantes preservaram essa marca, mesmo depois de sua visão ter sido reparada.

O prefeito aparentava exaustão absoluta e parecia ter dificuldade para se levantar da cadeira. Quando Shi Qiang pediu desculpas pelo incômodo e lhe deu parabéns pela promoção, o compatriota balançou a cabeça:

— Estes são tempos voláteis. Nós, os selvagens, os brutos, voltamos a ser úteis da noite para o dia.

— O senhor é a maior autoridade hibernante da Terra, certo?

— Vai saber... Pelo jeito que a coisa anda, talvez alguns compatriotas acabem promovidos a postos ainda mais altos.

— E o prefeito anterior? Colapso mental?

— Não, não. Esta época também tem gente forte. Ele era muito competente, mas morreu há dois dias em um acidente de carro, em uma zona de conflito.

O prefeito reparou em Luo Ji logo atrás de Shi Qiang e na mesma hora estendeu a mão.

— Ah, dr. Luo, olá... Sim, claro que reconheço. Há dois séculos eu idolatrava você, porque dos quatro escolhidos era o que mais parecia uma Barreira. Eu não conseguia descobrir de jeito nenhum o que você planejava fazer. — Suas palavras seguintes abateram o estado de espírito de Luo Ji e Shi Qiang. — Você é o quarto messias que eu recebo nos últimos dois dias. E tem mais algumas dezenas esperando lá fora, só que eu não tenho mais forças para ver todos.

— Prefeito, ele não é igual a esses outros. Há dois séculos...

— Claro. Há dois séculos, ele foi selecionado entre bilhões de pessoas, e por isso decidi receber vocês. — O prefeito apontou para Shi Qiang. — Eu preciso de você para outra coisa, mas podemos falar disso depois. Antes, vamos conversar sobre o que vocês estão pensando. Só gostaria de fazer um pequeno pedido: será que vocês podem não me contar seu plano para salvar o mundo? Esses planos são todos muito demorados. Só me digam o que precisam de mim.

Assim que Luo Ji e Shi Qiang explicaram a situação, o prefeito balançou a cabeça.

— Eu não poderia ajudar nem se quisesse. Tenho um milhão de outros assuntos para transmitir à liderança superior, mas de qualquer maneira meu nível é mais baixo do que vocês imaginam. Nesse caso, só com líderes estaduais e nacionais. Não está fácil. Vocês devem sabem que a liderança superior está lidando com problemas ainda mais sérios agora.

Luo Ji e Shi Qiang haviam acompanhado as notícias, então evidentemente sabiam quais eram os problemas mais sérios a que o prefeito se referia.

A aniquilação da frota combinada tinha levado ao rápido ressurgimento do Escapismo, após dois séculos de hiato. A própria Comunidade Europeia chegara a formular um plano para selecionar cem mil candidatos para sair da Terra, e o plano fora aprovado em votação popular. No entanto, após o resultado da seleção, a maioria dos que não foram escolhidos ficou furiosa, o que desencadeou uma grande onda de revoltas. A opinião pública voltou por unanimidade a considerar que Escapismo era um crime contra a humanidade.

Após a Batalha da Escuridão entre as belonaves sobreviventes no espaço sideral, as acusações de Escapismo ganharam um novo significado: os acontecimentos recentes tinham comprovado que, quando os vínculos espirituais com a Terra eram rompidos, as pessoas no espaço sofriam uma alienação espiritual completa. Logo, mesmo se as pessoas conseguissem escapar, a civilização sobrevivente não seria mais humana, e sim algo sombrio e maligno, uma antítese e uma inimiga da civilização humana, como Trissolaris. Essa nova sociedade ganhou até um nome: negacivilização.

À medida que a gota se aproximava da Terra, a suscetibilidade popular em relação ao Escapismo atingiu o auge. Os meios de comunicação alertaram que era muito provável que houvesse tentativas de fuga antes do ataque da gota. Multidões enfurecidas cercaram os arredores dos portos espaciais e das bases dos elevadores espaciais com a intenção de romper todos os canais de acesso ao espaço. Elas tinham capacidade para isso, porque naquela era o porte de arma estava liberado para cidadãos do mundo inteiro, e a maioria dos indivíduos tinha pequenas armas laser. É claro que uma pistola laser não representava nenhuma ameaça para a cabine do elevador espacial ou para naves em lançamento, mas, ao contrário de armas convencionais, era possível concentrar uma grande quantidade de raios laser em um único ponto. Se dez mil pistolas laser atirassem ao mesmo tempo contra um ponto, o resultado seria catastrófico. Dezenas de milhares de pessoas, chegando em alguns lugares a milhões, se acotovelaram em volta das bases de elevadores e das plataformas de lançamento. Desse mar de gente, pelo menos um terço estava armado e disparava ao mesmo tempo, quando uma cabine subia ou uma nave era lançada. Graças à trajetória linear do raio laser, era extremamente fácil mirar, de modo que a maioria dos raios era concentrada no alvo e o destruía. Nesse cenário de desordem, quase todos os canais de transporte entre a Terra e o espaço foram eliminados.

Para piorar o quadro, o caos tinha se agravado. Ao longo dos últimos dias, os ataques passaram a ser dirigidos às cidades espaciais em órbita geossíncrona, que de acordo com intermináveis boatos na internet haviam se transformado em naves de fuga, atraindo também a ira das pessoas na Terra. Em virtude da grande distância, os raios laser se dissipavam e perdiam potência ao atingir os alvos no espaço, então, considerando ainda a rotação das cidades espaciais, não houve nenhum dano material. Apesar disso, a atividade se tornou uma forma de entretenimento coletivo para a humanidade naqueles dias finais. Em certa tarde, Nova Paris, a terceira cidade espacial da Comunidade Europeia, fora atingida pela irradiação de dez milhões de raios laser simultâneos, disparados do hemisfério Norte, o que provocou um aumento considerável da temperatura dentro da cidade e levou à evacuação de todos os residentes. Vista da cidade espacial, naquele momento a Terra brilhou mais forte do que o Sol.

Não havia mais nada que Luo Ji e Shi Qiang pudessem dizer.

— Eu fiquei muito impressionado com o seu trabalho no Departamento de Imigração e Hibernação — disse o prefeito para Shi Qiang. — Você conhece Guo

Zhengming, certo? Ele acabou de ser promovido a diretor da Agência de Segurança Pública e me recomendou o seu nome. Espero que você aceite trabalhar no governo municipal. Precisamos de gente como você nesta situação difícil.

Shi Qiang pensou por um instante e então assentiu com a cabeça.

— Assim que eu resolver tudo no meu vilarejo. Como está a situação na cidade agora?

— Está se deteriorando, mas ainda sob controle. No momento, estamos concentrados em manter o funcionamento do campo de indução para o fornecimento de energia. Se isso acabar, a cidade vai desabar completamente.

— Essas revoltas são diferentes das que aconteciam na nossa época.

— É verdade. Sobretudo porque a origem é outra. Elas são causadas pela ausência total de perspectivas em relação ao futuro, e é incrivelmente difícil lidar com esse nível de desespero. Sem contar que temos menos recursos à nossa disposição do que naqueles tempos. — Enquanto falava, o prefeito abriu uma imagem na parede. — Esta é a praça central vista de uma altura de cem metros.

Tinha sido na praça central que Luo Ji e Shi Qiang haviam se protegido do carro voador. Daquela altura não dava para ver o Memorial da Grande Ravina nem o espaço de deserto que o cercava. A praça inteira estava branca, com pontos brancos se mexendo como arroz em uma panela de cozido.

— Isso tudo é gente? — perguntou Luo Ji, admirado.

— Gente pelada. É uma suruba gigantesca, com mais de cem mil pessoas, e não para de crescer.

Relacionamentos heterossexuais e homossexuais naquela era tinham alcançado uma aceitação muito maior do que Luo Ji havia imaginado e já não causavam surpresa. Ainda assim, o panorama na praça foi um choque para os dois. Luo Ji se lembrou da cena de devassidão na *Bíblia*, antes de a humanidade receber os Dez Mandamentos. Um cenário clássico de fim dos tempos.

— Por que o governo não impede isso? — indagou Shi Qiang, com rispidez.

— Como é que poderíamos impedir? Essas pessoas estão completamente dentro da lei. Se o governo tentasse alguma intervenção, estaria cometendo um crime.

Shi Qiang deu um longo suspiro.

— É, eu sei. Nesta era, a polícia e os militares não podem fazer muita coisa.

— Já conferimos toda a legislação — disse o prefeito — e não achamos nenhuma disposição que nos ajudasse a lidar com a situação atual.

— Com a cidade assim, seria melhor a gota destruir tudo.

Ao ouvir as palavras de Shi Qiang, Luo Ji despertou de repente.

— Quanto tempo leva até a gota chegar à Terra?

O prefeito trocou a imagem da praça por um canal de plantão jornalístico, que exibia uma simulação do sistema solar. A chamativa linha vermelha que marcava a trajetória da gota parecia a órbita de um cometa, só que terminava perto da Terra. No canto inferior direito havia uma contagem regressiva que indicava: se não reduzisse a velocidade, a gota chegaria à Terra em quatro horas e cinquenta e quatro minutos. O plantão apresentava uma análise técnica da gota. Apesar do terror que tomara conta do mundo, a comunidade científica havia recobrado o juízo após o choque inicial da derrota, então a análise era calma e sensata. Embora a humanidade não soubesse absolutamente nada sobre a fonte de energia ou o mecanismo de propulsão da gota, o analista acreditava que ela estava com algum problema de consumo de energia, porque a aceleração rumo ao Sol ao fim da destruição da frota combinada tinha sido particularmente morosa. A sonda havia passado perto de Júpiter, mas ignorara as três belonaves na base e aproveitara a gravidade do planeta para acelerar, um ato que contribuiu para demonstrar que o estoque de energia da gota estava praticamente exaurido. Os cientistas acreditavam que a ideia de que a sonda cairia na Terra era absurda, mas não faziam a menor ideia do que ela de fato pretendia fazer.

— Eu preciso sair daqui. Caso contrário, a cidade *realmente* vai ser destruída — disse Luo Ji.

— Por quê? — perguntou o prefeito.

— Porque ele acha que a gota quer matá-lo — respondeu Shi Qiang.

O prefeito riu, mas seu sorriso estava tenso. Aparentemente, fazia muito tempo que ele não ria.

— Dr. Luo, você é a pessoa mais egocêntrica que eu já vi na vida.

Após deixarem a cidade subterrânea, Luo Ji e Shi Qiang saíram do elevado na superfície e entraram no carro. Como os habitantes da cidade estavam escapando em grandes levas, o trânsito nas ruas estava tão engarrafado que eles demoraram meia hora para sair da cidade velha e alcançar a velocidade máxima na estrada rumo oeste.

Na televisão do carro, viram que a gota se aproximava da Terra a setenta e cinco quilômetros por segundo e não exibia nenhum sinal de que diminuiria a velocidade. Nesse ritmo, ela chegaria em três horas.

O campo de indução de energia ficou mais fraco e o carro perdeu potência, então Shi Qiang teve que usar uma bateria de reserva para manter a velocidade. Eles chegaram à grande área residencial de hibernantes, mas passaram direto pelo Vilarejo Vida Nova 5 e seguiram rumo a oeste. Os dois trocaram poucas palavras durante a viagem, concentrados nas últimas notícias da televisão.

A gota passou pela órbita lunar sem reduzir. Nesse ritmo, chegaria à Terra em apenas meia hora. Como ninguém sabia o que ela faria, os jornais não estimaram nenhum ponto de impacto, para não aumentar ainda mais o pânico na população.

Luo Ji fez um esforço consciente para aceitar o momento que vinha tentando adiar há tanto tempo.

— Da Shi, pare aqui — pediu ele.

Shi Qiang parou o carro, e eles saíram. O sol, já perto do horizonte, projetava sombras grandes dos dois homens no deserto. Luo Ji sentiu o solo sob seus pés se amolecer como seu coração. Quase não tinha forças para se manter de pé.

— Vou fazer o possível para chegar a uma área pouco povoada — comentou ele. — Tem uma cidade mais adiante, então vou nessa outra direção. Você volta sozinho e se afasta o máximo que conseguir na direção contrária.

— Meu amigo, eu vou esperar aqui. Quando acabar, a gente volta junto.

Shi Qiang pegou um cigarro no bolso e procurou um isqueiro, até se lembrar de que o cigarro não precisava de isqueiro para ser aceso. Como as outras coisas que ele trouxera daquele passado distante, seus hábitos pessoais não haviam mudado em nada.

Luo Ji esboçou um sorriso um pouco triste. Ele esperava que Shi Qiang realmente acreditasse nas suas palavras, porque ao menos facilitaria um pouco a despedida.

— Espere, se quiser. Quando chegar a hora, é melhor você ir para o acostamento do outro lado. Não sei com que força a gota vai atacar.

Shi Qiang sorriu e balançou a cabeça.

— Você me lembra um conhecido meu de dois séculos atrás. Ele também era intelectual e tinha esse mesmo olhar de cachorro triste seu. Recordo que um dia de madrugada esbarrei com ele, sentado na frente da igreja de Wangfujing, chorando... Mas ele ficou bem. Conferi depois que acordei: ele viveu quase até os cem anos.

— E o que me diz de Ding Yi, o primeiro homem que tocou a gota? Se não me engano, ele também era um conhecido seu.

— Sim, era. Ele queria morrer, e não havia nada a fazer quanto a isso. — Shi Qiang olhou para o céu banhado pelo pôr do sol, como se tentasse lembrar o rosto do físico. — Mesmo assim, era um homem de mente realmente aberta, do tipo que conseguia aceitar qualquer situação. Nunca conheci ninguém parecido na minha vida inteira. Uma mente brilhante, brilhante de verdade. Meu amigo, você devia aprender com ele.

— E mais uma vez eu digo: você e eu somos apenas pessoas comuns. — Ele olhou para o relógio, ciente de que não havia mais tempo a perder. Estendeu uma mão firme para Shi Qiang. — Da Shi, obrigado por tudo o que fez por mim nos últimos dois séculos. Adeus. Talvez a gente se encontre de novo em algum outro lugar.

Em vez de apertar a mão estendida, Shi Qiang acenou.

— Pare de bobagem! Acredite, meu amigo, não vai acontecer nada. Entre no carro e, quando acabar, volte rápido para me buscar. E não reclame se eu debochar da sua cara mais tarde, quando formos beber.

Luo Ji entrou no carro às pressas para que Shi Qiang não visse as lágrimas que brotavam em seus olhos. Sentado no banco, olhou para Shi Qiang pelo retrovisor e tentou gravar a imagem na memória, antes de partir em sua jornada final.

Talvez eles se encontrassem de novo em algum outro lugar. A última vez tinha levado dois séculos, então de quanto tempo seria a separação agora? Como Zhang Beihai duzentos anos antes, Luo Ji de repente lamentou um pouco ser ateu.

O sol já havia terminado de se pôr, e de ambos os lados da estrada o deserto parecia branco como neve à luz do crepúsculo. De repente Luo Ji se deu conta de que tinha sido naquele mesmo trecho que ele dirigira o Accord ao lado de seu amor imaginário, quando a planície do norte da China estava coberta por neve de verdade. Ele sentiu o cabelo dela se sacudindo ao vento, sentiu o toque provocante dos fios na bochecha direita.

Não, não. Não fale onde estamos! Quando sabemos onde estamos, o mundo fica delimitado como um mapa. Quando não sabemos, o mundo parece infinito.

Tudo bem. Então vamos fazer o possível para nos perder.

Luo Ji sempre tivera a sensação de que sua imaginação havia trazido Zhuang Yan e Xia Xia à vida. Ele sentiu um aperto no coração quando esse pensamento surgiu em sua mente, porque naquele momento o amor e a saudade eram as coisas mais dolorosas do mundo. Sua visão ficou borrada com as lágrimas à medida que ele tentava esvaziar a mente. Porém, os lindos olhos de Yan Yan insistiam em emergir da escuridão, acompanhados da encantadora risada de Xia Xia. Ele se esforçou ao máximo para se concentrar nas notícias transmitidas pela televisão.

A gota havia atravessado o ponto de Lagrange,* mas continuava avançando rumo à Terra a uma velocidade constante.

Luo Ji parou o carro no lugar que achou que seria mais adequado, no limite entre a planície e as montanhas, onde não havia nenhuma pessoa ou construção à vista. O carro estava em um vale cercado por uma cordilheira em forma de U, que abafaria parte das ondas de choque do ataque. Ele retirou a televisão do painel, foi até a areia e se sentou.

A gota atravessou os trinta e quatro mil metros de altitude da órbita geossíncrona e passou perto da cidade espacial Nova Shanghai, e todos os seus habitantes viram o ponto de luz intensa cruzar em alta velocidade o céu.

* Os pontos de Lagrange são as cinco posições onde um objeto pequeno afetado apenas pela gravidade pode permanecer em equilíbrio em relação a corpos maiores.

O noticiário declarou que o impacto aconteceria em oito minutos e finalmente estimou as coordenadas do impacto: a noroeste da capital da China.

Luo Ji já sabia disso.

Com o crepúsculo estabelecido, as cores do céu haviam se reduzido a uma pequena porção do oeste, como um olho sem pupila observando o mundo com indiferença. Talvez para passar o tempo que lhe restava, Luo Ji começou a pensar na vida.

Sua vida se dividia em duas etapas. A etapa após sua nomeação como Barreira se estendia por dois séculos, mas parecia muito comprimida. Ele a relembrou rapidamente como se tivesse se passado só um dia. Nessa etapa, a vida parecia não ser dele, incluindo o amor entranhado em seu âmago. Parecia tudo um sonho fugaz. Ele não se atreveu a pensar na esposa e na filha.

Ao contrário do que ele havia imaginado, suas lembranças do tempo pré-Barreira tinham sumido. Luo Ji só conseguiu pescar alguns fragmentos do mar da memória e, quanto mais voltava no passado, menos fragmentos encontrava. Ele tinha mesmo concluído o ensino fundamental e o ensino médio? Tinha mesmo vivido um primeiro amor? Alguns fragmentos exibiam arranhões nítidos, um indicativo de veracidade. Os detalhes eram vívidos, mas as emoções tinham desaparecido sem deixar rastros. O passado parecia um punhado de areia que ele segurava com força na mão, mas que na verdade já tinha se esvaído pelos vãos entre os dedos. A memória era um rio que secara muito antes, deixando apenas pedras dispersas no leito extinto. Luo Ji sempre vivera um dia de cada vez, aproveitando o momento. Assim, todo ganho também era perda, e no final pouco tinha restado.

Ele olhou para as montanhas ao redor sob o crepúsculo e pensou naquela noite de inverno que passara ali, duzentos anos antes, nas montanhas que tinham se cansado de ficar de pé por centenas de milhões de anos e se deitaram, como "camponeses idosos relaxando ao sol", de acordo com as palavras de seu amor imaginário.

Os campos e as cidades nas planícies do norte da China tinham se transformado em deserto havia muito, mas as montanhas pareciam iguais. Seu formato continuava simples e convencional, e nas frestas das pedras cinzentas o mato seco e os ramos de vítex ainda teimavam em crescer, com a mesma escassez e falta de brilho de antigamente. Dois séculos eram um tempo curto demais para que houvesse qualquer mudança visível naquelas montanhas rochosas.

O que o mundo humano era aos olhos das montanhas? Talvez só algo que elas viam em uma tarde tranquila. Primeiro, surgiam alguns seres vivos pequenos na planície. Ao fim de algum tempo, eles se multiplicavam, e um pouco depois erigiam estruturas parecidas com formigueiros, que logo se espalhavam por toda a região. As estruturas brilhavam por dentro, e algumas soltavam fumaça. Ao fim de mais um tempo, as luzes e a fumaça desapareciam, assim como os seres vivos pequenos, e depois as estruturas tombavam e eram enterradas pela areia. Nada além disso. Em meio aos infinitos acontecimentos presenciados pelas montanhas, essas peripécias fugazes não eram necessariamente as mais interessantes.

Por fim, Luo Ji encontrou sua lembrança mais remota. Ele ficou surpreso ao descobrir que a vida que ele lembrava também tinha começado na areia. Foi em sua própria pré-história, em um lugar que ele não recordava e com pessoas de quem não se lembrava, embora fosse nítida a memória da margem arenosa de um rio. Havia uma lua redonda no céu, e o rio sussurrava ao luar. Luo Ji cavava na areia. Quando terminou de abrir um buraco, o fundo ficou cheio d'água, e na água havia uma pequena lua. Ele continuou cavando, fazendo vários buracos e descobrindo várias pequenas luas.

Essa era sua lembrança mais remota. Antes disso, tudo não passava de um grande vazio.

Na escuridão do anoitecer, só a luz da televisão iluminava o pequeno trecho de areia à sua volta.

Enquanto se esforçava para manter a mente vazia, Luo Ji sentiu a pele sobre o crânio se apertar, e foi como se uma mão gigantesca tivesse coberto o céu inteiro e pressionasse sua cabeça.

Só que então a mão gigante se afastou lentamente.

A vinte mil quilômetros da superfície, a gota mudou de direção e avançou em linha reta rumo ao Sol.

— Atenção, hemisfério Norte! — gritou o repórter na TV. — Atenção, hemisfério Norte! A gota começou a brilhar com mais intensidade e agora é visível a olho nu!

Luo Ji virou o rosto para cima. Ele conseguia avistar a sonda: embora não estivesse clara demais, era de fácil identificação, graças à alta velocidade com que atravessava o céu, como um meteoro voando até desaparecer no oeste.

A gota enfim reduziu a zero sua velocidade relativa à Terra e parou a 1,5 milhão de quilômetros de distância. Um ponto de Lagrange, o que indicava que, de agora em diante, ela permaneceria imóvel em relação à Terra e ao Sol, exatamente no meio de ambos.

Luo Ji tinha um pressentimento de que aconteceria algo mais, então continuou parado na areia e esperou. Às suas costas e ao seu lado, as montanhas, como idosos, também esperaram em silêncio e passaram uma sensação de segurança. Por enquanto, o noticiário não trazia mais informações importantes. Um mundo que não sabia se havia sido poupado da catástrofe aguardava com ansiedade.

Dez minutos se passaram, e nada aconteceu. O sistema de monitoramento indicava que a gota pairava imóvel, sem a aura de propulsão em sua cauda e com a cabeça redonda voltada para o Sol. Como ela refletia a luz intensa do Sol, a parte dianteira dava a impressão de estar em chamas. Para Luo Ji, parecia que estava acontecendo alguma indução misteriosa entre a gota e o Sol.

De repente, a imagem na televisão ficou borrada, e o som começou a chiar. Luo Ji sentiu uma comoção no entorno: uma revoada de pássaros assustados alçou voo nas montanhas, e um cachorro latiu ao longe. Talvez fosse impressão, mas ele sentiu uma coceira na pele. O som e a imagem da TV vacilaram por um tempo e depois se normalizaram. Mais tarde, foi explicado que a interferência continuava presente, mas os sistemas globais de telecomunicação haviam conseguido filtrar rapidamente o ruído repentino com seus dispositivos anti-interferência. No entanto, os jornais reagiram com cautela ao ocorrido, porque o monitoramento colhera uma quantidade imensa de dados, que precisavam ser organizados e analisados. Informações mais precisas começaram a chegar só depois de dez minutos.

A gota estava enviando uma contínua e poderosa onda eletromagnética para o Sol, com uma intensidade muito superior ao valor mínimo de amplificação do Sol e com uma frequência que cobria todas as faixas que o Sol era capaz de amplificar.

Luo Ji começou a rir, e então desatou a gargalhar até se contorcer. Sim, ele realmente era egocêntrico. Devia ter pensado naquilo desde o começo. Luo Ji não era importante. O Sol era importante. A partir daquele momento, como a gota havia isolado o Sol, a humanidade não poderia mais usá-lo como uma antena potente para transmitir mensagens ao universo.

— Rá! Meu amigo, não aconteceu nada! A gente realmente devia ter apostado.

A certa altura, Shi Qiang tinha alcançado o lugar onde Luo Ji estava, depois de pedir carona na estrada.

Luo Ji se sentia como se tivesse sido esvaziado. Estava estirado na areia, que ainda preservava o calor do sol que se pusera não havia muito. Era confortável.

— Sim, Da Shi. Agora nós podemos seguir com a nossa vida. Acabou tudo.

— Meu amigo, esta é a última vez que ajudo você a fazer essas suas coisas de Barreira — disse Shi Qiang, durante a viagem de volta. — Essa responsabilidade deve provocar problemas mentais, e você acabou de ter um surto.

— Espero que seja isso — respondeu Luo Ji.

Fora do carro, as estrelas que eram visíveis no dia anterior haviam desaparecido, e o deserto negro e o céu noturno se confundiam com o horizonte. Uma parte da estrada iluminada pelos faróis se estendia à frente do automóvel. O mundo parecia o estado de espírito de Luo Ji: escuridão por todos os lados, com um ponto incrivelmente claro.

— Quer saber, vai ser fácil para você superar esse surto e voltar ao normal. Já está na hora de Zhuang Yan e Xia Xia despertarem. Se bem que, com o caos recente, não sei se suspenderam as reanimações. Enfim, mesmo se tiverem suspendido, não vai durar muito tempo. Acredito que a situação vai se estabilizar logo. Afinal, ainda temos tempo para algumas gerações. Você não falou que vai poder seguir com a vida?

— Vou perguntar no Departamento de Imigração e Hibernação amanhã.

As palavras de Shi Qiang fizeram Luo Ji se lembrar do punhado de cor que existia em sua mente embotada. Talvez o reencontro com a esposa e a filha fosse sua única chance de redenção.

Porém, não havia mais esperança para a humanidade.

Ao se aproximar do Vilarejo Vida Nova 5, Shi Qiang reduziu a velocidade de repente.

— Tem alguma coisa errada — comentou ele, olhando para a frente.

Luo Ji seguiu o olhar e viu uma luminosidade no céu provocada por alguma fonte no chão, mas os barrancos altos em volta da estrada impediam que os dois vissem o que era. A luminosidade estava em movimento. Não parecia ser a iluminação de uma área residencial.

Quando o carro saiu da rodovia, eles foram recebidos por uma cena estranha e espetacular: o deserto entre o Vilarejo Vida Nova 5 e a estrada tinha se tornado um lençol brilhante de luzes, um oceano de vaga-lumes. Luo Ji levou um instante para perceber que era uma multidão. Todas as pessoas eram da cidade, e a luz vinha de suas roupas.

À medida que o carro foi se aproximando devagar da multidão, todo mundo na frente levantou a mão para proteger os olhos da luz dos faróis, então Shi Qiang desligou as lanternas do veículo. De repente, ele e Luo Ji se viram diante de uma muralha humana peculiar e chamativa.

— Parece que eles estão esperando alguém — falou Shi Qiang, olhando para Luo Ji, que ficou tenso ao ver sua expressão. O carro parou, e Shi Qiang continuou: — Fique aqui e não se mexa. Vou lá dar uma olhada.

Ele saiu do carro e foi até a multidão. Diante da luminosa muralha humana, o corpo atarracado de Shi Qiang se destacava como uma silhueta preta. Luo Ji viu a silhueta caminhar pela multidão, trocar algumas palavras com as pessoas e depois se virar e voltar.

— Eles estão esperando é por você. Vá — ordenou ele, apoiado na porta. Ao ver o rosto de Luo Ji, ele tranquilizou o amigo. — Relaxe. Está tudo bem.

Luo Ji saiu do carro e foi até a multidão. Embora já tivesse se acostumado com as roupas eletrônicas das pessoas modernas, na desolação do deserto ele ainda tinha a sensação de que estava caminhando na direção do Desconhecido.

No entanto, quando se aproximou o bastante para distinguir as expressões nos rostos, seu coração começou a bater mais acelerado.

A primeira coisa que havia descoberto ao sair da hibernação foi que as pessoas de cada era tinham uma expressão única. As diferenças geracionais até aquela época distante eram impressionantes, sendo fácil distinguir entre modernos e hibernantes recém-despertados. Contudo, as expressões que Luo Ji estava vendo não eram modernas, nem do século XXI. Ele não sabia de que época eram. O medo quase o paralisou, mas sua confiança em Shi Qiang impeliu seus passos e ele continuou mecanicamente.

Luo Ji enfim se deteve ao se aproximar mais da multidão, pois conseguia ver as imagens nas roupas.

As peças exibiam imagens suas: algumas fotos, alguns vídeos.

Ele fizera raras aparições na mídia desde que se tornara uma Barreira, de modo que não havia deixado muitos registros visuais, mas agora as roupas daquelas pessoas exibiam uma coleção relativamente completa de vídeos e fotos. Em algumas, ele viu até fotos de sua vida pré-Barreira. Como as roupas apresentavam imagens obtidas na internet, aquelas fotos e aqueles vídeos deviam estar circulando pelo mundo inteiro. Ele também reparou que as imagens estavam no tamanho original, sem as deformações artísticas que os modernos gostavam de fazer, o que indicava que haviam acabado de aparecer na rede.

Quando viram Luo Ji parar, as pessoas se aproximaram. Ao chegarem a dois ou três metros de distância, aqueles que estavam na frente contiveram o resto da multidão e se ajoelharam. As pessoas de trás foram se ajoelhando e assim sucessivamente, em uma onda luminosa que recuava pela areia.

— Senhor, nos salve! — disse alguém.

Aquelas palavras vibraram nos ouvidos de Luo Ji.

— Meu Deus, salve o mundo!

— Grande porta-voz, preserve a justiça no universo!

— Anjo da justiça, salve a humanidade!

Dois homens se aproximaram, e Luo Ji reconheceu o que usava roupas sem brilho: era Hines. O outro era um soldado com plaquetas e fitas luminosas.

— Dr. Luo — começou Hines, com tom solene —, fui nomeado como seu contato junto à Comissão do Projeto Barreiras da ONU. É meu dever informar que o Projeto Barreiras foi reativado e que você foi apontado como a única Barreira.

— Eu sou o comissário especial Ben Jonathan, da CCFS — disse o soldado. — Nós nos conhecemos pouco depois de sua reanimação. Fui instruído a informar que a Frota Asiática, a Frota Europeia e a Frota Norte-Americana estão de acordo com a revalidação da Resolução Barreiras e também reconhecem seu status de Barreira.

Hines apontou para a multidão ajoelhada.

— Aos olhos da população, você agora tem duas identidades. Para os teístas, você é o anjo da justiça. Para os ateus, você é o porta-voz de uma civilização justa e superior na Via Láctea.

Hines e Jonathan ficaram em silêncio. Todos os olhos estavam voltados para Luo Ji, que refletiu por um instante. Só lhe ocorreu uma possibilidade:

— O feitiço funcionou? — arriscou ele.

Hines e Jonathan assentiram com a cabeça.

— A 187J3X1 foi destruída — respondeu Hines.

— Quando?

— Há cinquenta e um anos. A destruição foi observada no ano passado, mas ninguém estava prestando muita atenção naquela estrela, por isso as observações só foram descobertas na tarde de hoje. Algumas pessoas desesperadas da CCFS queriam se inspirar na história e se lembraram do Projeto Barreiras e do seu feitiço. Então foram olhar a 187J3X1 e perceberam que ela não existia mais. No lugar, havia apenas uma nuvem de detritos. Diante disso, passaram a investigar todo o histórico de observação da estrela até a destruição no ano passado e depois recuperaram a totalidade dos dados de observação da 187J3X1 na época da explosão.

— Como sabem que foi destruição?

— A 187J3X1 estava em um período estável, como o nosso Sol, então seria impossível ocorrer uma supernova. Além disso, a destruição foi registrada: um corpo viajando quase à velocidade da luz atingiu a 187J3X1. Esse objeto minúsculo, que as pessoas estão chamando de "fotoide", pôde ser observado no instante em que atravessou a periferia da atmosfera estelar, graças ao rastro deixado. Embora tivesse um volume pequeno, sua velocidade próxima à da luz ampliou imensamente sua massa relativística, a ponto de chegar a um oitavo da massa da 187J3X1 no momento do impacto. Nessas condições, a estrela foi destruída imediatamente. Os quatro planetas do sistema também foram vaporizados pela explosão.

Luo Ji olhou para o céu escuro da noite, e as estrelas estavam praticamente invisíveis. Ele deu um passo para a frente, e as pessoas se levantaram, abrindo caminho em silêncio e voltando a se fechar atrás dele. Todos tentavam chegar mais perto, como se desejassem um pouco de calor do sol em meio ao frio, mas preservaram um círculo respeitoso de distância, um ponto escuro em um oceano fluorescente, o olho em uma tempestade. Um homem avançou e se jogou no chão diante de Luo Ji, fazendo-o parar, e então beijou seus pés. Alguns outros entraram no círculo para repetir o gesto. Quando a situação parecia prestes a fugir do controle, ecoaram gritos de recriminação, e essas pessoas se levantaram às pressas e voltaram para o meio da multidão.

Luo Ji seguiu em frente, mas se deu conta de que não sabia para onde estava indo. Ele parou, procurou Hines e Jonathan entre a multidão e caminhou até eles.

— Então o que eu faço agora? — perguntou, ao alcançar os dois.

— Como você é uma Barreira, pode fazer o que quiser dentro da Resolução Barreiras — respondeu Hines, fazendo uma reverência. — Embora ainda haja restrições para a resolução, você agora pode mobilizar praticamente todos os recursos da Terra Internacional.

— E também da Frota Internacional — acrescentou Jonathan.

Luo Ji pensou por um instante.

— Não preciso recorrer a nenhum recurso por enquanto — disse ele. — De qualquer maneira, se eu recuperei mesmo o poder concedido pela Resolução Barreiras...

— Sem sombra de dúvidas — garantiu Hines.

Jonathan assentiu com a cabeça.

— Certo, então vou fazer dois pedidos. O primeiro: todas as cidades restabelecerão a ordem, e a vida deve voltar ao normal e prosseguir. Esse pedido não tem nenhum mistério. Imagino que vocês compreendam.

Todos confirmaram com um gesto de cabeça.

— O mundo está ouvindo, deus — disse alguém.

— Sim, o mundo está ouvindo — repetiu Hines. — Vai levar algum tempo para a estabilidade ser restaurada, mas graças a você temos fé de que é possível.

Essas palavras ecoaram pela multidão.

— O segundo: todos voltem para casa, de maneira ordeira. Obrigado.

As pessoas ficaram em silêncio após ouvir aquele pedido, mas logo começaram a murmurar, à medida que as palavras eram repassadas, dos que estavam à frente para os que estavam atrás. A multidão começou a se dispersar, a princípio devagar e contrariada, mas aos poucos o ritmo aumentou, e logo carros saíram pela estrada, um a um, em direção à cidade. A grande procissão que caminhava pelo acostamento lembrava uma longa colônia luminosa de formigas no meio da noite.

E então o deserto voltou a ficar vazio. Apenas Luo Ji, Shi Qiang, Hines e Jonathan permaneceram na areia cheia de pegadas caóticas.

— Estou completamente envergonhado do meu antigo eu — admitiu Hines. — A civilização humana tem apenas cinco mil anos de história e, apesar disso, damos muito valor à vida e à liberdade. Deve haver civilizações no universo com bilhões de anos de história. Que tipo de moralidade será que elas possuem? Será que essa pergunta faz algum sentido?

— Também tenho vergonha de mim mesmo. Nesses últimos dias, cheguei até a duvidar de Deus — segredou Jonathan. Quando viu que Hines estava prestes a falar algo, ele levantou a mão para interromper. — Não, amigo. Talvez estejamos falando da mesma coisa.

Com lágrimas nos olhos, eles trocaram um abraço.

— Então, cavalheiros — disse Luo Ji, dando um tapinha nas costas deles. — Vocês podem voltar. Eu aviso se precisar. Obrigado.

Ele ficou olhando enquanto os dois homens se retiravam, se apoiando mutuamente como um casal feliz. Então sobraram só ele e Shi Qiang.

— Da Shi, você gostaria de dizer alguma coisa agora? — perguntou ele, virando-se para Shi Qiang com um sorriso.

Shi Qiang estava paralisado, aparentemente chocado, como se tivesse acabado de presenciar um truque de mágica comovente.

— Meu amigo, estou confuso para burro.

— O quê? Você não acredita que eu seja um anjo da justiça?

— Nem se você me espancasse até a morte eu acreditaria nisso.

— E um porta-voz de uma civilização superior?

— É um pouco melhor do que anjo. Agora, para falar a verdade, também não acredito. Nunca achei que você fosse isso.

— Você não acredita que existe justiça no universo?

— Não sei.

— Mas você é policial.

— Já falei que não sei. Estou confuso de verdade.

— Então você é a pessoa mais sensata aqui.

— Você pode me explicar a justiça do universo?

— Tudo bem. Venha comigo.

Luo Ji então caminhou deserto adentro, seguido de perto por Shi Qiang. Os dois seguiram em silêncio por um bom tempo e atravessaram a estrada.

— Aonde vamos? — perguntou Shi Qiang.

— Para o lugar mais escuro.

Eles atravessaram a estrada e foram até o ponto onde o barranco da margem escondia as luzes da área residencial. Luo Ji e Shi Qiang tatearam a escuridão à sua volta e se sentaram na areia do chão.

— Vamos começar — anunciou a voz de Luo Ji na escuridão.

— Por favor, a versão fácil. Como não sou especialista, não vou entender nada complicado.

— Não precisa ser especialista, Da Shi. Qualquer um é capaz de entender. A verdade é simples. É o tipo de coisa que, depois que a gente escuta, fica se perguntando como é que não tinha pensado nisso antes. Você sabe o que são axiomas matemáticos?

— Eu tive aula de geometria na escola. "Só uma única reta pode ser traçada entre dois pontos." Esse tipo de coisa.

— Certo. Então agora vamos estabelecer dois axiomas para a civilização cósmica. Primeiro: a principal necessidade de uma civilização é a sobrevivência. Segundo: a civilização cresce e se expande continuamente, mas a matéria total do universo permanece constante.

— E o que mais?

— Só isso.

— O que dá para concluir a partir dessas coisinhas?

— Assim como você consegue resolver um caso inteiro a partir de uma bala ou uma gota de sangue, a sociologia cósmica é capaz de descrever um retrato completo da civilização galáctica e cósmica a partir desses dois axiomas. A ciência é assim, Da Shi. A pedra angular de cada disciplina é muito simples.

— Então conclua alguma coisa disso.

— Antes, vamos falar da Batalha da Escuridão. Você acreditaria se eu dissesse que a Nave Terra era um microcosmo da civilização cósmica?

— Não. A Nave Terra carecia de recursos como peças e combustível, mas o universo não carece. Ele é grande demais.

— Você se engana. O universo é grande, mas a vida é maior! É isso que o segundo axioma quer dizer. A quantidade de matéria do universo permanece constante, mas a vida cresce exponencialmente. Os exponenciais são os demônios na matemática. Se uma bactéria microscópica no oceano se duplicar a cada meia hora, suas descendentes vão encher o oceano inteiro em questão de dias, desde que haja uma quantidade suficiente de nutrientes. Não se deixe levar pela primeira impressão da humanidade e de Trissolaris. Essas duas civilizações são minúsculas, mas estão ainda na infância. Quando a civilização ultrapassa determinado nível tecnológico, a expansão da vida pelo universo se torna uma coisa assustadora. Por exemplo, considere a velocidade de navegação atual da humanidade. Daqui a um milhão de anos, a civilização da Terra poderia encher a galáxia inteira. E um milhão de anos é pouco tempo na escala do universo.

— Então o que você está dizendo é que, a longo prazo, o universo inteiro talvez tenha esse tipo de... como é que estão chamando, "mão morta"?

— Não precisamos pensar a longo prazo. Neste exato momento, o universo inteiro já estende essa mão morta. Como Hines disse, a civilização pode ter começado no universo há bilhões de anos. Se olharmos os sinais, talvez o universo já esteja abarrotado. Quem sabe quanto espaço vazio ainda existe na Via Láctea ou no universo, ou quantos recursos?

— Mas isso não é verdade, certo? O universo parece vazio. Nós nunca vimos sinal de vida alienígena além de Trissolaris, não é?

— É disso que vamos falar agora. Me alcance um cigarro. — Luo Ji apalpou na escuridão por algum tempo até conseguir pegar o cigarro na mão de Shi Qiang.

Quando voltou a falar, Shi Qiang percebeu que ele tinha se afastado uns três ou quatro metros. — Precisamos aumentar a distância para passar melhor a sensação de estarmos no espaço sideral — explicou Luo Ji.

Ele então girou o filtro para acender o cigarro, e Shi Qiang também acendeu um. No escuro, dois pequenos planetas vermelhos pairavam em extremos opostos.

— Certo. Para ilustrar o problema, agora precisamos estabelecer o modelo mais básico de civilização cósmica. Estas duas bolas de fogo representam dois planetas civilizados. Faz de conta que o universo contém só estes dois planetas, e mais nada. Apague tudo à sua volta. Você consegue captar essa sensação?

— Consigo. É fácil fazer isso num lugar escuro assim.

— Vamos chamar estes dois mundos de sua civilização e minha civilização. Elas estão separadas por uma grande distância, digamos, cem anos-luz. Você pode detectar que eu existo, mas não sabe de nenhum detalhe. Já eu ignoro completamente a sua existência.

— Certo.

— Agora precisamos definir dois conceitos: "benevolência" e "malícia". Como essas palavras em si não são muito rigorosas em um contexto científico, precisamos restringir o sentido de cada uma. "Benevolência" significa não tomar iniciativa de atacar e erradicar outras civilizações. Já "Malícia" é o contrário.

— Essa é uma benevolência bem pequena.

— Agora, considere as suas opções para lidar comigo. Por favor, não se esqueça de levar em conta os axiomas da civilização cósmica em todo o processo, assim como a escala das distâncias e o ambiente espacial.

— Eu poderia decidir me comunicar com você.

— Se fizer isso, precisa saber o preço que vai pagar: assim você revelará sua existência para mim.

— Certo. No universo, isso não é pouca coisa.

— Existem diferentes graus de exposição. O grau mais alto é quando eu conheço suas coordenadas estelares exatas. O intermediário é quando eu sei em que direção você está. E o mais baixo é quando eu só sei que você existe. Só que até o grau mais baixo de exposição permite que eu procure você, porque, como você detectou minha existência, eu sei que vou conseguir achar você. Pela perspectiva do desenvolvimento tecnológico, é mera questão de tempo.

— Mas, meu amigo, ainda assim eu poderia me arriscar a falar com você. Se você é malicioso, azar o meu. Agora, se for benevolente, podemos nos comunicar mais e acabar nos unindo em uma civilização benevolente.

— Tudo bem, Da Shi. Agora chegamos ao x da questão. Vamos voltar aos axiomas da civilização cósmica: mesmo se eu for uma civilização benevolente, será que em uma comunicação inicial eu consigo determinar se você também é?

— Claro que não. Isso violaria o primeiro axioma.

— Então o que eu deveria fazer quando a sua mensagem chegar?

— Com certeza, você deveria determinar se eu sou benevolente ou malicioso. Se eu for malicioso, você me erradica. Se eu for benevolente, podemos continuar nossa comunicação.

A chama ao lado de Luo Ji subiu e começou a flutuar de um lado para outro. Obviamente, ele havia se levantado e estava andando.

— Isso funciona na Terra, mas não no universo. Então agora vamos introduzir um conceito novo importante: a desconfiança em cadeia.

— Que expressão estranha.

— No começo eu só tinha a expressão. Não me explicaram nada. Mas, com o tempo, consegui deduzir o sentido a partir das próprias palavras.

— Quem não explicou?

— ... Mais tarde eu conto. Vamos continuar. Se você achar que eu sou benevolente, isso não é motivo para se sentir em segurança, na medida em que, de acordo com o primeiro axioma, uma civilização benevolente não pode prever se qualquer outra civilização também é. Além disso, mesmo se você souber que eu acho que você é benevolente, e se eu também souber que você acha que *eu* sou benevolente, eu não sei o que você pensa do que eu penso do que você pensa de mim. É enrolado, não é? Isso são só três níveis, mas a lógica é infinita.

— Entendi o que você quis dizer.

— Essa é a desconfiança em cadeia. É algo que a gente não vê na Terra. Graças à espécie única da humanidade, às semelhanças culturais, a um ecossistema interligado e às distâncias curtas, a desconfiança em cadeia só se estende por um ou dois níveis até ser resolvida pela comunicação. Só que, no espaço, a desconfiança em cadeia pode ser muito longa. Uma Batalha da Escuridão já teria acontecido antes que a comunicação pudesse resolver.

Shi Qiang tragou o cigarro, e seu rosto contemplativo emergiu da escuridão por um instante.

— Agora parece que nós podemos aprender muito com a Batalha da Escuridão.

— Isso mesmo. As cinco naves da Nave Terra formavam uma quase civilização cósmica, não uma de verdade, porque consistiam em só uma espécie, seres humanos, e estavam muito perto umas das outras. Mas, ainda assim, quando as tripulações receberam aquela mão morta, a desconfiança em cadeia se instalou. Em uma civilização cósmica de verdade, as diferenças biológicas entre os diversos grupos podem chegar até o nível do reino, e as diferenças culturais podem ir além da nossa imaginação. Se incluirmos as vastas distâncias na conta, a desconfiança em cadeia pode ser praticamente indestrutível.

— Então o resultado é sempre igual, quer sejamos uma civilização benevolente ou maliciosa?

— Isso mesmo. Esse é o aspecto mais importante da desconfiança em cadeia. Não tem qualquer relação com a moralidade nem com a estrutura social de cada civilização. Basta pensar em cada civilização como pontos nas extremidades de um segmento. Mesmo se, internamente, as civilizações forem benevolentes ou maliciosas, são todas idênticas quando entram na trama formada pela desconfiança em cadeia.

— Tudo bem. Mas, se você for muito mais fraco do que eu, não vai representar nenhuma ameaça. Nesse caso, eu poderia me comunicar com você, não é?

— Isso também não funcionaria. Agora a gente precisa introduzir um segundo conceito importante: explosão tecnológica. Eu também não recebi nenhuma explicação completa para esse, mas é muito mais fácil de compreender do que a desconfiança em cadeia. A história da civilização humana tem cinco mil anos, e a vida existe na Terra há talvez alguns bilhões de anos, no máximo. Só que a tecnologia moderna se desenvolveu ao longo de trezentos anos. Na escala do universo, isso não é um desenvolvimento. É uma explosão! O potencial para dar saltos tecnológicos é a pólvora que existe enterrada embaixo de toda civilização e, se o rastilho for aceso por algum fator interno ou externo, vai causar um estrondo. Na Terra, levou trezentos anos, mas não existe nada que prove que a humanidade é a civilização mais rápida do universo. Talvez haja outras cujas explosões tecnológicas tenham sido ainda mais abruptas. Eu sou mais fraco do que você, mas, quando receber a sua mensagem e ficar ciente da sua existência, a desconfiança em cadeia vai se estabelecer entre nós. Se a qualquer momento acontecer uma explosão tecnológica que me leve de repente a superar você, passo a ser o mais forte. Na escala do universo, algumas centenas de anos são um piscar de olhos. Além disso, é possível que meu conhecimento sobre a sua existência e as informações que recebi em nossa comunicação tenham sido a fagulha perfeita para acender o rastilho da pólvora e causar essa explosão. Em outras palavras, mesmo sendo uma civilização engatinhando ou em desenvolvimento, ainda represento um grande perigo para você.

Shi Qiang ficou observando a chama de Luo Ji na escuridão enquanto refletia por alguns segundos e então olhou para o próprio cigarro.

— Bom, nesse caso, eu preciso ficar quieto.

— Você acha que isso vai funcionar?

Os dois fumaram. As bolas de fogo se iluminaram, e o rosto deles emergiu da escuridão como se eles fossem os deuses daquele universo simples, perdidos em pensamentos.

— Não — disse Shi Qiang. — Se você for mais forte do que eu, como eu consegui encontrá-lo, um dia você pode me encontrar. E então a desconfiança em cadeia vai se instalar entre nós. Já se você for mais fraco, pode passar por uma explosão tecnológica a qualquer momento, o que nos levaria de volta ao primeiro caso. Resumindo: tanto deixar você saber que eu existo quanto deixar que você continue existindo são situações perigosas para mim e violam o primeiro axioma.

— Da Shi, você tem mesmo a mente aberta.

— Meu cérebro está conseguindo acompanhar o seu até agora, mas isso é apenas o começo.

Luo Ji ficou em silêncio na escuridão por um bom tempo. Seu rosto surgiu em meio à luz fraca da bola de fogo duas ou três vezes, até ele voltar a falar:

— Da Shi, não é o começo. Nosso raciocínio já chegou a uma conclusão.

— Conclusão? Nós ainda não descobrimos nada! Cadê o retrato de civilização cósmica que você prometeu?

— Se nem a comunicação nem o silêncio funcionam depois que você descobre a minha existência, só resta uma opção.

No longo silêncio que se seguiu, as duas chamas se apagaram. O vento havia parado, e o silêncio da escuridão se tornou denso como asfalto, unindo o céu e o deserto em uma massa turva. Por fim, Shi Qiang murmurou uma palavra na escuridão:

— Merda!

— Extrapole essa opção para os bilhões de bilhões de estrelas, com centenas de milhões de civilizações, e aí está o seu retrato — disse Luo Ji, assentindo com a cabeça na escuridão.

— Isso... isso é muito sombrio.

— O universo de verdade é escuro mesmo. — Luo Ji acenou com a mão, acariciando a escuridão como se fosse feita de veludo. — O universo é uma floresta sombria. Cada civilização é um caçador armado se esgueirando pelas árvores como um fantasma, afastando com cuidado os galhos no caminho, tentando avançar sem emitir nenhum ruído e controlando até a respiração. O caçador precisa ter cautela, porque a floresta está cheia de outros caçadores também silenciosos. Se encontrar algum ser vivo, seja outro caçador, um anjo ou um demônio, um bebê delicado ou um velho instável, uma fada ou um semideus, só poderá fazer uma coisa: abrir fogo e eliminá-lo. Nessa floresta, o inferno são os outros. Uma ameaça eterna de que qualquer ser vivo que exponha a própria existência será aniquilado de imediato. Esse é o retrato da civilização cósmica. É a explicação para o Paradoxo de Fermi.

Shi Qiang acendeu outro cigarro, só para ter um pouco de luz.

— Porém, nessa floresta sombria, uma criança estúpida chamada humanidade acendeu uma fogueira e está parada ao lado dela, gritando "Estou aqui! Estou aqui!" — prosseguiu Luo Ji.

— Alguém já ouviu?

— Com certeza. Só que esses gritos por si não podem ser usados para revelar a localização da criança. A humanidade ainda não transmitiu informações sobre a posição exata da Terra e do sistema solar no universo. A partir das informações enviadas, o máximo que se pode saber é a distância entre a Terra e Trissolaris e a posição geral dos dois na Via Láctea. A localização exata dos dois mundos continua sendo um mistério. Como estamos na vastidão periférica da galáxia, é um pouco mais seguro.

— Então como é essa do feitiço?

— Eu usei o Sol para transmitir três imagens ao cosmo. Cada imagem consistia em trinta pontos que representavam a projeção planar de um sistema tridimensional de coordenadas com a posição de trinta estrelas. A combinação dessas três imagens em coordenadas tridimensionais forma um espaço cúbico povoado por esses trinta pontos, que representam a posição relativa da 187J3X1 e das vinte e nove estrelas à sua volta. E havia também uma marcação para identificar a 187J3X1.

"Pense bem que você vai entender. Um caçador à espreita em uma floresta sombria, contendo a respiração, percebe de repente que um pedaço de casca foi arrancado de uma árvore à sua frente. Na madeira branca exposta alguém registrou uma posição na floresta, com um código que qualquer caçador poderia reconhecer. O que ele vai pensar ao ver essa localização? Com certeza não vai imaginar que, com essas coordenadas, alguém está oferecendo suprimentos. De todas as possibilidades, a mais provável é que o tronco marcado esteja informando a todos que naquela localização há presas vivas que precisam ser eliminadas. Os motivos de quem deixou a marca são insignificantes. O que importa é que a mão morta desgastou os nervos da floresta sombria quase ao ponto do colapso, e é o nervo mais sensível que provavelmente acabará tomando alguma atitude. Digamos que exista um milhão de caçadores na floresta... considerando os bilhões de bilhões de estrelas na Via Láctea, a quantidade de civilizações pode ser milhares de vezes maior. Digamos que novecentos mil desses caçadores ignorem a marcação. Entre os outros cem mil, talvez uns noventa mil tentem investigar a localização e, ao confirmar que não há vida ali, decidam ignorá-la. Só que um dos dez mil caçadores que sobraram com certeza vai preferir disparar contra essa posição, porque, para civilizações que tenham atingido determinado nível de desenvolvimento tecnológico, o ataque pode ser uma opção mais segura e menos trabalhosa do que a investigação. Se não houver nada ali, então nada se perdeu.

"Agora, esse caçador apareceu."

— Aquele feitiço seu não pode ser enviado de novo, não é?

— Pois é, Da Shi... O feitiço precisa ser transmitido para toda a galáxia, mas o Sol foi bloqueado, então não podemos transmitir mais.

— A humanidade perdeu a chance de dar esse passo?

Shi Qiang jogou longe a guimba de cigarro. A chama traçou um arco pela escuridão ao cair, iluminando temporariamente um pequeno círculo no chão arenoso.

— Não, não. Pense só: o que aconteceria se o Sol não tivesse sido bloqueado e eu tivesse ameaçado Trissolaris com um feitiço contra eles?

— Você teria sido apedrejado até a morte como Rey Diaz. E depois alguém formularia leis para proibir que outras pessoas pensassem planos na mesma linha.

— Exatamente, Da Shi. Como já revelamos a distância entre o sistema solar e Trissolaris, assim como nossa posição geral na Via Láctea, expor a localização de Trissolaris é o mesmo que expor a localização do sistema solar. É uma estratégia suicida. Talvez tenhamos perdido a chance de dar esse passo, mas é um passo que a humanidade jamais seria capaz de dar.

— Você devia ter ameaçado Trissolaris na época.

— A situação estava estranha demais. Eu não tinha certeza da ideia naquele momento, então precisava confirmar. Até porque tínhamos bastante tempo. Só que o verdadeiro motivo era que, no fundo, eu não tinha força mental para isso. E acho que ninguém mais teria.

— Pensando bem, não deveríamos ter ido falar com o prefeito hoje. Esta situação... se o mundo descobrir, vai ficar ainda mais desesperado. Pense no que aconteceu com as duas primeiras Barreiras.

— Tem razão. Aconteceria a mesma coisa comigo, então espero que nenhum de nós comente nada. Mas você ainda pode, se quiser. É como alguém me disse uma vez: seja como for, cumpri minha obrigação.

— Não se preocupe, meu amigo. Não vou falar nada.

— Bom, de qualquer forma, já não há mais esperanças.

Eles caminharam pelo barranco até a estrada, ligeiramente menos escura. As luzes esparsas da área residencial ao longe chegaram a ofuscá-los.

— Ah, e aquela pessoa que você mencionou?

Luo Ji hesitou.

— Deixe para lá. Você só precisa saber que os axiomas da civilização cósmica e a teoria da floresta sombria não foram invenção minha.

— Amanhã eu vou para a cidade trabalhar para o governo municipal. Se você precisar de qualquer ajuda no futuro, é só avisar.

— Da Shi, você já me ajudou mais do que o suficiente. Também vou para a cidade amanhã, até o Departamento de Imigração e Hibernação, para providenciar a reanimação da minha família.

Ao contrário do que Luo Ji esperava, o Departamento de Imigração e Hibernação disse que a reanimação de Zhuang Yan e Xia Xia continuava bloqueada, e o diretor do departamento deixou claro que nem os poderes de Barreira de Luo Ji teriam qualquer influência. Ele consultou Hines e Jonathan, que não conheciam os detalhes da situação, mas disseram que uma das cláusulas da nova Resolução Barreiras determinava que a ONU e a Comissão do Projeto Barreiras podiam tomar todas as medidas necessárias para garantir que a Barreira permanecesse concentrada no trabalho. Em suma, depois de dois séculos, a ONU voltava a usar a situação de Luo Ji como instrumento de coação e controle.

Luo Ji solicitou que seu vilarejo de hibernantes continuasse igual e fosse blindado contra todo assédio externo. O pedido foi cumprido à risca. Os jornalistas e os peregrinos foram afastados e, quando o Vilarejo Vida Nova 5 voltou a se estabilizar, era como se nada tivesse acontecido.

Dois dias depois, Luo Ji participou da primeira audiência do Projeto Barreiras restaurado. Ele não foi até a sede subterrânea da ONU na América do Norte, preferindo participar por videoconferência em sua residência modesta no Vilarejo Vida Nova 5. As imagens da assembleia apareceram na televisão comum instalada em seu quarto.

— Barreira Luo Ji, nós estávamos preparados para enfrentar sua ira — disse o presidente da comissão.

— Meu coração se transformou em cinzas e perdeu toda capacidade de sentir ira — respondeu Luo Ji, recostado à vontade no sofá.

O presidente assentiu com a cabeça.

— Postura excelente. Ainda assim, a comissão acredita que você deveria sair desse vilarejo. Um lugar tão pequeno não é um centro de comando digno para a defesa do sistema solar.

— Vocês já ouviram falar de Xibaipo? É um povoado menor ainda e não fica muito longe daqui. Há mais de dois séculos, foi de lá que os fundadores da nação chinesa comandaram uma das maiores ofensivas da história.*

O presidente balançou a cabeça.

— Evidentemente, você não mudou nem um pouco. Tudo bem. A comissão respeita seus hábitos e suas decisões. É bom você começar a trabalhar. Você não pretende ficar dizendo que está sempre trabalhando, como antes, não é?

— Eu não posso trabalhar. As condições para o meu trabalho não existem mais. Vocês são capazes de usar o poder de uma estrela para transmitir meu feitiço para o universo?

* Obrigados a sair de Yan'an em 1947 por uma ofensiva dos nacionalistas, as forças comunistas estabeleceram uma base em Xibaipo, um povoado no sopé da cordilheira Taihang, no sudoeste da província de Hebei. De Xibaipo, as forças comunistas dirigiram as campanhas de Liaoshen, Huaihai e Pingjin, a grande ofensiva de 1948 e 1949 que expulsou os nacionalistas do norte da China.

— Você sabe que isso é impossível — respondeu o embaixador da Frota Asiática. — O bloqueio por rádio do Sol pela gota é contínuo. E não imaginamos que haja uma interrupção nos próximos dois ou três anos, até as outras nove gotas chegarem ao sistema solar.

— Então não há nada que eu possa fazer.

— Não, Barreira Luo Ji — disse o presidente. — Tem uma coisa importante que você não fez. Você não revelou o segredo do feitiço para a ONU e para a CCFS. Como conseguiu destruir uma estrela?

— Não posso contar.

— E se essa fosse a condição para você despertar sua esposa e sua filha?

— Seria uma proposta desprezível para se fazer em um momento como este.

— Esta é uma sessão secreta. Além do mais, o Projeto Barreiras não tem lugar na sociedade moderna. A retomada do projeto significa que todas as decisões da Comissão do Projeto Barreiras da ONU há duzentos anos continuam válidas. Pois bem, de acordo com aquelas resoluções, Zhuang Yan e sua filha só seriam despertadas na Batalha do Fim dos Tempos.

— Nós não acabamos de passar pela Batalha do Fim dos Tempos?

— As duas Internacionais discordam, já que a Frota Trissolariana principal ainda não chegou.

— Guardar o segredo do feitiço é minha responsabilidade como Barreira. Caso contrário, a humanidade perderá a última esperança, ainda que essa esperança talvez já tenha desaparecido.

Nos dias após a sessão, Luo Ji não saiu de casa, bebeu muito e passou a maior parte do tempo embriagado. Às vezes, ele aparecia com as roupas amarrotadas e a barba grande, lembrando um mendigo.

Na sessão seguinte do Projeto Barreiras, Luo Ji participou de casa outra vez.

— Barreira Luo Ji, estamos preocupados com sua condição — disse o presidente, depois de ver o aspecto desleixado no vídeo. Ele moveu a câmera pelo quarto de Luo Ji, e a assembleia constatou que havia garrafas por todos os lados.

— Você devia começar o trabalho, nem que seja para voltar a um estado de espírito normal — sugeriu o embaixador da Comunidade Europeia.

— Vocês sabem o que me faria voltar ao normal.

— A reanimação de sua esposa e sua filha não é tão importante assim — argumentou o presidente. — Não queremos usar isso para controlá-lo. Nós sabemos que não podemos controlá-lo. Apesar disso, como se trata de uma resolução estabelecida pela comissão anterior, é uma questão complexa. Resumindo: precisa haver uma condição.

— Eu recuso sua condição.

— Não, não, dr. Luo. A condição mudou.

Diante das palavras do presidente, os olhos de Luo Ji se iluminaram, e ele se empertigou no sofá.

— E agora a condição é...

— É simples. Não tem como ser mais simples do que isso. Você só precisa fazer *algo*.

— Se eu não posso enviar um feitiço para o universo, não há mais nada que eu possa fazer.

— Você precisa pensar em algo.

— Quer dizer que poderia ser algo inútil?

— Desde que para a opinião pública pareça importante. Aos olhos do povo, você é o porta-voz da força de justiça cósmica ou um anjo da justiça enviado pelo céu. No mínimo, essas identidades podem servir para estabilizar a situação. Agora, se você não tomar nenhuma atitude, vai acabar perdendo a fé das pessoas com o tempo.

— É perigoso obter estabilidade assim. Vai causar uma infinidade de problemas.

— Pode ser, mas precisamos neste momento estabilizar a situação mundial. As nove gotas vão chegar ao sistema solar daqui a três anos, e precisamos nos preparar para lidar com isso.

— Eu não quero desperdiçar recursos.

— Nesse caso, a comissão dará uma tarefa para você. Uma que não será um desperdício de recursos. Pedirei para o presidente da CCFS explicar — disse o presidente da comissão, apontando para o chefe da CCFS, que também participava por videoconferência.

Estava nítido que o presidente da CCFS se encontrava em alguma estrutura situada no espaço, porque as estrelas se deslocavam devagar na grande janela atrás dele.

— Nosso cálculo para a chegada das nove gotas ao sistema solar se baseia totalmente em estimativas de velocidade e aceleração feitas a partir da última nuvem de poeira interestelar que elas atravessaram há quatro anos — começou o presidente da CCFS. — A diferença entre elas e a gota que já chegou é que seus motores funcionam sem emitir luz. Elas não emitem nenhuma radiação eletromagnética de alta frequência que permita sua localização. Provavelmente deve ter sido um ajuste feito por Trissolaris após a humanidade conseguir monitorar a primeira gota. É incrivelmente difícil localizar e monitorar objetos tão pequenos e escuros no espaço sideral, e agora que perdemos o rastro não sabemos quando as sondas chegarão ao sistema solar. Na verdade, não sabemos nem como detectar quando elas chegarem.

— Então o que eu posso fazer? — perguntou Luo Ji.

— Esperamos que você possa liderar o Projeto Neve.

— O que é isso?

— Vamos usar bombas estelares de hidrogênio e a película de óleo de Netuno para criar nuvens de poeira espacial, que revelarão os rastros das gotas quando elas passarem.

— Vocês só podem estar brincando. Sabem que eu não sou um completo ignorante em relação ao espaço.

— Você já foi astrônomo, então é ainda mais capacitado para liderar o projeto.

— A nuvem de poeira deu certo da última vez porque sabíamos a trajetória aproximada do alvo. Só que agora não sabemos nada. Se as nove gotas acelerarem ou mudarem de rumo antes de serem detectadas, podem entrar no sistema solar por outro lado completamente diferente! Onde vocês vão espalhar essa nuvem de poeira?

— Em todas as direções.

— Quer dizer que vocês vão fabricar uma bola de poeira para envolver todo o sistema solar? Se for isso, então vocês é que foram enviados por Deus.

— Uma bola de poeira é impossível, mas podemos criar um anel de poeira no plano da eclíptica, entre o cinturão de asteroides e Júpiter.

— Mas e se as gotas entrarem fora do plano da eclíptica?

— Aí não poderíamos fazer nada. Mas, por uma perspectiva astrodinâmica, se o grupo de gotas quiser passar por todos os planetas do sistema solar, é mais provável que a entrada seja feita pelo plano da eclíptica. Foi o que a primeira gota fez. Assim, a nuvem de poeira vai poder capturar seus rastros e, como consequência, o sistema de monitoramento óptico do sistema solar vai poder localizar todas.

— Mas para que isso tudo?

— Assim pelo menos vamos saber quando o grupo de gotas entrar no sistema solar. Elas talvez ataquem alvos civis no espaço, então todas as naves terão que ser recolhidas, ou pelo menos as que estiverem na rota das gotas. Além disso, os habitantes das cidades espaciais precisarão ser evacuados para a Terra, já que elas são alvos vulneráveis.

— Tem outra questão ainda mais crucial — disse o presidente da Comissão do Projeto Barreiras. — Identificar rotas seguras para a possível retirada de naves rumo ao espaço profundo.

— Retirada para o espaço profundo? Vocês não estão falando de Escapismo, não é?

— Se você faz questão de usar esse termo.

— Por que não começar a escapar agora?

— As condições políticas atuais não permitem. Porém, quando o grupo de gotas se aproximar da Terra, pode ser que uma fuga em escala limitada se torne mais aceitável para a comunidade internacional. Claro, isso é apenas uma possibilidade. Mas a ONU e as frotas precisam se preparar.

— Compreendo. Mas o Projeto Neve não precisa de mim.

— Precisa. Mesmo antes da órbita de Júpiter, a criação de uma nuvem de poeira é um empreendimento imenso e vai exigir o envio de quase dez mil bombas estelares de hidrogênio, mais de dez milhões de toneladas de película de óleo e a formação de uma frota espacial enorme. Para a realização disso tudo em três anos, vamos precisar aproveitar seu status e prestígio atual, para que possamos organizar e coordenar os recursos das duas Internacionais.

— Se eu aceitar realizar essa missão, quando vou poder despertar minha família?

— Assim que o projeto começar. Como eu disse, não vai ser nenhum problema.

Mas o Projeto Neve nunca chegou a sair do papel.

As duas Internacionais não estavam interessadas no projeto. O que a população queria era uma estratégia para a salvação global, não um plano que apenas avisaria a chegada do inimigo para que as pessoas pudessem escapar. Além disso, as pessoas sabiam que isso não era ideia da Barreira, e sim apenas um plano da ONU e da CCFS que explorava o prestígio de Luo Ji. Se o Projeto Neve fosse executado plenamente, a economia espacial inteira seria paralisada, o que levaria a uma recessão econômica geral na Terra e na frota. Sem contar que, ao contrário da expectativa da ONU, a repugnância da opinião pública em relação ao Escapismo só aumentava conforme as gotas se aproximavam, de modo que as duas Internacionais não estavam dispostas a pagar um preço tão alto por um plano impopular. Como resultado, houve pouquíssimo progresso tanto na construção de uma frota para colher o material da película de óleo em Netuno quanto na produção de bombas estelares de hidrogênio suficientes para aumentar o estoque de menos de mil ainda aproveitáveis, fabricadas durante a Grande Ravina.

Apesar disso, Luo Ji se entregou de corpo e alma ao projeto. A princípio, a ONU e a CCFS só pretendiam explorar seu prestígio de Barreira para mobilizar os recursos necessários, mas Luo Ji se envolveu com cada detalhe do plano e passou noites a fio conversando com engenheiros e cientistas da Comissão Técnica e oferecendo muitas de suas próprias ideias. Por exemplo, ele sugeriu a implantação de um pequeno motor de íons interestelar em cada bomba, para permitir alguma mobilidade em órbita, o que possibilitaria eventuais ajustes pertinentes à densidade de diversas regiões da nuvem estelar. Mais importante, as bombas de hidrogênio poderiam servir como armas de ataque. Ele batizou essa criação de "minas espaciais" e sugeriu que, embora já se soubesse que bombas estelares de hidrogênio não eram capazes de destruir as gotas, talvez fossem úteis a longo prazo contra a Frota Trissolariana, porque não havia nenhum indício de que as naves inimigas também eram feitas com o mesmo material de interação forte. Luo Ji determinou pessoalmente o posicionamento da órbita de cada bomba. Pela perspectiva tecnológica moderna, talvez suas ideias pudessem ser vistas com a ignorância e a ingenuidade típicas do século XXI. Apesar disso, graças a seu prestígio e ao status de Barreira, a maior parte de suas ideias foi implementada.

Luo Ji tratava o Projeto Neve como uma forma de fuga. Ele sabia que queria escapar da realidade, e a melhor maneira de fazer isso no momento era entrar de cabeça no projeto. No entanto, quanto mais ele se dedicava, mais o mundo ficava decepcionado. Todos sabiam que ele só havia se associado àquele projeto praticamente insignificante para que pudesse ver a esposa e a filha o mais rápido possível. O mundo esperou um plano de salvação que nunca se concretizou. Luo Ji declarou inúmeras vezes nos meios de comunicação que, sem a capacidade de usar o Sol para enviar um feitiço, ele não podia fazer mais nada.

O Projeto Neve foi paralisado de vez após um ano e meio, com apenas 1,5 milhão de toneladas de película de óleo coletado em Netuno. Mesmo contando as seiscentas mil toneladas recolhidas para o Guarda-Chuva de Fumaça, a quantidade ainda era muito menor do que o projeto exigia. No fim das contas, 3614 bombas estelares de hidrogênio carregadas com película de óleo foram posicionadas em órbita a duas unidades astronômicas do Sol, o que não representava nem um quinto do número pretendido. Ao serem detonadas, elas formariam uma grande quantidade de nuvens de poeira em órbita ao redor do Sol, e não um cinturão ininterrupto, o que diminuía consideravelmente sua eficácia como sistema de alerta.

Aqueles eram tempos em que a esperança surgia com a mesma rapidez da decepção. Após um ano e meio de ansiosa expectativa, a população perdeu a fé e a paciência na Barreira Luo Ji.

Na assembleia geral da União Astronômica Internacional, uma organização cujo último momento de destaque mundial datava de 2006, ao remover Plutão da categoria de planeta, muitos astrônomos e astrofísicos acreditavam que a explosão da 187J3X1 não passava de um acaso fortuito. Como era astrônomo, Luo Ji podia ter identificado alguns sinais de que a estrela explodiria. Embora cheia de furos, essa hipótese atraía uma quantidade cada vez maior de gente, o que acabou acelerando a perda de prestígio de Luo Ji. Aos olhos do público, Luo Ji passou aos poucos de messias a plebeu, e por fim a fraude. Ele continuava detendo a posição de Barreira outorgada pela ONU, e a Resolução Barreiras prosseguia em vigor, mas sem nenhum poder na prática.

ANO 208, ERA DA CRISE

Distância da Frota Trissolariana até o sistema solar: 2,07 anos-luz

Em uma tarde fria e chuvosa de outono, uma assembleia do Conselho de Residentes do Vilarejo Vida Nova 5 chegou à seguinte decisão: Luo Ji deveria ser expulso da vizinhança, sob a justificativa de que estava afetando a vida normal dos residentes. Durante o Projeto Neve, Luo Ji saía com frequência para participar de reuniões, mas ainda passava a maior parte do tempo isolado, mantendo contato com diversos integrantes do Projeto Neve a partir de casa. Os inconvenientes só pioravam à medida que seu prestígio diminuía, e de tempos em tempos multidões cercavam o prédio onde ele morava para xingá-lo ou jogar pedras em sua janela. Com o interesse da mídia pelo espetáculo, havia um formigueiro de repórteres quase tão grande quanto o de manifestantes. No entanto, o verdadeiro motivo por trás da expulsão de Luo Ji era que ele tinha sido uma absoluta decepção para os hibernantes.

À noite, após o fim da sessão, a diretora do conselho local foi até a casa de Luo Ji para informá-lo da decisão. Depois de apertar a campainha várias vezes, ela abriu a porta destrancada e quase engasgou com o cheiro de álcool, fumaça e suor que tomava conta do cômodo. Ela percebeu que as paredes tinham sido convertidas em superfícies interativas como na cidade, permitindo abrir com um toque telas com informações em qualquer parte. Havia uma confusão de imagens por todos os lados, a maioria com uma variedade complexa de dados e curvas, e uma maior, que exibia uma esfera suspensa no espaço: uma bomba estelar de hidrogênio cheia de película de óleo. A película transparente em volta da bomba perfeitamente visível lembrava uma bola de gude, o tipo de coisa com que as crianças gostavam de brincar na época de Luo Ji. Ela girava devagar. Havia uma pequena saliência em um dos polos — o motor de íons —, e a superfície lisa da esfera exibia o reflexo de um pequeno sol. Todas aquelas telas brilhantes faziam aquele cômodo parecer um imenso caixote brega. Como as luzes estavam apagadas, as paredes eram a única fonte de iluminação, e tudo se dissolvia em cores indistintas a tal ponto que era difícil diferenciar à primeira vista o que ali dentro era presença física e o que não passava de imagem.

Quando os olhos da diretora se acostumaram, ela percebeu que o lugar parecia o porão de um viciado, com garrafas e guimbas de cigarro espalhadas pelo chão e pilhas de roupa cobertas de poeira, como se fossem uma montanha de lixo. Depois de algum tempo, ela conseguiu encontrar Luo Ji no meio da sujeira. Ele estava encolhido em um canto, um vulto escuro diante das imagens luminosas, como um galho retorcido e abandonado. A princípio ela achou que ele estivesse dormindo, mas então percebeu seu olhar perdido voltado para o lixo amontoado no chão. Ele estava magro, com os olhos injetados e o rosto sujo, e parecia incapaz de sustentar o próprio peso. Quando ouviu a diretora, Luo Ji a cumprimentou e se virou lentamente em sua direção. Em seguida fez um gesto igualmente lento com a cabeça, para que ela visse que ele ainda estava vivo, embora os dois séculos de tormentos acumulados em seu corpo o tivessem dominado por completo.

A diretora não demonstrou uma gota sequer de compaixão por aquele homem totalmente deteriorado. Como outras pessoas de sua era moderna, ela sempre acreditara que, por mais tenebroso que o mundo parecesse, sempre haveria justiça em algum lugar desconhecido. Luo Ji havia confirmado essa crença no início, para então destruí-la sem piedade, e a decepção da diretora deu lugar a vergonha e raiva. Com um tom de voz glacial, ela anunciou a decisão da assembleia.

Luo Ji fez outro gesto com a cabeça e obrigou a garganta inchada a emitir um pouco de voz.

— Vou embora amanhã. Se fiz algo de errado, sinto muito.

Só dois dias depois a diretora descobriu o que essas últimas palavras queriam dizer.

Na realidade, Luo Ji estava planejando ir embora naquela noite. Após a diretora do conselho local se retirar, ele se levantou com as pernas bambas e entrou no quarto para pegar uma bolsa de viagem. Guardou dentro alguns itens, incluindo uma pá que tinha achado no quarto de depósito e cujo pequeno cabo triangular ficou para fora da bolsa. Ele então apanhou e vestiu um casaco imundo que estava no chão, pendurou a bolsa no ombro e saiu. Às suas costas, as paredes de informações da sala continuaram acesas.

O corredor estava vazio, mas ao pé da escada Luo Ji encontrou um garoto que provavelmente tinha acabado de voltar da escola e o encarou com um olhar estranho e indecifrável, quando ele saiu do prédio. Do lado de fora, ele percebeu que continuava chovendo, mas não teve ânimo de voltar para pegar um guarda-chuva.

Também não quis ir buscar o carro, porque chamaria a atenção dos guardas. Saiu andando sozinho pela rua e deixou o vilarejo sem cruzar com mais ninguém.

Depois, atravessou a floresta protetora em volta do vilarejo e chegou ao deserto. A garoa que caía em seu rosto era como o toque suave de duas mãos frias, e o deserto e o céu pareciam se confundir sob o crepúsculo, como o espaço vazio de uma pintura tradicional. Ele imaginou a si mesmo inserido nesse espaço vazio, como o quadro que Zhuang Yan tinha deixado para trás.

Chegou à estrada e, depois de alguns minutos, conseguiu pegar carona com uma família de três pessoas, hibernantes a caminho da cidade velha, sendo recebido com simpatia no carro. O menino pequeno e a mãe jovem estavam espremidos ao lado do pai, no banco da frente, e cochichavam entre si. De vez em quando, o menino enfiava a cabeça no peito da mãe, e quando isso acontecia os três começavam a rir. Luo Ji observou, enfeitiçado, mas não conseguiu escutar a conversa porque o carro estava tocando alto algumas músicas antigas do século XX. Ele se limitou a ouvir o som e, depois de cinco ou seis canções, entre elas "Katyusha" e "Kalinka", sentiu saudade de ouvir "Tonkaya Ryabina", que havia cantado para seu amor imaginário no palco daquele povoado dois séculos antes, e depois outra vez para Zhuang Yan, no Jardim do Éden, às margens do lago que refletia os picos nevados.

E então os faróis de um carro na outra mão iluminaram o banco traseiro enquanto o menino se virava todo para olhar para Luo Ji.

— Ei, ele parece a Barreira! — gritou.

Os pais da criança se viraram também, e Luo Ji foi obrigado a admitir que era.

Nesse instante, começou a tocar "Tonkaya Ryabina".

O carro parou.

— Fora — ordenou o pai da criança, com frieza, enquanto a mãe e o menino encaravam Luo Ji com uma expressão fria como a chuva de outono na estrada.

Ele não se mexeu. Queria ouvir a música.

— Por favor, saia — insistiu o homem, e Luo Ji conseguiu ler seu olhar: *Você não tem culpa de não poder salvar o mundo, mas dar esperança ao mundo só para depois destruí-la é um crime imperdoável.*

Então Luo Ji teve que sair do carro. Jogaram sua bolsa aos seus pés. Quando o carro começou a rodar, ele correu atrás por um breve intervalo de tempo para tentar ouvir um pouco mais de "Tonkaya Ryabina", só que a canção desapareceu na noite fria e chuvosa.

Luo Ji já estava nos arredores da cidade velha. Os antigos arranha-céus do passado apareciam ao longe, formas pretas cujas luzes esparsas pareciam olhos solitários em meio à noite chuvosa. Ele chegou a um ponto de ônibus e se protegeu da chuva por quase uma hora até enfim aparecer um ônibus automático que fosse na direção que ele queria. Estava quase vazio, e as seis ou sete pessoas sentadas pareciam hibernantes da cidade velha. Ninguém trocava uma palavra dentro do ônibus: todos permaneciam calados na penumbra daquela noite de outono. A viagem corria sem incidentes até que, ao fim de pouco mais de uma hora, alguém o reconheceu, e então os passageiros exigiram que ele descesse do ônibus. Luo Ji reclamou que havia pagado a passagem, então tinha direito de estar ali, mas um senhor grisalho pegou duas moedas — algo raro naqueles tempos — e jogou para ele, que então acabou sendo expulso do ônibus.

Quando o ônibus arrancou de novo, alguém colocou a cabeça para fora da janela e perguntou:

— Barreira, o que você vai fazer com essa pá?

— Vou cavar meu próprio túmulo — respondeu Luo Ji, para gargalhada geral dos passageiros.

Ninguém sabia que ele estava falando a verdade.

A chuva continuava. Não passaria mais nenhum carro, mas por sorte Luo Ji já não estava muito longe do seu destino. Após meia hora de caminhada, ele saiu da rodovia e entrou em uma estrada de terra. Ficou muito mais escuro longe das luzes da estrada, então ele tirou uma lanterna da bolsa para iluminar o chão aos seus pés. O caminho foi ficando mais difícil, e seus sapatos encharcados derrapavam no chão. Ele já estava todo coberto de lama de tanto cair e precisou pegar a pá para servir de apoio. À sua frente, nada além de neblina e chuva, mas ele sabia que estava andando mais ou menos na direção certa.

Após mais uma hora de caminhada noite chuvosa adentro, Luo Ji chegou ao cemitério. Metade do lugar estava soterrada pela areia, mas a metade que ficava em um terreno um pouco mais elevado continuava visível. Ele usou a lanterna para procurar entre as fileiras de lápides, ignorando as estátuas imponentes e olhando apenas para as inscrições nas pedras menores. Os raios de luz refletidos pela água da chuva nas lápides pareciam olhos piscando. Luo Ji percebeu que todas as lápides tinham sido feitas entre o final do século XX e o começo do XXI. Aquelas pessoas tiveram sorte — em seus momentos finais, devem ter acreditado que o mundo onde viveram existiria para sempre.

Ele não tinha muita esperança de que encontraria a lápide que procurava, mas acabou achando em pouco tempo. Detalhe curioso: apesar de se terem passado dois séculos, ele reconheceu a pedra sem nem precisar olhar para a inscrição. Talvez fosse impressão por causa da chuva, mas a lápide não exibia nenhum sinal do tempo. A frase, TÚMULO DE YANG DONG, parecia ter sido gravada no dia anterior. O túmulo de Ye Wenjie estava ao lado do da filha, duas lápides idênticas, exceto pelas inscrições. A de Ye Wenjie só continha seu nome e as datas de nascimento e morte, e Luo Ji se lembrou da pequena placa nas ruínas da Base Costa Vermelha, um memorial dos esquecidos. As duas lápides aguardavam em silêncio sob a chuva e a noite, como se estivessem esperando a chegada de Luo Ji.

Ele se sentiu cansado e se sentou ao lado do túmulo de Ye Wenjie, mas logo começou a tremer com o frio da chuva. Então, pegou a pá, ficou de pé e começou a cavar a própria cova, ao lado dos túmulos de mãe e filha.

No começo, não foi muito difícil cavar na terra molhada. Porém, à medida que a profundidade aumentava, a terra ficou dura e cheia de pedras, e Luo Ji teve a impressão de que estava cavando na própria montanha. Ele sentiu ao mesmo tempo a força e a fragilidade do tempo: talvez só uma camada fina de areia tivesse sido depositada durante dois séculos, mas a longa era geológica em que a humanidade não existia criara a montanha que agora abrigava aqueles túmulos. Ele cavou com muito esforço, parou diversas vezes para descansar, e a noite foi passando despercebida.

Algum tempo depois da meia-noite, a chuva parou, e então as nuvens se afastaram e revelaram um pedaço de céu estrelado. Eram as estrelas mais brilhantes que Luo Ji contemplava desde que chegara àquela era. Em um anoitecer de duzentos e dez anos antes, Ye Wenjie e ele haviam parado diante daquelas mesmas estrelas.

Agora ele via apenas as estrelas e as lápides, os dois maiores símbolos da eternidade.

Até que, extenuado, Luo Ji não conseguiu cavar mais. Ao ver o buraco aberto, percebeu que estava um pouco raso para servir de cova, mas teria que servir. O gesto na verdade não passava de um lembrete para as outras pessoas de que ele gostaria de ser enterrado ali. Era mais provável que seu corpo acabasse em um crematório, onde seria transformado em cinzas e depois descartado em um lugar qualquer. De qualquer maneira, não fazia diferença: era muito provável que, pouco depois de sua morte, seus restos se juntassem ao mundo em um incêndio ainda maior e fossem reduzidos a átomos.

Luo Ji se recostou na lápide de Ye Wenjie e logo adormeceu. Talvez por causa do frio, voltou a sonhar com o campo nevado. Viu Zhuang Yan com Xia Xia nos braços, e o cachecol vermelho parecia uma pequena chama. Sua esposa e sua filha o chamavam sem emitir nenhum ruído. Desesperado, ele gritou para elas, implorando que saíssem de onde estavam porque a gota atacaria naquele exato lugar, mas suas cordas vocais não emitiram nenhum som. Era como se o mundo inteiro tivesse ficado mudo e o silêncio reinasse sobre tudo. Ainda assim, aparentemente Zhuang Yan havia entendido o que ele dissera, porque se afastou pelo campo nevado com a criança no colo, deixando uma fileira de pegadas pela neve, como uma sutil marca de tinta em uma pintura tradicional. A neve era o branco, e a mancha de tinta era a única coisa que revelava o terreno, que revelava a existência do mundo. A destruição iminente era absoluta, mas era uma destruição que não tinha relação com a gota...

Mais uma vez o coração de Luo Ji se dilacerou de dor, e suas mãos tentaram pegar o ar, em vão. Na vastidão branca do campo nevado só havia a figura distante de Zhuang Yan, agora um pontinho preto. Ele olhou à sua volta, na esperança de encontrar mais alguma coisa real naquele mundo em branco. E achou: duas lápides pretas lado a lado, no chão coberto de neve. A princípio, elas se destacavam na neve, mas logo suas superfícies começaram a mudar. Elas se transformaram em espelhos que lembravam o acabamento da gota, e as inscrições desapareceram. Luo Ji se abaixou na frente de uma, para se olhar no espelho, mas o que viu não foi um reflexo. O campo nevado no espelho não tinha a silhueta de Zhuang Yan, só uma linha de pegadas rasas na neve. Ele virou a cabeça de repente e viu que o campo nevado às suas costas era apenas um vazio em branco — as pegadas tinham desaparecido. Quando se virou de volta para os espelhos, os dois exibiam o mundo vazio e também estavam praticamente invisíveis, embora sua mão ainda sentisse a superfície fria e lisa...

Quando acordou, o sol começava a nascer. O cemitério parecia mais nítido à luz da alvorada e, daquele ponto mais elevado, com a disposição das lápides ao redor, Luo Ji teve a impressão de que estava em um Stonehenge pré-histórico. Ele estava com febre alta e tremia tanto que chegava a bater queixo. Seu corpo parecia um pavio que havia queimado todo o combustível e agora estava consumindo a si mesmo. Ele sabia que o momento havia chegado.

Luo Ji se apoiou na lápide de Ye Wenjie e tentou se levantar, mas então um pontinho preto em movimento chamou sua atenção. Formigas deviam ser algo bem raro naquela estação, mas havia uma andando na pedra. Como a companheira de dois séculos antes, ela foi atraída pela inscrição e se dedicou a explorar o misterioso zigue-zague de fendas. O coração de Luo Ji sofreu um último espasmo de dor quando viu a formiga, e dessa vez foi por toda a vida na Terra.

— Se fiz algo de errado, sinto muito — disse ele para a formiga.

Fraco e trêmulo, ele se levantou com dificuldade. Teve que se apoiar na lápide para conseguir ficar de pé. Alisou as roupas encharcadas e completamente sujas de lama, passou a mão no cabelo desgrenhado e, por fim, procurou no bolso do casaco um tubo de metal: uma pistola carregada.

E então, virado para o nascer do sol no leste, começou um confronto final entre a civilização da Terra e a civilização de Trissolaris.

— Estou falando com Trissolaris — disse Luo Ji.

Sua voz não saiu alta e ele pensou em repetir, mas sabia que tinha sido ouvido.

Não aconteceu nada. As lápides continuaram silenciosas na paz do amanhecer. Como uma infinidade de espelhos, as poças no chão refletiam o céu que clareava, criando a ilusão de que a Terra era uma esfera espelhada e que o chão e o mundo não passavam de uma camada fina sobre ela. A erosão da chuva havia exposto pequenas porções da superfície lisa da esfera.

Era um mundo que ainda não havia despertado e não sabia que tinha se tornado uma ficha na mesa cósmica de apostas.

Luo Ji levantou a mão esquerda e revelou no pulso um objeto do tamanho de um relógio.

— Isto é um monitor de sinais vitais conectado a um sistema de berço por um transmissor. Vocês se lembram da Barreira Rey Diaz de duzentos anos atrás, então com certeza sabem o que são sistemas de berço. O sinal enviado por este aparelho percorre as conexões do sistema até as 3614 bombas do Projeto Neve, posicionadas em órbita ao redor do Sol. O sinal é enviado a cada segundo para manter as bombas em estado de não ativação. Se eu morrer, o sinal de manutenção do sistema desaparecerá e todas as bombas serão detonadas, transformando a película de óleo em volta de cada uma em 3614 nuvens de poeira interestelar em torno do Sol. De longe, parecerá que a luz visível do Sol e outras faixas de alta frequência vão piscar através do envoltório de poeira estelar. Cada bomba foi posicionada com cuidado, para que esse piscar gere um sinal que transmita três imagens simples como as enviadas por mim há dois séculos: cada imagem será uma combinação de trinta pontos, com um destacado, para compor um diagrama tridimensional de coordenadas. Só que, diferente da outra vez, o diagrama indicará a posição de Trissolaris em relação a vinte e nove estrelas à sua volta. O Sol será como um farol galáctico transmitindo esse feitiço e, no processo, claro, também revelará a posição da Terra. Levará mais de um ano para a transmissão completa ser enviada para qualquer ponto da galáxia, mas em várias direções deve haver muitas civilizações tecnologicamente capazes de observar o Sol. Se houver, elas talvez só precisem de alguns dias, quem sabe algumas horas, para obter todas as informações necessárias.

À medida que o dia clareava, as estrelas foram se apagando uma a uma, como se inúmeros olhos se fechassem aos poucos, enquanto o céu da manhã se abria preguiçoso no leste como um único e gigantesco olho. A formiga continuou a escalada, percorrendo o labirinto do nome de Ye Wenjie na lápide. Sua espécie havia existido na Terra por um milhão de anos até a chegada daquele apostador, que agora se apoiava na pedra. Embora não fizesse a menor ideia do que estava acontecendo, a formiga seria afetada, dependendo do resultado da aposta.

Luo Ji se afastou das lápides, parou ao lado da cova que tinha cavado para si e apontou o cano da pistola para o próprio coração.

— Agora, vou interromper meus batimentos cardíacos — avisou. — Com essa decisão, cometerei o maior crime da história de nossos dois mundos. Peço desculpas às nossas civilizações por este crime, mas não me arrependo, pois é a única opção. Sei que os sófons estão por perto, mas vocês ignoraram o chamado da humanidade. O silêncio é a pior forma de desprezo, e nós aturamos esse desprezo por duzentos anos. Agora, se vocês desejarem, podem continuar em silêncio. Darei trinta segundos.

Luo Ji marcou o tempo pelas pulsações, contando um segundo a cada dois batimentos, já que o coração estava muito acelerado. No entanto, como estava em um estado extremo de ansiedade, perdeu a conta e teve que recomeçar. Por isso, não sabia quanto tempo havia se passado quando os sófons apareceram. Talvez, objetivamente, tenha sido menos de dez segundos, mas para Luo Ji pareceu uma eternidade. Ele viu o mundo diante de seus olhos se dividir em quatro: uma parte era composta pelo mundo real à sua volta; já as outras três eram imagens deformadas em três esferas que apareceram de repente no alto, cujas superfícies espelhadas eram idênticas às lápides que ele vira no último sonho. Luo Ji não sabia que abertura dimensional dos sófons era aquela, mas as três esferas eram grandes o bastante para cobrir metade do céu acima de sua cabeça, bloqueando a luz cada vez mais forte ao leste. No céu a oeste refletido pelas esferas, ele ainda conseguia avistar algumas estrelas, e a parte de baixo das esferas refletia uma imagem deformada do cemitério e dele próprio. O que Luo Ji mais queria saber era por que havia três sófons. A primeira hipótese que lhe ocorreu foi que eles simbolizavam Trissolaris, tal como a obra de arte que Ye Wenjie havia visto na última reunião da OTT. Porém, ao observar os reflexos das esferas — um retrato estranhamente nítido, ainda que deformado, da realidade —, ele teve a sensação de que eram portas para três mundos paralelos, sugerindo três escolhas possíveis.

Mas o que ele viu em seguida anulou essa ideia, porque as três esferas exibiram a mesma palavra:

Pare!

— Posso apresentar as exigências? — perguntou Luo Ji, olhando para as três esferas no céu.

Primeiro abaixe a arma, e então conversaremos sobre as condições.

As esferas exibiram as palavras ao mesmo tempo, com um tom intenso de vermelho. Luo Ji não viu nenhuma deformação na linha de texto, que era reta e parecia simultânea na superfície e no interior das esferas. Ele se lembrou de que estava olhando para uma projeção de espaço com mais dimensões em um mundo tridimensional.

— Isto não é uma negociação. Se eu vou continuar vivo, estas são minhas exigências. O que eu quero saber é se vocês aceitam ou não.

Declare suas exigências.

— Façam a gota, ou melhor, a sonda interromper a transmissão na direção do Sol.

Seu pedido foi atendido.

A resposta das esferas foi mais rápida do que Luo Ji havia imaginado. Ele não tinha como verificar a ação no momento, mas sentiu alterações sutis em seu entorno, como se um ruído de fundo que de tão constante passava despercebido de repente tivesse sido silenciado. Claro, podia ser uma ilusão, já que os seres humanos não são capazes de sentir radiação eletromagnética.

— Façam as nove gotas a caminho do sistema solar mudarem de rumo imediatamente e se afastarem.

Dessa vez, as esferas levaram alguns segundos para responder.

Seu pedido foi atendido.

— Por favor, forneçam à humanidade uma forma de verificar.

As nove sondas emitirão luz visível. Seu telescópio Ringier-Fitzroy poderá detectá-las.

Ele também não tinha como verificar isso, mas acreditou em Trissolaris.

— Minha última exigência: a Frota Trissolariana não poderá cruzar a Nuvem de Oort.

O sistema de propulsão da frota agora está em condição de desaceleração máxima. É impossível reduzir a zero a velocidade relativa ao Sol antes de alcançar a Nuvem de Oort.

— Então, assim como o grupo de gotas, mudem o rumo para fora do sistema solar.

A mudança de rumo em qualquer direção representaria a morte, pois a frota passaria pelo sistema solar e voaria para a desolação do espaço. O sistema de manutenção de vida da frota não vai durar o bastante para voltar a Trissolaris ou procurar outro sistema estelar viável.

— A morte não é uma certeza. Talvez naves humanas ou trissolarianas possam alcançar e resgatar a frota de vocês.

Para isso será preciso autorização do Grande Cônsul.

— Se a mudança de rumo é um processo demorado, comecem agora mesmo. Só assim existirá uma chance para que a humanidade e todos os seres vivos continuem vivos.

O período de silêncio durou três minutos. E então:

A frota começará a mudar o rumo em dez minutos terrestres. Daqui a dois anos, os sistemas de observação espacial da humanidade poderão observar a mudança.

— Ótimo — disse Luo Ji, afastando a pistola do peito. Com a outra mão, ele se apoiou na lápide, tentando não cair. — Vocês já sabiam que o universo é uma floresta sombria?

Sim. Já sabíamos há muito tempo. O estranho é vocês terem demorado tanto para perceber... Seu estado de saúde nos preocupa. Isso não interromperá inadvertidamente o sinal de manutenção do sistema de berço?

— Não. Este aparelho é muito mais avançado do que o de Rey Diaz. Enquanto eu estiver vivo, o sinal não será interrompido.

Você deveria se sentar. Isso ajudará em sua situação.

— Obrigado — disse Luo Ji, sentando-se e apoiando as costas na lápide. — Não se preocupem, não vou morrer.

Estamos em contato com as maiores autoridades das duas Internacionais. Você precisa de uma ambulância?

Ele sorriu e balançou a cabeça.

— Não. Eu não sou nenhum salvador. Só quero sair daqui como uma pessoa comum e voltar para casa. Vou descansar um pouco e depois saio.

Duas das esferas desapareceram. O texto da que continuou ali, que já não brilhava, parecia escuro e taciturno.

No final, fracassamos em nossa estratégia.

Luo Ji assentiu com a cabeça.

— O bloqueio do Sol com nuvens de poeira para enviar uma mensagem interestelar não foi invenção minha. Astrônomos do século XX já haviam proposto essa ideia. E vocês tiveram mais de uma chance para descobrir meu plano. Por exemplo, durante o Projeto Neve, eu sempre estava muito preocupado com o posicionamento exato das bombas em órbita solar.

Você passou dois meses inteiros na sala de controle manipulando os motores de íons para fazer ajustes finos no posicionamento. Não nos importamos com isso na época porque achamos que você só estava usando a tarefa inútil como forma de escapar da realidade. Nunca imaginamos o que a distância entre as bombas poderia significar.

— Vocês também erraram em outro momento, quando eu consultei um grupo de físicos para perguntar sobre aberturas de sófons no espaço. Se a OTT ainda existisse, eles teriam percebido.

Sim. Abandonar a OTT foi um equívoco.

— Além disso, eu pedi que o Projeto Neve construísse este sistema de ativação de berço peculiar.

Chegamos a nos lembrar de Rey Diaz, mas não demos atenção a essa ideia. Há dois séculos, Rey Diaz não representava nenhuma ameaça para nós, assim como as outras duas Barreiras. Acabamos transferindo para você o desprezo que tínhamos por eles.

— Seu desprezo por eles não era justificado. As três Barreiras eram grandes estrategistas, que viram com clareza a inevitável derrota da humanidade na Batalha do Fim dos Tempos.

Talvez possamos começar as negociações.

— Isso já não é problema meu — disse Luo Ji, dando um longo suspiro. Ele se sentia relaxado e aconchegado, como se tivesse acabado de nascer.

Sim, você cumpriu sua missão de Barreira. Mas deve ter algumas sugestões.

— Os negociadores da humanidade sem dúvida vão começar pedindo que vocês nos ajudem a construir um sistema de transmissão melhor, para que possamos transmitir um feitiço para o espaço a qualquer momento. Embora a gota tenha retirado o bloqueio do Sol, o sistema atual é muito primitivo.

Podemos ajudar a construir um sistema de transmissão de neutrinos.

— Até onde entendo, imagino que eles prefiram ondas gravitacionais. Depois da chegada dos sófons, essa era a área em que a física da humanidade tinha avançado mais. Claro, a humanidade vai precisar de um sistema cujos princípios ela compreenda.

As antenas de ondas gravitacionais são imensas.

— Bom, isso já é entre vocês e eles. Sabe, é estranho. Agora não me sinto parte da raça humana. Meu maior desejo é me livrar de tudo isso o quanto antes.

Depois eles vão pedir a retirada do bloqueio dos sófons e que ensinemos ciência e tecnologia em todas as áreas.

— Isso é importante para vocês também. A tecnologia de Trissolaris se desenvolveu a um ritmo constante e, dois séculos mais tarde, vocês ainda não foram capazes de enviar uma segunda frota mais rápida. Para resgatar a Frota Trissolariana desviada, vocês precisarão contar com o futuro da humanidade.

Preciso ir. Você vai mesmo conseguir voltar sozinho? A sobrevivência de duas civilizações depende da sua vida.

— Não se preocupe. Já estou me sentindo muito melhor. Assim que eu voltar, vou entregar o sistema de berço imediatamente, e depois não vou querer ter mais nenhuma relação com essa história. Bom, para terminar, gostaria de agradecer.

Por quê?

— Porque vocês deixaram a humanidade viver. Ou, se pensarmos por outro lado, porque deixaram que nossas duas espécies vivessem.

A esfera sumiu, voltando ao estado microscópico de onze dimensões. Um pedaço do Sol começava a aparecer no leste, despejando ouro sobre um mundo que havia escapado da destruição.

Luo Ji se levantou devagar. Após uma última olhada nas lápides de Ye Wenjie e Yang Dong, ele voltou por onde tinha vindo, a passos lentos e arrastados.

A formiga havia chegado ao topo da lápide e, orgulhosa, agitou as antenas para o sol nascente. De todos os seres vivos na Terra, ela era a única testemunha do que havia acabado de acontecer.

CINCO ANOS DEPOIS

Luo Ji e sua família viam a antena de ondas gravitacionais ao longe, mas ainda faltava meia hora de viagem. Só quando eles chegaram tiveram uma noção real do tamanho gigantesco. A antena, um cilindro horizontal com um quilômetro e meio de comprimento e cinquenta metros de diâmetro, estava completamente suspensa, a dois metros do chão. A superfície era espelhada: uma metade refletia o céu, e a outra, a planície do norte da China. A antena trazia algumas lembranças às pessoas: o pêndulo gigante do mundo de *Três Corpos*, as aberturas em menos dimensões dos sófons, e a gota. O objeto espelhado refletia um conceito trissolariano que a humanidade ainda tentava entender. Nas palavras de um famoso ditado trissolariano, "Ocultar a si mesmo em um mapeamento fiel do universo é o único caminho para a eternidade".

A antena era cercada por uma grande campina verde que formava um pequeno oásis no deserto do norte da China, mas essa campina não tinha sido semeada de propósito. Após a conclusão do sistema de ondas gravitacionais, a antena começou a produzir emissões contínuas e não moduladas, idênticas às ondas gravitacionais emitidas por supernovas, estrelas de nêutrons ou buracos negros. A densidade do feixe gravitacional tinha um efeito peculiar na atmosfera: acumulava vapor de água acima da antena, então chovia com frequência ao seu redor. Às vezes, a chuva só caía em um raio de três ou quatro quilômetros, e uma nuvem pequena e redonda ficava pairando no ar acima da antena, como se fosse um disco voador gigantesco, de modo que a luz do sol em volta fosse visível através da chuva. E, assim, a área ganhou uma vegetação verdejante. Porém, naquele dia, Luo Ji e sua família não presenciaram aquele espetáculo, vendo apenas as nuvens brancas acima da antena serem dissipadas pelo vento. No entanto, nuvens novas se formavam o tempo todo, e aquela porção redonda de céu parecia um portal temporal para algum outro universo de nuvens. Xia Xia disse que aquilo lembrava o cabelo branco de um velho gigante.

Enquanto a menina corria pela grama, Luo Ji e Zhuang Yan seguiam atrás, até que chegaram à antena. Os dois primeiros sistemas de ondas gravitacionais foram construídos na Europa e na América do Norte, e pairavam a alguns centímetros da base por meio de levitação magnética. No entanto, aquela antena usava antigravidade, então poderia ter se elevado até o espaço, se necessário. Os três pararam na grama sob a antena, olhando para o cilindro imenso acima, curvo como o céu. Em virtude do grande diâmetro, a parte inferior tinha uma baixa curvatura, de modo que a imagem refletida não parecia distorcida. O pôr do sol brilhava na parte inferior da antena espelhada e, no reflexo, Luo Ji viu o cabelo comprido e o vestido branco de Zhuang Yan agitando-se sob a luz dourada, como se ela fosse um anjo olhando do céu.

Ele levantou a filha nos braços, e ela tocou a superfície lisa da antena, empurrando com força em uma direção.

— Eu consigo fazer virar, mamãe?

— Se você empurrar por tempo suficiente, sim — respondeu Zhuang Yan, e então olhou para Luo Ji com um sorriso e perguntou: — Não é?

Ele assentiu com a cabeça:

— Com tempo, ela poderia mover a Terra.

Tal como havia acontecido tantas outras vezes, os olhos de Luo Ji e de Zhuang Yan se encontraram e se entrelaçaram, uma continuação daquele olhar diante do sorriso da *Mona Lisa*, dois séculos antes. Eles tinham descoberto que a linguagem dos olhos imaginada por Zhuang Yan tinha se tornado realidade, ou talvez fosse algo conhecido por todos os seres humanos unidos pelo amor. Quando os dois se olhavam, uma grande quantidade de significados irrompia dos olhos da mesma forma que as nuvens brotavam da fonte de nuvens criada pelo feixe gravitacional, sem fim, sem cessar. Mas não era uma linguagem deste mundo. Ela estabelecia um mundo próprio que lhe proporcionava sentido, e só nesse mundo cor-de-rosa as palavras dessa linguagem encontravam seus referenciais correspondentes. Todos nesse mundo eram um deus, capazes de contar e se lembrar instantaneamente de cada grão de areia no deserto, capazes de unir estrelas em um colar de cristal em volta do pescoço de uma pessoa amada...

Isto é amor?

As palavras foram exibidas em um sófon que se abriu de repente, em menos dimensões, ao lado da família. A esfera espelhada parecia uma gota que tinha caído de alguma parte derretida do cilindro acima de suas cabeças. Luo Ji conhecia poucos trissolarianos e não sabia quem estava falando, nem se aquele estava em Trissolaris ou na frota que se distanciava cada vez mais do sistema solar.

— Provavelmente — disse Luo Ji, assentindo com a cabeça e sorrindo.

Dr. Luo, venho para protestar.

— Por quê?

Porque, no discurso de ontem à noite, você disse que a humanidade demorou para se dar conta da natureza de floresta sombria do universo não porque a imaturidade de sua evolução cultural resultou em incompreensão do universo, e sim porque a humanidade tem amor.

— E isso não está certo?

Está, embora a palavra "amor" seja um pouco vaga no contexto do discurso científico. Só que o que você disse em seguida foi incorreto. Você afirmou que a humanidade provavelmente seja a única espécie do universo que tem amor, e que foi essa noção que o sustentou durante o período mais difícil de sua missão de Barreira.

— Isso foi só uma maneira de me expressar, claro. Só uma... analogia livre.

Eu sei que pelo menos em Trissolaris existe amor. Mas, como não era um fator contributivo para a sobrevivência da civilização como um todo, ele foi suprimido logo quando havia acabado de germinar. Apesar disso, a semente tem uma vitalidade obstinada e ainda cresce em alguns indivíduos.

— Posso perguntar quem é você?

Nós nunca nos falamos. Eu fui o operador que transmitiu o alerta para a Terra há dois séculos e meio.

— Meu Deus, e você ainda está vivo?! — exclamou Zhuang Yan.

Não tenho muito mais tempo de vida. Eu estava em estado desidratado, mas, com os anos, até um corpo desidratado envelhece. Bom, ao menos vi o futuro que tinha esperança de ver e, por isso, estou feliz.

— Por favor, receba o nosso respeito — disse Luo Ji.

Só gostaria de discutir uma possibilidade com você: talvez haja sementes do amor em outros lugares do universo. Nós deveríamos incentivá-las a brotar e crescer.

— Essa é uma meta pela qual vale se arriscar.

Sim, podemos nos arriscar.

— Eu tenho um sonho de que, um dia, o sol forte iluminará a floresta sombria.

O sol estava se pondo. Só uma ponta dele era visível para além das montanhas distantes, como se o cume da cordilheira estivesse incrustado com uma joia de brilho deslumbrante. A grama e a criança que corria ao longe estavam banhadas pelo pôr do sol dourado.

O sol vai se pôr daqui a pouco. Sua filha não está com medo?

— Claro que não. Ela sabe que o sol vai nascer amanhã de novo.

1ª EDIÇÃO [2017] 9 reimpressões

ESTA OBRA FOI COMPOSTA PELA ABREU'S SYSTEM EM CAPITOLINA REGULAR E IMPRESSA EM OFSETE PELA GRÁFICA BARTIRA SOBRE PAPEL PÓLEN DA SUZANO S.A. PARA A EDITORA SCHWARCZ EM SETEMBRO DE 2024

FSC
www.fsc.org
MISTO
Papel | Apoiando o manejo florestal responsável
FSC® C105484

A marca FSC® é a garantia de que a madeira utilizada na fabricação do papel deste livro provém de florestas que foram gerenciadas de maneira ambientalmente correta, socialmente justa e economicamente viável, além de outras fontes de origem controlada.